JODI PICOULT
BEZ MOJEJ ZGODY

Przełożył

Michał Juszkiewicz

Prószyński i S-ka

Tytuł oryginału
MY SISTER'S KEEPER

Copyright © 2004 by Jodi Picoult
All rights reserved
Originally published by Atria Books, an imprint of Simon & Schuster, Inc.

W książce wykorzystano fragmenty z:
Pisma Świętego wg Biblii Tysiąclecia,
„Romea i Julii" Williama Shakespeare'a, przekł. J. Paszkowski,
„Hamleta" Williama Shakespeare'a, przekł. S. Barańczak,
„Króla Henryka VI" Williama Shakespeare'a, przekł. L. Ulrich,
„Raju utraconego" Johna Miltona, przekł. M. Słomczyński,
„O wojnie" Carla von Clausewitza, przekł. F. Schoener,
wiersze Carla Sandburga, Edny St. Vincent Millay i D.H. Lawrence'a,
przekł. K. Taukert

Redakcja
Jacek Ring

Korekta
Bronisława Dziedzic-Wesołowska
Jolanta Tyczyńska

Łamanie
Ewa Wójcik

ISBN 978-83-7648-166-1

Warszawa 2009

Wydawca
Prószyński Media Sp. z o.o.
02-651 Warszawa, ul. Garażowa 7
www.proszynski.pl

Druk i oprawa
Drukarnia Naukowo-Techniczna
Oddział Polskiej Agencji Prasowej SA
03-828 Warszawa, ul. Mińska 65

Rodzinie Curranów,
najlepszym krewnym,
z którymi nie łączą nas żadne więzy krwi.
Przyjmijcie wyrazy wdzięczności za to, że odgrywacie
tak wielką rolę w naszym życiu.

Podziękowania

Jako matka dziecka, które w ciągu trzech lat przeszło dziesięć operacji, chcę przede wszystkim złożyć podziękowania lekarzom i pielęgniarkom, codziennie niosącym pomoc i wsparcie rodzinom w najtrudniejszych momentach ich wspólnego życia. Dziękuję doktorowi Rolandowi Eaveyowi i personelowi pielęgniarskiemu na oddziale pediatrii kliniki stanowej w Massachusetts – dziękuję za szczęśliwe zakończenie, prawdziwe, nie literackie. Podczas pracy nad niniejszą powieścią jak zwykle uświadomiłam sobie, że wiem bardzo mało i muszę polegać na doświadczeniu i intelekcie innych ludzi. Za pozwolenie czerpania z życiowych doświadczeń, zarówno osobistych, jak i zawodowych, oraz za genialne literackie wskazówki dziękuję Jennifer Sternick, Sherry Fritzsche, Giancarlowi Cicchettiemu, Gregowi Kachejianowi, doktorowi Vincentowi Guarerrze, doktorowi Richardowi Stone'owi, doktorowi Faridowi Bouladowi, doktorowi Erikowi Termanowi, doktorowi Jamesowi Umlasowi, Wyattowi Foksowi, Andrei Greene i doktorowi Michaelowi Goldmanowi, Lori Thompson, Synthii Follensbee, Robinowi Kallowi, Mary Ann McKenney, Harriet St. Laurent, April Murdoch, Aidanowi Curranowi, Jane Picoult oraz Jo-Ann Mapson. Za przyjęcie mnie na jedną noc do zastępu strażackiego, dzielnie stającego na posterunku do walki z ogniem, dziękuję Michaelowi Clarkowi, Dave'owi Hautanemi, Richardowi „Pokey" Lowowi i Jimowi Belangerowi (jemu także jestem winna złoty medal za korektę moich błędów). Za wsparcie, które czułam na każdym kroku, chcę podziękować Carolyn Reidy, Judith Curr, Camille McDuffie, Laurze Mullen, Sarze Branham, Karen Mender, Shannon McKennie, Paolo Pepe, Seale Ballenger, Anne Harris oraz nieustraszonemu personelowi działu sprzedaży wydawnictwa Atria. Za to, że pierwsza uwierzyła we mnie, dziękuję Laurze Gross. Najszczersze wyrazy wdzięczności kieruję pod adresem Emily Bestler – za jej nieocenione wskazówki oraz nieograniczone możliwości rozwijania skrzydeł. Dziękuję Scottowi i Amandzie MacLellanom oraz Dave'owi Cranmerowi, którzy pokazali mi radości i smutki codziennego zmagania się ze śmiertelną chorobą. Dziękuję za Waszą wielkoduszność. Zechciejcie też przyjąć ode mnie najlepsze życzenia długiego i zdrowego życia.

Dziękuję też, jak zawsze, Kyle'owi, Jake'owi i Sammy'emu, a w szczególny sposób Timowi – za to, że jesteście tym, co najważniejsze.

Prolog

Nie rozpoczynamy wojny lub, rozsądniej,
nie powinniśmy jej zaczynać bez postawienia sobie pytania,
co chcemy przez nią, a co podczas tej wojny osiągnąć.

Carl von Clausewitz, „O wojnie"

Moje najdawniejsze wspomnienie: mam trzy lata i usiłuję zabić swoją siostrę. Czasami obrazy powracają z niezwykłą wyrazistością. Przypominam sobie wtedy, że poszewka na poduszkę była szorstka, a spiczasty nos siostry wbijał mi się w dłoń. Oczywiście nie miała ze mną najmniejszych szans, lecz mimo to nie mogłam dopiąć swego. Uratował ją tata, który obchodził wieczorem nasze sypialnie, żeby powiedzieć wszystkim dobranoc. Zaprowadził mnie z powrotem do mojego łóżka. „To się nigdy nie wydarzyło" – powiedział.

Dorastałyśmy razem, ale mnie tak naprawdę nigdy nie było. Istniałam tylko jako dodatek do niej. W nocy przyglądałam się siostrze, przebijając wzrokiem mrok łączący nasze łóżka stojące pod przeciwległymi ścianami. Obmyślałam rozmaite sposoby, jak by to mogło się stać, i liczyłam je w myślach. Trucizna dosypana do płatków śniadaniowych. Zdradziecka fala powrotna, która porywa z kąpieliska na plaży i unosi na otwarte morze. Porażenie piorunem.

Koniec końców jednak nie zabiłam siostry. Poradziła sobie z tym sama.

Tak przynajmniej staram się myśleć.

ANNA

Kiedy byłam mała, wcale nie chciałam się dowiedzieć, jak się robi dzieci. Wielką tajemnicę życia stanowiło dla mnie zupełnie inne pytanie: dlaczego. Rozumiałam dobrze mechanikę całego procesu; uświadomił mnie starszy brat Jesse, chociaż już wtedy byłam pewna, że przekręcił przynajmniej połowę szczegółów. Dzieciaki z mojej klasy, kiedy nauczycielka nie patrzyła, wyszukiwały w szkolnym słowniku wyrazy „penis" i „pochwa", ale moją uwagę zawsze przyciągały zupełnie inne sprawy. Na przykład: dlaczego są takie mamusie, które mają tylko jedno dziecko i już, a tymczasem inne rodziny dosłownie rosną w oczach? Albo dlaczego ta nowa, Sedona, opowiada każdemu, kto tylko chce jej słuchać, że dostała imię na pamiątkę miejscowości wypoczynkowej, gdzie rodzice ją zmajstrowali? Mój tata zawsze powtarzał: „Miała szczęście, że nie wybrali się wtedy na wakacje do Jersey City".

Mam już trzynaście lat, ale z wiekiem te subtelności wcale nie stały się dla mnie bardziej zrozumiałe. Przeciwnie, pogmatwały się jeszcze bardziej. Słyszałam o dziewczynie z ósmej klasy, która rzuciła szkołę, bo

13

zdarzyła się jej „wpadka", i o sąsiadce, która „postarała się o dziecko", żeby tylko mąż nie założył sprawy rozwodowej. Mówię wam, gdyby na Ziemi wylądowali dziś kosmici i gruntownie zbadali przyczyny, dla których dzieci przychodzą na świat, doszliby do wniosku, że w większości wypadków powodem narodzin jest zbieg okoliczności, nieumiarkowane spożycie alkoholu w niewłaściwy wieczór, niestuprocentowa skuteczność środków antykoncepcyjnych albo jeszcze coś innego, co jest równie mało pochlebne jak wszystkie pozostałe przyczyny.

Ja natomiast przyszłam na świat w bardzo konkretnym celu. Nie zawdzięczam życia butelce taniego wina, przepięknej pełni księżyca ani przymusowi gorącej chwili. Urodziłam się, ponieważ lekarz specjalista zadbał o to, żeby jajeczko mojej matki i nasienie mojego ojca połączyły się w określony sposób, dając w rezultacie szczególną kombinację bezcennego materiału genetycznego. Kiedy Jesse opowiedział mi, jak się robi dzieci, ja, nieufna z natury, poszłam do rodziców, żeby się dowiedzieć, jak to jest naprawdę. Nie spodziewałam się jednak, że powiedzą mi aż tyle. Usiedli ze mną na kanapie i zaczęli, oczywiście, od tego, co zwykle się mówi w takich sytuacjach. A potem wyjaśnili mi, że wybrali ten jeden malutki embrion, który był mną, ponieważ właśnie on i tylko on mógł uratować życie mojej siostry Kate. „Kochamy cię dzięki temu jeszcze bardziej – powiedziała wtedy mama z naciskiem – bo dokładnie wiedzieliśmy, czego się po tobie spodziewać".

Ale mnie zastanowiło co innego, a mianowicie, że wszystko wskazywało na to, że gdyby Kate była zdrowa, ja pewnie dalej fruwałabym sobie w niebie czy gdzie tam, czekając na przydział ciała, w którym mam spędzić jakiś czas na ziemi. W każdym razie z całą pewnością nie trafiłabym do tej rodziny. Bo ja, w odróżnieniu

14

od reszty wolnych mieszkańców tego świata, nie znalazłam się tutaj przez przypadek. Jeśli jednak rodzice decydują się na dziecko z konkretnego powodu, to lepiej, żeby ten powód okazał się słuszny i trwały. Bo kiedy go zabraknie, życie takiego dziecka traci wszelki sens.

Lombardy to miejsca pełne rupieci. Gdyby jednak kiedyś zainteresowało was moje zdanie (bo jak dotąd wiem, że tak nie jest), powiedziałabym, że są to też wylęgarnie najrozmaitszych opowieści. Co mogło zmusić jakąś nieznaną osobę do sprzedaży „nienoszonego" pierścionka z brylantem? Komu tak bardzo potrzebne były pieniądze, że przyniósł tutaj pluszowego misia z jednym okiem? Idąc w stronę lady, zastanawiam się, czy ktoś tak kiedyś pomyśli na widok mojego medalionika z serduszkiem i czy zada sobie te same pytania.

Mężczyzna stojący przy kasie ma nos bulwiasty jak rzepa i małe oczka osadzone tak głęboko, że aż trudno mi sobie wyobrazić, w jaki sposób udaje mu się ogarnąć cały ten kram. Zauważa mnie.

– Czym mogę służyć? – pyta.

Czuję przemożną chęć, żeby odwrócić się na pięcie i wyjść, udając, że trafiłam tutaj przez pomyłkę. Uspokaja mnie tylko jedna myśl: wiem, że nie jestem pierwszą osobą, która staje przed tą ladą, trzymając w ręce przedmiot, z którym nigdy w życiu nie zamierzała się rozstawać.

– Chcę coś sprzedać – mówię.

– I pewnie sam się mam domyślić, co to takiego?

– Przepraszam... – Sięgam do kieszeni dżinsów i wyciągam wisiorek. Serduszko stuka o szybę lady, drobne ogniwa łańcuszka rozlewają się dookoła niego jak miniaturowa złocista kałuża. – To jest złote. Szesnaście karatów – informuję kupca w nadziei, że uwierzy w ten kit. – Nienoszone, jak nowe. – To nieprawda; dziś rano

15

zdjęłam serduszko z szyi po raz pierwszy od siedmiu lat. Dostałam je od taty po operacji pobrania szpiku kostnego. Powiedział, że kto daje swojej siostrze taki ogromny prezent, też na coś zasługuje. Miałam wtedy sześć lat. Widząc je na tej ladzie, mam niemiłe uczucie, że moja szyja jest kompletnie goła. Po karku biegnie dreszcz.

Właściciel lombardu unosi łańcuszek do oka, a ono nagle dziwnym sposobem rośnie do niemalże normalnych rozmiarów.

– Dwadzieścia.

– Dolarów?

– A czego, peso?

– To jest warte pięć razy tyle!

Handlarz wzrusza ramionami.

– To nie mnie potrzebne są pieniądze.

Podnoszę wisiorek z lady, żeby z ciężkim sercem wręczyć go temu zdziercy. Nagle, rzecz niepojęta, moje palce zaciskają się kurczowo, same z siebie. Ze wszystkich sił próbuję je rozewrzeć drugą ręką. Wydaje mi się, że upływa dobra godzina, zanim serduszko razem z łańcuszkiem ląduje na wyciągniętej dłoni właściciela lombardu, który bierze go, nie odrywając wzroku od moich oczu. Jego spojrzenie jest teraz łagodniejsze.

– Powiedz, że go zgubiłaś – dorzuca do transakcji darmową poradę.

Gdyby pan Webster chciał kiedyś umieścić w swoim słowniku definicję wyrazu „dziwoląg", wystarczyłoby napisać dwa słowa: „Anna Fitzgerald". I nie chodzi tylko o to, że jestem chuda jak patyk, płaska jak deska, mam mysie włosy, które zawsze wyglądają, jakby były brudne, i twarz upstrzoną piegami jak dziecięcy rysunek, w którym łączy się kropki. Moich piegów nic nie rusza: ani sok z cytryny, ani kremy z filtrem, ani nawet, przyznaję to ze smutkiem, papier ścierny. A kiedy przyszłam na świat, Bóg musiał widocznie mieć bardzo kiepski dzień, bo dorzucił do tego przepięknego wizerunku równie wspaniałą oprawę: mój dom rodzinny.

Rodzice starali się, żebyśmy mieli normalny dom, ale „normalność" to pojęcie względne. Prawda jest taka, że pozbawiona byłam dzieciństwa. Kate i Jesse zresztą też, jeśli chodzi o ścisłość. Domyślam się, że mój brat mógł przeżyć cztery słoneczne szczenięce lata, zanim u Kate wykryto chorobę, bo od momentu kiedy to nastąpiło, wszyscy ścigamy się z czasem, żeby dorosnąć jak najszybciej. Wiecie, jaką wyobraźnię mają małe dzieci: oglądają kreskówki, wierzą w to, co widzą, i myślą sobie, że gdyby spadło im na głowę coś ciężkiego, dajmy na to kowadło, to po prostu samodzielnie zeskrobią się z chodnika i pomaszerują dalej. Ja nigdy w życiu nie wierzyłam w nic takiego. No bo jak, skoro przy stole w naszym domu śmierć zasiada praktycznie codziennie?

Kate jest chora na białaczkę, ostrą białaczkę promielocytową. Ściśle rzecz biorąc, to w tej chwili jest zdrowa, ale choroba czai się gdzieś pod jej skórą, jak niedźwiedź, który zapadł w sen zimowy i czeka na dzień, kiedy cały las znów zatrzęsie się od jego ryku. Diagnozę postawiono, kiedy miała dwa lata; teraz ma szesnaście. Wznowa, granulocyt, wenflon – te wyrazy na stałe zagościły w moim słowniku, chociaż nie natrafię na nie w żadnym teście predyspozycyjnym na koniec szkoły. Ja sama jestem dawcą allogenicznym, spokrewnionym i idealnie zgodnym. Kiedy tylko Kate potrzebuje białych krwinek, komórek macierzystych albo szpiku kostnego, żeby jej organizm dał się ogłupić i uwierzył, że jest zdrowy, biorą je ode mnie. Niemal za każdym razem, kiedy ona idzie do szpitala, ja też tam ląduję.

17

Chociaż w zasadzie to wszystko znaczy tylko tyle, że nie należy wierzyć w to, co o mnie mówią, a już pod żadnym pozorem nie można dawać wiary temu, co sama mówię o sobie.

Wchodzę po schodach. Z sypialni rodziców wynurza się moja matka wystrojona w nową suknię balową.

– No proszę. – Odwraca się do mnie plecami. – Właściwa osoba na właściwym miejscu.

Zapinam jej suwak i przyglądam się, jak mama wiruje, zarzucając rondem sukni. Byłaby piękną kobietą, gdyby tylko dostała w przydziale inne życie. Ma długie ciemne włosy i ramiona smukłe niczym prawdziwa księżniczka, ale jej usta są wiecznie skrzywione, jak po przełknięciu gorzkiej pigułki. Pojęcia wolnego czasu w zasadzie prawie nie zna, ponieważ kalendarz to u nas rzecz płynna – momentalnie może się wywrócić do góry nogami, jeśli u mojej siostry pojawi się jeden siniak albo poleci jej krew z nosa. Mama dysponuje tylko marną namiastką czasu dla siebie; spędza ją w Internecie, na zakupach w witrynie Bluefly.com. Zamawia tam fantazyjne suknie wieczorowe, których nigdy nie włoży i w których nigdzie nie pójdzie.

– I co ty na to? – pyta mnie.

Suknia mieni się wszystkimi kolorami zachodzącego słońca. To prawdziwa kreacja, z odsłoniętą górą, uszyta z materiału szeleszczącego przy każdym ruchu. Byłaby idealna dla jakiejś gwiazdy na galowy wieczór, na przejście po czerwonym dywanie, ale nie dla pani domu z przedmieścia Upper Darby, stan Rhode Island. Mama zbiera włosy z tyłu głowy i przytrzymuje je tak przez chwilę. Na jej łóżku leżą jeszcze trzy inne kreacje – jedna czarna, zmysłowa, druga naszywana dżetami i trzecia, która na oko jest o wiele za mała.

– Wyglądasz... – zaczynam.

„...na bardzo zmęczoną". Zatrzymuję te słowa na końcu języka.

Mama nagle zastyga w kompletnym bezruchu. Pewnie jednak niechcący bezwiednie to powiedziałam. Widzę, jak podnosi rękę, żebym przez chwilę była cicho, nastawia bacznie ucha.

– Słyszałaś?

– A co miałam słyszeć?

– Kate.

– Nie.

Nie ma co liczyć na to, że mama uwierzy. Jeśli chodzi o Kate, ona nie wierzy w nic i nikomu. Idzie na górę i otwiera drzwi naszej sypialni. Kate leży na swoim łóżku, zanosząc się płaczem. W jednej chwili cały świat ponownie wali się w gruzy. Mój ojciec, z zamiłowania astronom amator, opowiedział mi kiedyś o czarnych dziurach, które mają taką masę, że pochłaniają wszystko, nawet światło. W chwilach takich jak ta w naszym domu tworzy się identyczna próżnia. Wciąga każdego, choćby się trzymał z całych sił i chwytał, czego popadnie.

– Kate! – Mama już jest na kolanach obok łóżka, a długie fałdy tej głupiej sukienki opływają ją jak obłok. – Kate, słoneczko, gdzie cię boli?

Kate zwija się na kocu, przyciskając kurczowo poduszkę do brzucha. Łzy leją się strumieniami po jej policzkach. Oddycha płytko, niepokojąco płytko. Stoję jak wryta na progu pokoju i czekam na polecenia. Dzwoń do taty do pracy. Dzwoń po pogotowie. Dzwoń do doktora Chance'a. Mama zbiera się na odwagę i potrząsa Kate za ramiona, żeby ta wreszcie coś odpowiedziała.

– Preston! – szlocha Kate pomiędzy jednym chlipnięciem a drugim. – Rzucił Serenę, rzucił ją na zawsze!

Dopiero teraz zauważamy, że telewizor jest włączony. Na ekranie widać blond przystojniaka, który rzuca spojrzenie kobiecie zalewającej się łzami prawie tak samo rozpaczliwie jak moja siostra, po czym wychodzi, trzaskając drzwiami.

– Ale gdzie cię boli? – dopytuje się mama, nie mogąc uwierzyć, że nie stało się nic gorszego.

– O, Boże... – Kate głośno pociąga nosem. – Czy ty zdajesz sobie sprawę, przez co oni musieli razem przejść? Masz pojęcie?

Czyli jednak wszystko w porządku. Czuję, jak żołądek, który podjechał mi do gardła, powraca na swoje miejsce. Normalność w tym domu jest jak za krótka kołdra, która raz grzeje tak jak trzeba, ale innym razem człowiek budzi się drżący i zziębnięty. A najgorsze jest to, że nigdy nie wiadomo, czy będzie tak czy tak. Przysiadam w nogach łóżka Kate. Mam dopiero trzynaście lat, ale już jestem wyższa od niej i różnym ludziom często się wydaje, że to ja jestem starsza. Kate w tym roku kocha się w aktorach z telenoweli – był już Callahan, Wyatt i Liam. Teraz najwidoczniej przyszła kolej na Prestona.

– Pamiętasz te listy z groźbami o porwaniu? – zagaduję ją, próbując wstrzelić się w temat. Orientuję się w perypetiach tej pary, bo musiałam nagrywać dla Kate ten serial, kiedy była w szpitalu na dializie.

– A wtedy o mały włos nie wyszła przez pomyłkę za jego brata bliźniaka? – dodaje Kate.

– A ten jego wypadek na łodzi? Pamiętacie? Umarł wtedy i nie było go przez całe dwa miesiące – włącza się mama. Faktycznie. Ona też to oglądała, w szpitalu, razem z Kate.

Dopiero w tym momencie Kate zauważa niecodzienny strój mamy.

– Co ty masz na sobie?

– Nic takiego. Właśnie chciałam to odesłać. – Mama staje przede mną, odwracając się plecami, żebym rozpięła suwak. Tak mocno rozwinięta mania zakupów przez Internet dla każdej innej kobiety byłaby sygnałem, że coś jest z nią nie tak i że trzeba zacząć się le-

20

czyć; dla mojej mamy jest to odskocznia od rzeczywistości, która pomaga zachować zdrowie psychiczne. Zastanawiam się, co ją w tym tak bardzo pociąga: możliwość przebrania się za kogoś innego czy raczej to, że w każdej chwili wszystko można odesłać, jeśli nie będzie odpowiadać. Mama przygląda się Kate jeszcze raz, twardszym wzrokiem.

– Na pewno nic cię nie boli?

Po wyjściu mamy Kate zaczyna blaknąć. Nie potrafię znaleźć lepszego słowa na opisanie tego, co się z nią dzieje – z jej twarzy spływają wszystkie kolory, a cała sylwetka wtapia się w poduszki. Kiedy choroba powraca, moja siostra rozmywa się jeszcze bardziej. Boję się, że obudzę się pewnego ranka, a jej już w ogóle nie będzie widać.

– Suń się – mówi Kate. – Zasłaniasz mi.

Siadam więc na swoim łóżku.

– To tylko zwiastuny następnych odcinków.

– Chcę wiedzieć, co przegapię, jeśli umrę dziś w nocy.

Kładę się i poprawiam poduszki pod głową. Jak zwykle Kate poprzekładała na swoje łóżko wszystkie miękkie, a na moim zostały te, które uwierają w szyję jak worki wypchane kamieniami. Ma do tego prawo, bo jest starsza, bo jest chora, bo księżyc jest w znaku Wodnika – powód zawsze się znajdzie. Patrzę w ekran spod przymrużonych powiek. Chętnie poskakałabym po kanałach, ale wiem, że z Kate nie ma co o tym marzyć.

– Preston wygląda, jakby był zrobiony z plastiku.

– Tak? To dlaczego dziś w nocy szeptałaś jego imię z nosem w poduszce?

– Zamknij się – mówię.

– To ty się zamknij – odpowiada Kate, a potem uśmiecha się do mnie. – Ale wiesz, on chyba naprawdę jest homo. Szkoda chłopaka, zmarnuje się, bo siostry Fitzgerald są... – Urywa w pół zdania, krzywiąc się boleśnie. Przewracam się na bok, patrząc na nią uważnie.

– Kate?

– To nic, nic się nie dzieje – mówi Kate, masując dolną część pleców.

Nerki.

– Zawołać mamę?

– Jeszcze nie. – Kate wyciąga do mnie dłoń. Nasze łóżka stoją na tyle blisko siebie, że możemy się złapać za ręce, jeśli obie sięgniemy daleko. Wyciągam rękę do Kate. Kiedy byłyśmy małe, robiłyśmy kładkę ze złączonych ramion i sadzałyśmy na niej Barbie, ile tylko się zmieściło.

Ostatnio zaczęłam miewać koszmary. Śni mi się, że pokrojono mnie na drobne kawałeczki, których jest tak dużo, że nie można mnie już złożyć z powrotem.

Mój ojciec powtarza, że każdy ogień musi się wypalić, jeśli nikt nie otworzy okna i nie dostarczy mu paliwa. Coś mi się zdaje, że to, co chcę teraz zrobić, jest jak otwarcie takiego okna. Z drugiej strony, tato mówi też, że kto czuje za sobą ogień, musi uciekać, choćby musiał przebijać się przez ścianę. Zatem kiedy Kate zasypia po zażyciu lekarstw, wyjmuję spod materaca skórzany segregator zapinany na zamek błyskawiczny i chowam się w łazience, żeby nikt mnie nie nakrył. Kate już się do niego dobrała – wplotłam czerwoną nitkę pomiędzy ząbki zamka, żeby wiedzieć, kiedy ktoś myszkował w moich rzeczach bez pozwolenia. Nitka jest rozerwana, ale w środku niczego nie brakuje. Odkręcam wodę w wannie, żeby było słychać, po co poszłam do łazienki, i siadam na podłodze. Wyjmuję pieniądze do przeliczenia.

Facet z lombardu dał mi dwadzieścia dolarów, więc razem mam sto trzydzieści sześć dolarów i osiemdziesiąt siedem centów. I tak nie starczy, ale coś się poradzi. Jak Jesse kupował tego swojego skasowanego jeepa, to też nie miał całych dwóch tysięcy dziewięciuset dolarów. Dostał pożyczkę z banku. Oczywiście wszystkie papiery musieli podpisać rodzice. Jeśli chodzi o mnie, chyba raczej nie będą skłonni tego zrobić. Przeliczam całą kwotę jeszcze raz, na wypadek gdyby banknoty uległy cudownemu rozmnożeniu, ale nic z tego: liczby to liczby i suma pozostaje ta sama. Po przeliczeniu pieniędzy zabieram się do czytania wycinków z gazet.

Campbell Alexander. Głupie nazwisko. Moim zdaniem tak mógłby się nazywać drogi drink w restauracji dla snobów albo jakiś dom maklerski. No, ale niezależnie od tego osiągnięcia zawodowe ma imponujące.

Mój brat nie mieszka w domu. Żeby się z nim zobaczyć, trzeba wyjść na zewnątrz – i o to właśnie mu chodzi. W wieku szesnastu lat Jesse wprowadził się na stryszek nad garażem, co stanowiło idealne rozwiązanie dla wszystkich: on nie chciał, żeby rodzice widzieli, co robi, a rodzice ze swojej strony wcale się nie palili, żeby patrzeć mu na ręce. Drogę do drzwi blokuje komplet zimowych opon, murek z kartonowych pudełek ustawionych jedno na drugim i dębowe biurko przewrócone na bok. Czasami wydaje mi się, że Jesse sam stawia tutaj te barykady, i to tylko po to, żeby trudniej było do niego dotrzeć.

Przedzieram się jakoś przez cały ten bajzel i wchodzę na górę. Schody wibrują od niskich tonów głośno puszczonej muzyki. Zanim mój starszy brat raczy usłyszeć, że się dobijam, upływa prawie pięć minut.

– Czego? – warczy, uchyliwszy drzwi.

– Mogę wejść?

Po głębokim namyśle Jesse wpuszcza mnie do środka. Jego pokój tonie w brudnych ubraniach, starych czasopismach i pudełkach po chińszczyźnie na wynos. Wszędzie czuć ostry zapach, kojarzący mi się z wonią przepoconych butów łyżwiarskich. Porządek jest tylko w jednym miejscu – na półeczce, gdzie stoi kolekcja symboli marek samochodowych, duma mojego brata. Srebrny jaguar wyciągnięty w skoku, trójramienna gwiazda Mercedesa, mustang stający dęba – Jesse mówi, że wszystko to znalazł na ulicy. Nie jestem do tego stopnia głupia, żeby dać sobie wcisnąć taki kit.

Żeby było jasne: to nie jest tak, że moich rodziców w ogóle nie obchodzi Jesse ani kłopoty, w które notorycznie się pakuje. Im po prostu nie starcza już dla niego czasu, a jego problemy nie są wcale na szczycie hierarchii rodzinnych problemów.

Jesse zostawia mnie na progu i powraca do zajęć, w których mu przeszkodziłam. Na telewizorze stoi elektryczny rondel, ten sam, który zniknął z naszej kuchni kilka miesięcy temu. Z pokrywy sterczy miedziana rurka, przechodząc przez napełnioną lodem plastikową butelkę po mleku. Jej drugi koniec jest wetknięty do weka. Mój brat dopuszcza się różnych postępków na granicy prawa, ale nie można mu odmówić błyskotliwości. Podchodzę bliżej i wyciągam rękę, żeby dotknąć aparatury. W tej samej chwili Jesse odwraca się.

– Ejże! – Przyskakuje szybciej niż myśl i bije mnie po rękach. – Chcesz mi rozpieprzyć spiralę kondensacyjną?

– Czy to jest to, co mi się wydaje?

Mój brat uśmiecha się paskudnie.

– To zależy od tego, co ci się wydaje. – Wyjmuje słoik spod rurki. Krople płynu kapią na dywan. – Spróbuj.

Zbudował sobie destylator praktycznie z niczego, ale ten bimber, który w nim pędzi, jest całkiem mocny. Po pierwszym łyku moje gardło płonie żywym ogniem, a nogi robią się miękkie jak z waty. Opadam bezwładnie na kanapę.

– Ohyda – dyszę, kiedy tylko udaje mi się złapać oddech.

Jesse śmieje się i też pociąga ze słoika. Na niego ten napój nie działa tak jak na mnie.

– Powiesz wreszcie, czego chcesz?

– Skąd wiesz, że czegoś chcę?

– Stąd, że tutaj nikt nie przychodzi w celach towarzyskich – Jesse przysiada na poręczy kanapy – a gdyby chodziło o Kate, już dawno byś mi powiedziała.

– Sęk w tym, że tutaj chodzi o Kate. W pewnym sensie. – Wciskam mu w ręce wycinki z gazet. I tak nie umiem mu tego wszystkiego wyjaśnić lepiej, niż tam to napisano. Jesse przegląda je pobieżnie, po czym unosi głowę i wbija we mnie wzrok. Jego oczy są jasne, tęczówki niemal siwe, a ich spojrzenie potrafi tak zbić z tropu, że można zapomnieć, co się chciało powiedzieć.

– Nie próbuj tego. Na system nie ma mocnych – mówi mój brat z goryczą. – Każde z nas zna swoją rolę na wyrywki. Kate odgrywa Męczennicę. Ja jestem Spisany na Straty, a ty... Tobie przypadła rola Rozjemczyni.

Jesse sądzi, że zna mnie dobrze, ale ja jego wcale nie gorzej; wiem, że uwielbia się droczyć. Patrzę mu prosto w oczy.

– Co ty powiesz?!

Brat obiecuje poczekać na mnie na parkingu. Nieczęsto się zdarza, żeby zgodził się zrobić to, o co go proszę. Przypominam sobie najwyżej kilka takich sytuacji. Obchodzę cały budynek i staję przed frontowymi drzwiami. Wejścia pilnują dwie Chimery.

Biuro pana Campbella Alexandra znajduje się na trzecim piętrze. Drewniana boazeria na ścianach ma kolor podobny do maści klaczy kasztanki. Moje stopy zapadają się w grubym perskim dywanie na głębokość minimum dwóch centymetrów. Sekretarka siedząca za biurkiem nosi czarne lakierowane czółenka, wypolerowane na taki połysk, że mogę się w nich przejrzeć. Zerkam w dół, na swoje szorty ze starych dżinsów i trampki, które w zeszłym tygodniu z nudów pomalowałam flamastrami.

Sekretarka ma nieskazitelnie gładką skórę, idealnie kształtne brwi i usta koloru miodu. W obecnej chwili z tych ust leje się potok inwektyw pod adresem jej telefonicznego rozmówcy.

– Chyba nie myślisz poważnie, że powiem sędziemu coś takiego? Nie muszę zbierać za ciebie ochrzanu od Klemana... Otóż mylisz się, dostałam podwyżkę jako wyraz uznania dla moich wyjątkowo wysokich kompetencji oraz w nagrodę za to, że na co dzień grzebię się w jakichś gównianych sprawach. Ale skoro już o tym mowa, to... – Odsuwa słuchawkę od ucha; wyraźnie słychać trzask rozłączenia. – Skurwiel – mruczy kobieta pod nosem i chyba dopiero teraz zauważa, że stoję dwa kroki od niej. – W czym mogę pomóc? – Obrzuca mnie uważnym spojrzeniem od stóp do głów. Domyślam się, że na pierwszy rzut oka nie zrobiłam na niej piorunującego wrażenia. Unoszę dumnie brodę, starając się wypaść na luzie, chociaż średnio się tak czuję.

– Jestem umówiona z panem Alexandrem. Na godzinę szesnastą.

– Ale po tym, jak rozmawiałyśmy przez telefon – zaczyna sekretarka – myślałam, że jesteś...

Starsza, to chciałaś powiedzieć?

Zakłopotany uśmiech.

– Nie prowadzimy spraw dla nieletnich. Taką mamy zasadę. Mogę służyć adresami kancelarii, które...

Biorę głęboki wdech.

– Bardzo przepraszam – przerywam jej – ale muszę się nie zgodzić. Smith kontra Whately, Edmunds przeciwko Szpitalowi Matki i Dziecka oraz Jerome przeciwko diecezji stanu Providence; wszystko to były sprawy z udziałem osób niepełnoletnich, a każda z nich zakończyła się pomyślnie dla strony reprezentowanej przez pana Alexandra. A przecież mówimy tylko o zeszłym roku.

Sekretarka patrzy na mnie, mrugając oczami. Po chwili jej twarz rozjaśnia szeroki uśmiech. Chyba mimo wszystko trochę się jej spodobałam.

– Właściwie nie widzę powodu, dlaczego nie miałabyś się z nim zobaczyć. – Wstaje zza biurka, żeby zaprowadzić mnie do gabinetu szefa.

Gdybym nawet do końca życia nic nie robiła, tylko czytała, to i tak miałabym marne szanse przekopać się przez księgozbiór zgromadzony w gabinecie Campbella Alexandra, dyplomowanego prawnika. Regały z literaturą fachową sięgają od podłogi do sufitu; wątpię, żebym zdołała przeczytać w życiu tyle słów, ile zgromadzono na tych półkach. Robię w pamięci szybkie obliczenia. Na każdej stronie niech będzie około czterystu słów, a każda z tych pozycji niech ma czterysta stron, nie więcej; na półce mieści się dwadzieścia tomów, a każdy regał ma sześć półek. Wychodzi jak nic dziewiętnaście milionów słów – i to tylko na jednej ścianie gabinetu.

Siedzę sama przez dłuższą chwilę. Mam sposobność rozejrzeć się trochę. Na biurku panuje wprost idealny ład. Nie widać żadnych fotografii – żony, dziecka, nawet własnej. Tylko na podłodze, jakby wbrew wszechobecnemu porządkowi, stoi duży kubek pełen wody.

Czym wytłumaczyć to zaniedbanie? Wymyślam różne powody. Ten kubek to basen służbowy dla armii biurowych mrówek. Prymitywny nawilżacz powietrza. Złudzenie optyczne.

W momencie kiedy już prawie uwierzyłam w to ostatnie i wyciągam rękę, żeby sprawdzić, czy ten kubek rzeczywiście tam stoi, drzwi nagle otwierają się z trzaskiem. Wychyliłam się przed chwilą z krzesła tak mocno, że teraz, wystraszona, praktycznie ląduję na podłodze, oko w oko z owczarkiem niemieckim, który przeszywa mnie wzrokiem, po czym podchodzi z godnością do stojącego na podłodze kubka i zaczyna pić.

Za nim do gabinetu wkracza sam Campbell Alexander, brunet, wzrostem co najmniej równy mojemu tacie, czyli mający około metra osiemdziesięciu, o kwadratowej szczęce i oczach przypominających dwie bryły lodu. Ściąga z ramion marynarkę i wiesza ją starannie na wieszaku zamocowanym na drzwiach. Wyciąga z szafki teczkę na dokumenty i podchodzi z nią do biurka. Nie poświęca mi ani jednego spojrzenia, nawet wtedy, kiedy odzywa się do mnie.

– Domyślam się, że jesteś harcerką i sprzedajesz ciastka. Nie kupię. Ale swoim zachowaniem zdobyłaś punkty na sprawność natręta. – Uśmiecha się szeroko, ubawiony własnym dowcipem.

– Niczego nie sprzedaję.

Campbell Alexander rzuca mi zaciekawione spojrzenie. Dotyka przycisku na biurowym telefonie.

– Kerri – pyta, usłyszawszy głos sekretarki – co toto robi w moim gabinecie?

– Chcę pana wynająć – oznajmiam.

Adwokat zdejmuje palec z przycisku.

– Śmiem wątpić.

– Nawet pan nie zapytał, czy naprawdę chcę wnieść pozew.

Wstaję i robię krok do przodu. Pies natychmiast reaguje, powtarzając moje ruchy jak w lustrze. Dopiero teraz wpada mi w oko kamizelka opinająca jego pierś, kamizelka z czerwonym krzyżem, jak u bernardynów, które noszą rum w małych baryłkach. Odruchowo wyciągam rękę, chcąc go pogłaskać.

– Nie rób tego – powstrzymuje mnie pan Alexander. – Sędzia to pies przewodnik.

Moja ręka opada do boku.

– Przecież pan widzi.

– Dziękuję, że byłaś uprzejma to zauważyć.

– To co w takim razie panu dolega?

Momentalnie żałuję tego, co powiedziałam. Ileż to razy byłam świadkiem, jak Kate musiała odpowiadać na takie aroganckie pytania.

– Mam żelazne płuca – odpowiada szorstko Campbell Alexander. – Pies wyczuwa magnesy i ostrzega mnie przed nimi. Bądź teraz łaskawa opuścić mój gabinet. Moja sekretarka wyszuka dla ciebie kogoś, kto...

Ale ja, zanim stąd wyjdę, muszę coś wiedzieć.

– Naprawdę zaskarżył pan Boga? – Wyjmuję wszystkie swoje wycinki prasowe i rozkładam je przed nim na pustym blacie biurka.

Campbell Alexander bierze do ręki artykuł leżący na samym wierzchu. Na jego policzku drży nerwowo jeden mięsień.

– Pozwałem do sądu diecezję stanu Providence w imieniu wychowanka jednego z diecezjalnych sierocińców. Chłopiec był chory i musiał być poddany eksperymentalnej terapii, w której wykorzystuje się tkanki płodowe. Władze sierocińca odmówiły mu prawa do leczenia, twierdząc, że jest ono sprzeczne z postanowieniami Soboru Watykańskiego II. Ale w gazetach napisali, że dziewię-ciolatek skarży Boga za życie przegrane na starcie, bo taki nagłówek lepiej wygląda na pierwszej stronie. – Nic nie mówię, patrzę tylko na niego. – Dylan Jerome – przyznaje w końcu prawnik – chciał oskarżyć Boga o zbyt ma-ło, jego zdaniem, troskliwą opiekę nad nim.

Jak dla mnie, nie byłoby lepiej, gdyby w tej chwili na środku tego olbrzymiego mahoniowego biurka roz-błysła wszystkimi kolorami tęcza.

– Proszę pana – mówię po prostu – moja siostra ma białaczkę.

– Przykro mi to słyszeć. Nie zamierzam jednak ponownie składać pozwu przeciwko Panu Bogu, a nawet gdybym był skłonny to zrobić, powódka musi wystąpić osobiście.

Tak wiele muszę mu wyjaśnić. Zbyt wiele. Musi się dowiedzieć, że w żyłach siostry płynie moja krew; że pielęgniarki przytrzymują mnie siłą, żeby wbić mi igłę i wyssać ze mnie białe krwinki, bo Kate nie ma własnych; że potem przychodzi lekarz i mówi, że trzeba kłuć znowu, bo za pierwszym razem pobrali za mało. Muszę mu opowiedzieć o siniakach i głębokim bólu wewnątrz kości po tym, jak oddałam siostrze szpik; o igłach, przez które ładują mi czynnik wzrostu pobudzający produkcję komórek macierzystych, żeby było ich potem więcej dla niej. O tym, że chociaż jestem zdrowa, to czuję się jak obłożnie chora. Że urodziłam się tylko po to, żeby pobierano ode mnie substancje, których moja siostra potrzebuje, żeby przeżyć. Że nawet teraz, w tej chwili, podejmuje się decyzję o moim losie, a nikt nie uważa za stosowne zapytać o zdanie osoby, której najbardziej ona dotyczy.

Zbyt wiele mam mu do wyjaśnienia. Staram się więc, jak mogę, wypowiedzieć wszystko w jednym zdaniu.

– Nie chcę skarżyć Boga, tylko moich rodziców – wyjaśniam. – Chcę wytoczyć im proces o odzyskanie prawa do decydowania o własnym ciele.

CAMPBELL

Kiedy nie ma się nic oprócz młotka, wszystko wygląda jak gwóźdź.

To było ulubione powiedzonko mojego ojca, pierwszego Campbella Alexandra. Moim zdaniem ta sama zasada leży u podstaw amerykańskiego systemu prawa cywilnego. W dużym uproszczeniu można ją streścić następująco: człowiek zagoniony do narożnika zrobi wszystko, żeby wywalczyć sobie z powrotem miejsce na środku ringu. Niektórzy używają w tym celu własnych pięści, ale są też tacy, którzy wybierają drogę sądową. Tym ostatnim jestem winien szczególną wdzięczność.

Na skraju biurka Kerri zostawia karteczki z informacjami, kto do mnie dzwonił. Zgodnie z moim poleceniem pilne sprawy notuje na zielonych, mniej naglące na żółtych. Karteczki leżą w dwóch równych rządkach, jak sekwensy w pasjansie. Wpada mi w oko jeden znajomy numer, zapisany na zielonej kartce. Przesuwam ją do żółtych, marszcząc brew. „Twoja matka dzwoniła już cztery razy!!!" – napisała na niej Kerri. Po namyśle przedzieram karteczkę na pół i wrzucam do kosza na śmieci.

Naprzeciwko mnie siedzi dziewczynka. Czeka na moją odpowiedź, z którą celowo się ociągam. Powiedziała, że postanowiła pozwać do sądu swoich rodziców. Która

31

nastolatka by nie chciała tego zrobić? Ale jej celem jest odzyskanie prawa do decydowania o własnym ciele. Takich spraw wystrzegam się jak ognia – wymagają więcej zachodu, niż są warte, a do tego trzeba niańczyć klienta. Wzdycham ciężko, podnosząc się zza biurka.

– Przypomnij mi swoje nazwisko.

– Nie przedstawiłam się jeszcze? – Dziewczynka prostuje się nieco w krześle. – Nazywam się Anna Fitzgerald.

Otwieram drzwi.

– Kerri! – ryczę do sekretarki. – Znajdź dla panny Fitzgerald numer poradni planowania rodziny.

– Co?! – Dziewczynka zrywa się na równe nogi. – Jakiego planowania rodziny?

– Dam ci jedną radę. Pozywanie rodziców do sądu za to, że nie chcą ci pozwolić na stosowanie pigułki antykoncepcyjnej albo na wykonanie zabiegu przerwania ciąży, to naprawdę zbędny trud. Równie dobrze mogłabyś strzelać z armaty do wróbla. Idź do poradni planowania rodziny. Od nich dostaniesz to, czego ci potrzeba, a w dodatku nie wydasz całego kieszonkowego.

Przyglądam się jej. Właściwie to po raz pierwszy, odkąd wszedłem do gabinetu, naprawdę na nią patrzę. To małe dziecko aż gotuje się z gniewu.

– Moja siostra umiera, a mama chce, żebym oddała jej nerkę – cedzi przez zęby. – Nie wydaje mi się, żeby garść darmowych prezerwatyw mogła rozwiązać ten problem.

Znacie to uczucie, kiedy trzeba podjąć życiową decyzję, ale nie ma się żadnej pewności, że postępuje się słusznie? Kiedy człowiek wybiera jedną z dróg, ale wciąż patrzy za siebie, na tę drugą, przekonany, że wybrał źle? W drzwiach staje Kerri, podając mi kartkę z numerem, o który prosiłem. Nie biorę go, tylko zamykam jej drzwi przed nosem i wracam do biurka.

– Nikt nie może cię zmusić, żebyś była dawcą narządów.

– Tak pan sądzi? – Dziewczynka zaczyna wyliczać, zaginając kolejno palce. – Zaraz po urodzeniu oddałam siostrze krew pępowinową. Kate ma białaczkę, ostrą białaczkę promielocytową. Dzięki moim komórkom choroba daje się na jakiś czas zaleczyć. Kiedy miałam pięć lat, nastąpił u niej nawrót. Trzy razy pobierano ode mnie limfocyty, bo lekarzom wciąż było za mało. Kiedy ta terapia przestała przynosić efekty, oddałam szpik kostny do przeszczepu. Potem Kate miała różne infekcje, a ja musiałam oddawać jej granulocyty. Przy kolejnym nawrocie oddałam jej komórki macierzyste pobrane z krwi obwodowej.

Słownictwem medycznym to dziecko mogłoby zawstydzić kilku ekspertów, którym płacę za konsultacje. Wyjmuję z szuflady notatnik.

– Zakładam, że zgodziłaś się być dawcą narządów dla siostry.

Chwila wahania, potem potrząśnięcie głową.

– Nikt nigdy nie prosił mnie o zgodę.

– Czy powiedziałaś rodzicom, że nie chcesz oddawać nerki?

– Oni mnie nie słuchają.

– Spróbuj. Może zaczną, jeśli poruszysz tę kwestię.

Dziewczynka spuszcza głowę, a jej twarz znika pod kosmykami włosów.

– Oni przypominają sobie o moim istnieniu tylko wtedy, kiedy potrzebna jest moja krew albo co innego. Gdyby nie choroba Kate, w ogóle by mnie nie było.

Dziedzic na zapas. Był kiedyś taki zwyczaj, jeszcze w czasach, kiedy moi dalecy przodkowie mieszkali w Anglii. Płodzono drugie dziecko na wypadek śmierci pierworodnego. Bezduszne, ale niezwykle praktyczne. Nic dziwnego, że tej małej nie odpowiada rola ostatniego potomka rodu, ale spójrzmy prawdzie w oczy: niejedno dziecko przychodzi na świat z jeszcze mniej chwalebnych powodów. Obarcza się je zadaniem uzdrowienia źle dobranego małżeństwa, przedłużenia linii rodowej, dopełnienia wizerunku rodziców.

– Urodziłam się tylko po to, żeby ratować życie Kate – mówi dziewczynka tonem wyjaśnienia. – Moi rodzice poszli do lekarza specjalisty, a on wybrał dla nich embrion, który miał pełną zgodność genetyczną.

Na wydziale prawa są zajęcia z etyki, ale większość studentów lekceważy je, uznając albo za temat banalny, albo za sprzeczność samą w sobie. Rzadko bywałem na tych wykładach. Wystarczy jednak włączyć od czasu do czasu CNN, żeby wiedzieć, jakie kontrowersje wzbudzają badania nad komórkami macierzystymi. Projektuje się dzieci idealne, maluchy na zamówienie, które mają służyć jako zasobniki części zamiennych, a wszystko pod hasłem „Nauka jutra już dziś ratuje życie najmłodszym".

Stukam piórem o blat biurka. Sędzia, mój pies, podchodzi i siada obok mnie.

– Co się stanie, jeśli nie oddasz siostrze nerki?

– Ona umrze.

– Jesteś z tym pogodzona?

Anna zaciska usta w wąską kreskę.

– Przyszłam do pana czy nie?

– Przyszłaś. Chcę tylko się dowiedzieć, dlaczego po tylu latach postanowiłaś z tym skończyć.

– Ponieważ – mówi Anna, patrząc w bok, na biblioteczkę – inaczej to nigdy się nie skończy.

Po tych słowach nagle o czymś sobie przypomina. Sięga do kieszeni i wyjmuje garść zmiętych banknotów i drobnych monet.

– Nie musi się pan martwić o swoje honorarium. Tutaj jest sto trzydzieści sześć dolarów i osiemdziesiąt siedem centów. Wiem, że to za mało, ale postaram się o więcej.

– Biorę dwieście za godzinę pracy.

– Dwieście dolarów?

– Banki nie przyjmują szklanych paciorków.

– Mogę wyprowadzać pańskiego psa i w ogóle...

– Pies przewodnik musi wychodzić z właścicielem. – Wzruszam ramionami. – Coś wymyślimy.

– Nie może pan pracować dla mnie za darmo. – Dziewczyna jest uparta.

– Zgoda. Będziesz pucować klamki w moim gabinecie.

Nie można powiedzieć, że jestem szczególnie uczynnym człowiekiem. Chodzi raczej o to, że ta sprawa rozwiąże się sama. Powódka nie chce oddać nerki i żaden sędzia przy zdrowych zmysłach nie zmusi jej do tego. Nie muszę nawet przygotowywać się do procesu, bo rodzice wycofają się jeszcze przed pierwszą rozprawą i będzie po wszystkim. Ja natomiast zyskam szeroki rozgłos i reputację dobroczyńcy; będą tak o mnie mówić jeszcze za dziesięć lat.

– Złożę w twoim imieniu wniosek w sądzie rodzinnym o usamowolnienie w kwestii zabiegów medycznych.

– I co dalej?

– Nastąpi rozpatrzenie sprawy i sędzia wyznaczy kuratora procesowego, czyli...

– Specjalistę od pracy z dziećmi, zatrudnionego w sądzie rodzinnym, który podejmuje się bronić najlepszych interesów dziecka – recytuje Anna. – Innymi słowy kolejnego dorosłego, który będzie miał głos w podejmowaniu decyzji o moim losie.

– Takie jest prawo. Nie można tego obejść. Pamiętaj jednak, że kurator procesowy teoretycznie ma obowiązek troszczyć się o ciebie, nie o twoich rodziców ani o twoją siostrę.

Otwieram notatnik i kreślę w nim kilka zdań. Anna obserwuje mnie bacznie.

– Nie przeszkadza panu, że ma pan nazwisko na opak?

– Słucham? – spoglądam na nią, odrywając pióro od papieru.

– Campbell Alexander. Ma pan nazwisko jak imię, a imię jak nazwisko. – Anna zawiesza na chwilę głos. – I jeszcze tak samo nazywa się taka zupa w puszce.

– Czy to ma znaczenie dla sprawy, którą mam dla ciebie poprowadzić?

– Żadnego – przyznaje Anna – z tym wyjątkiem, że rodzice nie zrobili panu przysługi, wybierając takie imię.

Sięgam ponad blatem biurka i podaję jej moją wizytówkę.

– Zadzwoń, gdybyś chciała o coś spytać.

Dziewczyna bierze ode mnie wizytówkę i przesuwa palcami po wytłoczonych literach, układających się w moje nazwisko. Moje nazwisko na opak. Na opak? Trzymajcie mnie... Potem zleceniodawczyni zgarnia z biurka mój notatnik, oddziera kawałek kartki, zapisuje coś na nim moim wiecznym piórem i wręcza mi. Rzucam okiem:

– To na wypadek, gdyby pan chciał o coś spytać – mówi.

Wychodzę z gabinetu. Anny już nie ma. Kerri siedzi za swoim biurkiem, a przed nią leży rozłożony katalog.

– Wiesz, że w tych płóciennych torbach firmy L.L. Bean kiedyś przenoszono lód?

– Wiem. – A w tym lodzie chłodziła się na przykład wódka albo krwawa mary. Kursowało się z tym z domku letniskowego na plażę każdej soboty. To mi znów przypomina, że dzwoniła matka.

Kerri ma ciotkę, która jest wróżką. Ona sama też musi mieć coś takiego w genach, bo czasami jej dziwne zdolności dają o sobie znać. Ale Kerri długo już u mnie pracuje i zna większość moich tajemnic. Na ogół zawsze wie, o czym myślę.

– Powiedziała, że twój ojciec spotyka się z jakąś siedemnastką, że nie dba nawet o pozory dyskrecji, a ona wyprowadza się z domu i będzie mieszkać „Pod Sosnami", chyba że zadzwonisz przed... – Kerri rzuca okiem na zegarek. – Oj.

– Ile razy w tym tygodniu groziła, że to zrobi?

– Tylko trzy – odpowiada Kerri.

– Więc nie wyrobiła jeszcze nawet średniej. – Pochylam się nad jej biurkiem i zamykam katalog. – Do pracy, panno Donatelli. Trzeba zarabiać na siebie.

– Co bierzemy?

– Sprawę tej dziewczynki. Nazywa się Anna Fitzgerald.

– Planowanie rodziny?

– Niezupełnie. – Potrząsam głową. – Będziemy ją reprezentować. Podyktuję ci wniosek o usamowolnienie w kwestii zabiegów medycznych. Złożysz go w sądzie rodzinnym jutro rano.

– Nie wygłupiaj się! Weźmiesz jej sprawę?

Kładę rękę na sercu.

– Czuję się szczerze urażony, że masz o mnie tak niskie mniemanie.

– Myślałam raczej o twoim portfelu. Czy rodzice małej o tym wiedzą?

– Dowiedzą się jutro.

– Jesteś skończonym durniem, wiesz?

– Proszę?

Kerri kręci głową z dezaprobatą.

– Gdzie ta dziewczyna się podzieje?

To pytanie zbija mnie z pantałyku. Faktycznie, do tej pory nie zastanawiałem się nad tym, że córka, która

37

skarży własnych rodziców, nie będzie najszczęśliwsza, mieszkając z nimi pod jednym dachem, kiedy sąd już dostarczy im pozew.

Nagle u mojego boku wyrasta jak spod ziemi Sędzia i trąca mnie nosem w udo. Potrząsam głową. Jestem zły. Rozkład dnia przede wszystkim.

– Daj mi piętnaście minut – mówię do Kerri. – Zadzwonię, kiedy będę gotowy.

– Campbell – Kerri jest nieustępliwa – to dziecko nie poradzi sobie samo.

Wracam do gabinetu. Sędzia wchodzi za mną, przystając tuż za progiem.

– To nie mój problem – oświadczam, po czym zamykam drzwi, przekręcam klucz w zamku i czekam.

SARA
1990

Siniak na pleckach Kate ma rozmiar i kształt czterolistnej koniczynki. Widnieje dokładnie na samym środku, pomiędzy łopatkami. Zauważył go Jesse podczas wspólnej kąpieli w wannie.

– Mamusiu – pyta mnie – czy to znaczy, że Kate ma szczęście?

W pierwszej chwili wydaje mi się, że to brud. Próbuję zetrzeć plamkę, ale nie udaje się. Kate, moje dwuletnie kochanie, unosi główkę i wpatruje się we mnie błękitnymi oczkami.

– Boli? – pytam, a ona kręci głową, że nie.

Skądś spoza moich pleców dobiega mnie głos Briana, który relacjonuje dzisiejszy dzień. Czuć od niego ulotny zapach dymu.

– Facet kupił pudełko cennych cygar – opowiada – i ubezpieczył je od ognia na piętnaście tysięcy dolarów. Niedługo potem towarzystwo ubezpieczeniowe otrzymało żądanie wypłaty odszkodowania. Było tam napisane, że wszystkie cygara spłonęły, jedno po drugim, w serii niewielkich pożarów.

– To znaczy, że je wypalił? – dopytuję się, spłukując pianę z głowy Jessego.

Brian opiera się ramieniem o futrynę.

– No, tak. Kłopot w tym, że sędzia orzekł, że towarzystwo popełniło błąd, ubezpieczając cygara od ognia bez właściwego zdefiniowania dopuszczalnego przypadku spalenia.

– Hej, a teraz cię boli? – Jesse wbija kciuk w plecy siostry, dokładnie w tym miejscu, gdzie jest siniak.

Kate piszczy z bólu i rzuca się w wannie, ochlapując mnie wodą od stóp do głów. Wyjmuję ją z wody, śliską jak rybę, i podaję Brianowi. Oboje mają bladą cerę i identyczne włosy koloru jasny blond. Pasują do siebie. Jesse jest bardziej podobny do mnie – szczupły, ciemne włosy, mózgowiec. Brian mówi, że dzięki temu rodzinka jest w komplecie: każdy rodzic ma swojego klona.

– Wyłaź natychmiast z wanny – rozkazuję Jessemu.

Mój czteroletni syn wstaje, ociekając wodą. Przy przekładaniu nogi przez szeroką krawędź wanny udaje mu się poślizgnąć, przewrócić i stłuc mocno kolano. Wybucha płaczem.

Owijam go ręcznikiem i przytulam, starając się nie przerywać rozmowy z mężem. To właśnie jest język małżeństwa: krótkie depesze alfabetem Morse'a, wystukiwane do siebie podczas kąpania i karmienia dzieci i nadawane wieczorem, kiedy opowiadamy im bajki na dobranoc.

– Kto wezwał cię na świadka? – pytam Briana. – Obrona?

– Oskarżyciel. Firma ubezpieczeniowa wypłaciła odszkodowanie, a potem pozwała klienta, zarzucając mu, że dwadzieścia cztery razy umyślnie podłożył ogień. Wystąpiłem jako biegły.

Brian z zawodu jest strażakiem. Potrafi dostrzec ślad po pierwszej iskrze w domu, z którego zostały tylko gołe ściany i podłoga. Znajduje zwęglone niedopałki, odsłonięte przewody elektryczne – każdy stos zajmuje się od jednej iskry. Trzeba tylko wiedzieć, czego szukać.

– Co zrobił sędzia? Odrzucił sprawę?

– Sędzia za każde podpalenie skazał go na rok więzienia. Razem dwadzieścia cztery lata – odpowiada Brian. Stawia Kate na podłodze i wkłada jej górę od piżamy.

W poprzednim życiu, zanim zostałam matką, byłam adwokatem w sądzie cywilnym. Przez pewien czas wydawało mi się, że właśnie to chcę robić w życiu, ale jednego dnia dostałam bukiecik pomiętych fiołków od małego szkraba. Zrozumiałam wtedy, że uśmiech dziecka, tak jak tatuaż, jest nieścieralnym, niezmywalnym dziełem sztuki.

Suzanne, moja siostra, nie chce nawet słyszeć „podobnych głupot". Jej zdaniem, zdaniem specjalistki od finansów, taka osoba jak ja jest pomyłką w ewolucji ludzkiego mózgu. Ja natomiast uważam, że przede wszystkim trzeba określić, do czego ma się najlepsze predyspozycje, a tak się akurat składa, że ja znacznie lepiej nadaję się na matkę niż na prawniczkę. Czasami zastanawiam się, czy to tylko ja tak mam, czy może innym kobietom też zdarza się odkryć, że najlepsze w życiu może być nie to, co się zdobywa, ale to, co przychodzi samo.

Wycierając Jessego ręcznikiem, spoglądam w górę. Brian stoi nade mną i przygląda mi się uważnie.

– Brakuje ci tego, Saro? – pyta cichym głosem.

Owijam naszego syna ręcznikiem i całuję go w głowę.

– Jak borowania zębów – odpowiadam mężowi.

Kiedy następnego dnia budzę się rano, Briana już nie ma. Wyszedł do pracy. Pracuje na zmiany: dwie dzienne, dwie nocne, potem cztery dni wolne i od początku. Rzucam okiem na budzik. Niebywałe, już dziewiąta. Jeszcze dziwniejsze jest to, że dzieci dały mi spać tak długo. Narzucam na siebie szlafrok i zbiegam na dół. Jesse siedzi na podłodze i bawi się klockami.

– Ja już po śniadaniu – informuje mnie. – Tobie też zrobiłem.

No tak. Cały stół w kuchni zasypany płatkami zbożowymi, a pod szafką, w której je zwykle trzymamy, stoi chwiejne krzesło. Od lodówki aż do miski z płatkami ciągnie się szlaczek z rozlanego mleka.

– A gdzie Kate?

– Śpi – mówi Jesse. – Budziłem ją, ale nie chciała wstać.

Muszę mieć chyba naturalny alarm nastawiony na dzieci. To, że Kate spała dziś dłużej niż zwykle, automatycznie kojarzy mi się z tym, że ostatnio często pociągała noskiem, a potem przypomina mi się, że wczoraj wieczorem była bardzo śpiąca. Idę na górę, do sypialni mojej córeczki, wołając ją po imieniu. Kiedy wchodzę, Kate odwraca się w łóżku, patrząc na mnie rozespanymi jeszcze oczami.

– Wstawanko! – wołam wesoło i podciągam rolety. Słoneczny blask rozlewa się po pościeli. Siadam ma łóżku i masuję plecy Kate. – Ubieramy się – komenderuję, zdejmując jej przez głowę górę od piżamy.

Wzdłuż całego kręgosłupa mojej córki biegną rządkiem małe siniaczki, jak sznur sinoniebieskich korali.

– To anemia, prawda? – pytam lekarza pediatrę. – W jej wieku jest jeszcze za wcześnie na mononukleozę.

Doktor Wayne odrywa słuchawkę stetoskopu od szczupłej klatki piersiowej Kate i opuszcza jej różową koszulkę.

– To może być coś wirusowego. Pobiorę krew do analizy.

Jesse, który do tej pory siedział spokojnie i bawił się figurką żołnierza z urwaną głową, ożywia się nagle.

– Kate, wiesz, jak pobiera się krew?

– Jak?

– Igłą. Wielką, długą, grubą igłą jak do zastrzyku...
– Jesse – przerywam mu ostrzegawczym tonem.
– Jak do zastrzyku? – piszczy Kate. – I będzie bolało?
Córeczka ufa mi bezgranicznie. Zawsze prosi, żebym przeprowadziła ją przez ulicę, żebym pokroiła kotlecik na małe kawałeczki, to ja zawsze ją bronię przed strasznymi wielkimi psami, przed ciemnym pokojem i przed wybuchającymi petardami. Teraz patrzy na mnie szeroko rozwartymi oczami, w których czai się strach i nadzieja.
– To będzie taka malutka igiełka – przyrzekam jej.
Kiedy do pokoju wchodzi pielęgniarka, niosąc na tacce strzykawkę, probówki i gumową opaskę uciskową, Kate zaczyna krzyczeć. Biorę głęboki wdech.
– Kate, spójrz na mnie. – Mała milknie; jedynie cichutka czkawka daje znać o tym, jak bardzo się boi. – Nie będzie bolało, tylko przez chwilę zaszczypie.
– Oszukaństwo – syczy Jesse pod nosem.
Kate uspokaja się, ale tylko troszeczkę. Pielęgniarka układa małą na stole do badań i każe mi przytrzymać ją za ramiona. Patrzę, jak igła przebija białą skórę na rączce córeczki, słyszę jej krzyk, ale nie widać żadnej krwi.
– Przepraszam, kochanie – mówi pielęgniarka. – Muszę to zrobić drugi raz.
Wyciąga igłę i wbija ją ponownie. Kate krzyczy jeszcze głośniej.
Podczas napełniania dwóch pierwszych probówek Kate wyrywa się z całych sił. Przy trzeciej wiotczeje i leży bezwładnie. Naprawdę nie wiem, co jest gorsze.

Siedzimy w poczekalni. Niedługo mają już być wyniki badania krwi. Jesse leży na podłodze, na dywaniku, zbierając Bóg wie jakie zarazki po wszystkich chorych dzieciach, które przewinęły się przez ten pokój. Ja pragnę tylko jednego: żeby w drzwiach stanął lekarz,

43

kazał zabrać Kate do domu i poić ją sokiem pomarańczowym, w dużych ilościach. Chcę zobaczyć w jego ręce receptę na celcor jak różdżkę w ręce czarodzieja.

Doktor Wayne wzywa nas do swojego gabinetu dopiero po godzinie.

– Wyniki nie są do końca jasne – mówi. – Szczególnie jeśli chodzi o liczbę białych krwinek. Jest znacznie poniżej normy.

– Co to oznacza? – W tej chwili przeklinam swoją głupotę, która kazała mi studiować prawo, a nie medycynę. Usiłuję przypomnieć sobie przynajmniej, od czego są białe krwinki.

– Może to być jakaś niewydolność układu odpornościowego. Równie dobrze jednak laboratorium mogło pomylić się przy testach. – Doktor Wayne głaszcze Kate po głowie. – Dla pewności wypiszę skierowanie na hematologię, do szpitala. Tam powtórzą badanie.

Chyba pan żartuje, myślę, ale nie mogę się zdobyć, żeby powiedzieć to na głos. W milczeniu biorę kartkę, którą podaje mi doktor Wayne. Nie jest to recepta, której tak wyczekiwałam, ale notatka z nazwiskiem. Ileana Farquad, Szpital Miejski w Providence, Oddział Hematologii i Onkologii.

– Onkologia – czytam z niedowierzaniem na głos. – Przecież tam leczy się raka. – Patrzę wyczekująco na doktora Wayne'a. Chcę, żeby mnie uspokoił, chcę usłyszeć, że laboratorium, w którym robią badania krwi, po prostu znajduje się na oddziale onkologii, i to wszystko.

Doktor Wayne milczy.

Od dyspozytora w centrali dowiaduję się, że Brian pojechał do wypadku. Jeszcze dwadzieścia minut temu był w jednostce. Waham się przez chwilę, patrząc na Kate, skuloną na plastikowym krzesełku w szpitalnej poczekalni. Pojechał do wypadku.

Każdy człowiek w życiu staje na rozdrożu. Są to momenty, kiedy zapadają ważne, rozstrzygające decyzje – a często podejmuje się je zupełnie bezwiednie. Na przykład można pozwolić sobie na chwilę dekoncentracji na skrzyżowaniu, czytając nagłówek w gazecie, i nie zauważyć samochodu, który jechał nieprzepisowo i spowodował wypadek. Można przypadkiem wejść do baru i przy kasie poznać swojego przyszłego męża, grzebiącego po kieszeniach w poszukiwaniu drobnych. Można też, tak jak ja w tej chwili, odwołać męża z pracy, pomimo że od kilku godzin powtarzam sobie, że nie stało się nic poważnego.

– Proszę go wezwać – mówię dyspozytorowi. – Jesteśmy w szpitalu.

Z Brianem u boku czuję się o wiele pewniej. Jesteśmy jak para wartowników, podwójna linia obrony. Przyjechaliśmy do szpitala miejskiego trzy godziny temu. Z każdą minutą coraz trudniej jest mi wmówić sobie, że doktor Wayne się pomylił. Jesse usnął na plastikowym krześle. Kate przeżyła kolejny koszmar pobierania krwi. Zrobiono jej też rentgen klatki piersiowej, bo wspomniałam, że jest przeziębiona.

– Pięć miesięcy – odpowiada Brian na pytanie lekarza stażysty, który siedzi obok z formularzem w rękach. – Prawda? – Odwraca się do mnie. – Tyle miała, kiedy pierwszy raz przewróciła się na brzuszek.

– Chyba tak. – Zdążyli już wypytać nas o wszystko, zaczynając od ubrań, które mieliśmy na sobie w tę noc, kiedy poczęliśmy Kate, a kończąc na tym, kiedy nauczyła się jeść łyżką.

– Pierwsze słowo? – pada kolejne pytanie.

Brian uśmiecha się.

– „Dada”.

– Chodziło mi o to kiedy.

– Aha. – Mój mąż marszczy brwi. – Niedługo przed pierwszymi urodzinami.

– Przepraszam – wtrącam się. – Czy może mi pan powiedzieć, na co wam te wszystkie informacje?

– Trzeba spisać historię przypadku, pani Fitzgerald. Musimy się dowiedzieć jak najwięcej o państwa córce. Pomoże nam to zrozumieć, co z nią jest nie tak.

– Państwo Fitzgerald? – Podchodzi do nas młoda kobieta w białym fartuchu lekarskim. – Jestem chirurgiem naczyniowym. Doktor Farquad prosiła, żeby zrobić Kate badania na układ krzepnięcia.

Na dźwięk swojego imienia Kate unosi główkę z moich kolan, mrugając oczami. Wystarczy jedno spojrzenie na biały fartuch i już maleńka chowa rączki w rękawy koszulki.

– Nie można pobrać krwi z palca?

– Nie. Tak naprawdę będzie najprościej.

Nagle przypominam sobie, że kiedy byłam w ciąży z Kate, maleństwo potrafiło czasami dostać czkawki. Trwało to godzinami. Każde drgnięcie brzucha, nawet najlżejsze, kompletnie wytrącało mnie z równowagi.

– Czy pani sądzi – mówię cicho – że to jest odpowiedź, którą chcę w tej chwili usłyszeć? Kiedy zamawia pani kawę w kawiarni, to czy będzie pani zadowolona, jeśli kelner przyniesie pani colę, bo stała na niższej półce i łatwiej było po nią sięgnąć? A kiedy chce pani zapłacić w sklepie kartą, to czy ucieszy panią, jeśli kasjer powie, że za dużo z tym zawracania głowy, i każe pani wyciągać gotówkę?

– Saro. – Głos Briana dobiega mnie z oddali, jak stłumiony szum wiatru.

– Uważa pani, że mnie jest łatwo tak siedzieć z dzieckiem i czekać na wyniki badań, nie wiedząc, po co je robicie? A ona? Myśli pani, że ją to bawi? Że ona też nie chciałaby, żeby to wszystko odbyło się jak najprościej?

– Saro. – Czuję dłoń Briana na ramieniu i dopiero wtedy dociera do mnie, że jestem cała rozdygotana.

Lekarka stoi nad nami jeszcze przez chwilę, po czym odwraca się bez słowa i odchodzi rozgniewana. Jej chodaki tłuką o posadzkę. Kiedy tylko znika nam z oczu, moje wzburzenie przygasa.

– Saro – pyta Brian – co z tobą?

– Ze mną? Nie wiem, co ma być ze mną, bo nikt nam nie powiedział, co z naszą...

Mąż chwyta mnie w ramiona; między nami jest Kate, jak westchnienie. Brian ucisza mnie i zapewnia, że wszystko będzie dobrze. Nie wierzę mu. Po raz pierwszy w życiu mu nie wierzę.

Do pokoju wchodzi doktor Farquad, której nie widzieliśmy od kilku godzin.

– Słyszałam, że mają państwo wątpliwości w kwestii badań na układ krzepnięcia. – Przystawia sobie krzesło i siada naprzeciwko nas. – Morfologia krwi Kate wykazała pewne odchylenia. Liczba białych krwinek jest bardzo niska – tysiąc trzysta. Hemoglobina siedem i pół, hematokryt osiemnaście i cztery dziesiąte procent, płytki krwi osiemdziesiąt jeden tysięcy, a liczba neutrofilów – sześćset. Takie wyniki czasami sygnalizują chorobę z autoagresji. Jednak w rozmazie Kate stwierdziliśmy także dwanaście procent promielocytów i pięć procent blastów, czyli komórek niedojrzałych, a to już wskazuje na zespół białaczkowy.

– Białaczkowy – powtarzam za nią. To słowo jest miękkie i oślizgłe jak glut w jajecznicy.

Doktor Farquad kiwa głową.

– Białaczka to rak krwi.

Brian nie spuszcza z niej wzroku.

– Co to oznacza?

– Proszę sobie wyobrazić szpik kostny jako przedszkole dla krwinek. Zdrowy organizm wytwarza krwinki, które zostają w szpiku, dopóki nie dojrzeją na tyle, żeby go opuścić i ruszyć do walki z chorobami, rozbijać zakrzepy, przenosić tlen – mają rozmaite funkcje. U osoby chorej na białaczkę krwinki opuszczają przedszkole zbyt wcześnie. Niedojrzałe krwinki krążą w krwiobiegu, ale nie mogą pełnić swoich funkcji. Zdarza się wykryć obecność promielocytów przy robieniu morfologii, ale badając krew Kate pod mikroskopem, wykryliśmy pewne nieprawidłowości. – Doktor Farquad przygląda się nam, to jednemu, to drugiemu. – Żeby to potwierdzić, będę musiała pobrać szpik do badania, ale wszystko wskazuje na to, że Kate ma ostrą białaczkę promielocytową.

Choć to pytanie ciśnie mi się na usta, nie znajduję sił, żeby je zadać. Mój język staje kołkiem w gardle. Robi to za mnie Brian, choć z wysiłkiem i dopiero po chwili:

– Czy nasza córka... Czy ona umrze?

Tłumię w sobie przemożną chęć, żeby chwycić doktor Farquad za ramiona i potrząsnąć. Chcę wykrzyczeć jej w twarz, że własną ręką rozetnę Kate żyły i sama utoczę z nich krew do badania na ten ich układ krzepnięcia – jeśli tylko dzięki temu ta kobieta wycofa się z tego, co przed chwilą powiedziała.

– Ostra białaczka promielocytowa to bardzo rzadka podgrupa przewlekłej białaczki szpikowej. Rocznie stwierdza się tylko około tysiąca dwustu przypadków. Przeżywalność wśród pacjentów z tą chorobą wynosi od dwudziestu do trzydziestu procent, jeśli od razu rozpocznie się leczenie.

Słysząc ostatnie słowa doktor Farquad, momentalnie zapominam o liczbach. Chwytam się tej jednej informacji.

– Więc to się leczy – powtarzam jak echo.

– Tak. Przy zastosowaniu agresywnej terapii chory

na białaczkę szpikową może przeżyć od dziewięciu miesięcy do trzech lat.

Nie dalej jak w zeszłym tygodniu przyglądałam się mojej śpiącej córeczce. Patrzyłam, jak przez sen zaciskała paluszki na strzępku satynowej poszewki, ulubionej przytulance, z którą rzadko kiedy się rozstawała. „Ona tego nigdy nie wyrzuci – szepnęłam wtedy Brianowi na ucho. – Wspomnisz moje słowa. Będę musiała podszyć tą szmatką jej suknię ślubną".

– Musimy pobrać szpik. Podamy małej łagodny środek znieczulający. Kiedy zaśnie, możemy też pobrać krew do badania na układ krzepnięcia. – Doktor Farquad pochyla się ku nam, uśmiechając się ze współczuciem. – Muszę państwu powiedzieć, że dzieci rzadko poddają się statystykom. Z nimi nigdy nic nie wiadomo.

– No, dobra – mówi Brian, zacierając ręce, jakby był na meczu. – Dobra.

Kate odrywa główkę od mojej bluzki. Na policzkach ma rumieniec, a w oczach nieufność.

Na pewno zaszła jakaś pomyłka. Lekarzom pomyliły się probówki i zbadali krew innej osoby. Moje dziecko ma mięciutkie, lśniące włosy, a gdy się uśmiechnie, to jakby przeleciał kolorowy motylek. Tak nie wygląda ktoś umierający na raty.

Jest w moim życiu zaledwie od dwóch lat, ale wspólnych wspomnień, wszystkich chwil przeżytych razem starczy na całą wieczność.

Kate leży twarzą w dół na stole do badań. Przypięli ją do niego dwoma długimi pasami i podłożyli pod brzuszek zwinięte prześcieradło. Obok stoi pielęgniarka, poklepując ją po dłoni, chociaż znieczulenie zaczęło już działać i maleńka śpi. Dolna część pleców i pośladki są odsłonięte – szpik kostny pobiera się długą igłą z grzebienia kości biodrowej.

Po jakimś czasie ktoś delikatnie odwraca jej główkę na drugą stronę. Papierowe prześcieradło jest wilgotne. Moja dwuletnia córka uczy mnie, że przez sen też można płakać.

W drodze powrotnej do domu nagle przyplątuje mi się dziwna myśl: cały świat jest jak dmuchana zabawka. Drzewa, trawa, domy, wystarczy nakłuć szpilką i bum! – będzie po nich. Nie mogę pozbyć się wrażenia, że jeśli teraz skręcę ostro w lewo, to przejadę przez ten niski płotek i odbiję się od zjeżdżalni na placu zabaw, jakby była z gumy.

Mijamy ciężarówkę. Na boku ma duży napis: „Batchelder Casket Company. Jedź bezpiecznie". Czy to nie jest przypadkiem sprzeczność interesów?

Kate siedzi z tyłu, zajadając chrupki w kształcie zwierzątek.

– Bawimy się – rozkazuje.

W lusterku wstecznym jej twarzyczka wydaje się lśnić. Ostrzeżenie: lusterko samochodowe oddala odbijane obiekty. Przyglądam się pierwszej chrupce, którą Kate wyciąga z paczki.

– Jak robi tygrys? – Udaje mi się wydobyć z siebie głos.

– Rrroarr! – Kate odgryza głowę chrupkowemu kotu i ponownie sięga do paczki.

– Jak robi słoń?

Kate chichocze, a potem trąbi przez nos.

Zastanawiam się, jak to będzie wyglądało. Może stanie się to we śnie? I czy Kate będzie płakać? Czy będzie przy niej wtedy jakaś miłosierna pielęgniarka, która poda jej coś przeciwbólowego? Przed oczami mam śmierć mojego dziecka, dziecka, które siedzi pół metra za mną i śmieje się radośnie.

– A jak robi żyrafa? – pyta Kate.

Jej dziecięcy głosik jest tak pełen życia.

– Żyrafy nic nie robią – odpowiadam.

– Dlaczego?

– Bo takie już się rodzą.

To ostatnie słowa, które mogę wydobyć ze ściśniętego gardła.

Gdy wchodzę do domu, słyszę dzwonek telefonu. Wracam od sąsiadki. Zgodziła się zaopiekować Jessem, kiedy pojedziemy z Kate do szpitala. Jesteśmy zupełnie nieprzygotowani na taką sytuację. Jedyne opiekunki, które czasem do nas przychodzą, uczą się jeszcze w szkole średniej. Wszyscy dziadkowie już nie żyją. Właściwie nigdy nie potrzebowaliśmy opieki do dzieci – sama się tym zajmuję.

Wchodzę do kuchni. Brian zdążył już na dobre rozgadać się przez telefon. Kabel plącze mu się między nogami. Pępowina.

– No właśnie – mówi. – Aż nie do wiary. Nie byłem w tym sezonie na ani jednym meczu. No, ale teraz, kiedy go sprzedali, po co chodzić na mecze? – Nastawiam wodę na herbatę. Nasze oczy się spotykają. – Sara ma się świetnie. Dzieci? Nie, wszystko w porządku. Dobra. Pozdrów ode mnie Lucy. Dzięki za telefon. – Odkłada słuchawkę. – Don Thurman – mówi tonem wyjaśnienia. – Pamiętasz go? Chodziliśmy razem do szkoły pożarniczej. Miły facet.

Patrzy mi w oczy, a z jego twarzy powoli znika sympatyczny uśmiech. Czajnik zaczyna gwizdać, ale żadne z nas nawet nie drgnie, żeby zestawić go z gazu. Krzyżuję ręce na piersi, nie odrywając wzroku od Briana.

– Nie mogłem, Saro – mówi mój mąż cicho. – Po prostu nie mogłem.

Leżymy w łóżku. Brian jest jak kamienny obelisk, czarny kształt odcinający się od ciemności nocy. Już od kilku godzin nie zamieniliśmy ani słowa, ale wiem, że tak jak ja mój mąż nawet nie zmrużył oka.

To wszystko dlatego, że nakrzyczałam na Jessego w zeszłym tygodniu. Że skrzyczałam go wczoraj, dziś wieczorem. To wszystko dlatego, że nie kupiłam Kate groszków, kiedy bardzo mnie prosiła, żebym kupiła jej groszki w sklepie spożywczym. To wszystko dlatego, że kiedyś, przez jedną krótką chwilę próbowałam sobie wyobrazić, jak by wyglądało moje życie, gdybym w ogóle nie zdecydowała się mieć dzieci. To wszystko dlatego, że nie potrafiłam docenić, jak wiele mam.

– Myślisz, że to nasza wina? – odzywa się Brian.

– Nasza wina? – Odwracam się w jego stronę. – Jak to?

– No, wiesz. Może mamy to w genach.

Milczę.

– Ci w tym szpitalu to konowały. – Brian zgrzyta zębami. – Pamiętasz, jak syn naszego komendanta złamał rękę? To była lewa ręka, a oni założyli mu gips na prawą.

Wbijam wzrok z powrotem w sufit.

– Chcę, żebyś wiedział jedno – oznajmiam twardo i nieco głośniej, niż miałam zamiar. – Nie pozwolę Kate umrzeć.

U mojego boku rozlega się okropny dźwięk, podobny do jęku rannego zwierzęcia albo do charkotu tonącego. Chwilę później Brian wtula twarz w moje ramię, a po mojej skórze płyną jego łzy. Oplata mnie ciasno rękami, jakby bał się, że upadnie.

– Nie pozwolę – powtarzam, ale sama słyszę, że mówię bez wielkiego przekonania.

BRIAN

Żeby temperatura płomienia wzrosła o dziesięć stopni, jego wielkość musi wzrosnąć dwukrotnie. Patrzę na iskry strzelające z komina spalarni niczym roje nowych, nieznanych nikomu gwiazd, a w głowie mam tylko tę jedną myśl. Za mną stoi, załamując ręce, dziekan wydziału medycznego Uniwersytetu Browna. Mam na sobie ciężki, gruby kombinezon, pod którym cały jestem zlany potem.

Podjechaliśmy dwoma wozami: strażackim z drabiną i karetką. Sprawdziliśmy budynek ze wszystkich czterech stron. W środku nie ma nikogo. Nikogo oprócz ciała zaklinowanego w komorze spalania, które jest przyczyną tego wszystkiego.

– To był potężny mężczyzna – mówi dziekan. – Tak się zawsze robi z obiektami po skończonych zajęciach z anatomii.

– Panie kapitanie! – woła Paulie, który dziś kieruje pracą pomp. – Red podłączył już sikawkę do hydrantu. Mam puścić wodę?

Nie zdecydowałem jeszcze, czy użyję wody. Konstrukcja tego pieca przewiduje spalanie resztek organicznych w temperaturze prawie dziewięciuset stopni Celsjusza. Powyżej i poniżej zaklinowanych wewnątrz zwłok szaleje ogień.

– No i co? – dopytuje się dziekan. – Będzie pan stał i czekał?

Tak właśnie myśli żółtodziób: z ogniem trzeba walczyć czynnie, ładując się do budynku z sikawką. Czasami takie zachowanie może jeszcze pogorszyć sytuację. W tym wypadku doszłoby do skażenia całego terenu odpadami niosącymi zagrożenie biologiczne. Nie można teraz otworzyć pieca. Musimy też dopilnować, żeby płomienie nie poszły kominem. Żaden ogień nie płonie wiecznie. W końcu musi się wypalić.

– Właśnie tak – odpowiadam dziekanowi. – Poczekam i zobaczę, co się stanie.

Kiedy mam nocną zmianę, jem dwa obiady dziennie. Pierwszy jest wcześniej niż zwykle – tak się umówiliśmy, żeby móc razem, całą rodziną, zasiąść do stołu. Dziś moja żona przyrządziła pieczeń wołową, tak wielką, że wygląda jak małe dziecko śpiące na obrusie. Sara woła wszystkich na obiad.

Kate zjawia się pierwsza. Wślizguje się na swoje miejsce za stołem.

– Cześć, malutka. – Ściskam jej dłoń. Odpowiada uśmiechem, który nie sięga oczu. – Co dziś porabiałaś?

Kate bawi się widelcem, przesuwając strączki fasoli po talerzu.

– Ratowałam kraje Trzeciego Świata, rozbijałam jądra atomowe i napisałam ostatnie rozdziały wielkiej amerykańskiej powieści obyczajowej. A także, rzecz jasna, byłam na dializie.

– Rzecz jasna.

Do stołu podchodzi Sara, wymachując nożem.

– Nie wiem, czym ci podpadłem – kulę się na krześle – ale bardzo cię za to przepraszam.

Żart nie zostaje doceniony.

– Pokrój mięso, bardzo cię proszę.

Biorę od niej nóż razem z widelcem do mięsa i kroję pieczeń na plastry. W kuchni pojawia się Jesse. Pozwoliliśmy mu wprowadzić się na strych nad garażem, ale w zamian za to musi jeść ze wszystkimi. Taką ma z nami umowę, nasz syn, który dziś ma oczy czerwone jak królik, a jego ubranie czuć wyraźnie słodkim dymem.

– No, popatrz tylko – słyszę za sobą głos Sary, ale kiedy się odwracam, żona nie patrzy na Jessego, tylko na mięso. – Niedopieczona. – Chwyta rondel gołymi rękami, jakby miała skórę z azbestu i pakuje pieczeń z powrotem do piekarnika.

Jesse sięga po miskę z tłuczonymi kartoflami i zaczyna nakładać je sobie na talerz, łyżka za łyżką.

– Okropnie cuchniesz – mruczy Kate, wachlując dłonią przed nosem.

Jesse nie zwraca na nią uwagi i ładuje łyżkę do ust. Zastanawiam się, co też ze mnie za ojciec, że w głębi serca jestem zadowolony, bo potrafię rozpoznać, co brał mój syn, i cieszę się, że palił trawkę, a nie łykał ecstasy albo pakował sobie w żyłę heroinę czy Bóg wie co jeszcze. Trawkę łatwo rozpoznać. Inne narkotyki nie dają tak silnych objawów zewnętrznych.

– Nie każdy lubi, jak wszędzie zajeżdża trawą – syczy Kate.

– Nie każdy dostaje dragi w szpitalu przez wenflon – odgryza się Jesse.

Sara unosi ręce.

– Nie zaczynajmy. Bardzo was proszę.

– Gdzie Anna? – pyta Kate.

– Nie ma jej w waszym pokoju?

– Nie widziałam jej od rana.

Sara staje w progu kuchni.

– Anna! Obiad!

– Patrzcie, co dziś kupiłam. – Kate demonstruje koszulkę, którą ma na sobie. Materiał jest ręcznie farbowany w kółka, w psychodelicznych kolorach. Na piersi widnieje obrazek: krab z podpisem „Rak". – Rozumiecie? – pyta Kate.

– Jesteś spod Lwa – mówi Sara. Słyszę, że zaraz się rozpłacze.

– Sprawdź, czy ta pieczeń już doszła – odzywam się, żeby zająć czymś jej uwagę.

W tym momencie do kuchni wchodzi Anna, rzuca się na krzesło i siedzi tam ze spuszczoną głową.

– Gdzie byłaś? – pyta ją Kate.

– Gdzieś. – Anna wbija wzrok w talerz, ale nie nakłada sobie niczego.

To nie jest jej zwykłe zachowanie. Z Jessem codziennie są przepychanki, Kate trzeba nieustannie pomagać, ale na Annę zawsze można liczyć. To jedyna pewna osoba w rodzinie. Anna przychodzi uśmiechnięta, opowiada o droździe z przetrąconym skrzydłem, którego znalazła w parku, zachwyca się, że ptak „się rumienił", a potem przypomina sobie, że w supermarkecie widziała mamę pchającą wielki, poczwórny wózek: „Dwie pary bliźniaków naraz!". Anna to nasza baza; taka głucha cisza z jej strony jest trudna do zniesienia.

– Coś się stało? – pytam.

Anna spogląda na Kate, pewna, że to pytanie było skierowane do siostry. Unosi brwi, wystraszona, kiedy spostrzega, że mówiłem do niej.

– Nie.

– Dobrze się czujesz?

Znów to samo: Anna dopiero po chwili domyśla się, że to do niej się mówi. To pytanie zwykle zadajemy Kate.

– Tak, wszystko w porządku.

– Pytam, bo nic nie jesz.

Anna patrzy na swój talerz, jakby teraz dopiero zauważyła, że jest pusty. Nakłada sobie kopiastą porcję jedzenia i zapycha usta fasolką szparagową.

Ni stąd, ni zowąd przypominam sobie nasze wspólne przejażdżki samochodem, kiedyś, kiedy dzieciaki były jeszcze małe. Upychaliśmy całą trójkę na tylnym siedzeniu, jak cygara w pudełku, a ja śpiewałem im tę starą piosenkę Laury Brannigan, w której podstawia się w refrenie różne imiona: Anna anna bo banna, banana fanna fo fanna, me my mo manna... („Chuck! – wył Jesse, tłumiąc chichot. – Wstaw imię Chuck!").

– Hej. – Kate pokazuje palcem. – Gdzie masz swoje serduszko?

To ode mnie je dostała, wiele lat temu. Anna sięga ręką do szyi.

– Zgubiłaś je? – pytam.

– A może nie miałam dziś ochoty go nosić? – Wzrusza ramionami.

O ile wiem, Anna nigdy się nie rozstawała z tym naszyjnikiem. Sara wyjmuje pieczeń z piekarnika i stawia na stole. Sięga po nóż do mięsa.

– A propos rzeczy, których nie mamy ochoty nosić. – Jej spojrzenie pada na Kate. – Idź się przebrać.

– Dlaczego?

– Bo tak.

– To nie jest powód.

Sara z rozmachem wbija nóż w mięso.

– Bo uważam, że to nie jest odpowiedni strój do obiadu.

– Wcale nie gorszy niż te koszulki z kapelami, które nosi Jesse. Co to było wczoraj? Grzmiące Cioty z Alabamy?

Jesse przewraca oczami. Widziałem takie spojrzenie na włoskich westernach, u konia, który okulał i czeka, aż go dobiją.

Sara piłuje pieczeń, która przedtem była niemal surowa, a teraz wygląda jak nadpalona belka.

– Patrzcie tylko – skarży się. – Wszystko do niczego.

– Co ty opowiadasz. – Nakładam na talerz plaster

mięsa, który dał się oderwać od reszty, i biorę do ust pierwszy kęs. Twarde jak podeszwa. – Znakomite. Poczekajcie chwilę, skoczę do remizy i przywiozę palnik. Po co masz się męczyć z tym nożem.

Sara mruga, zdziwiona, a potem parska śmiechem. Kate chichocze, nawet Jesse raczył skrzywić twarz.

A ja w tym momencie spostrzegam, że Anny już nie ma przy stole. Co gorsza, żadne z nas nawet tego nie zauważyło.

Jesteśmy na służbie we czterech. Siedzimy w kuchni. Red gotuje jakiś sos, Paulie czyta „ProJo", a Cezar pisze list do dziewczyny, która miała w tym tygodniu zaszczyt stać się obiektem jego pożądania. Red przygląda mu się, po czym potrząsa głową z dezaprobatą.

– Powinieneś zapisać sobie ten list w komputerze i drukować w razie potrzeby.

Cezar to nie jest prawdziwe imię, tylko ksywka. Wymyślił ją dawno temu Paulie, bo Cezar to taki człowiek, który nie potrafi usiedzieć w jednym miejscu.

– Tym razem to co innego – oznajmia.

– Jasne. Tym razem uczucie przetrwa całe dwa dni. – Red cedzi makaron nad zlewem. Jego twarz tonie w kłębach pary. – Fitz, zlituj się nad chłopakiem i udziel mu światłych wskazówek.

– Dlaczego ja?

Paulie zerka na mnie znad gazety.

– Domyśl się – mówi krótko.

Fakt. Żona Pauliego odeszła dwa lata temu z wiolonczelistą orkiestry symfonicznej, która przyjechała do Providence na gościnne koncerty. Red to zaprzysięgły stary kawaler, kobiety zna tylko z widzenia. A ja mam dwudziestoletni staż małżeński.

Red stawia talerz przede mną. Rozpoczynam wykład.

– Kobieta – oznajmiam – jest jak ognisko.

Paulie rzuca gazetę na stół.

– Uwaga! – huczy. – Słuchamy! Tao kapitana Fitzgeralda!

Ignoruję jego wygłupy.

– Ogień jest piękny, prawda? Od płomieni trudno oderwać wzrok. Dopóki się nad nim panuje, daje światło i grzeje. Do konfrontacji należy dążyć dopiero wtedy, kiedy wymknie się spod kontroli.

– Pan kapitan chce przez to powiedzieć – wtrąca Paulie – że nie można wystawiać kobiety na wiatr, bo się rozniesie. Red, masz trochę parmezanu?

Siadamy do obiadu, dla mnie już drugiego w tym dniu. Początek jedzenia zwykle oznacza, że za kilka chwil odezwie się sygnał alarmowy. Strażak pracuje w świecie, gdzie obowiązuje prawo Murphy'ego: kryzys zawsze następuje wtedy, kiedy żadną miarą nie można sobie na niego pozwolić.

– Fitz, a pamiętasz ostatni raz, kiedy truposz utknął nam w piecu? – pyta Paulie. – Jak jeszcze służyliśmy w ochotnikach?

Mój Boże, pamiętam. Facet ważył ze dwieście kilo albo i więcej. Zmarł na zawał we własnym łóżku. Pracownicy domu pogrzebowego wezwali straż pożarną, bo nie mogli sami poradzić sobie ze zniesieniem ciała po schodach.

– Spuściliśmy go przez okno na linach – wspominam na głos.

– Też mieli go skremować, ale był za wielki... – Paulie szczerzy zęby. – Zamiast do krematorium zawieźli go do weterynarza, żebym tak zdrów był!

Cezar gapi się na niego, mrugając oczami.

– Po co?

– A co się robi ze zdechłym koniem, jak ci się wydaje, omnibusie?

Cezar myśli, łącząc zasłyszane wiadomości. W końcu jego twarz rozjaśnia zrozumienie.

– Bez jaj... – szepcze, po czym, jakby nagle się rozmyślił, odsuwa talerz ze spaghetti bolognese.

– Jak myślicie, komu każą czyścić komin u medyków? – pyta Red.

– Pewnie tym ze służby inspekcji pracy. Ale mają fart, biedaki. – Paulie się krzywi.

– Stawiam dziesięć dolców, że zadzwonią tutaj i powiedzą, że to należy do nas.

– Nie zadzwonią – wtrącam się – bo nie będzie czego czyścić. Tam już nic nie ma. Temperatura była zbyt wysoka.

– Przynajmniej wiemy na pewno, że to nie było podpalenie – mruczy Paulie pod nosem.

W zeszłym miesiącu mieliśmy plagę pożarów wywołanych umyślnie. To widać od razu – w zgliszczach zostają plamy po łatwopalnych płynach, źródła płomieni znajdujemy w kilku różnych miejscach, wydziela się czarny dym albo w podejrzany sposób ogień koncentruje się w jednym miejscu. Podpalacze bywają też sprytni: kilka razy zdarzyło się, że materiały łatwopalne zgromadzono pod schodami, żebyśmy nie mogli do nich dotrzeć. Takie pożary są szczególnie groźne, ponieważ nie podlegają regułom, które na co dzień stosujemy w walce z ogniem. Podpalony budynek bardziej niż zwykle grozi zawaleniem i pogrzebaniem pod ruinami strażaków gaszących płomienie.

– A może jednak? – prycha Cezar. – Może to był podpalacz samobójca. Wlazł do komina i sam się podpalił.

– Albo koniecznie chciał zrzucić parę kilo – dodaje Paulie, a tamci dwaj parskają śmiechem.

– Przestańcie – przerywam im.

– Daj spokój, Fitz, to niezły dowcip...

– Więc może opowiesz go rodzinie tego człowieka.

Zapada niezręczna cisza. Widzę, że moim kolegom zabrakło słów. W końcu odzywa się Paulie, który zna mnie najdłużej.

– Znów coś złego się dzieje z Kate?

Z moją starszą córką zawsze dzieje się coś złego. Najgorsze jest to, że nigdy nie będzie lepiej. Wstaję od stołu i wkładam talerz do zlewu.

– Będę na dachu.

Każdy z nas ma jakieś hobby: Cezar lubi dziewczyny, Paulie gra na dudach, Red uwielbia gotować. Ja mam teleskop. Ustawiłem go na dachu remizy już bardzo dawno temu. Stąd mam najlepszy widok na niebo nocą.

Gdybym nie został strażakiem, byłbym astronomem. Wiem, że jak na moje możliwości umysłowe za wiele w tym zawodzie matematyki, ale jednak coś mnie pociąga w obserwacji gwiazd. W bezksiężycową noc na niebie widać tysiąc – tysiąc pięćset gwiazd, a przecież są jeszcze miliony innych, nieodkrytych. Człowiek łatwo ulega złudzeniu, że to świat obraca się wokół niego, ale wystarczy spojrzeć w niebo, żeby zrozumieć, że wcale tak nie jest.

Anna tak naprawdę ma na imię Andromeda. Tak stoi w metryce, przysięgam. To nazwa konstelacji oraz imię księżniczki przykutej do skały na ofiarę morskiemu potworowi. Była to kara za grzech jej matki Kasjopei, która pyszniła się przed Posejdonem swoją urodą. Andromedę znalazł bohaterski Perseusz, przelatujący tamtędy w skrzydlatych sandałach. Zakochał się w niej i ocalił od śmierci. Na niebie Andromeda wznosi ręce skute łańcuchem.

Tak jak rozumiem tę historię, wszystko dobrze się skończyło. Kto by nie życzył tego swojemu dziecku?

Kiedy urodziła nam się Kate, marzyłem o tym, że kiedyś będzie z niej piękna panna młoda. Potem przyszła choroba, diagnoza – ostra białaczka promielocytowa – a ja w moich marzeniach zacząłem widzieć Kate na uroczystości wręczenia dyplomów ukończenia szkoły średniej. Potem nastąpił nawrót choroby i wszystkie te wizje wzięły w łeb: gorąco zapragnąłem zobaczyć jej piąte urodziny. Teraz nie mam już oczekiwań; w ten sposób każdego dnia moja córka przechodzi najśmielsze z nich.

Kate umiera. Przez bardzo długi czas nie chciałem przyjąć tego do wiadomości. Wszyscy kiedyś umrzemy, to prawda, ale takie rzeczy jak ta nie powinny się zdarzać. Dlaczego to ja mam żegnać Kate, a nie na odwrót?

To aż zakrawa na jakieś oszustwo. Po tylu latach walki i obalania wszelkich statystyk chorobowych Kate nie umrze na białaczkę. Ale to przepowiedział już doktor Chance wiele lat temu. Nie ma w tym nic dziwnego – to zwyczajna rzecz, że organizm pacjenta w końcu męczy się walką z chorobą i narządy zaczynają odmawiać posłuszeństwa. U Kate zaczęło się od nerek.

Nastawiam teleskop na gwiazdę Barnarda i mgławicę M42, jaśniejące w mieczu Oriona. Gwiazdy to wielkie pożary, które płoną przez tysiąclecia. Niektóre żarzą się powoli, bez pośpiechu, jak czerwone karły. Są też takie gwiazdy jak błękitne olbrzymy, spalające paliwo tak szybko, że ich blask wyraźnie widać z wielkich odległości. Pod koniec, kiedy zasoby zaczynają się kurczyć, gwiazdy te spalają hel, który podkręca ich temperaturę coraz bardziej, aż do punktu, w którym eksplodują. Powstaje supernowa, jaśniejsza od najjaśniejszych galaktyk. Gwiazda umiera, ale wszyscy widzą jej śmierć.

Po obiedzie w domu pomagałem Sarze sprzątnąć w kuchni.

– Nie wydaje ci się, że z Anną jest coś nie tak? – zapytałem, odstawiwszy keczup do lodówki.

– Dlaczego? Bo zdjęła swoje serduszko?

– Nie. – Wzruszyłem ramionami. – Tak tylko pytam.

– Pomyśl o Kate, która ma chore nerki, i o Jessem, u którego nasilają się objawy socjopatii. W porównaniu z nimi Anna to okaz zdrowia.

– Widać było, że tylko czeka, żeby wstać od stołu.

Sara odwróciła się od kranu.

– Więc co to ma według ciebie oznaczać?

– Może to jakiś... chłopak?

Spojrzenie.

– Anna z nikim się nie spotyka.

Dzięki Bogu.

– To może któraś koleżanka jej przygadała. – Właściwie dlaczego Sara tak się dopytuje? Co ja mogę wiedzieć o humorach trzynastolatek?

Sara wytarła ręce i włączyła zmywarkę.

– Takie już są nastolatki.

Kiedy spróbowałem sobie przypomnieć, jaka była Kate w wieku trzynastu lat, pamięć podsunęła mi tylko nawrót jej choroby i przeszczep komórek macierzystych. Zwykłe życie naszej starszej córki, to w okresach pomiędzy jednym leczeniem a drugim, zawsze było jakby na drugim planie.

– Muszę jutro zawieźć Kate na dializę – powiedziała Sara. – O której wrócisz do domu?

– Do ósmej powinienem już być, ale służba nie drużba. Nie zdziwiłbym się, gdyby nasz podpalacz objawił się ponownie.

– Brian, nie wydaje ci się, że Kate źle dziś wygląda?

Już chciałem powiedzieć, że dużo lepiej niż Anna, ale Sara pytała o co innego. Miałem ocenić, czy skóra Kate, zwykle o lekko pożółkłym odcieniu, nie jest dziś przypadkiem bardziej żółta niż wczoraj. Miałem się domyślić, dlaczego dziś brakło jej sił, żeby siedzieć prosto, skutkiem czego opierała się ciężko łokciami o stół.

– Kate wygląda świetnie – skłamałem, bo tyle mogłem zrobić dla mojej żony. Ona, kiedy trzeba, robi to samo dla mnie.

– Nie zapomnij powiedzieć im dobranoc, zanim wyjdziesz do pracy – rzekła Sara, odwracając się ode mnie, żeby wyjąć z szafki lekarstwa, które Kate bierze przed pójściem spać.

Dziś wszędzie panuje cisza. Tydzień ma własny rytm: szalone tempo nocnej zmiany w piątek czy w sobotę różni się wyraźnie od nocy niedzielnej i poniedziałkowej, bezczynnej i nudnej. Już wiem, że dziś będę mógł położyć się i przespać.

– Tato, jesteś tu? – słyszę głos Anny. Właz na dach się uchyla. – Red powiedział, że cię tu znajdę.

Drętwieję w ułamku sekundy.

– Co się stało?

– Nic. Chciałam... wpaść do ciebie.

Kiedy dzieci były młodsze, Sara przywoziła je tutaj bardzo często. Bawiły się w zatokach maszynowych, u stóp śpiących metalowych gigantów, a zasypiały na mojej pryczy w pokoju służbowym na piętrze. Latem, w wyjątkowo ciepłe noce, rozkładaliśmy tutaj, na dachu, stary koc. Leżeliśmy razem, dzieci między nami, i patrzyliśmy, jak zapada noc.

– Mama wie, gdzie jesteś?

– Podrzuciła mnie tutaj samochodem. – Anna podchodzi ostrożnie. Nigdy nie czuła się pewnie na wysokościach, a na tym dachu nie ma poręczy, tylko niski, kilkucentymetrowy gzyms. Nachyla się do teleskopu, zezując lekko. – Co to za gwiazda?

– Wega – odpowiadam, przyglądając się córce uważnie, po raz pierwszy od jakiegoś czasu. Nie jest już chuda jak szczapa; tu i ówdzie zaczynają pojawiać się krągłości, a jej gesty – na przykład to zakładanie włosów za ucho, kiedy pochyla się do teleskopu – nabrały gracji

64

i lekkości jak u dorosłej kobiety. – Chcesz ze mną o czymś porozmawiać?

Anna zagryza mocno dolną wargę. Wbija wzrok w czubki butów.

– A może to ty byś porozmawiał ze mną?

Kładę więc na dachu kurtkę, sadzam na niej córkę i opowiadam jej o gwiazdach, o Wedze w gwiazdozbiorze Liry Orfeusza. Opowieści raczej nie trzymają mi się głowy; wyjątek stanowią historie związane z nazwami konstelacji. Opowiadam Annie o synu boga słońca, który śpiewem zaklinał zwierzęta i poruszał skały. Opowiadam o jego ukochanej żonie Eurydyce, którą kochał tak bardzo, że wydarł ją samej śmierci.

Kiedy kończę opowieść, oboje leżymy już na wznak na dachu.

– Mogę tu z tobą zostać? – pyta Anna.

– Jasne. – Całuję ją w głowę.

– Tato – szepcze, kiedy jestem już pewien, że usnęła – powiedz, czy im się udało?

Dopiero po chwili dociera do mnie, że pyta o Orfeusza i Eurydykę.

– Nie – przyznaję szczerze.

Anna wzdycha.

– Tak myślałam.

ANNA

Kiedy byłam młodsza, wyobrażałam sobie, że żyję w rodzinie zastępczej, a moi prawdziwi rodzice mieszkają gdzie indziej. To wcale nie było trudne: Kate jest podobna do taty, Jesse do mamy – dosłownie jak zdarta skóra, a ja? Zbieranina genów recesywnych, co to nie wiadomo skąd się wzięła. Siedzę w szpitalnej stołówce, przed sobą mam talerz gumowatych frytek i salaterkę z galaretką. Rozglądam się po stolikach dookoła i tak sobie myślę: może od moich prawdziwych rodziców dzieli mnie tylko ta jedna taca i kawałek blatu? Zaraz mnie rozpoznają, rozpłaczą się z radości, a potem raz-dwa zabiorą stąd. Pojedziemy do naszego zamku w Monako albo w Rumunii, gdzie czeka na mnie pokojówka pachnąca czystą, świeżą pościelą, owczarek szwajcarski i osobisty, prywatny telefon. Problem w tym, że pierwszą osobą, do której bym z niego zadzwoniła, żeby pochwalić się tą nagłą odmianą losu, byłaby Kate.

Kate trzy razy w tygodniu jeździ na dializy. Każdy zabieg trwa dwie godziny. Podłączają jej kateter do żyły podobojczykowej, w to samo miejsce, gdzie kiedyś nosiła cewnik centralny; nawet wygląda podobnie. Ta rurka biegnie do maszyny, która wyręcza jej chore nerki. Krew Kate (a ściśle rzecz biorąc, moja) wypływa jedną rurką,

66

a wraca drugą, już oczyszczona. Podobno to wcale nie boli. Najgorsza w całym zabiegu jest nuda. Kate zwykle bierze ze sobą discmana ze słuchawkami, a czasami wymyślamy sobie jakieś zabawy. Każe mi na przykład wyjść na korytarz i kiedy tylko zobaczę jakiegoś przystojniaka, wrócić i opisać go. Inny pomysł: mam śledzić oddziałowego i dowiedzieć się, jakie strony odwiedza w Internecie i czyje gołe zdjęcia sobie ściąga. Kiedy moja siostra nie może ruszyć się z łóżka, ja jestem jej oczami i uszami.

Dziś Kate zabrała ze sobą żurnal. Ciekawe, czy zdaje sobie sprawę z tego, że za każdym razem, kiedy odwraca kartkę i widzi kolejną wydekoltowaną modelkę, dotyka tego miejsca na mostku, gdzie ona ma podpięty kateter, a one nie.

– Patrzcie – mówi mama. – Znalazłam coś ciekawego. – Pokazuje nam broszurkę zabraną z tablicy ogłoszeń wiszącej u drzwi pokoju, w którym Kate ma zabiegi. Broszurka nosi tytuł „Ty i twoja nowa nerka". – Wiecie, że stara nerka zostaje na miejscu? Przeszczepiają nową zaraz obok niej.

– Koszmar. – Kate się krzywi. – Wyobraźcie sobie, że koroner bada wasze zwłoki, otwiera, a tam... trzy nerki. Nie dwie, tylko trzy.

– Po to właśnie robi się przeszczepy, żeby koroner nie miał za dużo pracy przy badaniu naszych zwłok – odpowiada jej mama. Nerka, której dotyczy rozmowa, w tej chwili jest częścią mojego ciała.

Ja też czytałam tę broszurkę.

Operacja usunięcia nerki do przeszczepu jest podobno względnie bezpieczna, ale moim zdaniem lekarz specjalista, autor tego tekstu, pisząc go, musiał chyba ciągle myśleć o takich zabiegach jak wszczepienie płucoserca albo usunięcie guza mózgu. W moim pojęciu bezpieczna operacja odbywa się w przychodni, w gabinecie lekarza, nie wymaga znieczulenia i trwa pięć minut – coś jak usunięcie kurzajki albo plombowanie zębów. Bo kiedy wyjmują nerkę do przeszczepu, od wieczora przed operacją nie można nic jeść, a do tego trzeba brać środki przeczyszczające. W szpitalu dostaje się znieczulenie, które teoretycznie może spowodować wylew, zawał i uszkodzić płuca. Operacja trwa cztery godziny i nie jest znowu taka prosta: jeden na trzy tysiące pacjentów umiera na stole. Ci, którzy przeżyją, muszą zostać w szpitalu przez cztery dni, a czasem nawet przez cały tydzień, choć i tak pełna rekonwalescencja trwa od czterech do sześciu tygodni. No i są jeszcze długoterminowe efekty uboczne takiej operacji: zwiększone ryzyko podwyższonego ciśnienia, niebezpieczeństwo komplikacji podczas ciąży i inne. Zalecane jest też wstrzymanie się od czynności, które mogą narazić na uszkodzenia pozostałą nerkę, pracującą teraz za dwie.

I jeszcze jedno: kiedy usuwają kurzajkę albo plombują ząb, korzysta na tym pacjent, nikt inny.

Słychać pukanie i po chwili w drzwiach pojawia się znajoma twarz szeryfa Verna Stackhouse'a. Szeryf, tak jak strażak, jest pracownikiem służby publicznej; mój ojciec i Vern znają się dobrze z pracy i różnych imprez organizowanych w ich środowisku. Vern kiedyś często u nas bywał, dostawaliśmy od niego prezenty na Gwiazdkę. Niedawno uratował tyłek Jessemu, który znów się w coś wpakował; zamiast przekazać go wymiarowi sprawiedliwości, przywiózł naszego brata prosto do domu. Kiedy ma się w rodzinie umierające dziecko, ludzie patrzą przez palce na to, co się robi.

Twarz Verna przypomina suflet; jest cała pozapadana. Szeryf stoi z niepewną miną, jakby czekał na pozwolenie, żeby wejść.

– Dzień dobry – mówi. – Cześć, Saro.

– Vern! – Mama zrywa się na równe nogi. – Ty w szpitalu? Co się stało?

– Nic, nic... Jestem na służbie.

– Pewnie doręczasz komuś wezwanie – domyśla się mama.

– No właśnie. – Vern przestępuje w zakłopotaniu z nogi na nogę. Napoleońskim gestem wsuwa rękę za guziki munduru. – Strasznie mi przykro, ale muszę to zrobić, Saro. – Podaje mamie dokument.

W jednej chwili cała krew odpływa mi z ciała, jakbym to ja była Kate. Nie mogę nawet drgnąć.

– Co to ma... Ktoś pozwał mnie do sądu? – Głos mamy jest cichy, o wiele za cichy.

– Nie czytam urzędowych pism. Ja je tylko doręczam. Miałem cię na liście, więc musiałem... Gdybym mógł coś... jakoś... – Vern urywa w pół zdania i wycofuje się tyłem do drzwi, mnąc w dłoniach czapkę.

– Mamo – odzywa się Kate. – Mamo, co się dzieje?

– Nie mam pojęcia. – Mama rozkłada papiery. Stoję na tyle blisko, że bez trudu mogę czytać jej przez ramię. U góry strony biegnie oficjalny nagłówek: STAN RHODE ISLAND I PROVIDENCE PLANTATIONS. SĄD RODZINNY OKRĘGU PROVIDENCE. W IMIENIU ANNY FITZGERALD.

WNIOSEK O USAMOWOLNIENIE W KWESTII ZABIEGÓW MEDYCZNYCH.

O, jasna cholera. Moje policzki płoną żywym ogniem; serce zaczyna walić jak młot. Czuję się dokładnie tak samo jak wtedy, kiedy dyrektor szkoły wysłał upomnienie moim rodzicom, bo narysowałam na marginesie podręcznika od matmy karykaturę pani Toohey z ogromnym zadem, prosto z natury. Nie, wróć; tamto to był pryszcz. Teraz jest milion razy gorzej.

„Wnosi się o to, aby nasza klientka mogła w przyszłości osobiście podejmować wszelkie decyzje w kwestiach zdrowotnych".

„Wnosi się o to, aby nie zmuszać jej do poddawania się operacjom, które nie są korzystne dla jej zdrowia ani nie przynoszą jej żadnego pożytku".

„Wnosi się o to, aby zaprzestać poddawania jej zabiegom medycznym na rzecz jej siostry Kate".

Wzrok mamy spoczywa na mnie.

– Anno – słyszę jej szept. – Co to ma znaczyć, do diabła?

A więc zaczęło się. Uczucie jest takie, jakbym dostała pięścią prosto w żołądek. Potrząsam głową. Nie znajduję słów, które mogłabym w tej chwili powiedzieć.

– Anno! – Mama rusza w moją stronę.

Nagle Kate zaczyna krzyczeć.

– Mamo, boli! Wezwij pielęgniarkę!

Mama błyskawicznie odwraca się w pół kroku. Kate wije się na łóżku; twarz ma zasypaną włosami. Wydaje mi się, że patrzy na mnie, ale przez te włosy nie widzę dokładnie.

– Mamusiu... – jęczy. – Proszę cię...

Przez krótką chwilę mama jest rozdarta pomiędzy mną a nią. Patrzy to na mnie, to na Kate. Wisi pomiędzy nami jak bańka mydlana.

Moja siostra skręca się z bólu, a ja czuję ulgę. Chyba nie najlepiej to o mnie świadczy.

Wybiegam z pokoju. Dostrzegam jeszcze tylko kątem oka, że mama naciska raz po raz przycisk wzywający pielęgniarkę, jakby to był spust zapalnika bomby.

Nie mogę pójść ani do stołówki, ani do holu, bo tam będą mnie szukać. Idę schodami na szóste piętro, na porodówkę. Na korytarzu jest tylko jeden telefon; w tej chwili używa go jakiś facet.

– Dokładnie trzy kilo! – chwali się do słuchawki, a na twarzy ma uśmiech tak szeroki, że aż się boję, że rozsadzi mu twarz. – Prześliczna.

Czy moi rodzice zachowywali się tak samo? Czy tato rozsyłał wici do wszystkich znajomych? Czy liczył moje palce, żeby się upewnić, że wszystkie są na swoim miejscu, że jest ich dokładnie tyle, ile ma być? Czy mama pocałowała mnie w głowę i nie chciała oddać pielęgniarce do umycia? Czy może obojętnie pozwoliła, żeby mnie zabrali, bo główna nagroda była już bezpieczna, spięta zaciskami w pępowinie, pomiędzy moim brzuchem a łożyskiem?

Świeżo upieczony tatuś w końcu odkłada słuchawkę, śmiejąc się bez widocznego powodu.

– Moje gratulacje – mówię, choć tak naprawdę chcę powiedzieć co innego: wolałabym mu poradzić, żeby wziął to swoje maleństwo, mocno je przytulił, żeby zawiesił srebrny księżyc nad jej łóżeczkiem i wypisał jej imię gwiazdami na nocnym niebie. Niech uczyni wszystko, żeby nigdy w życiu nie przyszło jej nawet do głowy zrobić mu to, co ja zrobiłam rodzicom.

Dzwonię do Jessego i proszę, żeby po mnie przyjechał. Po dwudziestu minutach jego wóz staje przed głównym wejściem do szpitala. Szeryf Stackhouse już wie, że się zgubiłam; czeka na mnie u drzwi.

– Mama zamartwia się o ciebie. Wezwała ojca z pracy i wywróciła cały szpital do góry nogami.

Biorę głęboki wdech.

– W takim razie najlepiej będzie, jeśli powiadomi ją pan, że nic mi nie jest. – Z tymi słowami wskakuję do szoferki i zatrzaskuję drzwi, które otworzył mi Jesse.

Ruszamy. Brat zapala papierosa, choć podobno zapewniał mamę, że rzucił palenie. Puszcza swoją muzykę i wybija rytm otwartą dłonią na kierownicy. Wyłącza radio dopiero po zjeździe z autostrady, na szosie prowadzącej do Upper Darby. Zwalnia też dopiero tam.

– No i co? – pyta. – Dostała spazmów?

– Wezwała tatę z pracy.

W naszej rodzinie odwołanie ojca ze służby to ciężki grzech. Jaki kryzys rodzinny można porównać z katastrofami, które on ma w pracy na co dzień?

71

– Ostatni raz coś takiego zdarzyło się wtedy – informuje mnie Jesse – kiedy u Kate wykryli chorobę.

– Super. – Krzyżuję ręce na piersi. – To mi poprawiłeś nastrój.

Jesse tylko się uśmiecha.

– Siostrzyczko – puszcza kółko z dymu – witaj po ciemnej stronie.

Wpadają do domu jak burza. Kate ledwie udaje się rzucić mi jedno spojrzenie; tata natychmiast każe jej iść na górę, do naszego pokoju. Mama z trzaskiem rzuca na stolik torebkę i klucze do samochodu. W dwóch krokach jest przy mnie.

– No dobrze. – Z trudem wypycha słowa przez zaciśnięte do granic możliwości gardło. – Co się tutaj wyprawia?

Przełykam ślinę.

– Wynajęłam adwokata.

– To już wiem. – Mama chwyta słuchawkę i wyciąga ją w moją stronę. – Zadzwoń do niego i podziękuj za współpracę.

Kosztuje mnie to naprawdę bardzo wiele, ale udaje mi się potrząsnąć przecząco głową i upuścić słuchawkę na kanapę.

– Anno, przysięgam ci, że...

– Saro. – Głos ojca wbija się klinem pomiędzy nas dwie. Odskakujemy od siebie jak rozcięte połówki jabłka. – Dajmy jej się wytłumaczyć. Przecież uzgodniliśmy, że najpierw jej wysłuchamy, tak czy nie?

Garbię się.

– Ja już nie mogę.

Wystarczy. Mama momentalnie wybucha.

– Myślisz, że ja mogę? Kate też pewnie by wolała, żeby było inaczej, ale nie mamy żadnego wyboru.

Cały kłopot w tym, że jedno z nas ma wybór, a tym kimś jestem ja. Dlatego właśnie nikt nie może mnie wyręczyć.

Mama staje nade mną.

– Poszłaś do adwokata i poskarżyłaś się, że jesteś biedna i pokrzywdzona. To nieprawda. Wszyscy przez to cierpimy. Każde z nas...

Ręce taty zaciskają się mocno na jej ramionach. Mama milknie, a on kuca przede mną. Czuję od niego zapach dymu. Zostawił czyjś płonący dom, żeby gasić płomienie we własnym – tej jednej rzeczy się wstydzę.

– Kochanie, wiemy, że zrobiłaś to, co uważasz za słuszne...

– Mów za siebie – przerywa mu mama.

Ojciec zaciska powieki.

– Saro, zamknij się, do jasnej cholery. – Znów spogląda na mnie. – Możemy się porozumieć we trójkę czy musi zrobić to za nas adwokat?

Na te słowa łzy napływają mi do oczu, ale cóż, spodziewałam się tego, więc podnoszę głowę i pozwalam im płynąć.

– Ja już nie mogę, tatusiu.

– Czy ty w ogóle nie rozumiesz – pyta mama – jakie będą tego konsekwencje?

Moje gardło zaciska się jak migawka w aparacie fotograficznym. Jeśli znajdę jakieś argumenty na swoją obronę, będę musiała je przeciskać przez szparę wielkości łebka od szpilki. Wy mnie w ogóle nie widzicie, myślę, i nagle dociera do mnie, że powiedziałam to na głos. Za późno.

Cios spada tak szybko, że aż umyka oczom. Policzek płonie żywym ogniem, a głowa odskakuje w tył. Dostałam w twarz od własnej matki. Ślad po tym uderzeniu pali mnie jeszcze długo po tym, jak zniknął ze skóry. Tak za pamięci: wstyd ma pięć palców.

Kiedy Kate miała osiem lat, a ja pięć, pokłóciłyśmy się i w końcu stanęło na tym, że nie chcemy dłużej dzielić wspólnego pokoju. Problem w tym, że u nas nigdy nie było za dużo miejsca, a Jesse nie mieszkał wtedy jeszcze na strychu nad garażem, tylko w domu, ze wszystkimi, więc nie było wolnych pokojów. Sytuacja wydawała się bez wyjścia, ale Kate, starsza i mądrzejsza, wymyśliła, że podzielimy nasz pokój na pół.

– Którą stronę wybierasz? – zapytała dyplomatycznie. – Możesz wziąć, którą chcesz.

Zdecydowałam się na tę stronę pokoju, gdzie stało moje łóżko. Poza tym tutaj było też pudło, w którym trzymałyśmy nasze Barbie i półki z przyborami do pisania i rysowania. Kate chciała wziąć stamtąd flamaster, ale wtedy zwróciłam jej uwagę, że to już jest po mojej stronie.

– W takim razie podaj mi go – rozkazała. Podałam jej czerwony pisak, a Kate wspięła się na biurko, sięgając w górę najwyżej, jak tylko mogła. – Pamiętaj – ostrzegła – że jak już to zrobię, to musisz zostać po swojej stronie, a ja nie mogę wchodzić na twoją. Tak?

Skinęłam skwapliwie głową, bo byłam zapalona do tego pomysłu tak samo jak ona. Miałam przecież dostać wszystkie najlepsze zabawki. Kate będzie mnie prosić, żeby mogła przyjść na moją stronę – i to bardzo szybko.

– Przysięgasz?

Wypowiedziałyśmy formułkę przysięgi. Kate narysowała nierówną linię biegnącą od sufitu po ścianie, blacie biurka i jasnobrązowym dywanie, aż do nocnego stolika pod przeciwległą ścianą. Kiedy skończyła, oddała mi flamaster.

– I pamiętaj – powiedziała – że kto łamie przysięgę, ten jest oszukańcem.

Usiadłam na podłodze po mojej stronie. Wyjęłam wszystkie nasze Barbie, co do jednej. Zaczęłam je stroić, robiąc z tego wielkie przedstawienie, tak żeby tylko jej pokazać, że teraz wszystkie są moje. Kate przysiadła na krawędzi swojego łóżka z kolanami pod brodą. Patrzyła na mnie, nawet nie drgnąwszy – aż do momentu kiedy mama z dołu zawołała nas na obiad.

Wtedy Kate uśmiechnęła się do mnie i wyszła z pokoju. Drzwi były po jej stronie.

Podeszłam do linii, którą narysowała na dywanie i nadepnęłam na nią bosą stopą. Nie chciałam wyjść na oszukańca, ale nie uśmiechało mi się też, że do końca życia nie będę mogła wyjść z pokoju.

Nie wiem, jak długo mama czekała, aż raczę zejść na obiad. Kiedy ma się pięć lat, każda sekunda dłuży się w nieskończoność. Wreszcie stanęła w progu i zobaczyła linię na ścianach i na dywanie. Zacisnęła powieki, jakby modląc się o cierpliwość, po czym podeszła do mojego łóżka i wzięła mnie na ręce. Zaczęłam się jej wyrywać.

– Zostaw mnie! – krzyczałam. – Nie będę mogła tu wrócić!

Po chwili mama dała za wygraną. Wyszła, ale zaraz wróciła z naręczem ściereczek, ręczników i poduszek. Porozrzucała je na podłodze po stronie Kate.

– Chodź – wyciągnęła rękę, ale ja ani drgnęłam. Mama przeszła więc przez linię i usiadła obok mnie na łóżku. – Ten staw należy do Kate, zgoda – powiedziała – ale rosną na nim moje lilie. Po ich liściach można przejść na drugą stronę.

Wstała. Wskoczyła na rozłożoną na podłodze kuchenną ścierkę, a z niej na poduszkę z kanapy. Obejrzała się na mnie przez ramię; patrzyła tak, dopóki nie stanęłam na tej samej ścierce co ona poprzednio. Poprowadziła mnie z niej na poduszkę, z poduszki na rękawicę kuchenną, którą Jesse uszył w pierwszej klasie, i tak dalej, aż do samych drzwi. Proste i pewne rozwiązanie: wystarczyło iść po śladach matki.

Stoję pod prysznicem. Drzwi są zamknięte na zamek, ale Kate wie, jak go otworzyć z zewnątrz. Wchodzi do łazienki.

– Chcę z tobą porozmawiać – oświadcza.

Wystawiam głowę zza plastikowej zasłony.

– Potem, jak skończę. – Chcę zyskać na czasie, żeby przygotować się do tej rozmowy, chociaż i tak w ogóle nie mam na nią specjalnej ochoty.

– Nie, teraz. – Kate siada na zamkniętym sedesie. Wzdycha ciężko. – Anno... To, co chcesz zrobić...

– Już to zrobiłam – poprawiam ją.

– Możesz to wszystko cofnąć, jeśli tylko zechcesz.

Jak to dobrze, że jest tutaj tyle pary, bo za nic w świecie nie chciałabym, żeby Kate mogła teraz zobaczyć moją twarz.

– Wiem – odpowiadam szeptem.

Kate milczy przez długą chwilę. Jej myśli, tak samo jak moje, gonią jedna drugą, jak szczur doświadczalny na kole w laboratorium goni własny ogon. Chwytamy się wszelkich możliwych rozwiązań, ale żadne nie jest dobre.

Po chwili znów wychylam się zza zasłony. Kate ociera oczy i spogląda na mnie.

– Nie rozumiesz – pyta – że jesteś moją jedyną przyjaciółką?

– Wcale nie – zaprzeczam natychmiast, ale przecież wiem tak samo dobrze jak ona, że to nieprawda. Kate zbyt rzadko pojawiała się w szkole, żeby dobrać sobie jakąś grupę koleżanek, w której mogłaby się odnaleźć. Znajomości, które zawarła podczas tamtego długiego okresu, kiedy czuła się całkiem dobrze, nie przetrwały próby czasu, zresztą z wzajemnością. Okazało się, że przeciętne dziecko nie bardzo wie, jak się zachować w obecności kogoś, komu w każdej chwili grozi śmierć, a z drugiej strony Kate też trudno było ze szczerym zapałem rozmawiać o testach predyspozycyjnych na koniec szkoły albo o zjazdach absolwentów, kiedy nie mogła mieć żadnej pewności, że ich dożyje. Miała oczywiście kilka znajomych, ale kiedy zapraszała je do nas, to z reguły było tak, że przychodziły jak na ścięcie, siedziały na skraju jej łóżka i liczyły minuty, kiedy będą już mogły sobie pójść, dziękując Bogu, że nie przytrafiło się im to samo.

Prawdziwy przyjaciel nie potrafi użalać się nad tobą.

– Nie jestem twoją przyjaciółką – mówię ostro, zaciągając zasłonę z powrotem. – Jestem twoją siostrą.

Udana ze mnie siostrzyczka, nie ma co. Podstawiam twarz pod prysznic, żeby Kate nie zauważyła, że też płaczę.

Nagle zasłona odjeżdża na bok ze świstem. Stoję przed Kate całkowicie obnażona.

– O tym właśnie chciałam porozmawiać – mówi ona. – Jeśli nie chcesz już być moją siostrą, nie ma sprawy, ale nie mogę stracić twojej przyjaźni.

Zaciąga zasłonę. Spowijają mnie kłęby pary wodnej. Po chwili słyszę szczęk klamki i cichy trzask zamykanych drzwi. Na nogach czuję powiew zimnego powietrza.

Ja także nie mogę znieść myśli, że mogłabym utracić ją na zawsze.

Tej nocy, kiedy Kate już śpi, wstaję i podchodzę do jej łóżka. Sprawdzam, czy oddycha, trzymając dłoń nad jej twarzą. Ciepłe tchnienie rozgrzewa moją skórę. Mogłabym opuścić dłoń, teraz, w tej chwili, zasłonić nos i usta, przytrzymać, kiedy będzie się wyrywała. Czym to będzie się różniło od tego, co już zrobiłam?

Słyszę kroki w korytarzu. Momentalnie chowam się pod kołdrę, do mojej bezpiecznej kryjówki. Odwracam się plecami do drzwi, żeby nie zdradzić się drżeniem powiek, kiedy wejdą rodzice.

– Nie mogę w to uwierzyć – szepcze mama. – Nie mogę uwierzyć, że mogła to zrobić.

Tata milczy, jakby go w ogóle nie było. Przez chwilę nie jestem pewna, czy przyszedł z mamą, czy nie.

– To samo co z Jessem – znów odzywa się mama. – Ona to robi dlatego, żeby ściągnąć na siebie uwagę. – Czuję na sobie jej wzrok, wzrok obcy, jakby patrzyła na stworzenie, które widzi pierwszy raz w życiu. – Może trzeba ją dokądś zabrać, żeby nie czuła, że o nią nie dbamy. Wybierzmy się we trójkę do kina albo na zakupy. Niech zobaczy, że nie musi robić nam głupich numerów, żebyśmy zwrócili na nią uwagę. Jak myślisz?

Tata nie odpowiada od razu.

– A jeśli – odzywa się cicho – to wcale nie jest głupi numer?

Znacie to uczucie, kiedy jest ciemno i nagle zapada taka cisza, że człowiek ma wrażenie, jakby zupełnie stracił słuch? Tak właśnie ja się czuję w tej chwili. Kiedy mama wreszcie się odzywa, jej słowa ledwo do mnie docierają:

– Brian, na miłość boską... Po czyjej ty jesteś stronie?

I odpowiedź taty:

– Kto tu mówi o stronach?

Ale to nawet ja już wiem. Zawsze są dwie strony. Zwycięska i przegrana. Ktoś daje, żeby ktoś inny mógł mieć.

Po chwili drzwi się zamykają i znika światło tańczące na suficie. Odwracam się na plecy, mrugając oczami – przy moim łóżku stoi mama.

– Myślałam, że sobie poszłaś – szepczę.

Mama siada w nogach łóżka. Chcę się odsunąć, ale ona kładzie mi rękę na łydce. Zamieram.

– I o czym jeszcze sobie myślałaś, Anno?

Czuję, jak ściska mi się żołądek.

– Myślę... Wydaje mi się, że mnie teraz nienawidzisz.

Nawet w ciemnościach widzę, jak błyszczą jej oczy.

– Och, Anno – wzdycha moja mama – jak możesz nie wiedzieć, że cię kocham, i to bardzo?

Wyciąga do mnie ręce, a ja przytulam się do niej, jakbym znów była małym dzieckiem, które mieści się na kolanach u mamusi. Wciskam twarz w jej obojczyk. Pragnę w tej chwili jednej rzeczy: żeby czas cofnął się trochę, żebym znów była małą dziewczynką, która wierzy święcie w każde słowo swojej mamy, nie analizuje, nie domyśla się i nie próbuje czytać między wierszami.

Mama przytula mnie mocniej.

– Pójdziemy do sędziego i wszystko wyjaśnimy – mówi. – Wszystko da się naprawić.

Kiwam głową, bo to są właśnie te słowa, które chciałam usłyszeć.

SARA
1990

Zupełnie nieoczekiwanie wizyta na oddziale onkologii dziecięcej przynosi mi pewną pociechę. Patrzą na mnie tutaj jak na swojego; jesteśmy w jednym klubie. Wszyscy ci ludzie – od przemiłego parkingowego po tabuny dzieciaków ganiających po korytarzach z różowymi miskami w kształcie nerki pod pachą, jakby to były pluszowe misie – byli tu przed nami. A w grupie zawsze raźniej.

Jedziemy windą na trzecie piętro, gdzie mieści się gabinet doktora Harrisona Chance'a. „Chance", czyli przypadek. Co za nazwisko! Dlaczego nie doktor Victor?

– Spóźnia się – mówię do Briana, zerkając na zegarek chyba już po raz dwudziesty. Na parapecie stoi zbrązowiała, usychająca zielistka. Mam nadzieję, że ten doktor Chance z ludźmi obchodzi się lepiej.

Kate powoli zaczyna wariować. Żeby ją zabawić, biorę z zasobnika gumową rękawiczkę i dmucham z niej balonik z kogucim grzebykiem. Na pokrywie zasobnika widnieje całkiem spora nalepka zakazująca robić z rękawiczkami właśnie to, co ja przed chwilą. Odbijamy sobie balonik, udając, że gramy w siatkówkę. Nagle do pokoju wchodzi doktor Chance, bez słowa przeprosin za spóźnienie.

– Witam państwa – mówi. Jest wysoki i chudy jak szczapa, ma błyszczące niebieskie oczy, powiększone przez grube szkła i zaciśnięte usta. Łapie balonik, którym bawiła się Kate. Marszczy brew. – No cóż, widzę, że mamy tutaj niejaki problem.

Wymieniamy z Brianem spojrzenia. Czy ten nieczuły, zimny człowiek ma być tym, który poprowadzi nas do walki, naszym generałem, naszym wybawcą? Zanim jednak zdołamy wykrztusić z siebie cokolwiek na nasze usprawiedliwienie, doktor Chance bierze do ręki flamaster i wymalowuje na gumie własną karykaturę, pamiętając nawet o okularach w drucianej oprawie.

– Proszę – podaje go Kate z uśmiechem, który całkowicie odmienia go w naszych oczach.

Moją siostrę Suzanne widuję najwyżej dwa razy do roku. Dzieli nas niecała godzina jazdy samochodem – i wielka przepaść dotycząca przekonań natury filozoficznej.

Z tego, co wiem, Suzanne dostaje olbrzymią pensję za pomiatanie ludźmi. Teoretycznie rzecz biorąc, odebrałyśmy identyczne wykształcenie. Nasz ojciec zmarł nagle, kosząc trawnik, w dniu swoich czterdziestych dziewiątych urodzin. Mama nigdy do końca nie doszła do siebie po tym ciosie. Dziesięć lat starsza ode mnie Suzanne wzięła na siebie jej obowiązki. Pilnowała, żebym odrabiała prace domowe, przekonała mnie do złożenia papierów na studia prawnicze, wpajała mi, że w życiu najważniejsze jest mierzyć wysoko. Była mądra, piękna i w każdej sytuacji wiedziała, jak się zachować. Potrafiła znaleźć logiczne wyjście z każdej katastrofy, co legło u podstaw jej kariery, która stanowiła nieprzerwane pasmo sukcesów. Wszędzie czuła się jak u siebie, czy to w sali posiedzeń zarządu, czy na przebieżce w parku. Nie było dla niej rzeczy trudnych. Kto by nie chciał mieć takiego wzoru do naśladowania?

Zbuntowałam się przeciwko niej. Po raz pierwszy – poślubiając mężczyznę bez wyższego wykształcenia. Po raz drugi i trzeci – zachodząc w ciążę. Mam wrażenie, że kiedy świadomie porzuciłam ścieżkę mającą uczynić ze mnie drugą Glorię Allred, Suzanne miała wszelkie powody czuć się rozczarowana. Z drugiej strony, ja miałam pełne prawo sądzić, że źle mnie oceniała – aż do tej pory.

Nie chcę przez to powiedzieć, że Suzanne nie kocha swojego siostrzeńca i siostrzenicy. Przysyła im rzeźby z Afryki, muszle z Bali, czekoladę ze Szwajcarii. Jesse marzy o tym, żeby mieć taki sam gabinet z wielkimi oknami, kiedy będzie duży. Kiedy to słyszę, powtarzam mu, że nie wszyscy mogą być tacy jak ciocia Zanne, chociaż tak naprawdę chcę powiedzieć, że to ja nie mogę być taka jak ona.

Nie pamiętam już, która z nas pierwsza przestała oddzwaniać. Tak było po prostu łatwiej. Jednak kiedy rozmowa, tak jak teraz, ma dotyczyć tematu zbyt trudnego, żeby w ogóle o nim rozmawiać, nie ma nic gorszego niż taka długotrwała cisza, obciążająca nić wzajemnego porozumienia jak ciężkie koraliki. Ostatecznie więc zbieram się przez cały tydzień, aby zadzwonić do siostry. Wybieram bezpośredni numer.

– Gabinet Suzanne Crofton, słucham? – W słuchawce odzywa się męski głos.

– Czy... – waham się przez chwilę. – Czy zastałam panią Crofton?

– Jest na spotkaniu.

– Proszę... – biorę głęboki oddech – proszę jej powiedzieć, że dzwoni siostra.

W następnej chwili w moich uszach rozbrzmiewa jej miękki, opanowany głos:

– Sara. Dawno cię nie słyszałam.

To do niej pobiegłam, kiedy po raz pierwszy dostałam okres. To ona pomagała mi sklejać szczątki pierwszy raz złamanego serca. To ją budziłam w środku nocy, kiedy nie mogłam sobie przypomnieć, na którą stronę tata czesał przedziałek albo jak śmiała się nasza mama. Nieważne, co jest teraz; kiedyś Suzanne była moją najlepszą przyjaciółką. Byłyśmy nierozłączne.

– To ty, Zanne? – pytam. – Co słychać?

Trzydzieści sześć godzin po postawieniu oficjalnej diagnozy stwierdzającej u Kate ostrą białaczkę promielocytową Brian i ja możemy zadać pierwsze pytania. Kate zostaje ze szpitalną opiekunką, a my idziemy na spotkanie z zespołem złożonym z lekarzy, pielęgniarek i psychiatrów. Zdążyłam już zauważyć, że to właśnie pielęgniarki będą odtąd zawsze służyć nam odpowiedzią w rozpaczliwych chwilach niepewności. Lekarze tylko siedzą i wiercą się, jakby mieli coś pilnego do załatwienia; one natomiast traktują nas tak, jakbyśmy byli pierwszą parą rodziców, która znalazła się w podobnej sytuacji, jakby to wcale nie było ich tysięczne spotkanie tego typu.

– Białaczka to taka choroba – tłumaczy nam jedna z pielęgniarek – przy której, zanim się wbije pierwszą igłę, trzeba już mieć zaplanowane krok po kroku trzy kolejne terapie. Ta konkretna odmiana jest wyjątkowo słabo przewidywalna, więc należy myśleć z wyprzedzeniem. Ostra białaczka promielocytowa stwarza też większe trudności, gdyż jest oporna na chemioterapię.

– To znaczy? – pyta Brian.

– W typowych przypadkach białaczki pochodzenia szpikowego za każdym nawrotem udaje się doprowadzić do remisji choroby, jeśli tylko stan narządów wewnętrznych na to pozwala. Terapia wyniszcza organizm, ale można bezpiecznie zakładać, że przyniesie oczekiwane rezultaty. Białaczka promielocytowa nie daje takich możliwości. Każdą terapię można zwykle zastosować tylko raz. Nie możemy zrobić nic więcej.

– Chce pani powiedzieć – Brian przełyka ślinę – że nasza córeczka umrze?

– Chcę tylko powiedzieć, że niczego nie można być pewnym.

– Jak więc to będzie wyglądało?

Odpowiada mu inna pielęgniarka.

– Kate rozpocznie chemioterapię. Potrwa to tydzień. Mamy nadzieję, że uda się doprowadzić do zniszczenia komórek nowotworowych i do remisji choroby. Dziewczynka prawdopodobnie będzie reagować wymiotami na podawane jej środki. Będziemy starać się ograniczyć je do minimum, podając jej antyemetyki. Straci też włosy.

W tym momencie z mojej piersi wyrywa się cichy szloch. To tak nieistotny szczegół, ale jednak jest czytelny jak transparent. Każdy będzie wiedział, co się stało naszej Kate. A dopiero pół roku temu pierwszy raz zaprowadziłam ją do fryzjera; pamiętam dobrze złociste krążki jej loczków, leżące na podłodze jak monety z cennego kruszcu.

– Nie jest wykluczone, że dostanie rozwolnienia. Bardzo możliwe, że wda się jakieś zakażenie, ponieważ jej układ odpornościowy będzie wyłączony. Wtedy konieczna będzie hospitalizacja. Chemioterapia może też wywołać zaburzenia rozwojowe. Mniej więcej dwa tygodnie po jej zakończeniu poddamy Kate chemioterapii konsolidacyjnej, a następnie przeprowadzimy kilka kursów leczenia podtrzymującego. Ich liczba będzie zależała od wyników okresowych badań szpiku kostnego.

– A potem? – dopytuje się Brian.

– Potem będziemy obserwować – włącza się doktor Chance. – W przypadku ostrej białaczki promielocytowej trzeba uważać na wszelkie możliwe objawy nawrotu choroby. Musicie ją państwo przywieźć na pogotowie, kiedy tylko zauważycie u niej krwotok, gorączkę, napady kaszlu lub jakieś zakażenie. Dalsze leczenie może się różnie potoczyć. Będziemy dążyć do tego, żeby organizm Kate zaczął produkować zdrowy szpik kostny. Gdyby za pomocą chemioterapii udało się – co jest raczej mało prawdopodobne – doprowadzić do całkowitej remisji na poziomie komórkowym, będziemy mogli przeszczepić Kate jej własne komórki szpikowe. Taki zabieg nazywa się przeszczepem autologicznym. Jeśli zaś dojdzie do wznowy, możemy próbować przeszczepić jej zdrowy szpik od innego dawcy. Czy ona ma rodzeństwo?

– Brata – odpowiadam. Nagle straszliwa myśl świta mi w głowie. – Czy on też może być chory?

– To bardzo mało prawdopodobne. Może się jednak okazać, że jej brat nadaje się na dawcę do przeszczepu allogenicznego. W przeciwnym razie umieścimy Kate w ogólnokrajowym rejestrze dawców niespokrewnionych. Muszą państwo jednak wiedzieć, że najlepiej sprawdzają się przeszczepy od członków rodziny. W przypadku przeszczepu od obcego dawcy ryzyko śmierci gwałtownie rośnie.

Specjaliści zasypują nas informacjami, z których każda jest jak igła wbita prosto w ciało, jedna po drugiej, tak szybko, że przestaję już nawet czuć, jak wielki ból sprawiają. Mówią nam: „Nie próbujcie myśleć sami. Oddajcie dziecko w nasze ręce, bo bez nas ono umrze". Na każdą odpowiedź, której nam udzielają, mamy nowe pytanie.

Czy odrosną jej włosy?

Czy doczeka do pierwszej klasy?

Czy może się bawić ze znajomymi?

Czy doszło do tego, bo mieszkamy w niezdrowej okolicy?

Czy to nasza wina, że dziecko zachorowało?

– Jak to się stanie... – słyszę nagle własny głos. – Jak ona umrze?

Doktor Chance przygląda mi się.

– To zależy od tego, jaka choroba ją pokona – wyjaśnia. – Przy infekcji wystąpią zaburzenia oddechowe i trzeba będzie podłączyć ją do respiratora. Jeśli nastąpi krwotok, straci przytomność i wykrwawi się. Jeśli któryś z narządów przestanie działać, objawy będą zależne od zagrożonego układu. Często te czynniki występują jednocześnie.

– Czy ona będzie świadoma tego, co się dzieje? – pytam, choć tak naprawdę chcę powiedzieć co innego: „Jak ja to przeżyję?".

– Proszę pani – mówi doktor Chance, jakby usłyszał moje niewypowiedziane pytanie. – Mamy tu w tej chwili dwadzieścioro dzieci. Dziesięcioro umrze w ciągu kilku lat. Nie wiem, w której grupie znajdzie się Kate.

Aby Kate przeżyła, coś w niej musi umrzeć. Tak działa chemioterapia; jej celem jest eliminacja wszystkich komórek dotkniętych białaczką. Leki i kroplówki wprowadza się do systemu przez cewnik centralny wczepiony trzema ostrymi zębami w ciało pod obojczykiem. Przez niego także pobiera się krew. Patrzę na wszystkie te rurki wyrastające ze szczuplutkiej klatki piersiowej Kate; przypominają mi się filmy science fiction.

Zrobiono jej spoczynkowe EKG, żeby się upewnić, że serce zniesie chemioterapię. Zakroplono oczka deksametazonem, bo jeden z leków, które dostaje, powoduje zapalenie spojówek. Przez cewnik pobrano już pierwszą próbkę krwi, aby sprawdzić działanie nerek i wątroby.

Pielęgniarka zawiesza torebkę z kroplówką na stojaku i gładzi Kate po głowie.

– Czy ona będzie to czuła? – pytam.

– Ani trochę. Hej, Kate, spójrz tutaj. – Pielęgniarka wskazuje na torebkę z daunorubicyną, nakrytą

86

ciemnym pokrowcem chroniącym przed światłem. Czarny plastik jest upstrzony kolorowymi nalepkami, które robiła razem z Kate, kiedy czekaliśmy na zabieg. Przy łóżku jednej ze starszych, nastoletnich dziewczynek widziałam nalepkę z napisem „Zbawienie i chemia dla każdego".

Do żył mojej córeczki wpływają kroplami: daunorubicyna, 50 mg w 25 cm³ pięcioprocentowego roztworu glukozy; cytarabina, 46 mg w pięcioprocentowej glukozie, kroplówka ciągła, dwadzieścia cztery godziny na dobę; allopurynol, 92 mg. Innymi słowy – trucizna. Wyobrażam sobie wielką bitwę, która rozpoczyna się w ciele Kate. Przed oczyma mam armie w lśniących zbrojach i poległych, którzy opuszczają pole bitwy wraz z potem.

Powiedziano nam, że zanim Kate dostanie torsji, powinno upłynąć kilka dni. Zaczyna wymiotować po dwóch godzinach. Brian wzywa pomoc. Zjawia się pielęgniarka.

– Przyniosę jej reglan – mówi i już jej nie ma.

Kiedy Kate nie wymiotuje, to płacze. Siedzę na skraju łóżka i przytrzymuję ją na kolanach. Pielęgniarki nie mają czasu, żeby jej doglądać, bo w szpitalu i tak brakuje personelu. Podłączają torebkę z antyemetykiem do kroplówki i czekają kilka chwil, żeby zobaczyć pierwsze reakcje chorej, ale w końcu znów ktoś je wzywa i muszą wracać do swoich obowiązków. Reszta zostaje na naszej głowie. Brian, który zawsze musiał wychodzić z pokoju, kiedy któreś z naszych dzieci dostawało biegunki, teraz jest wzorem sprawności i zorganizowania: ociera Kate czoło i buzię chusteczkami, podtrzymuje jej szczupłe ramiona. „Wyjdziesz z tego", mruczy pod nosem za każdym razem, kiedy mała zwraca. Nie wiem, czy mówi do niej, czy do siebie.

Ja również zadziwiam samą siebie. Zaciskam zęby i na przekór wszystkiemu tanecznym krokiem udaję się do umywalki, żeby spłukać miskę nerkę. Wracam z nią w pląsach. Jeśli chce się przestać myśleć o nadchodzącym tsunami, trzeba skupić całą uwagę na układaniu worków z piaskiem.

Nie ma innego sposobu, żeby nie oszaleć.

Brian przywiózł Jessego do szpitala na pobranie krwi do analizy. Wymaga ono tylko niewielkiego nakłucia w palec. Jesse tak się wyrywa, że Brian sam nie może go utrzymać; muszą mu pomóc dwaj pielęgniarze. Krzyki małego słychać w całym szpitalu. Stoję obok z rękami na piersi i mimo woli wciąż myślę o Kate, która dopiero dwa dni temu przestała płakać podczas zabiegów.

Próbkę krwi Jessego zbada specjalista. Oceni pod mikroskopem sześć różnych białek. Jeśli będą one takie same jak u Kate, Jesse wykaże identyczność antygenów układu HLA. Oznacza to, że będzie się nadawał na dawcę szpiku kostnego dla swojej chorej siostry. W głowie krąży mi jedno pytanie: jakie są szanse sześciokrotnego trafienia w takiej loterii?

Tak samo nikłe, odpowiadam sobie, jak zachorowania na białaczkę.

Chirurg naczyniowy zabiera pobraną krew, a Brian i pielęgniarze puszczają Jessego. Malec zrywa się ze stołu i przypada do mnie.

– Mamusiu, zobacz, zrobili mi kuku w paluszek. – Wyciąga do mnie dłoń z maleńką ranką zalepioną kolorowym plasterkiem. Dotykam jego twarzy. Jest rozpalona i lśni od łez.

Przytulam synka. Szepczę mu do ucha słowa, które trzeba powiedzieć. Ale tak mi trudno, tak trudno wzbudzić w sobie współczucie dla niego.

– Niestety – mówi doktor Chance. – Syn nie wykazał zgodności.

Mój wzrok wędruje w stronę zwiędłej, zbrązowiałej rośliny, która wciąż stoi na parapecie. Ktoś powinien ją wreszcie wyrzucić i zamiast niej przynieść tu storczyki albo strelicje, które rzadko kwitną.

– Być może uda się znaleźć niespokrewnionego dawcę w ogólnonarodowym rejestrze dawców szpiku.

Brian sztywnieje, marszcząc brwi.

– Przecież powiedział pan, że przeszczep od dawcy niespokrewnionego nie jest bezpieczny.

– To prawda – przyznaje doktor Chance – ale czasem nie ma innego wyjścia.

Odrywam wzrok od podłogi.

– A jeśli w rejestrze nie ma zgodnego dawcy?

– Cóż... – Onkolog pociera czoło. – Wtedy będziemy się starać utrzymać Kate przy życiu, dopóki dawca się nie znajdzie albo nie opracuje się innej metody leczenia.

Rozmawiamy o mojej córeczce, a on mówi tak, jakby chodziło o jakąś maszynę, o samochód z zatkanym gaźnikiem, o samolot, w którym zacięło się podwozie. Nie mogę tego znieść. Odwracam twarz i pierwszą rzeczą, jaką widzę, jest źle rozwinięty liść zwiędłej rośliny, opadający z parapetu na podłogę jak samobójca rzucający się z okna. Wstaję bez słowa wyjaśnienia, zabieram doniczkę i wychodzę z gabinetu doktora Chance'a. W przedpokoju mijam jego sekretarkę i innych truchlejących ze strachu rodziców, czekających ze swoimi chorymi dziećmi na wizytę. Przystaję przy pierwszym pojemniku na śmieci, jaki wpada mi w oczy, i wyrzucam do niego roślinę razem z wyschniętą na wiór, wyjałowioną ziemią. W ręce zostaje mi terakotowa doniczka. Patrzę na nią i mam wielką ochotę roztrzaskać ją o podłogę. W tej chwili słyszę za sobą głos:

– Saro – pyta doktor Chance – dobrze się czujesz?

Odwracam się powoli. Czuję, jak do oczu napływają mi łzy.

– Czuję się świetnie. Jestem zdrowa. Czeka mnie długie, długie życie.

Przepraszam go i oddaję mu doniczkę. Doktor kiwa głową i podaje mi chusteczkę, wyjętą z kieszeni.

– Miałam nadzieję, że Jesse będzie mógł ją uratować. Bardzo chciałam, żeby tak było.

– Wszyscy tego chcieliśmy – odpowiada doktor Chance. – Coś ci powiem. Dwadzieścia lat temu średnia przeżywalność dzieci chorych na białaczkę była jeszcze mniejsza. Poza tym znam wiele takich rodzin, gdzie jedno dziecko nie wykazuje zgodności, ale drugie tak.

Nie mamy więcej dzieci, chcę mu powiedzieć, ale milknę, nie wypowiedziawszy ani słowa. Dociera do mnie, że doktor mówi o dzieciach, których jeszcze nie mam, o dzieciach, których nigdy nawet nie miałam w planach. Odwracam się do niego, a w oczach mam nieme zapytanie.

– Brian będzie się martwił, dlaczego tak długo nas nie ma. – Doktor Chance rusza z powrotem do gabinetu. Unosi trzymaną doniczkę. – Czy mogłabyś mi polecić – pyta swobodnym tonem – jakieś rośliny, które miałyby u mnie szanse na przeżycie?

Bardzo łatwo jest zacząć myśleć, że skoro cały twój świat nagle zamarł w miejscu, to wszystkich dookoła powinno spotkać to samo. Nic z tych rzeczy: śmieciarze opróżnili nasze pojemniki i tak jak zwykle ustawili je na skraju chodnika. Czeka na nas rachunek za wywóz nieczystości, zatknięty w drzwiach. Na stole w kuchni leży równy stosik listów z całego tygodnia. To wprost zadziwiające. Życie toczy się dalej.

Kate wychodzi ze szpitala równo tydzień po skierowaniu na chemioterapię indukcyjną. Wciąż nosi cewnik centralny, wijący się pod jej bluzką jak wąż. Pielęgniarki na pożegnanie starają się dodać mi otuchy i recytują długą listę zaleceń, których mamy przestrzegać. Dowiaduję się, kiedy wzywać pogotowie, a kiedy nie, kiedy mamy wrócić na następną chemioterapię, jakie środki ostrożności zachować, ponieważ w czasie chemii Kate będzie w stanie immunosupresji.

Następnego dnia, o szóstej rano, Kate wchodzi na paluszkach do naszej sypialni. Stara się nie robić hałasu, ale i tak budzimy się w jednej chwili.

– Co się stało, kochanie? – pyta Brian.

Kate nie odpowiada, przesuwa tylko dłonią po głowie. Na podłogę opada wielki kłąb włosów, płynąc w powietrzu jak mikroskopijna chmura burzowa.

– Skończyłam – mówi Kate.

Od jej wyjścia ze szpitala upłynęło kilka dni. Siedzimy przy obiedzie. Kate nawet nie tknęła fasoli ani klopsików. Wstaje od stołu i wybiega w pląsach do swojego pokoju.

– Ja też. – Jesse podnosi się z krzesła. – Mogę już iść?

Brian wkłada do ust kolejny kęs. Przełyka go, zaciskając zęby.

– Najpierw zjesz jarzynki.

– Nie znoszę fasoli.

– Ona też za tobą nie przepada.

Jesse wskazuje wzrokiem talerz Kate.

– A ona może nie jeść? To niesprawiedliwe.

Brian odkłada widelec na brzeg talerza.

– Tak uważasz? – odpowiada cichym, złowrogim głosem. – Chcesz, żeby było sprawiedliwie? W porządku. Następnym razem zabierzemy cię razem z Kate do szpitala i każemy pobrać ci szpik kostny. Kiedy będziemy w domu wyjmować jej cewnik do przepłukania, tobie też zrobimy coś, co boli tak samo. A przy następnej chemioterapii...

– Brian! – przerywam mu.

Mój mąż milknie równie nagle, jak przed chwilą wybuchł. Przyciska drżącą dłoń do czoła i spogląda na Jessego, który uciekł od stołu, wystraszony, i schował się pod moim ramieniem.

– Przepraszam cię, Jess – mówi. – Ja...

Nie kończy. Wstaje i wychodzi z kuchni.

Przez długą chwilę siedzimy w milczeniu. W końcu Jesse odwraca się do mnie.

– Czy tatuś też jest chory?

Muszę się mocno zastanowić, zanim mu odpowiem.

– Wszystko będzie dobrze – uspokajam synka.

Obchodzimy mały jubileusz: upłynął już tydzień od powrotu Kate ze szpitala. W środku nocy budzi nas łomot. Zrywamy się i biegniemy na wyścigi do jej pokoju. Mała leży pod kołdrą i ma tak silne dreszcze, że strąciła lampkę z nocnego stolika. Kładę dłoń na jej czole.

– Rozpalone – mówię Brianowi.

Do tej pory często się zastanawiałam, jak to będzie wyglądać, kiedy Kate zacznie mieć jakieś dziwne objawy i po czym poznam, że trzeba zabrać ją do lekarza. Teraz, kiedy patrzę na nią, nie mogę pojąć, jak mogłam być tak głupia, żeby nie wiedzieć, że rozpoznam chorobę natychmiast, na pierwszy rzut oka.

– Jedziemy na pogotowie – decyduję, chociaż widzę, że Brian już zawija Kate w kołdrę i podnosi z łóżeczka. Wsiadamy z nią do samochodu i dopiero kiedy silnik już chodzi, przypominamy sobie o Jessem. Nie możemy zostawić go samego w domu.

– Ty jedź. – Brian czyta w moich myślach. – Ja z nim zostanę – mówi, ale nie odrywa oczu od Kate.

Dosłownie kilka minut później Jesse kuli się już na tylnym siedzeniu, pytając, dlaczego wstajemy, kiedy słonko jeszcze śpi. Pędzimy do szpitala.

Po przyjeździe na pogotowie kładziemy go do snu na zestawionych krzesłach i przykrywamy naszymi płaszczami. Patrzymy, jak lekarze uwijają się wokół rozgorączkowanej Kate jak pszczoły na łące pełnej kwiatów, wysysając z niej najrozmaitsze płyny. Wykonują posiewy na wszystkie możliwe drobnoustroje i robią jej nakłucie lędźwiowe w celu wykluczenia możliwości infekcji i zapalenia opon mózgowych. Wchodzi technik radiolog z przenośnym aparatem rentgenowskim. Musi zrobić prześwietlenie klatki piersiowej, żeby sprawdzić, czy to nie jest zakażenie płuc.

Po wywołaniu kliszy oglądamy ją na negatoskopie na korytarzu. Na zdjęciu żebra Kate są cieniutkie jak zapałki. Prawie w samym centrum widnieje wielka szara plama. Czuję, jak miękną mi kolana. Chwytam się kurczowo ręki Briana.

– To jest guz. Nastąpił przerzut.

Lekarz kładzie mi dłoń na ramieniu.

– Pani Fitzgerald – słyszę jego głos. – To jest serce Kate.

Pancytopenia to takie wymyślne słówko, które oznacza, że organizm Kate nie dysponuje w tym momencie żadnymi mechanizmami obronnymi przed zakażeniem. Doktor Chance wyjaśnia nam, że to rezultat udanej chemioterapii – przeważająca większość białych krwinek została zniszczona. Ma to także drugi skutek: wdaje się sepsa, zakażenie po chemioterapii, w takiej sytuacji już nie prawdopodobna, lecz stuprocentowo pewna.

Kate dostaje tylenol na zbicie gorączki. Pobierają jej krew, mocz i robią posiew plwociny, aby przepisać odpowiednie antybiotyki. Drgawki ustają dopiero po sześciu godzinach, ale były tak silne, że aż baliśmy się, że mała wypadnie z łóżka.

Pielęgniarka – ta sama, która kilka tygodni temu zaplatała jedwabiste włoski Kate w cienkie warkoczyki, żeby ją rozbawić – mierzy jej temperaturę i odwraca się do mnie.

– Saro – słyszę – możesz już odetchnąć.

Twarz Kate jest bledziutka i skurczona. Wygląda jak te odległe księżyce, które Brian lubi oglądać przez teleskop, tak samo jak one zimna, nieruchoma i odległa. Moja córeczka wygląda tak, jakby umarła... Nachodzi mnie straszna myśl: czy nie lepiej byłoby oglądać ją w trumnie, niż patrzeć, jak się męczy?

– Hej. – Brian gładzi mnie po głowie wolną ręką. Na drugim ramieniu kołysze Jessego. Już prawie południe, a my wciąż jesteśmy w piżamach. Nie pomyśleliśmy, żeby zabrać ze sobą ubrania na zmianę. – Zabieram małego na dół do stołówki. Zjemy obiad. Przynieść ci coś?

Potrząsam przecząco głową. Przysuwam krzesło do łóżka Kate i poprawiam kołdrę okrywającą jej nogi. Biorę ją za rączkę i przykładam do swojej, porównując.

Kate rozchyla powieki, dwie wąskie szparki. W pierwszym momencie nie może poznać, gdzie jest.

– Kate – szepczę. – Jestem przy tobie. – Malutka odwraca głowę i patrzy na mnie. Unoszę jej rękę do ust i wyciskam pocałunek w samym środku dłoni. – Jesteś bardzo dzielna. – Uśmiecham się do niej. – Kiedy będę duża, chcę być taka jak ty.

Wtedy dzieje się dziwna rzecz. Kate potrząsa główką, bardzo mocno. Odzywa się; jej głosik jest jak piórko drżące na wietrze, ulotny jak nić babiego lata.

– Nie, mamusiu – mówi – bo byłabyś chora.

Pierwszy z moich snów jest taki: kroplówka podłączona do cewnika centralnego w piersi Kate jest odkręcona zbyt mocno. Jej ciało wzbiera roztworem soli fizjologicznej jak nadmuchiwany balon. Usiłuję odłączyć kroplówkę, ale trzyma mocno. Przyglądam się, jak rysy mojej córeczki wygładzają się, zamazują i zacierają, aż w końcu jej twarz staje się bladym owalem, który mógłby należeć do pierwszej lepszej osoby na świecie.

W drugim ze snów rodzę dziecko. Jestem na oddziale porodowym; moje ciało otwiera się, serce pulsuje nisko, w samym brzuchu. Czuję nagłe parcie i w następnej chwili maleństwo jest już na zewnątrz.

– Dziewczynka – oznajmia położna, podając mi noworodka.

Odsuwam rąbek różowego kocyka i zamieram.

– To nie jest Kate – mówię.

– Oczywiście, że nie – zgadza się pielęgniarka. – Ale to pani córeczka.

W szpitalu zjawia się nasz anioł stróż. Wchodzi do pokoju, w którym leży Kate. Ma na sobie kostium od Armaniego i warczy do słuchawki telefonu komórkowego.

– Sprzedawaj – mówi moja siostra głosem nieznoszącym sprzeciwu. – Nie obchodzi mnie jak, Peter. Możesz sobie ustawić stoisko na środku Fanueil Hall. Masz mi sprzedać te akcje. – Suzanne rozłącza się i wyciąga do mnie ręce. Wybucham płaczem. – Hej – mówi uspokajającym tonem – chyba nie myślałaś, że cię posłucham i będę siedzieć w domu?

– Ale...

– Są na tym świecie telefony, są faksy. Mogę pracować u was. Kto inny zajmie się Jessem?

Brian i ja spoglądamy po sobie; o tym faktycznie nie pomyśleliśmy. Brian, wzruszony, wstaje i obejmuje Zanne ramieniem. Wychodzi mu to dość niezręcznie. Jesse przyskakuje do cioci.

– Adoptowałaś trzecie dziecko, Saro? – Śmieje się moja siostra. – Jesse nie mógł aż tak urosnąć... – Odrywa małego od kolan i pochyla się nad łóżkiem śpiącej

Kate. – Na pewno mnie nie pamiętasz – szepcze, a oczy jej błyszczą. – Ale ja pamiętam ciebie.

Pozwalam jej przejąć ster. To najprostsza rzecz pod słońcem. Zanne zabawia Jessego grą w kółko i krzyżyk. Przez telefon zmusza pobliską chińską restaurację do przysłania obiadu do szpitala, choć nie prowadzą oni usług dostawczych. Siedzę na łóżku obok Kate i rozkoszuję się autorytetem mojej siostry. Pozwalam sobie uwierzyć, że ona potrafi naprawić nawet to, wobec czego ja jestem bezsilna.

Jest wieczór. Zanne zabrała już Jessego do domu. Brian i ja siedzimy po obu stronach łóżka Kate, jakby ona była obrazkiem, a my jego ramami.

– Wiesz... – szepczę. – Tak się zastanawiałam...

Brian porusza się na krześle.

– Nad czym?

Pochylam się, żeby spojrzeć mu prosto w oczy.

– Nad kolejnym dzieckiem.

Brian marszczy brwi.

– O, Boże. – Wstaje i odwraca się ode mnie. – O, Boże.

Ja też wstaję.

– Chyba mnie nie zrozumiałeś.

Brian staje przede mną. Twarz ma ściągniętą bólem.

– Jeśli Kate umrze, i tak nic nam jej nie zastąpi.

Kate porusza się przez sen, szeleszcząc pościelą. Zmuszam się, żeby wyobrazić ją sobie jako czterolatkę, w kostiumie na Halloween; jako dwunastolatkę, pierwszy raz kładącą sobie błyszczyk na wargi; jako dwudziestolatkę, kręcącą się po pokoju w akademiku.

– Wiem – odpowiadam mężowi. – Musimy więc zrobić wszystko, żeby nie umarła.

Powrócę ci z popiołu, jeśli chcesz.
Popatrzę w ogień i wyczytam z
Popielatych rzęs,
Z czerwonych i czarnych języków
I pasków,
Skąd się bierze ogień
I jak biegnie do samego morza.

Carl Sandburg, „Ogniste stronice"

CAMPBELL

Każdy, jak sądzę, ma dług wdzięczności wobec swoich rodziców. Pytanie brzmi: jak wielki? Zadaję je sobie, słuchając paplaniny matki. Tematem dnia jest dziś najnowszy romans ojca. Nie po raz pierwszy żałuję, że nie mam rodzeństwa, choćby tylko dlatego, że gdybym je miał, takie telefony o świcie budziłyby mnie raz, dwa razy w tygodniu, ale nie siedem.

– Mamo – przerywam potok słów – wątpię, żeby ona naprawdę miała szesnaście lat.

– Nie doceniasz swojego ojca, Campbell.

Być może; zdaję sobie jednak sprawę, że mój ojciec jest także sędzią federalnym. Możliwe, że fantazjuje na temat pensjonarek, ale nigdy nie posunie się do tego, żeby złamać prawo.

– Mamo, muszę już wychodzić, bo spóźnię się do sądu. Jeszcze dziś odezwę się do ciebie. – Po tych słowach rozłączam się, zanim zdąży coś powiedzieć.

Co z tego, że nie idę dziś do sądu. Biorę głęboki wdech i potrząsam głową. Sędzia wpatruje się we mnie.

– Kolejny dowód na to, że pies jest mądrzejszy od człowieka – mówię na głos. – Kiedy dorasta, zrywa kontakty z matką.

Udaję się do kuchni, po drodze zawiązując krawat. Moje mieszkanie to istne dzieło sztuki. Jest urządzone skromnie, ale elegancko, a każda rzecz, jaka się w nim znajduje, jest z najwyższej półki: czarna skórzana kanapa zaprojektowana na zamówienie; telewizor z płaskim kineskopem, zawieszony na ścianie; gablotka, w której trzymam pod kluczem kolekcjonerskie pierwodruki powieści takich autorów jak Hemingway i Hawthorne, z autografami. Ekspres do kawy sprowadziłem z Włoch, a w lodówce można przechowywać żywność w temperaturze poniżej zera. Otwieram drzwi. Moim oczom ukazuje się samotna cebula, butelka keczupu i trzy pudełka czarno-białej kliszy fotograficznej.

Wcale mnie to nie dziwi. Rzadko jadam w domu. Sędzia nie poznałby smaku psiej karmy, tak jest przyzwyczajony do dań z restauracji.

– Może wybierzemy się do Rosie's? – proponuję mu. – Co ty na to?

Zakładam mu uprząż psa przewodnika. Sędzia szczeka. Żyje ze mną już od siedmiu lat. Kupiłem go od tresera psów policyjnych, ale został ułożony specjalnie dla mnie. A dlaczego tak go nazwałem? Cóż, który adwokat nie marzy o tym, żeby od czasu do czasu móc wezwać sędziego na dywanik?

Restauracja Rosie's to nieosiągalne marzenie sieci Starbucks: urządzona w oryginalnym, eklektycznym stylu, przyciąga gości, którzy na pierwszy rzut oka mogą przy kawie czytać klasyków rosyjskiej literatury w oryginale, bilansować na laptopie budżet spółki albo pisać scenariusze. Bywamy tam z Sędzią dość często i zwykle dostajemy nasz ulubiony stolik na tyłach sali. Zamawiamy dwie kawy z ekspresu i dwa rogaliki z czekoladą, flirtując przy tym bezwstydnie z dwudziestoletnią Ofelią, kelnerką. Ale dziś coś jest nie tak: Ofelii nigdzie nie widać, a przy naszym stoliku siedzi jakaś kobieta i karmi bajglem dziecko w wózku. Tego już za wiele; wytrąca mnie to z równowagi do tego stopnia, że Sędzia musi siłą zaciągnąć mnie do stołka przy barze. W tej chwili to jedyne wolne miejsce w całym lokalu. Można stąd wyjrzeć przez okno na ulicę.

Dopiero siódma trzydzieści, a już cały dzień zepsuty.

Podchodzi do nas młodzieniec o szkieletowatej posturze heroinisty. Jego brwi przypominają karnisze, tyle w nich kolczyków. W ręce trzyma notes. Zatrzymuje się i zauważa Sędziego, który położył się u moich stóp.

– Sorka, stary. Z psami nie wolno.

– To pies przewodnik – wyjaśniam. – Gdzie jest Ofelia?

– Nie ma jej. Uciekła wczoraj ze swoim kochasiem. Chcą się pobrać.

Uciekła, żeby wyjść za mąż? To tak się wciąż robi?

– A kim jest jej wybranek? – pytam z ciekawości, choć to nie moja sprawa.

– To taki upolityczniony rzeźbiarz. Robi popiersia światowych przywódców z psiej kupy. Wymyślił sobie taką formę przekazu dla wyrażenia swoich przekonań.

Przez krótką chwilę współczuję biednej Ofelii. Możecie mi wierzyć: miłość jest równie piękna i równie trwała jak tęcza. Zachwyca od pierwszego wejrzenia, ale wystarczy mrugnąć i już po niej.

Kelner sięga do tylnej kieszeni i podaje mi plastikową kartę.

– Proszę. Menu alfabetem Braille'a.

– Nie jestem niewidomy. Proszę dwie kawy z ekspresu i dwa rogaliki.

– To po co ci pies, skoro tak?

– Jestem chory na SARS – mówię. – Pies liczy osoby, które zarażam.

Widzę, że chłopak nie wie, czy żartuję, czy mówię poważnie. Wycofuje się z niepewnym wyrazem twarzy i idzie do kuchni po moją kawę.

Z tego miejsca widać, co się dzieje na ulicy; stolik, który zwykle zajmuję, stoi w głębi sali. Obserwuję starszą panią, która właśnie o włos uniknęła potrącenia przez taksówkę. Przed oknem restauracji przechodzi tanecznym krokiem chłopak, niosąc na ramieniu magnetofon trzy razy większy od jego głowy. Dwie bliźniaczki w mundurkach prywatnej szkoły parafialnej oglądają magazyn młodzieżowy i chichoczą. Widzę także kobietę o bujnych, falujących, kruczoczarnych włosach, która oblewa się kawą. Upuszczony papierowy kubek toczy się po chodniku.

Wszystko we mnie zamiera. Wydaje mi się, że ją poznaję; muszę zobaczyć, czy to jest ta osoba, o której myślę. Czekam, aż nieznajoma podniesie głowę, ale ona odwraca się ode mnie i zaczyna wycierać zalaną spódnicę papierową serwetką. Autobus przecina świat na pół, a w mojej kieszeni odzywa się komórka.

Spoglądam na wyświetlacz; spodziewałem się tego. Nie odbieram telefonu od matki. Wyłączam aparat i szukam wzrokiem kobiety zza okna, ale zniknęła razem z autobusem.

Otwieram drzwi biura, od progu warkliwym głosem rzucając Kerri polecenia.

– Zadzwoń do Osterlitza i dowiedz się, czy będzie mógł zeznawać w procesie Weilanda. Zdobądź listę powodów, którzy zaskarżyli spółkę New England Power w ciągu ostatnich pięciu lat. Zrób mi kopię zeznania z Melbourne. Zadzwoń do sądu i spytaj Jerry'ego, który sędzia będzie obecny na rozpatrzeniu wniosku córki Fitzgeraldów.

Dzwoni telefon. Kerri rzuca mi spojrzenie.

– A propos córki Fitzgeraldów. – Wskazuje głową w stronę drzwi prowadzących do mojego prywatnego gabinetu. Na progu stoi Anna Fitzgerald. W jednej ręce trzyma butelkę płynu do czyszczenia, w drugiej irchową szmatkę. Poleruje gałkę w drzwiach.

– Co ty robisz? – pytam.

– To, co mi pan kazał. – Anna opuszcza głowę, spoglądając na psa. – Cześć, Sędzia.

– Telefon do ciebie na drugiej linii – mówi Kerri.

Rzucam jej wymowne spojrzenie – dlaczego w ogóle wpuściła tutaj to dziecko, przerasta moje zdolności pojmowania – i próbuję otworzyć drzwi, ale gałka ślizga mi się w ręku od tego środka, którym Anna ją wysmarowała. Przez chwilę szarpię się z drzwiami, aż w końcu dziewczyna łapie gałkę przez szmatkę i otwiera je przede mną.

Sędzia obchodzi gabinet dookoła, szukając najwygodniejszego miejsca na podłodze. Dotykam mrugającego przycisku na biurkowym telefonie.

– Campbell Alexander, słucham.

– Mówi Sara Fitzgerald, matka Anny.

Przyjmuję tę wiadomość ze spokojem, spoglądając na jej córkę, polerującą gałkę u drzwi, nie dalej niż półtora metra ode mnie.

– Witam, pani Fitzgerald. – Tak jak się spodziewałem, Anna przerywa pracę.

– Dzwonię do pana, ponieważ... Widzi pan, zaszło pewne nieporozumienie.

– Czy złożyli już państwo odpowiedź na wniosek?

– To nie będzie konieczne. Rozmawiałam wczoraj z Anną. Po naszej rozmowie córka zrezygnowała z dalszego prowadzenia sprawy. Zrobi wszystko, co w jej mocy, żeby ratować siostrę.

– Tak pani uważa. – Mój głos nabiera zimnego, urzędowego tonu. – Niestety, tak się jednak nieszczęśliwie składa, że wiadomość o zaniechaniu postępowania muszę otrzymać bezpośrednio od klienta. – Patrzę Annie w oczy i unoszę brew. – Czy orientuje się pani, gdzie w tej chwili jest pani córka?

– Wyszła pobiegać – informuje mnie Sara Fitzgerald. – Ale po południu stawimy się w sądzie. Porozmawiamy z sędzią i wszystko się wyjaśni.

– Zatem do zobaczenia. – Odkładam słuchawkę i spoglądam na Annę, krzyżując ręce na piersi. – Chcesz mi może o czymś powiedzieć?

Anna wzrusza ramionami.

– Nic szczególnego nie przychodzi mi na myśl.

– Twoja matka jest nieco odmiennego zdania. Chociaż, z drugiej strony, jest również przekonana, że właśnie uprawiasz bieg po zdrowie.

Anna ogląda się na Kerri, która siedzi za biurkiem w przedpokoju i, rzecz jasna, chłonie każde nasze słowo. Zamyka drzwi i podchodzi do mojego biurka.

– Po tym, co się stało wczoraj wieczorem, nie mogłam jej powiedzieć, że idę do pana.

– A co się stało wczoraj wieczorem? – Anna nagle milknie, a ja tracę cierpliwość. – Posłuchaj mnie. Jeśli planujesz wycofać pozew... Jeśli niepotrzebnie tracę dla ciebie czas... To byłbym ci wdzięczny, gdybyś zechciała uczciwie powiedzieć mi o tym teraz, w tej chwili. Bo ja nie jestem psychologiem rodzinnym ani kumplem ze szkoły. Jestem twoim adwokatem, a gdzie jest adwokat, tam musi być sprawa. Pytam cię więc jeszcze raz: czy zmieniłaś zdanie co do tego procesu?

Wbrew oczekiwaniom moja tyrada nie odbiera Annie zdecydowania i nie kładzie kresu całej sprawie, zanim jeszcze zdążyła się ona na dobre rozpocząć. Ku mojemu zaskoczeniu dziewczyna spogląda na mnie spokojnym, opanowanym wzrokiem.

– Czy nadal chce mnie pan reprezentować?

Przytakuję, chociaż głos rozsądku odradza mi to stanowczo.

– W takim razie nie – słyszę. – Nie zmieniłam zdania.

Kiedy po raz pierwszy popłynąłem z ojcem na regaty, miałem czternaście lat. Z całych sił starał się mnie zniechęcić: byłem za młody i niedojrzały, a pogoda stanowczo zbyt niepewna. Ja jednak wiedziałem, co tak naprawdę chciał przez to powiedzieć: z taką załogą nie miał szans na wygraną. Dla mojego ojca liczyli się tylko najlepsi. Reszta równie dobrze mogła nie istnieć.

Ojciec pływał na przepięknym jachcie klasy USA-1, zbudowanym z mahoniu i drewna tekowego, kupionym w Marblehead od J. Geilsa, tego rockowego klawiszowca. Był to, inaczej mówiąc, obiekt marzeń, wyznacznik pozycji i symbol wtajemniczenia opakowany w miodowozłotą gładź drewna i oślepiający nieskazitelną bielą żagla.

Ruszyliśmy z kopyta, przecinając linię startową pod pełnym żaglem równo z wystrzałem startera. Starałem się w każdej chwili być tam, gdzie należało: korygowałem ster, zanim jeszcze ojciec zdążył wydać mi polecenie, pomagałem przy zwrotach i przy halsach, aż od wysiłku rwały mnie mięśnie. I być może wszystko skończyłoby się szczęśliwie, gdyby nie burza, która nadeszła od północy, przynosząc ścianę deszczu i wiatr wzburzający trzymetrowe fale, po których zjeżdżaliśmy jak po stromych pagórkach.

Obserwowałem ojca uwijającego się w żółtym sztormiaku, jakby nie zauważał szalejącej ulewy. Ja marzyłem tylko o jednym: wczołgać się do jakiejś dziury, zwinąć w kłębek i umrzeć. Jemu na pewno nawet nie przyszło to do głowy.

– Campbell! – usłyszałem jego ryk. – Zmieniamy kurs!

Ale zwrot pod wiatr oznaczał kolejną piekielną huśtawkę.

103

– Campbell – powtórzył ojciec. – Rusz się.

Nagle przed nami otworzyła się głęboka dolina. Łódź zwaliła się w nią z taką prędkością, że straciłem oparcie pod nogami. Ojciec rzucił się do steru, odpychając mnie na bok. Na jedną chwilę, krótką, lecz cudowną, żagle znieruchomiały. Potem bom śmignął na drugą stronę, a jacht pomknął halsem w kierunku przeciwnym niż nasz kurs.

– Podaj koordynaty – rozkazał ojciec.

Prowadzenie nawigacji oznaczało, że mam zejść pod pokład, gdzie były mapy, i obliczyć kurs, który doprowadzi nas do następnej boi na trasie wyścigu. W zamkniętej, dusznej kajucie poczułem się jednak jeszcze gorzej. Otworzyłem mapę, ale nie zdążyłem nawet rzucić okiem. Zwymiotowałem prosto na nią.

Ojciec zaczął mnie szukać tylko dlatego, że długo nie wracałem z obliczonym kursem. Wsunął głowę do kajuty i zobaczył mnie na podłodze, siedzącego w kałuży własnych wymiocin.

– No nie – mruknął pod nosem i poszedł.

Zebrałem wszystkie siły i zmusiłem się do wyjścia za nim na pokład. Zmagał się z kołem sterowym i udawał, że mnie nie widzi, a kiedy zrobił zwrot, nie ostrzegł mnie ani słowem. Żagiel przeleciał na drugą stronę, rozpruwając niebo na dwoje. Bom huknął mnie w tył głowy. Straciłem przytomność.

Ocknąłem się w chwili, gdy ojciec mknął już ku linii końcowej, ścigając się z inną łodzią. Przestało padać, jeszcze tylko mżyło. Ojciec ukradł wiatr współzawodnikowi, który stracił prędkość i został w tyle. Wygraliśmy z przewagą kilku sekund.

Kazał mi posprzątać po sobie, a potem wysadził na przystani, polecił wziąć taksówkę i jechać do siedziby jachtklubu. Sam popłynął tam łodzią płaskodenną, żeby świętować zwycięstwo. Dojechałem na miejsce dopiero po godzinie. Ojciec był w wyśmienitym humorze, popijał whisky z kryształowego pucharu, który był nagrodą w tych regatach.

– Hej, Cam, idzie twoja załoga – zawołał jeden z jego znajomych. Mój ojciec zasalutował mi pucharem, wziął głęboki łyk, po czym z takim rozmachem postawił naczynie na blacie, że urwał ucho.

– Szkoda nagrody – mruknął ktoś pod nosem.

Ojciec odpowiedział mu, ani na chwilę nie spuszczając ze mnie wzroku.

– Faktycznie szkoda – przyznał.

Praktycznie co trzeci samochód w Rhode Island ma na tylnym zderzaku czerwono-białą naklejkę z napisem upamiętniającym jedną z ofiar głośniejszych wypadków drogowych, do jakich doszło w naszym stanie: „Moja przyjaciółka Katy DeCubellis zginęła potrącona przez pijanego kierowcę", „Mój przyjaciel John Sisson zginął potrącony przez pijanego kierowcę". Takie naklejki można dostać na szkolnych festynach, u fryzjera albo od kwestarza. To nic, że nie znało się dzieciaka, który zginął; są one wyrazem solidarności i skrytej radości, że to nie nas, lecz kogoś innego spotkał tak tragiczny los.

W zeszłym roku na zderzakach pojawiły się naklejki ku pamięci nowej ofiary wypadku drogowego, Deny DeSalvo. Znałem ją z widzenia, w przeciwieństwie do innych zabitych. Miała dwanaście lat i była córką sędziego. Podobno jej ojciec przeżył załamanie podczas procesu, który odbył się zaraz po pogrzebie dziewczynki, i wziął trzymiesięczny urlop, żeby uporać się z bólem po stracie dziecka. Przypadek zrządził, że właśnie tego sędziego wyznaczono do prowadzenia sprawy Anny Fitzgerald.

Wchodząc do Kompleksu Garrahiego, gdzie ma siedzibę sąd rodzinny okręgu Providence, zastanawiam się, czy człowiek tak ciężko doświadczony przez życie będzie na siłach sądzić w sprawie, w której wygrana mojej klientki doprowadzi do śmierci jej nastoletniej siostry.

U wejścia stoi nowy strażnik, potężny facet z szyją grubą jak pień sekwoi i odpowiednio żywym pomyślunkiem.

– Bardzo mi przykro – mówi. – Psów nie wpuszczamy.

– To mój pies przewodnik.

Strażnik jest zaskoczony i speszony. Pochyla się, żeby zajrzeć mi w oczy. Odpowiadam takim samym spojrzeniem.

– Jestem krótkowzroczny. Pies pomaga mi czytać znaki drogowe.

Obchodzimy tego cerbera i udajemy się korytarzem do sali rozpraw.

Za drzwiami stoją woźny sądowy i matka Anny Fitzgerald, rozmawiająca z nim jak z uczniakiem, któremu trzeba utrzeć nosa. Domyślam się, że to właśnie jest matka mojej klientki, chociaż prawdę mówiąc, w niczym nie przypomina stojącej tuż obok córki.

– Jestem przekonana, że sędzia zrozumie. To wyjątkowa sytuacja. – Sara Fitzgerald spiera się z urzędnikiem, a jej mąż przysłuchuje się rozmowie, stojąc samotnie kilka kroków za nią.

Anna dostrzega mnie. Na jej twarzy pojawia się ulga. Zwracam się do woźnego:

– Jestem Campbell Alexander – mówię. – W czym problem?

– Właśnie usiłuję wytłumaczyć pani Fitzgerald, że tylko adwokaci mają wstęp do gabinetu sędziego.

– Ja występuję w imieniu Anny – informuję go.

– A kto reprezentuje panią? – pyta woźny Sarę Fitzgerald.

Matka Anny przez chwilę wygląda, jakby była na krawędzi załamania. Odwraca się do męża.

– Im dalej, tym gorzej – mówi cicho.

– Na pewno chcesz w to brnąć? – pyta on, potrząsając głową.

– Czy chcę? Nie, nie chcę. Muszę.

Te słowa nagle otwierają mi oczy.

– Zaraz – zwracam się do niej. – To pani jest prawnikiem?

Sara obrzuca mnie wzrokiem.

– Zgadza się.

Patrzę na Annę z niedowierzaniem.

– A ty nie wspomniałaś mi o tym ani słowem?

– Przecież pan nie pytał – szepcze dziewczyna.

Woźny wręcza nam formularze do wyrobienia przepustek, a potem wzywa szeryfa.

– Vern. – Sara uśmiecha się na jego widok. – Miło cię widzieć.

Coraz lepiej.

– Cześć. – Szeryf całuje ją w policzek, podaje rękę jej mężowi. – Witaj, Brian.

A więc matka Anny nie tylko jest prawnikiem, ale na dodatek ma w garści cały personel sądowy.

– Czy już się państwo przywitali? – pytam cierpko. Sara Fitzgerald wywraca oczami, rzucając szeryfowi wymowne spojrzenie, mówiące: „Ten facet to osioł, ale co robić?". Proszę Annę, żeby nigdzie nie odchodziła, i udaję się wraz z jej matką do gabinetu sędziego.

Sędzia DeSalvo jest niewysoki, ma zrośnięte brwi i przepada za kawą z mlekiem.

– Dzień dobry – wita się z nami. – Z pieskiem na salę rozpraw?

– To pies przewodnik, wysoki sądzie – wyjaśniam i nie czekając, co mi odpowie, rozpoczynam zwyczajową sympatyczną pogawędkę, która poprzedza każde takie spotkanie we wszystkich sądach w Rhode Island. Nasz stan nie jest duży, a środowisko prawników mamy jesz-

107

cze mniejsze. Prawdopodobieństwo trafienia w rozprawie na sędziego, który okaże się szwagrem lub stryjem twojej asystentki, jest u nas tak duże, że takie przypadki nikogo już nie dziwią. Podczas rozmowy zerkam co chwila na Sarę. Trzeba jej pokazać, kto tutaj ma prawo czuć się jak u siebie, a kto nie. Jeśli nawet ona była adwokatem, to nie pracowała w zawodzie co najmniej od dziesięciu lat, bo tyle trwa już moja praktyka.

Jest wyraźnie zdenerwowana. Mnie w palcach rąbek bluzki, co nie uchodzi uwagi sędziego DeSalvo.

– Nie wiedziałem, że wróciła pani do zawodu – zagaduje ją.

– Nie miałam wyjścia, wysoki sądzie. Powódka to moja córka.

Słysząc te słowa, sędzia kieruje wzrok na mnie.

– Czy może pan przybliżyć nam tę sprawę?

– Młodsza córka państwa Fitzgerald wniosła o usamowolnienie w kwestii zabiegów medycznych.

Sara potrząsa głową.

– To nieprawda, panie sędzio. – Mój pies podnosi głowę na dźwięk swojego imienia. – Rozmawiałam z Anną. Przyznała mi się, że wcale nie chciała tego robić. Miała wtedy zły dzień i potrzebowała, żeby ktoś poświęcił jej trochę uwagi. Trzynaście lat, zna pan ten wiek – kończy Sara, wzruszając ramionami.

W gabinecie zapada cisza tak przeraźliwa, że wyraźnie słyszę bicie własnego serca. Sędzia DeSalvo nie może wiedzieć, jakie są trzynastolatki. Jego tragicznie zmarła córka miała tylko dwanaście lat.

Sara oblewa się pąsem. Oczywiście wie o Danie DeSalvo; nie ma w tym stanie człowieka, który by o niej nie słyszał. O ile się nie mylę, sama ma na zderzaku naklejkę z jej nazwiskiem.

– Najmocniej przepraszam. Nie chciałam...

Sędzia nie patrzy na nią.

– Panie Alexander, kiedy ostatni raz rozmawiał pan ze swoją klientką?

– Wczoraj rano, wysoki sądzie. Była w moim gabinecie, kiedy jej matka zadzwoniła, aby powiadomić mnie, że cała ta sprawa to nieporozumienie.

Jak można się było spodziewać, Sarze Fitzgerald opada szczęka ze zdziwienia.

– Niemożliwe. Wyszła tylko na dwór pobiegać sobie trochę.

Spoglądam na nią.

– Jest pani tego pewna?

– Tak myślałam...

– Panie sędzio – mówię. – Pragnę wykazać, że z tego właśnie powodu wniosek Anny Fitzgerald jest uzasadniony. Własna matka nigdy nie wie, gdzie podziewa się jej córka. Dotyczące mojej klientki decyzje w kwestiach medycznych również zapadają bez poszanowania...

– Proszę przestać – sędzia przerywa mi i zwraca się do Sary. – Córka powiedziała pani, że chce wycofać wniosek?

– Tak.

Teraz sędzia spogląda na mnie.

– A panu powiedziała, że chce kontynuować rozprawę?

– Zgadza się.

– W takim razie najlepiej będzie, jeśli porozmawiam z nią osobiście.

Sędzia wstaje i wychodzi z gabinetu. Idziemy za nim. Anna siedzi z ojcem na ławce w korytarzu. Jedno sznurowadło ma rozwiązane. Dobiega mnie jej głos:

– Co mam w głowie koloru zielonego? – Po tych słowach dziewczynka podnosi wzrok i dostrzega nas.

– Anno... – zaczynam i dokładnie w tym samym momencie jej matka wypowiada to samo słowo.

Mam urzędowy obowiązek wyjaśnić mojej klientce, że sędzia DeSalvo chce porozmawiać z nią przez chwilę w cztery oczy. Muszę udzielić jej instrukcji, co ma powiedzieć, żeby prowadzący nie odrzucił sprawy, zanim zdążymy wywalczyć to, o co nam chodzi. Jestem jej adwokatem; jako klientka Anna powinna stosować się do moich zaleceń.

Ale kiedy wypowiadam jej imię, ona nie patrzy na mnie.

Patrzy na swoją matkę.

ANNA

Tak sobie myślę, że na mój pogrzeb nie przyjdzie nikt
oprócz rodziców, cioci Zanne i być może pana Ollincotta,
który uczy w naszej szkole wiedzy o społeczeństwie. Kiedy to sobie wyobrażam, przed oczyma staje mi cmentarz,
gdzie leży moja babcia. Byliśmy na jej pogrzebie, dlatego myślę akurat o tym miejscu, choć to i tak bez sensu,
bo to jest w Chicago. W dniu mojego pogrzebu łagodne
wzgórza otaczające cmentarz będą zielone, jak zasłane
aksamitem, a posągi bogów i pomniejszych aniołów oto-
czą wielkie brązowe rozprucie w ziemi, które za chwilę
połknie to wszystko, czym byłam.

Wyobrażam sobie zapłakaną mamę w toczku à la
Jackie Onasis z czarną woalką. Tatę podtrzymującego
ją pod ramię. Kate i Jessego wpatrzonych w lakierowane drewno trumny, przepraszających w myślach Boga
za wszystkie podłe rzeczy, które mi zrobili, wszystkie
przykrości, jakie musiałam od nich znosić. Może jeszcze zjawiłoby się kilku chłopaków z naszej drużyny hokejowej, kurczowo ściskając w rękach lilie, jakby to były ich ostatnie deski ratunku. Wspominaliby mnie na
głos, połykając łzy napływające do oczu.

Na dwudziestej czwartej stronie naszej lokalnej gazety ukazałby się nekrolog. Gdyby przeczytał go Kyle

McFee, to wtedy być może też by przyszedł na mój pogrzeb. Wyobrażam sobie jego piękne rysy ściągnięte cierpieniem i bolesnym rozpamiętywaniem tego, jak by to mogło być, gdybyśmy byli razem. I kwiaty: groszek pachnący, lwie paszcze i niebieskie kule hortensji. Mam nadzieję, że ktoś zaśpiewałby „Amazing Grace", ale całą, nie tylko tę najbardziej znaną pierwszą zwrotkę. A po pogrzebie dni będą płynąć jak zawsze, z drzew opadną liście, potem przyjdą śniegi, a pamięć o mnie tylko co jakiś czas wzbierze jak fala przypływu.

Na pogrzeb Kate stawią się wszyscy: pielęgniarki ze szpitala, z którymi przyjaźnimy się od dawna, znajomi z kliniki onkologicznej, wdzięczni losowi za to, że to jeszcze nie ich kolej, ludzie, którzy pomagali nam gromadzić pieniądze na leczenie. Zbierze się tylu żałobników, że trzeba będzie zamknąć przed nimi bramy cmentarza, a koszy z kwiatami będzie tyle, że część z nich odsprzeda się na cele dobroczynne. W gazecie wydrukują artykuł o krótkim, tragicznym życiu Kate Fitzgerald.

Wspomnicie moje słowa. Napiszą o tym na pierwszej stronie.

Sędzia DeSalvo ma na nogach klapki, takie same jak noszą piłkarze w szatni po zdjęciu korków. Z niewiadomego powodu poprawia to nieco moje samopoczucie. Ten cały budynek, sala rozpraw, a teraz rozmowa w cztery oczy z sędzią zdążyły mnie już kompletnie rozstroić; miło mi zatem spotkać kogoś, kto tak jak ja nie do końca tutaj pasuje.

Sędzia wyjmuje puszkę z lilipuciej lodówki i pyta, czego bym się napiła.

– Najchętniej coli – odpowiadam.

– A czy wiesz – sędzia otwiera puszkę – że jeśli włoży się mleczny ząb do szklanki z colą, to po kilku tygodniach całkiem się rozpuści? Tyle w niej kwasu węglowego. – Uśmiecha się do mnie. – Mój brat jest dentystą. Mieszka w Warwick i co roku pokazuje tam tę sztuczkę przedszkolakom.

Pociągam łyk napoju i wyobrażam sobie, jak rozpuszcza mi wszystko w środku. Sędzia DeSalvo, zamiast zasiąść za swoim biurkiem, zajmuje miejsce na krześle obok mnie.

– Powiem ci, z czym mam problem, Anno – mówi. – Twoja mama powiedziała, że postąpisz tak, a twój prawnik – że zupełnie odwrotnie. W normalnej sytuacji uznałbym, że matka zna cię lepiej niż facet poznany dwa dni temu. Faktem jednak jest, że poznałaś go w konkretnym celu, mianowicie postanowiłaś skorzystać z usług, które on świadczy. Dlatego sądzę, że powinienem wysłuchać, co masz do powiedzenia na ten temat.

– Mogę pana o coś zapytać?

– Oczywiście – pada odpowiedź.

– Czy koniecznie musi odbyć się proces?

– No cóż... Jeżeli twoi rodzice wyrażą zgodę na usamowolnienie, to będzie po sprawie – mówi sędzia.

Tak dobrze to nigdy nie będzie.

– Kiedy jednak złoży się pozew, wtedy pozwani, czyli w tym wypadku twoi rodzice, muszą stawić się w sądzie. Jeśli są oni zdania, że nie jesteś gotowa, aby podejmować takie decyzje na własną rękę, muszą przedstawić mi powody, dlaczego tak sądzą, inaczej ryzykują, że wydam wyrok zaoczny na twoją korzyść.

Kiwam głową. Obiecywałam sobie po sto razy, że będę trzymać fason. Jeżeli się teraz rozkleję, to sędzia nigdy w życiu nie uwierzy, że jestem zdolna do podejmowania jakichkolwiek decyzji na własną rękę. Poczyniłam bardzo mocne postanowienia, ale na widok puszki napoju jabłkowego w ręce sędziego moje myśli nagle skręcają na boczny tor.

Całkiem niedawno Kate była w szpitalu na badaniu nerek. Zajmowała się nią nowa pielęgniarka. Wręczyła jej kubeczek na próbkę moczu ze słowami: „Jak wrócę, to ma już być pełne". Kate nie przepada za kategorycznymi poleceniami wydawanymi wyniosłym tonem; postanowiła dać kobiecie nauczkę. Wysłała mnie do automatu z napojami, żebym przyniosła puszkę napoju jabłkowego – tego samego, który w tej chwili pije sędzia DeSalvo. Napełniła nim kubeczek, a kiedy zjawiła się pielęgniarka, uniosła go pod światło i zmrużyła oczy:

– Trochę to mętne. Trzeba jeszcze raz przefiltrować.

Podniosła kubeczek do ust i wypiła wszystko jednym haustem.

Pielęgniarka pobladła śmiertelnie i wypadła z pokoju, a my śmiałyśmy się tak długo, że aż dostałyśmy kolki. Bawiło nas to przez cały dzień, aż do samego wieczora; wystarczyło, że spojrzałyśmy na siebie i od razu puszczały nam nerwy.

Czuję, że mnie też za chwilę puszczą.

– Anno? – pyta sędzia DeSalvo i stawia tę głupią puszkę z napojem jabłkowym na stole, przy którym siedzimy.

Wybucham płaczem.

– Nie mogę oddać siostrze nerki. Nie mogę i już.

Sędzia DeSalvo bez słowa podaje mi pudełko chusteczek higienicznych. Ugniatam z nich kulkę, wycieram oczy i nos. Przez chwilę panuje cisza; sędzia czeka, aż złapię oddech.

– Posłuchaj mnie, Anno. Nie ma w tym kraju takiego szpitala, gdzie bez zgody dawcy zabrano by narząd do przeszczepu.

– A jak pan myśli, kto podpisuje dokumenty? – pytam. – Nie dziecko. Dziecko jedzie prosto na blok operacyjny. Podpisują je rodzice.

– Nie jesteś już małym dzieckiem. Masz prawo się na to nie zgodzić.

– Jasne. – Czuję, że z powrotem się rozklejam. – Kiedy po dziesiątym nakłuciu ma się już dość igieł i próbuje się o tym powiedzieć, to dorośli mówią z wymuszonym uśmiechem, że tak już wyglądają te zabiegi i że nikt sam z siebie nie prosi, żeby go kłuć dziesięć razy z rzędu. – Wycieram nos chusteczką. – Dziś mam oddać nerkę, jutro będzie coś innego. Zawsze tak jest.

– Twoja mama powiedziała mi, że chcesz wycofać wniosek. Czy to znaczy, że mnie okłamała?

– Nie – przełykam ślinę.

– Dlaczego w takim razie ty ją okłamałaś?

Na to pytanie istnieje tysiąc odpowiedzi. Wybieram najprostszą.

– Bo ją kocham.

I znów cała jestem we łzach.

– Przepraszam – mówię. – Bardzo przepraszam.

Sędzia wpatruje się we mnie, marszcząc czoło.

– Wiesz, co zrobię? Wyznaczę pewną osobę do współpracy z twoim prawnikiem. Tym sposobem będę miał dwójkę doradców, którzy pomogą mi zdecydować, co jest dla ciebie najlepsze. Odpowiada ci to?

Odgarniam włosy, które zasypały mi całą twarz, i zakładam je za ucho. Czoło i policzki mam tak rozpalone, że wydają się spuchnięte.

– Tak – mówię.

– Dobrze. – Sędzia wciska włącznik telefonu wewnętrznego i wydaje polecenie, aby przyprowadzić wszystkich do gabinetu.

Mama wchodzi pierwsza i od razu rusza w moim kierunku, ale Campbell i jego pies zagradzają jej drogę. Campbell spogląda na mnie pytająco i unosi pięść z kciukiem skierowanym ku górze; chce wiedzieć, czy dobrze mi poszło.

– Ponieważ nie mam pewności co do zaistniałej sytuacji – odzywa się sędzia DeSalvo – zamierzam wyznaczyć kuratora procesowego, który spędzi dwa tygodnie z rodziną państwa Fitzgerald. Nie potrzebuję chyba dodawać, że od obu stron oczekuję pełnej współpracy. Po zapoznaniu się ze sprawozdaniem kuratora zarządzę rozpatrzenie sprawy. Gdyby do tego czasu wydarzyło się coś, o czym powinienem się dowiedzieć, wtedy będzie na to odpowiednia pora.

– Dwa tygodnie... – mówi mama. Wiem, o czym w tej chwili myśli. – Panie sędzio, z całym szacunkiem, dwa tygodnie to bardzo dużo, zważywszy na ciężką chorobę mojej córki.

Nie poznaję własnej matki. Widziałam ją już pod różnymi postaciami. Była tygrysem, walczącym z biurokracją resortu zdrowotnego, który zawsze jest zbyt powolny jak na jej potrzeby. Była skałą, na której wszyscy znajdowaliśmy oparcie. Była pięściarzem, wyćwiczonym w uchylaniu się przed ciosami wymierzanymi przez los. Ale po raz pierwszy widzę ją jako prawnika.

Sędzia DeSalvo kiwa głową.

– Dobrze. Zarządzam rozpatrzenie sprawy na przyszły poniedziałek. W tym czasie proszę o dostarczenie historii choroby Kate...

– Wysoki sądzie – przerywa Campbell Alexander – nie muszę chyba zwracać uwagi wysokiego sądu na niezwykłe okoliczności tej sprawy. Moja klientka mieszka pod jednym dachem z adwokatem pozwanej strony, co stanowi rażące naruszenie zasad sprawiedliwości.

Słyszę, jak mama syczy gniewnie.

– W żadnym wypadku nie pozwolę sobie odebrać dziecka.

Jak to: odebrać? A gdzie ja się podzieję?

– Nie mogę mieć pewności, że adwokat przeciwnej strony nie będzie się starał obrócić istniejących warunków na swoją korzyść, wysoki sądzie. Widzę tutaj możliwość wywierania nacisku na moją klientkę – recytuje Campbell bez mrugnięcia okiem.

– Panie Alexander, nic mnie nie skłoni do zabrania tego dziecka z domu rodzinnego – oznajmia sędzia DeSalvo, ale potem zwraca się do mojej mamy: – Pani Fitzgerald, nie wolno pani rozmawiać o tej sprawie z córką, chyba że w obecności jej adwokata. Jeśli pani odmówi lub jeżeli dotrze do mnie, że złamała pani ten zakaz, mogę być zmuszony do sięgnięcia po znacznie bardziej drastyczne metody.

– Rozumiem, wysoki sądzie – mówi mama.

– Zatem – sędzia DeSalvo wstaje – do zobaczenia w przyszłym tygodniu. – Wychodzi z gabinetu, a jego klapki klekoczą cicho o posadzkę.

Kiedy tylko drzwi się za nim zamykają, odwracam się do mamy. Chcę powiedzieć, że zaraz wszystko jej wyjaśnię, ale słowa więzną mi w gardle. Nagle czuję, jak mokry, zimny nos pakuje mi się w dłoń. To Sędzia. Dzięki niemu moje rozszalałe serce uspokaja się nieco.

– Muszę porozmawiać z moją klientką – odzywa się Campbell.

– W tej chwili pańska klientka jest moją córką – odpowiada mama, bierze mnie za rękę i ściąga z krzesła. Na progu udaje mi się zebrać dość sił, żeby obejrzeć się na niego. Jest wściekły. Właściwie mogłam go uprzedzić, że tak to się skończy. Córka to karta, która przebija wszystko. W każdej grze.

Trzecia wojna światowa wybucha natychmiast. Wywołuje ją nie morderstwo arcyksięcia i nie szalony dyktator; wystarczy przeoczony zakręt w lewo.

– Brian – mówi mama, wyciągając szyję – minąłeś North Park Street.

Tata mruga oczami, wyrwany z zamyślenia.

– Mogłaś mi powiedzieć, że dojeżdżamy.

– Mówiłam.

Bez zastanowienia nad konsekwencjami wtrącania się w czyjąś sprzeczkę – i to po raz kolejny – odzywam się:

– Ja nie słyszałam.

Mama błyskawicznie odwraca głowę.

– W tej chwili jesteś ostatnią osobą, której komentarzy życzę sobie wysłuchiwać.

– Ja tylko...

Mama unosi dłoń; ten gest jest jak zamknięcie przegrody w taksówce. Widzę jeszcze, jak potrząsa głową.

Zwijam się w kłębek na tylnym siedzeniu. Leżę na boku, tyłem do kierunku jazdy, tak żeby widzieć tylko ciemność.

– Brian – słyszę głos mamy. – Znów przejechałeś ten zakręt.

Wchodzimy do domu. Mama niemal wbiega; jak burza przemyka obok Kate, która otworzyła nam drzwi; nie zwraca uwagi na Jessego rozwalonego przed telewizorem. Nasz braciszek ogląda, zdaje się, kodowany kanał Playboya. Zatrzymuje się dopiero w kuchni. Otwiera szafki i zamyka je z głośnym trzaskiem. Wyjmuje jedzenie z lodówki i ciska je na stół.

– Hej – tata próbuje zagadnąć Kate – jak się czujesz?

Kate ignoruje pytanie i przeciska się obok niego w drzwiach do kuchni.

– Jak poszło?

– Chcesz wiedzieć, jak poszło? – Mama świdruje mnie spojrzeniem. – Może zapytaj siostrę?

Kate odwraca się do mnie z niemym zapytaniem w oczach.

– Coś dziwnie przycichłaś, kiedy sędzia cię nie słyszy – parska mama.

Jesse wyłącza telewizor.

– O, w mordę. – Patrzy na mnie. – Dałaś się zmusić do gadki z sędzią?

Mama zaciska powieki.

– Wiesz co, Jesse, może byś tak poszedł na spacer?

– Nie musisz mi tego powtarzać – odpowiada Jesse lodowatym tonem i już go nie ma. Po chwili dobiega nas trzask zamykanych drzwi. Bardzo to wszystko wymowne.

– Saro – tata wchodzi do kuchni – nie możemy się teraz denerwować.

– Jak mam się nie denerwować, kiedy moja własna córka wydaje wyrok śmierci na swoją siostrę?

Zapada taka cisza, że słychać wyraźnie szum lodówki. Słowa, które wypowiedziała mama, wiszą w powietrzu jak przejrzałe owoce na gałęzi drzewa; dopóki nie spadną i nie rozbryzną się na podłodze, nikt nie śmie nawet drgnąć. W końcu echo tych fatalnych słów cichnie. Mama rusza szybkim krokiem w stronę Kate, już w biegu wyciągając do niej drżące dłonie.

– Przepraszam. Nie chciałam tego powiedzieć. Wcale tak nie myślę.

W mojej rodzinie mówienie tego, czego nie chciało się powiedzieć, i niemówienie tego, co powinno zostać powiedziane, ma długą i bolesną tradycję. Kate zakrywa usta dłonią i wycofuje się tyłem z kuchni. Wpada na tatę, który niezgrabnie próbuje ją chwycić, wyrywa mu się i biegnie na górę. Słyszymy huk zatrzaskiwanych drzwi. Mama, rzecz jasna, biegnie za nią.

A co robię ja? To, co umiem najlepiej. Uciekam w przeciwnym kierunku.

Pralnia samoobsługowa to najprzyjemniej pachnące miejsce na świecie. Kiedy tam przychodzę, czuję się jak w deszczowy niedzielny poranek, kiedy nie trzeba wstawać z łóżka. To miejsce pachnie równie miło jak trawnik świeżo skoszony przez tatę – rozkosz dla nosa. Kiedy byłam mała, siadałam na kanapie i patrzyłam, jak wyjmuje się pranie z suszarki, a mama przyrzucała mnie jeszcze ciepłymi ubraniami. Zwijałam się w kłębek pod nimi i udawałam, że to skóra, a ja jestem bijącym pod nią sercem.

W pralniach samoobsługowych podoba mi się jeszcze jedna rzecz: przyciągają samotnych ludzi jak magnes. Na krzesłach w tyle sali leży jakiś facet, chyba zemdlał. Na nogach ma glany, a na koszulce napis: „Nostradamus był optymistą". Przy blacie do składania ubrań stoi kobieta z naręczem męskich koszul z przypinanym kołnierzykiem. Pociąga nosem, połykając łzy. Wystarczy, że w pralni samoobsługowej zbierze się dziesięć osób i już są szanse, że nie będzie się tym, kto w życiu ma najgorzej.

Siadam na krześle naprzeciwko ludzi, którzy korzystają z pralek. Próbuję dopasować piorące się ubrania do ludzi, którzy na nie czekają. Różowe majtki i koronkowa koszula nocna muszą należeć do dziewczyny, która czyta jakiś romans. Czerwone wełniane skarpety i koszula w kratę to ten śpiący student oberwaniec. Koszulki piłkarskie i śpioszki nosi maluch, który cały czas podaje mamie białe ściereczki, jedną po drugiej. Mama rozmawia przez komórkę i jest nieobecna. Dziwne: ma własny telefon, a nie stać jej na pralkę i suszarkę?

Czasami dla zabawy próbuję sobie wyobrazić, kim bym była, gdyby ubrania wirujące w najbliższej pralce należały do mnie. W tych grubych dżinsach mogłabym pracować w Phoenix jako dekarz; miałabym silne ramiona i plecy opalone na brązowo. Gdybym prała tę pościel w kwiaty, byłabym studentką kryminalistyki z Harvardu, która przyjechała do domu na wakacje. W tamtej atłasowej pelerynce chodziłabym na przedstawienia baletu i miałabym karnet do teatru. A potem próbuję wyobrazić sobie, że jestem tymi ludźmi i robię to, co oni zwykle robią. Nie mogę. Nie potrafię zobaczyć się w innej roli niż w roli dawczyni dla Kate, oddającej jej siebie raz za razem.

Jesteśmy jak bliźniaczki syjamskie, choć nie widać miejsca, w którym jesteśmy zrośnięte. Tym trudniej będzie nas rozdzielić.

Podnoszę wzrok. Stoi nade mną dziewczyna, która prowadzi tę pralnię. W wardze ma kolczyk, a na głowie ufarbowane na niebiesko dredy.

– Czego ci trzeba? – pyta.

Powiem wam prawdę. Boję się usłyszeć własną odpowiedź.

JESSE

Jestem dzieckiem, które bawiło się zapałkami. Podkradałem je z półki nad lodówką i chowałem się w łazience rodziców. Wiecie, że płyn do czyszczenia wanien marki Jean Nate się pali? Gdy go rozlać na podłodze, wystarczy jedna zapałka. Daje ładny, błękitny płomień, a kiedy już alkohol wypali się do końca, gaśnie.

Kiedyś Anna nakryła mnie w łazience. „Hej, zobacz", powiedziałem i wypisałem płynem na podłodze jej inicjały. Kiedy je podpaliłem, nie uciekła z krzykiem, żeby poskarżyć rodzicom, tylko usiadła obok mnie, na brzegu wanny. Wzięła butelkę, wyrysowała płynem esy-floresy na kafelkach i powiedziała, że chce zobaczyć to jeszcze raz.

Anna jest dla mnie jedynym dowodem, że naprawdę należę do tej rodziny, że nie jestem podrzutkiem, że nie zostawiła mnie nocą na progu domu Fitzgeraldów jakaś parka w stylu Bonnie i Clyde'a. Na pierwszy rzut oka wszystko nas różni, ale wewnątrz jesteśmy właściwie tacy sami: pozornie prości, a tak naprawdę nie do rozgryzienia.

Kij wam w ryj. Tyle razy te słowa przychodziły mi do głowy, że powinienem wydziergać je sobie na czole. Żyję w przelocie; codziennie pruję moim jeepem po szosach, aż płuca zaczną rwać z bólu. Dziś zasuwam sto pięćdziesiąt na godzinę po autostradzie numer 95. Lawiruję między samochodami, ocierając się o nie o włos. Kierowcy wrzeszczą na mnie zza zamkniętych szyb. Odpowiadam im, pokazując środkowy palec.

Ileż problemów by to rozwiązało, gdybym walnął w barierkę i stoczył się ze skarpy! Nie myślcie, że nie zastanawiałem się nad tym. W moim prawie jazdy stoi informacja, że jestem dawcą organów. No, jeśli już, to wolałbym zostać dawcą męczennikiem. Wiem, że martwy jestem sto razy więcej wart niż żywy; u mnie całość to znacznie mniej niż suma poszczególnych części. Ciekawe, komu się trafi moja wątroba, płuca, może nawet na oczy znajdzie się chętny? Ciekawe, komu się tak pofarci i dostanie to wielkie nic, które u mnie robi za serce.

Z niepokojem stwierdzam, że udało mi się dotrzeć do zjazdu z autostrady nawet bez jednej obcierki. Skręcam i pomykam Allens Avenue. Jest tam jedno przejście podziemne, w którym mieszka Dan. Dan to weteran z Wietnamu. Jest bezdomny. Zbiera baterie, które inni ludzie wyrzucają na śmieci. Nazywają go Duracell Dan. Nie mam pojęcia, po jaką cholerę gromadzi ten złom, wiem tylko, że otwiera każdą sztukę. Mówi, że w paluszkach AA Energizera CIA przekazuje swoim tajnym agentom wiadomości, a ulubiona firma FBI to od lat niezmiennie Eveready.

Mam z Danem taką umowę: kilka razy w tygodniu przynoszę mu duży zestaw z McDonalda, a on w zamian pilnuje moich rzeczy. Zastaję go skulonego nad podręcznikiem astrologii, który uważa za swój manifest.

– Sie masz, Dan. – Wysiadam z samochodu i podaję mu torbę z big makiem i całym zestawem. – Co słychać?

Dan patrzy na mnie z ukosa.

– Księżyc jest w znaku Wodnika. – Wkłada frytkę do ust. – Po kiego grzyba wyniosło mnie dziś z wyra?

A to nowina. Dan ma łóżko.

– Bardzo mi przykro – mówię. – Masz moje zabawki?

Dan wskazuje głową beczki schowane za betonowym słupem. Trzyma w nich moje rzeczy. Puszka z kwasem nadchlorowym gwizdniętym ze szkolnej pracowni chemicznej jest nietknięta; w drugiej beczce znajduję poszewkę z trocinami. Zabieram puszkę, poszewkę wkładam pod pachę i idę z tym do samochodu. Dan czeka przy drzwiach.

– Dzięki – mówię.

Dan opiera się o drzwi, żebym nie mógł otworzyć.

– Mam dla ciebie wiadomość.

Czuję nieprzyjemny skurcz w żołądku, chociaż wiem, że ten facet z reguły pieprzy od rzeczy.

– Od kogo? – pytam.

Dan rozgląda się po ulicy, potem znów patrzy na mnie.

– No, wiesz. – Nachyla się bliżej. – Pomyśl dwa razy.

– To jest ta wiadomość?

– No. – Dan kiwa głową. – Pomyśl dwa razy albo popij dwa razy. Nie jestem pewien.

– Tej drugiej rady mógłbym posłuchać. – Śmieję się, odpychając go lekko, żeby dał mi wejść do wozu. Jest bardzo wątły i lekki, chociaż na takiego nie wygląda; ma się wrażenie, że w środku jest pusty, jakby wszystko, co tam miał, już dawno się zużyło i wyparowało. W zasadzie dziwię się, że i mnie jeszcze wiatr nie porwał. – Na razie – żegnam się z Danem i włączam silnik. Jadę do pewnego magazynu, który mam na oku już od jakiegoś czasu.

Staram się wyszukiwać miejsca podobne do mnie: rozległe, puste, zapomniane przez wszystkich lub prawie wszystkich. Ten magazyn znalazłem w okolicy Olneyville. Kiedyś należał do jakiejś firmy eksportowej. Teraz jest zamieszkany: żyje w nim wielopokoleniowa rodzina szczurów. Zostawiam samochód w bezpiecznej odległości, żeby nikt go nie przyuważył. Chowam poszewkę z trocinami pod kurtką i ruszam do drzwi.

Wychodzi na to, że jednak czegoś się nauczyłem od mojego kochanego staruszka: strażak wie, jak dostać się tam, gdzie go nikt nie prosi. Zamek daje się bez wysiłku otworzyć wytrychem. Teraz pozostaje już tylko wybrać miejsce, gdzie najlepiej będzie zacząć. Dziurawię poszewkę i grubymi krechami wypisuję trocinami na podłodze moje inicjały: JBF. Potem biorę puszkę z kwasem i spryskuję nim trociny.

Nigdy wcześniej nie robiłem tego za dnia, w pełnym świetle.

Wyjmuję z kieszeni paczkę meritsów i wkładam jednego do ust. W zapalniczce mam już tylko resztkę gazu; muszę pamiętać, żeby ją napełnić. Dopalam papierosa i wstaję. Pociągam jeszcze raz i rzucam niedopałek prosto w trociny. Wiem, że pójdzie szybko, więc od razu ruszam biegiem. Po chwili za mną wznosi się ściana ognia. Na pewno będą szukać śladów, tak jak zawsze, ale po tym niedopałku i po moich inicjałach nie pozostaną żadne ślady. Cała podłoga się stopi, a ściany wygną się i w końcu runą.

Pierwszy wóz strażacki dojeżdża na miejsce, zanim jeszcze zdążę dobiec do samochodu i wyjąć z bagażnika lornetkę. Ogień zdążył już osiągnąć swój cel: wyrwał się na wolność. Szyby w oknach popękały, z dziur bije ciemny dym, przysłaniając słońce.

Kiedy miałem pięć lat, po raz pierwszy zobaczyłem łzy mojej mamy. Stała przy oknie w kuchni i udawała, że wcale nie płacze. Słońce właśnie wschodziło, podobne do napęczniałej pomarańczowej bulwy. „Co robisz, mamo?" – zapytałem. Dopiero po latach zrozumiałem to, co wtedy odpowiedziała. Co miały znaczyć słowa „czarno to widzę", skoro przecież kuchnię zalewały pierwsze promienie wschodzącego słońca.

W tej chwili niebo jest czarne od gęstego dymu. Wali się dach, tryskając snopami iskier. Na miejsce przybywa drugi zastęp strażaków – to ci, których wezwano prosto z domów, sprzed telewizora, oderwano od obiadu, wyciągnięto spod prysznica. Przez lornetkę widzę nazwisko Fitzgerald wypisane lśniącymi odblaskowymi literami na plecach kombinezonu. Mój ojciec bierze w dłonie wąż strażacki, gruby od wody. Wsiadam do samochodu i odjeżdżam.

W domu zastaję mamę oszalałą z nerwów. Ledwo zaparkowałem, a ona już wybiega na podwórko.

– Dzięki Bogu – mówi. – Musisz mi pomóc.

Nie ogląda się nawet, czy idę za nią, więc domyślam się, że chodzi o Kate. Drzwi do pokoju dziewczyn zostały wkopane do środka, drewniane odrzwia są potrzaskane. Siostra leży bez ruchu na łóżku. Wtem wstrząsa się gwałtownie, szamocze jak lewarek w ręku i wymiotuje krwią na koszulkę. Na jej kołdrze w kwiaty dostrzegam krwistoczerwone maki, których wcześniej tam nie było.

Mama klęka obok łóżka, odgarnia jej włosy z twarzy, a kiedy Kate wymiotuje ponownie całym strumieniem krwi, ociera jej usta ręcznikiem.

– Jesse – odzywa się spokojnym, rzeczowym tonem – ojciec dostał wezwanie. Jest nieosiągalny. Zawieziesz nas do szpitala, bo ja muszę siedzieć z tyłu z Kate.

Wargi Kate lśnią czerwienią jak dojrzałe wiśnie. Biorę siostrę na ręce. Sama skóra i kości, które widać dobrze pod obcisłą koszulką.

– Anna wybiegła z domu, a Kate zamknęła się w pokoju – opowiada mama, biegnąc obok mnie. – Zostawiłam ją na chwilę, żeby doszła do siebie, ale potem usłyszałam, że kaszle. Musiałam do niej wejść.

Więc wyłamałaś drzwi, kończę w myślach. Jakoś w ogóle mnie to nie dziwi. Mama otwiera drzwi samochodu, żebym mógł posadzić Kate na tylnym siedzeniu. Wyjeżdżam z podwórka i puszczam się przez miasto jeszcze szybciej niż zwykle. Jesteśmy już na autostradzie. Do szpitala, byle szybciej.

Dziś rano, kiedy rodzice pojechali z Anną do sądu, ja zostałem z Kate. Włączyliśmy telewizor. Kate chciała oglądać swoją ulubioną telenowelę, ale kazałem jej spieprzać i przełączyłem na kodowany kanał Playboya. Teraz, kiedy pędzę z nią na ostry dyżur, nie zwracając uwagi na światła, żałuję, że nie dałem jej oglądać tego durnego tasiemca. Staram się nie patrzeć na jej twarz, podobną do malutkiej białej monety lśniącej w lusterku wstecznym. Mogłoby się wydawać, że po tylu latach życia ze śmiertelnie chorą osobą człowiek jest z tym obyty i przygotowany na chwile takie jak ta. A mnie w tym momencie pulsuje w głowie jedno pytanie, to pytanie, którego nie wolno nam zadawać: Czy to już? Czy to już? Czy to już?

Mama wyskakuje z samochodu natychmiast, kiedy tylko wyhamowuję przed wejściem na pogotowie. Popędza mnie, żebym szybciej wyciągnął Kate z tylnego siedzenia. Wchodzimy do środka. Musimy przedstawiać niezły widok: ja z zakrwawioną siostrą na rękach i nasza matka, łapiąca pierwszą pielęgniarkę, która nawija jej się pod rękę. Pada krótkie polecenie:

– Potrzebne są płytki krwi.

Zabierają ją z moich rąk. Jeszcze przez kilka chwil po tym, jak pielęgniarki, mama i Kate zniknęły za zasłoną, stoję z uniesionymi, naprężonymi rękoma, usiłując oswoić się z faktem, że niczego już w nich nie ma.

Doktor Chance jest onkologiem; znam go. Doktora Nguyena nie znam; jest specjalistą w jakiejś innej dziedzinie. Słyszymy od nich to, czego sami się już domyśliliśmy: to jest agonia. Choroba nerek osiągnęła końcowe stadium. Mama stoi obok łóżka, ściskając kurczowo stojak na kroplówki.

– Czy jest jeszcze czas na przeszczep? – pyta, jakby pozew Anny, proces i sąd absolutnie nic dla niej nie znaczyły.

– Stan Kate jest bardzo poważny – odpowiada doktor Chance. – Już przedtem nie było pewności, czy zdoła przeżyć taką ciężką operację. Teraz szanse powodzenia są jeszcze mniejsze.

– Ale zrobicie to, jeśli znajdzie się dawca? – pyta dalej mama.

– Zaraz – odzywam się nagle; w gardle czuję taką suchość, jakby było wyłożone słomą. – A czy moja nerka się nada?

Doktor Chance potrząsa głową.

– W zwyczajnym przypadku dawca nerki nie musi mieć pełnej zgodności. Niestety, przypadek twojej siostry nie jest zwyczajny.

Lekarze wychodzą. Czuję na sobie wzrok mojej matki.

– Jesse. – Słyszę jej głos.

– Nie myśl sobie, że bym to zrobił. Tak tylko pytałem. No, wiesz... żeby wiedzieć.

Ale wewnątrz czuję, że pali mnie ogień tak samo gorący jak te pierwsze płomienie wybuchające w magazynie. Z jakiej racji wydało mi się, że po tylu latach naraz mogę być coś wart? Jak mogłem pomyśleć, że potrafię pomóc siostrze, skoro nie wiem nawet, jak pomóc sobie samemu?

Kate otwiera oczy. Wpatruje się we mnie. Oblizuje wargi, wciąż pokryte skorupą zaschłej krwi. Wygląda

128

przez to jak wampir. Upiorny, makabryczny, ale nieśmiertelny. Gdyby tylko mogło tak być.

Nachylam się nad nią, bo wiem, że w tej chwili brak jej sił, żeby przepchnąć słowa przez powietrze, które nas dzieli. „Powiedz", czytam z ruchu warg – Kate specjalnie nie dobywa głosu, żeby nie zwrócić uwagi mamy.

„Powiedz?" – odpowiadam jej tak samo bezgłośnie; muszę się upewnić, że dobrze ją zrozumiałem.

„Powiedz Annie".

Ale w tym momencie drzwi otwierają się z trzaskiem. Wpada ojciec, napełniając pomieszczenie zapachem dymu. Jego włosy, ubranie, skóra – wszystko cuchnie dymem tak mocno, że aż spoglądam w górę w obawie, że zaraz włączy się instalacja przeciwpożarowa.

– Co się stało? – pyta, podchodząc prosto do łóżka.

Wymykam się z pokoju, bo nie jestem tam już nikomu potrzebny. W windzie wisi znak z napisem „Zakaz palenia". Staję wprost pod nim i zapalam papierosa.

Powiedz Annie. Ale co?

SARA
1990–1991

Może to czysty przypadek, a może taka karma; siedzimy trzy w salonie fryzjerskim i wszystkie jesteśmy w ciąży. Tworzymy rządek pod kloszami suszarek, ręce mamy założone na brzuchu. Wyglądamy jak trzy posążki Buddy.

– Najbardziej podobają mi się imiona Freedom, Low i Jack – mówi dziewczyna obok mnie.

– A jeśli nie urodzi się chłopiec? – pyta kobieta, która siedzi z mojej drugiej strony.

– To są imiona i dla chłopczyka, i dla dziewczynki.

Powstrzymuję się od uśmiechu.

– Głosuję za Jackiem.

Dziewczyna zerka przez okno. Pogoda jest dziś pod psem.

– Sleet to ładne imię. – „Sleet". Deszcz ze śniegiem, taki jak dziś za oknem. – Sleet – powtarza dziewczyna w zamyśleniu, wypróbowując brzmienie słowa: – Sleet, pozbieraj zabawki. Sleet, kochanie, nie marudź, bo się spóźnimy na koncert. – Z kieszeni ciążowych ogrodniczek wygrzebuje ogryzek ołówka i kartkę, na której gryzmoli to imię.

Kobieta po mojej lewej stronie uśmiecha się do mnie.

– To pani pierwsze?

– Trzecie.

– Ja też rodzę trzeci raz. Mam już dwóch chłopców. Tym razem liczę na szczęście.

– Ja mam chłopca i dziewczynkę – mówię jej. – Pięć lat i trzy.

– A wie pani, co teraz się urodzi?

Wiem o tym dziecku wszystko, począwszy od płci, a skończywszy na rozmieszczeniu chromosomów, także tych, które są odpowiedzialne za pełną zgodność jej tkanek z tkankami Kate. Wiem dokładnie, co się urodzi. Cud.

– Dziewczynka – odpowiadam.

– Ale pani zazdroszczę! Nam z mężem lekarz na USG nie mógł nic powiedzieć. Gdyby to miał być następny chłopiec, to chybabym nie donosiła go przez całe pięć miesięcy. – Wyłącza suszarkę i odsuwa ją na bok. – Wybrała już pani jakieś imiona?

To dziwne, ale nie. Jestem w dziewiątym miesiącu ciąży. Miałam mnóstwo czasu na rozważania, na marzenia, a tak naprawdę nie zaplanowałam niczego w związku z tym dzieckiem. Kiedy myślałam o mojej młodszej córce, brałam pod uwagę wyłącznie to, co będzie mogła zrobić dla starszej siostry. Nie przyznałam się do tego nawet Brianowi, który co wieczór przykłada ucho do mojego wielkiego już brzucha i wyczekuje drgnięć, zwiastujących – jak mu się wydaje – narodziny pierwszej kobiety, która wejdzie do składu drużyny Patriots jako rozgrywająca. Ale ja też planuję dla niej coś wielkiego: postanowiłam, że uratuje życie swojej siostrze.

– Jeszcze czekamy – odpowiadam mojej rozmówczyni. Czasem wydaje mi się, że nie robimy nic innego.

W zeszłym roku, kiedy Kate zakończyła trwającą trzy miesiące chemioterapię, pozwoliłam sobie uwierzyć, że naprawdę się nam udało; byłam na tyle głupia. Doktor Chance stwierdził, że wystąpiły oznaki remisji i że teraz należy tylko czekać i uważać na to, co będzie się działo. Na krótki czas moje życie całkiem powróciło do normy: woziłam Jessego na treningi piłkarskie, pomagałam Kate w zajęciach przedszkolnych, brałam nawet gorące kąpiele dla odprężenia.

Ale jakiś głos wewnętrzny mówił mi, że to jeszcze nie koniec. Ten głos nakazywał mi co rano uważnie oglądać poduszkę Kate, na wypadek gdyby znów zaczęły wypadać jej włosy – nawet kiedy już zaczęły na dobre odrastać, mocno kędzierzawe i ze skręconymi końcówkami. Ten sam głos kazał mi iść do genetyka poleconego przez doktora Chance'a. Doprowadzić do zapłodnienia *in vitro* mojej komórki jajowej nasieniem Briana. A później począć embrion, o którym specjalista orzekł, że wykazuje stuprocentową zgodność tkankową z organizmem Kate. Na wszelki wypadek.

Podczas rutynowego badania szpiku kostnego okazało się, że nastąpił nawrót na poziomie komórkowym. Na pierwszy rzut oka Kate wyglądała jak zwyczajna trzylatka, ale rak znów zaczynał toczyć jej organizm, niszcząc postępy poczynione dzięki chemioterapii.

Kate siedzi na tylnym siedzeniu samochodu, wymachuje nogami i bawi się telefonem zabawką. Jesse siedzi obok niej i wygląda przez okno.

– Mamo, a czy autobusy spadają na ludzi?

– Jak liście z drzew?

– Nie. Chciałem wiedzieć, czy mogą się na kogoś... przewrócić. – Jesse pokazuje ręką, jak autobus się przewraca.

– Tylko kiedy wieje bardzo silny wiatr albo kiedy kierowca jedzie za szybko.

Synek kiwa głową. Moje wytłumaczenie przekonało go, że jest bezpieczny w tym wszechświecie. Mija chwila.

– Mamo, a jaka jest twoja ulubiona liczba?

– Trzydzieści jeden – odpowiadam. Tego dnia mam termin porodu. – A twoja?

– Dziewięć, bo to jest cyferka i można mieć tyle lat, i tak wygląda szóstka do góry nogami. – Cisza trwa tylko tyle czasu, ile potrzeba na zaczerpnięcie oddechu. – Mamo, a czy my mamy takie specjalne nożyczki do mięsa?

– Tak, mamy.

Skręcam w prawo. Mijamy cmentarz; poprzekrzywiane kamienie nagrobne sterczą rzędem, podobne do pożółkłych zębów.

– Mamo – pyta Jesse – czy to tutaj pójdzie Kate?

To jest zwykłe dziecięce pytanie, niewinne tak jak wszystkie pytania, które zadaje Jesse. Pomimo to czuję, jak mię́kną mi kolana. Zjeżdżam na pobocze, włączam światła awaryjne, po czym odpinam pas i odwracam się.

– Nie, Jess – odpowiadam synkowi. – Kate zostanie z nami.

– Państwo Fitzgerald? – pyta reżyser programu. – Witam. Proszę usiąść tutaj.

Zajmujemy miejsca w studiu telewizyjnym, do którego zaproszono nas ze względu na niekonwencjonalną metodę poczęcia naszego dziecka. Dziwnym sposobem, walcząc o zdrowie Kate, nieświadomie staliśmy się tematem ogólnonarodowej debaty naukowej.

Brian bierze mnie za rękę. Podchodzi do nas Nadya Carter, dziennikarka prowadząca program.

– Za chwilę zaczynamy. Puściłam już materiał o Kate. Zadam państwu tylko kilka pytań i będzie po wszystkim.

W ostatniej chwili Brian wyciera sobie policzki rękawem koszuli. Słyszymy głośny jęk makijażystki stojącej za reflektorem oświetlającym plan.

133

– Za żadne skarby – szepcze mi Brian do ucha – nie pokażę się w ogólnokrajowej sieci z różem na twarzy.

Kamera ożywa zupełnie niepostrzeżenie, inaczej, niż się spodziewałam. Tylko delikatne wibracje, które czuję w stopach i ramionach, dają znać, że maszyna pracuje.

– Panie Fitzgerald – zaczyna Nadya – przede wszystkim proszę nam powiedzieć, dlaczego zdecydowali się państwo na wizytę u genetyka.

Brian spogląda na mnie.

– Nasza trzyletnia córeczka Kate choruje na bardzo ostrą odmianę białaczki. Za poradą onkologa próbowaliśmy znaleźć dawcę szpiku kostnego. Niestety, starszy brat Kate nie ma zgodności genetycznej. Istnieje, co prawda, narodowy rejestr dawców szpiku, lecz zanim znajdzie się ktoś odpowiedni dla Kate, może już być... za późno. Uznaliśmy, że warto sprawdzić, czy młodsze rodzeństwo Kate nie wykaże zgodności.

– Kate nie ma młodszego rodzeństwa – zauważa Nadya.

– Jeszcze nie – odpowiada Brian z naciskiem.

– Co zadecydowało, że zwrócili się państwo o pomoc do genetyka?

– Chodziło o czas – odpowiadam szczerze, bez ogródek. – Nie możemy pozwolić sobie na to, żeby co rok płodzić nowe dziecko w nadziei, że okaże się ono odpowiednim dawcą dla Kate. Specjalista genetyk zbadał cztery embriony. Mieliśmy szczęście: jeden z nich wykazał pełną zgodność z organizmem starszej siostry. Poddałam się zapłodnieniu *in vitro*.

Nadya zerka w notatki.

– Otrzymali państwo wiele listów pełnych krytyki, prawda?

Brian kiwa głową.

– Ludzie uważają, że chcieliśmy mieć dziecko na zamówienie.

– A nie jest tak?

– Nie chcemy, żeby nasza córka miała niebieskie oczy, była wysoka, kiedy dorośnie, ani żeby miała iloraz inteligencji dwieście. Poprosiliśmy lekarzy o konkretne cechy, lecz nie są to tak zwane wzorcowe cechy ludzkie. Są to cechy organizmu Kate. Nie chcemy mieć superdziecka. Chcemy ratować życie naszej córeczki.

Ściskam go mocno za rękę. Boże, jak ja go kocham.

– Pani Fitzgerald, co pani powie swojej młodszej córce, kiedy dorośnie? – pyta Nadya.

– Przy odrobinie szczęścia – odpowiadam – powiem jej, żeby przestała dokuczać siostrze.

Pierwszych skurczów dostaję w sylwestra. Emelda, moja pielęgniarka, żeby czymś mnie zająć, opowiada o znakach zodiaku.

– To będzie Koziorożec – mówi, masując mi ramiona.

– To dobrze?

– Koziorożce zawsze kończą to, co zaczęły.

Wdech, wydech.

– Dobrze... o tym... wiedzieć – mówię.

Na oddziale rodzą jeszcze dwie kobiety. Jedna z nich, dowiaduję się od Emeldy, siedzi ze ściśniętymi nogami i przetrzymuje poród. Chce doczekać do północy. Dziecko urodzone w Nowy Rok dostaje darmowe pieluszki i bon oszczędnościowy w wysokości stu dolarów od Citizens Banku na przyszłą edukację.

Emelda wychodzi do recepcji. Zostajemy sami. Brian bierze mnie za rękę.

– Jak się czujesz?

Uśmiecham się z trudem, bo czuję kolejny skurcz.

– Wolałabym, żeby było już po wszystkim.

Brian uśmiecha się do mnie. No tak, wyszłam przecież za strażaka i ratownika paramedycznego w jednej osobie. Dla niego rutynowy poród w szpitalu to nic szczególnego. Gdyby odeszły mi wody podczas katastrofy kolejowej albo gdybym rodziła na tylnym siedzeniu taksówki...

– Wiem, o czym myślisz – przerywa mi Brian, chociaż nie odezwałam się ani słowem. – Mylisz się. – Unosi moją dłoń do ust, całuje kostki palców.

Wtem czuję szarpnięcie, jakby ktoś zwolnił kołowrót kotwicy, którą noszę w sobie. Jej łańcuch, gruby jak pięść, rwie przez moje podbrzusze.

– Brian – z trudem łapię oddech – sprowadź lekarza.

Po chwili zjawia się położnik. Kładzie dłoń pomiędzy moimi nogami i spogląda na zegar ścienny.

– Jeśli poczeka pani jeszcze chwilę, to dziecko będzie sławne – mówi.

Potrząsam głową.

– Proszę je przyjąć – mówię. – Bez chwili zwłoki.

Lekarz zerka na Briana.

– Liczą państwo na ulgi podatkowe?

To, na co ja liczę, nie ma nic wspólnego z urzędem skarbowym. Czuję, jak główka przeciska się na zewnątrz. Lekarz podtrzymuje ją, odwija z szyi dziecka pępowinę pełną tej wspaniałej krwi, wyciąga jedno ramię, potem drugie.

Unoszę się z wysiłkiem, żeby zobaczyć, co się tam dzieje.

– Pępowina – przypominam mu. – Proszę uważać.

Lekarz przecina pępowinę i szybko wynosi życiodajną krew, żeby schować ją bezpiecznie w lodówce. Poczeka tam, aż Kate będzie gotowa, żeby ją przyjąć.

Przygotowanie do przeszczepu zaczyna się rankiem pierwszego dnia po narodzinach Anny; jest to dzień zerowy. Schodzę z porodówki na oddział radiologii, żeby zobaczyć się z Kate. Obie mamy na sobie żółte jałowe fartuchy; małą to bawi.

– Mamo, zobacz – mówi. – Wyglądamy tak samo.

Kate jest pod wpływem środków uspokajających, które dostała od pediatry. Nie ma czucia w nogach. W każdej innej sytuacji byłby to zabawny widok: kiedy tylko próbuje stanąć, przewraca się. Nagle uderza mnie myśl: tak właśnie wygląda dziewczyna, kiedy po raz pierwszy podchmieli sobie na imprezie w szkole średniej albo na studiach. Szybko jednak sprowadzam się na ziemię: Kate może nie doczekać tego wieku.

Kiedy przychodzi radiolog, żeby zabrać małą na naświetlanie, Kate przywiera z całych sił do mojej nogi.

– Kotku – uspokaja ją Brian – wszystko będzie dobrze, zobaczysz.

Kate potrząsa główką i zaciska palce jeszcze mocniej. Przyklękam przed nią, a ona rzuca mi się w ramiona.

– Nie spuszczę cię z oka nawet na chwilę – obiecuję.

Bunkier do radioterapii jest olbrzymi. Na ścianach wymalowano tropikalne drzewa. Akceleratory liniowe są wbudowane w sufit i zagłębienie pod stołem do zabiegów, który wygląda jak zwykłe łóżko polowe przykryte prześcieradłem. Radiolog kładzie na piersi Kate grube ołowiane ciężarki w kształcie ziaren fasoli i prosi, żeby leżała spokojnie. Obiecuje jej, że kiedy będzie już po wszystkim, dostanie naklejkę.

Przyglądam się córeczce przez grubą szybę ochronną. Promienie gamma, białaczka, rodzicielstwo. Najskuteczniej zabija to, czego nie można zobaczyć.

Onkologia też ma swoje prawo Murphy'ego, nigdzie niezapisane, lecz funkcjonujące w powszechnej świadomości: żeby wyzdrowieć, trzeba najpierw swoje odchorować. Dlatego jeśli organizm ciężko znosi chemioterapię, a po napromieniowaniu schodzi skóra – to bardzo dobrze, bo w przeciwnym razie, gdyby zabiegi spowodowały tylko przejściowe mdłości, a ból byłby do zniesienia, mogłoby to oznaczać, że organizm jakimś sposobem wydalił środki, które mu podano i cała terapia poszła na marne.

Według tych kryteriów Kate do tej pory z całą pewnością powinna wyzdrowieć. Zeszłoroczna chemioterapia to absolutnie nic w porównaniu z obecnymi zabiegami. Mała dziewczynka, która nigdy nie miała nawet kataru, teraz jest wrakiem, cieniem samej siebie. Naświetlania trwały trzy dni; Kate dostała po nich nieustającej biegunki i trzeba było założyć jej pieluchę. Z początku wstydziła się tego, ale teraz czuje się już tak źle, że przestała się tym przejmować. Po naświetlaniach przyszła kolej na chemioterapię, od której jej gardło szczelnie wypełniło się śluzem. Żeby mogła oddychać, musi mieć w ustach odsysacz, którego łapie się kurczowo, jakby to było koło ratunkowe. Kiedy nie śpi i jest przytomna, ciągle płacze.

Szóstego dnia liczba białych krwinek i neutrofilów zaczyna spadać na łeb na szyję. Od tej chwili Kate pozostaje w ścisłej izolacji. Może ją teraz zabić pierwszy lepszy zarazek, więc trzymamy ją z daleka od wszelkich zarazków. Nie wolno jej odwiedzać; ci nieliczni, których wpuszcza się do jej pokoju, muszą włożyć specjalne fartuchy i maski, w których wyglądają jak kosmonauci. Jeśli Kate chce pooglądać książeczki, musi nałożyć gumowe rękawiczki. W pokoju nie może być żadnych roślin ani kwiatów, bo przenoszą bakterie, które w tej chwili są dla małej zabójcze. Każda zabawka, którą Kate bierze do ręki, musi być wyszorowana płynem antyseptycznym. Pluszowy miś, z którym sypia, został zafoliowany. Folia szeleści przez całą noc; Kate często budzi się od tego hałasu.

Brian i ja czekamy na korytarzu u drzwi pokoju, w którym leży Kate. W tej chwili maleńka śpi, jest więc czas, żeby poćwiczyć robienie zastrzyków. Mam do tego pomarańczę. Po przeszczepie Kate będzie musiała przyjmować dożylnie czynnik wzrostu – to będzie odtąd moje zadanie. Przebijam igłą grubą skórę owocu, cisnąc aż do momentu, kiedy poczuję, że opór zelżał, co oznacza, że dosięgłam miąższu. Moje zastrzyki będą płytkie, podskórne. Muszę uważać, żeby wbijać igłę pod właściwym kątem i żeby nie naciskać za mocno, ale też nie za słabo; od prędkości wbijania igły zależy to, czy będzie boleć mniej czy bardziej. Oczywiście pomarańcza nie krzyczy i nie płacze, kiedy coś źle zrobię. Pielęgniarki uspokajają mnie, że prawdziwe zastrzyki wyglądają bardzo podobnie.

Brian bierze ze stolika drugą pomarańczę i zaczyna ją obierać.

– Zostaw to!

– Jestem głodny – mąż wskazuje głową na owoc, który trzymam w dłoniach – a ty przecież masz już pacjenta.

– To nie jest moja pomarańcza. Ktoś ją tu zostawił. Bóg raczy wiedzieć, czym jest nafaszerowana.

Nagle zza rogu wychodzi doktor Chance. Zbliża się ku nam, a za nim idzie Donna, pielęgniarka z onkologii, machając torbą do kroplówki napełnioną szkarłatnym płynem.

– Trzeba odwirować. – Uśmiecha się do nas.

Odkładam pomarańczę. Idziemy razem do przedpokoju salki, w której leży Kate. Przebieram się w kombinezon, dzięki któremu będę mogła zbliżyć się na pięć kroków do córki. Po kilku minutach kroplówka wisi już na stojaku, podłączona do centralnego cewnika w piersi Kate. Czuję rozczarowanie: taki ważny moment, a mała nawet się nie obudziła. Staję po jednej stronie łóżka, Brian przechodzi na drugą. Wstrzymuję oddech. Tam, w okolicy bioder, a dokładnie w grzebieniu kości biodrowej, tworzy się szpik kostny. To musi być jakiś cud, że te komórki macierzyste pobrane od Anny wejdą

139

do krwiobiegu Kate przez żyłę w klatce piersiowej, ale niewiadomym sposobem trafią tam, gdzie trzeba.

– No tak. – Doktor Chance chrząka. Wszyscy wpatrujemy się w krew pępowinową, cieknącą kroplami przez plastikowe rurki. Każda kropla jest jak uderzenie dzwonu przeznaczenia.

JULIA

To niemożliwe, że kiedyś dzieliłam z tą kobietą łono matki. Upłynęły dopiero dwie godziny, odkąd siostra wprowadziła się do mnie, a ja zaczynam mieć problemy z udowodnieniem pokrewieństwa samej sobie. Isobel zdążyła już poukładać moje płyty według roku wydania, pozamiatać pod kanapą i wyrzucić mi połowę rzeczy z lodówki.

– Daty są przyjaciółmi człowieka – słyszę jej ciężkie westchnienie. – Masz tutaj jogurt, który pamięta jeszcze rządy demokratów.

Zatrzaskuję drzwi i liczę do dziesięciu. Nic to jednak nie daje; kiedy Izzy wpada do kuchni i bierze się do czyszczenia kuchenki gazowej, wychodzę z siebie.

– Sylvia jest czysta – zwracam jej uwagę.

– O, właśnie! Kuchenka: Sylvia. Lodówka: Smilla... Po co nam imiona dla sprzętów kuchennych?

Mnie, nie nam. To są moje sprzęty, nie nasze, do jasnej cholery.

– Teraz rozumiem, dlaczego Janet z tobą zerwała – mruczę pod nosem.

Izzy spogląda na mnie, uderzona moimi słowami.

– Jesteś okropna, okropna! Powinnam była od razu po urodzeniu zaszyć mamę grubą nicią!

Biegnie do łazienki, zalewając się łzami.

Isobel jest ode mnie starsza o trzy minuty. Ale to ja zawsze zajmowałam się nią, nie odwrotnie. Jestem jej bombą atomową: kiedy coś sprawia przykrość mojej siostrze, rozwalam to w drobny mak. Tak było, kiedy dokuczał jej któryś z naszych braci (a miałyśmy sześciu, i to wszystkich starszych) i tak jest teraz, kiedy złej Janet po siedmiu latach zaangażowanego związku nagle odwidział się homoseksualizm. Kiedy dorastałyśmy, Izzy była grzeczną córeczką i wzorem wszelkich cnót; to ja rozrabiałam, biłam się, na złość rodzicom goliłam głowę na zero i nosiłam wojskowe glany do szkolnego mundurka. A teraz obie mamy po trzydzieści dwa lata i co się okazuje? Ja jestem szczurem wyścigowym, a Izzy projektantką biżuterii ze śrubek i spinaczy do papieru. I do tego lesbijką. Kto by pomyślał.

Izzy jeszcze nie wie, że drzwi do łazienki nie zamykają się na klucz. Wchodzę, staję za nią i czekam, aż skończy myć twarz i zakręci kran z zimną wodą. Podaję jej ręcznik.

– Wcale tak nie myślę – mówię.

– Wiem. – Izzy rzuca mi spojrzenie odbite w lustrze. Dla większości ludzi jesteśmy nie do odróżnienia, zwłaszcza teraz, kiedy mam taką pracę, w której nie mogę nosić ekstrawaganckich ciuchów ani fryzur.

– Ty przynajmniej kogoś miałaś – zauważam. – Bo ja na ostatniej randce byłam tego samego dnia, kiedy kupiłam ten jogurt.

Izzy odwraca się do mnie. Kąciki jej ust drżą, wyginając się ku górze.

– A czy deska klozetowa też ma imię?

– Zastanawiałam się, czy Janet by pasowało – odpowiadam. Siostra parska śmiechem.

Słyszymy dzwonek. Idę do pokoju odebrać telefon.

– Witaj, Julio, mówi sędzia DeSalvo. Mam sprawę,

w której będzie mi potrzebny kurator procesowy. Pomyślałem o tobie. Zechcesz mi pomóc?

Zaczęłam pracować jako kurator procesowy rok temu. Zdecydowałam się na to z prostego powodu: praca ochotnicza w organizacjach nonprofitowych jest co prawda przyjemna, ale przyjemność przyjemnością, a czynsz czynszem. Kurator procesowy to pracownik sądowy, który bierze udział w procesie z udziałem osoby nieletniej jako obrońca jej interesów. Ta praca nie wymaga studiów prawniczych, konieczne jest w niej za to silne poczucie moralności, no i serce. A to już dyskwalifikuje większość prawników, którzy chcieliby ewentualnie ubiegać się o taką posadę.

– Julio, jesteś tam?

Dla sędziego DeSalvo poszłabym do roboty byle gdzie, nawet w supermarkecie. To on pociągnął za sznurki, żebym dostała tę pracę.

– Co tylko pan sobie życzy – odpowiadam. – O co chodzi?

Sędzia wprowadza mnie w temat. Informacje w rodzaju „usamowolnienie w kwestii zabiegów medycznych", „trzynastolatka" i „matka po studiach prawniczych" szybko wylatują mi z głowy. Dwie rzeczy przykuwają moją uwagę: wzmianka „pilne" i nazwisko adwokata.

Boże, nie. Tego zrobić nie mogę.

– Będę tam za godzinę – obiecuję sędziemu.

– To dobrze. Wydaje mi się, że dziewczyna potrzebuje kogoś, kto będzie trzymał jej stronę.

– Kto dzwonił? – pyta Izzy, wyjmując z torby swój miniaturowy warsztat pracy, pudełko pełne narzędzi, kawałków drutu i małych pojemniczków z metalowymi częściami, które ustawiane kolejno na stole wydają odgłos podobny do zgrzytania zębami.

– Sędzia – odpowiadam. – Trzeba pomóc pewnej dziewczynie.

Jednej rzeczy nie mówię siostrze: że tą dziewczyną jestem ja.

W domu państwa Fitzgeraldów nie ma nikogo. Dzwonię dwa razy. To na pewno jakaś pomyłka. Z tego, co przekazał mi sędzia DeSalvo, wynika, że ta rodzina przechodzi głęboki kryzys, tymczasem na razie nic na to nie wskazuje: dom jest dobrze utrzymany, a na trawniku rosną starannie pielęgnowane kwiaty.

Odwracam się i chcę wracać do samochodu; w tej chwili ją zauważam. Wygląda raczej jak dziecko niż nastolatka, jest chuda i trochę kanciasta. Przeskakuje nad każdą szczeliną w chodniku.

– Cześć – zagaduję ją, kiedy podchodzi bliżej. – Nazywasz się Anna?

Głowa w górze, bystre spojrzenie.

– Być może.

– Jestem Julia Romano. Sędzia DeSalvo poprosił mnie, żebym została twoją kuratorką procesową. Wiesz, kto to taki? Sędzia powiedział ci?

Anna mruży oczy.

– W Brockton była jedna dziewczyna, którą porwał facet podający się za znajomego jej mamy. Powiedział, że ma zawieźć ją do mamy do pracy.

Sięgam do torby, grzebię w niej chwilę i wyciągam prawo jazdy oraz plik papierów.

– Proszę bardzo – mówię. – Jak sobie życzysz.

Anna najpierw przygląda mi się uważnie, a potem rzuca okiem na to tragiczne zdjęcie, które zrobiłam do prawa jazdy. Czyta kopię wniosku o usamowolnienie, którą zabrałam z sądu rodzinnego, udając się tutaj. Jeśli nawet jestem psychopatyczną morderczynią, to trzeba przyznać, że dobrze się przygotowałam. Podoba mi się jednak, że Anna nie ufa nieznajomym; oznacza to, że jest rozważna i nie działa bezmyślnie. Jeśli zastana-

144

wia się tak długo nad tym, czy może gdzieś ze mną pójść, to zapewne równie dokładnie przemyślała sobie, jak będzie wyglądało jej wyplątywanie się z rodzinnych sieci.

W końcu Anna oddaje mi z powrotem wszystkie dokumenty, które jej wręczyłam.

– A w domu nikogo nie ma? – pyta. – Gdzie są wszyscy?

– Nie wiem. Myślałam, że ty mi powiesz.

Wzrok Anny wędruje do drzwi. Widzę, że zaczęła się denerwować.

– Mam nadzieję, że nie chodzi o Kate.

Przekrzywiam głowę, przyglądając się tej dziewczynce, która już zdążyła mnie zadziwić.

– Masz chwilkę? – pytam. – Chciałabym z tobą porozmawiać.

Po wejściu do zoo najpierw mija się wybieg dla zebr. Ze wszystkich zwierząt w części z fauną afrykańską zebry zawsze lubiłam najbardziej. Słonie mijam obojętnie, gepardy zawsze się chowają, za to zebry po prostu zniewalają mnie swoim urokiem. Gdyby nagle nasz świat stracił wszystkie barwy, zebry odnalazłyby się w nim jak mało które stworzenia.

Mijamy duikery błękitne, antylopy bongo oraz coś, co nazywa się golec, i nie chce wyjść ze swojej norki. Często zabieram do zoo dzieci, które mi przydzielono. Tutaj łatwiej im się otworzyć w rozmowie ze mną. Kiedy siedzimy twarzą w twarz w sądzie czy nawet w kawiarni przy ciastkach, rzadko zdobywają się na szczerość. A w zoo, oglądając gibony skaczące po gałęziach jak gimnastycy na olimpiadzie, opowiadają mi o swoich rodzinach, nie myśląc nawet o tym, co robią.

Coś mi się jednak zdaje, że z tak dojrzałym dzieckiem jak Anna nie miałam jeszcze do czynienia. Wizyta w zoo, jak się okazuje, nie jest dla niej jakąś niesamowitą atrakcją. Chyba trzeba było raczej zabrać ją do kina albo na przechadzkę po sklepach.

Spacerujemy po krętych ścieżkach ogrodu zoologicznego. Anna odzywa się tylko zapytana. Kiedy interesuję się zdrowiem siostry, odpowiada mi grzecznie. Potwierdza, że jej mama faktycznie występuje w roli obrońcy strony pozwanej. Uprzejmie dziękuje, kiedy kupuję jej lody.

– Masz jakąś ulubioną rozrywkę? – pytam.

– Hokej – pada odpowiedź. – Grałam na bramce.

– Grałaś?

Wzruszenie ramion.

– Im się jest starszym, tym trener robi się mniej wyrozumiały. Nie można opuszczać meczów, a ja nie lubię sprawiać zawodu całej drużynie.

Ciekawe ujęcie problemu.

– A twoi znajomi? Grają jeszcze?

– Jacy znajomi? – Anna potrząsa głową. – Kiedy siostra musi odpoczywać, nie można nikogo zapraszać do domu. Wystarczy, że mama raz przyjedzie po ciebie na imprezę o drugiej w nocy, bo trzeba jechać do szpitala, i już nikt więcej cię nie zaprosi. Pani pewnie skończyła średnią szkołę już jakiś czas temu i tego nie pamięta, ale w tym wieku ludzie myślą, że dziwactwa są zaraźliwe.

– Ale masz kogoś, z kim możesz porozmawiać?

Spojrzenie.

– Kate – mówi Anna, a po chwili pyta, czy mam telefon komórkowy.

Wyjmuję aparat z torebki i podaję jej. Anna wystukuje numer szpitala, z pamięci.

– Szukam pacjentki – mówi do słuchawki. – Kate Fitzgerald. – Spogląda w moją stronę. – Rozumiem, dziękuję. – Wciska klawisz i oddaje mi telefon. – W rejestracji nic nie wiedzą.

– To chyba dobrze?

– Informacje o nowych pacjentach czasami idą do centrali kilka godzin.

Opieram się o poręcz przy wybiegu dla słoni.

– Widzę, że martwisz się o siostrę – zauważam. – Jesteś pewna, że zniesiesz to, co może się wydarzyć, kiedy przestaniesz jej pomagać?

– Ja wiem, co się wtedy wydarzy – odpowiada Anna ponurym głosem. – Nigdy nie mówiłam, że to wszystko mi się podoba. – Unosi twarz. W spojrzeniu tym dostrzegam wyzwanie, żebym spróbowała jej coś zarzucić.

Przyglądam się dziewczynce przez chwilę. Co ja bym zrobiła, gdybym nagle się dowiedziała, że Izzy potrzebuje mojej nerki, części wątroby, szpiku kostnego? Odpowiedź nie wymaga nawet zastanowienia: jak najszybciej jedziemy do szpitala i robimy, co trzeba.

To prawda; lecz byłby to mój wybór, moja decyzja.

– Czy rodzice zapytali cię chociaż raz, czy chcesz pomagać siostrze w taki sposób?

Wzruszenie ramion.

– Niby tak... Rodzice bardzo dobrze umieją zadawać pytania, na które sami już sobie odpowiedzieli. Na przykład: „To chyba nie z twojej winy cała klasa nie mogła za karę wyjść na przerwę?" albo „Zjesz brokułów, prawda?".

– Czy rodzice wiedzą, że nie jesteś zadowolona z decyzji, które podjęli za ciebie?

Anna odpycha się od poręczy i rusza dalej, pod górę.

– Może kilka razy im o tym powiedziałam. Ale przecież Kate też jest ich córką.

Fragmenty tej układanki zaczynają pasować do siebie. Podejmując decyzje w imieniu dziecka, rodzice zazwyczaj mają na względzie to, co jest dla niego najlepsze. Jeśli jednak w tych wyborach zaślepiają ich potrzeby drugiego dziecka, wszystko się wali, grzebiąc głęboko pod gruzami ofiary – właśnie takie jak Anna.

Pozostaje pytanie: czy Anna postanowiła złożyć pozew do sądu, ponieważ uważa, że sama potrafi zatroszczyć się lepiej o własne zdrowie niż jej rodzice, czy może jest to rozpaczliwe wołanie o to, żeby chociaż raz jej wysłuchano?

Zatrzymujemy się przed wybiegiem dla niedźwiedzi polarnych. Mieszkają tu dwa misie, Trixie i Norton. Anna ożywia się po raz pierwszy, odkąd tutaj jesteśmy. Roziskrzonym wzrokiem wodzi za Kobe, synkiem Trixie, najmłodszym podopiecznym naszego zoo. Kobe klepie łapką mamę wygrzewającą się na kamieniach, próbuje wciągnąć ją do zabawy.

– Ostatnio urodził się tutaj mały niedźwiadek polarny – mówi Anna. – Oddali go do innego zoo.

Faktycznie, przypominam sobie, że czytałam o tym w „ProJo". Całe wydarzenie posłużyło do przeprowadzenia dużej kampanii promocyjnej na rzecz stanu Rhode Island.

– Jak pani sądzi: czy on myśli, że to była kara, bo był niegrzeczny?

Na szkoleniu dla kuratorów procesowych uczą nas zwracać uwagę na objawy depresji. Poznajemy mowę ciała, gestów, oznaki wahań nastroju, uczymy się rozpoznawać nagłe zobojętnienie. Widzę, jak Anna zaciska dłonie na metalowej barierce. Jej oczy mętnieją; przypominają stare, nieczyszczone złoto.

Niezależnie od tego, jak ta sprawa się skończy, myślę, to i tak Anna będzie najbardziej poszkodowana. Zapłaci za to albo utratą siostry, albo własnego zdrowia, fizycznego i psychicznego.

– Czy możemy już pojechać do domu? – słyszę jej cichą prośbę.

W miarę jak zbliżamy się do domu Fitzgeraldów, Anna coraz bardziej odsuwa się ode mnie. Udana sztuczka, wziąwszy pod uwagę, że odległość między nami wcale się nie zwiększa. Dziewczynka wygląda przez okno, obserwując rozmazane ulice przemykające za szybą, i kuli się, przywierając coraz mocniej do drzwi.

– Co pani teraz zrobi? – pyta.

– Porozmawiam ze wszystkimi zaangażowanymi w tę sprawę. Z twoją mamą, z twoim tatą, bratem i siostrą. I z twoim adwokatem.

Dojeżdżamy przed dom. Na podjeździe stoi teraz rozklekotany jeep, a drzwi są otwarte. Wyłączam silnik, ale Anna ani drgnie, nie rozpięła nawet pasa.

– Odprowadzi mnie pani?

– Dlaczego?

– Bo inaczej mama mnie zabije.

Ta nowa Anna, spłoszona i wystraszona, to zupełnie inna osoba niż tamta dziewczyna, z którą spędziłam ostatnią godzinę. Ta sprzeczność mnie zastanawia: jak można jednocześnie mieć odwagę wytoczyć komuś proces i bać się panicznie własnej matki?

– Dlaczego sądzisz, że tak będzie?

– Wymknęłam się dziś z domu i nie powiedziałam jej, dokąd idę.

– Często tak robisz?

Anna potrząsa głową.

– Zazwyczaj robię to, co mi każą.

No cóż. I tak wcześniej czy później czeka mnie rozmowa z Sarą Fitzgerald. Wysiadam z samochodu i czekam, aż Anna do mnie dołączy. Ruszamy ścieżką w stronę drzwi frontowych, mijając piękne klomby wypielęgnowanych kwiatów.

Inaczej wyobrażałam sobie tego wroga. Przede wszystkim matka Anny nie dorównuje mi wzrostem; jest też szczuplejszej budowy ciała niż ja. Ma ciemne włosy i rozgorączkowane oczy. Przechadza się nerwowym krokiem po salonie. Słysząc pierwsze skrzypnięcie otwieranych drzwi, podbiega do Anny i chwyta ją za ramiona.

– Na miłość boską – krzyczy, potrząsając córką – gdzie cię poniosło?! Czy ty nie rozumiesz, że...

– Przepraszam, pani Fitzgerald – mówię – pani pozwoli, że się przedstawię. – Wyciągam rękę, postępując krok do przodu. – Jestem Julia Romano, kurator procesowy wyznaczony przez sąd rodzinny.

Matka sztywnym gestem obejmuje Annę za ramiona – drętwy pokaz rodzicielskiej czułości.

– Dziękuję, że odwiozła ją pani do domu. Na pewno chce się pani dowiedzieć wielu rzeczy, ale w tej chwili...

– Prawdę mówiąc, to pragnęłam porozmawiać z panią. Sędzia dał mi niecały tydzień na złożenie sprawozdania, więc gdyby zechciała pani poświęcić mi kilka minut...

– Nie mam kilku minut – mówi szybko i ostro Sara Fitzgerald. – Trafiła pani na bardzo zły moment. Siostra Anny znów jest w szpitalu. – Spogląda w stronę córki, stojącej w drzwiach do kuchni. I co, cieszysz się teraz, pytają jej oczy.

– Przykro mi to słyszeć.

– Mnie też jest przykro – mówi Sara, odchrząkując lekko. – Miło mi, że odwiedziła pani Annę. Rozumiem, że to należy do pani obowiązków, ale ta sprawa rozwiąże się sama. To nieporozumienie. Za dzień lub dwa sama pani to usłyszy od sędziego DeSalvo.

Odstępuje na krok, jakby wyzywając mnie – i Annę – żebyśmy spróbowały zaprzeczyć. Rzucam spojrzenie Annie; dziewczynka patrzy na mnie i ledwo dostrzegalnie kręci głową. Rozumiem, co to ma znaczyć: prosi, żebym w tej chwili już nie drążyła sprawy.

Kogo ona chce bronić – mamę czy może siebie?

W moim mózgu rozlega się sygnał alarmowy: Anna ma trzynaście lat. Anna mieszka z matką. Matka Anny jest adwokatem pozwanej strony. Czy to możliwe, żeby mieszkając z nią pod jednym dachem, Anna nie uległa naciskom Sary Fitzgerald?

– Zadzwonię jutro – obiecuję Annie, po czym, bez pożegnania z panią Fitzgerald, wychodzę z domu i udaję się tam, gdzie miałam nadzieję nigdy nie trafić.

Biuro Campbella Alexandra wygląda dokładnie tak, jak się spodziewałam: znajduje się na ostatnim piętrze wieżowca krytego ciemnym szkłem, na samym końcu korytarza wyłożonego perskim dywanem, za podwójnymi drzwiami z mahoniu, które stanowią zaporę przed motłochem. Za masywnym biurkiem w przedpokoju siedzi dziewczyna o rysach lalki z porcelany. Spod grzywy jej loków wystaje słuchawka. Mijam ją bez słowa, kierując się w stronę zamkniętych drzwi, jedynych w tym pomieszczeniu oprócz tych, którymi weszłam.

– Ej! – słyszę za sobą. – Tam nie wolno!

– Jestem umówiona – informuję ją.

Campbell siedzi przy biurku i pisze coś na kartce, prowadząc pióro wściekle energicznymi ruchami. Rękawy koszuli ma podwinięte aż do łokci. Jego włosy domagają się strzyżenia.

– Kerri – rzuca, nie podnosząc głowy – przejrzyj akta sprawy Jenny'ego Jonesa. Spróbuj znaleźć dowód na to, że miał brata bliźniaka, o którym nic nie...

– Witaj, Campbell.

Najpierw przestaje pisać. Potem podnosi głowę.

– Julia.

Zrywa się na równe nogi, jak uczniak przyłapany na gorącym uczynku.

Przechodzę przez próg i zamykam za sobą drzwi.

– Jestem kuratorem procesowym wyznaczonym do sprawy Anny Fitzgerald.

Pies, którego przedtem nie zauważyłam, zajmuje miejsce u boku Campbella.

– Słyszałam, że poszedłeś na prawo...

Harvard. Stypendium przez cały czas nauki.

– Providence nie jest duże... Miałem nadzieję... – Campbell milknie. Po chwili odzywa się ponownie, kręcąc głową: – Byłem pewien, że wpadniemy na siebie wcześniej czy później. Myślałem tylko, że wcześniej.

Uśmiecha się. Nagle znów mam siedemnaście lat, powraca ten czas, kiedy zrozumiałam, że miłość kpi sobie z zasad, a nic nie ma większej wartości niż to, czego zdobyć nie można.

– Unikać kogoś to żadna sztuka – odpowiadam chłodnym tonem. – Sam chyba wiesz o tym najlepiej.

CAMPBELL

Nic mnie nie rusza, naprawdę, aż do momentu, kiedy dyrektor szkoły średniej w Ponaganset zaczyna udzielać mi przez telefon wykładu na temat politycznej poprawności.

– Na miłość boską – warczy do słuchawki – jak będzie wyglądać nasza szkoła w oczach innych, kiedy grupa studentów indiańskiego pochodzenia nazwie swoją drużynę baseballową „Białasy"?

– Owi „inni", o których pan mówi, pomyślą sobie zapewne to samo, co myśleli wtedy, gdy nadał pan uczniom szkoły oficjalny przydomek „Wodzowie plemienia Ponaganset".

– Ten przydomek ma już ponad trzydzieści lat – oburza się dyrektor.

– Tak, natomiast ci uczniowie są członkami plemienia Narragansettów od urodzenia.

– Nazwa, którą wybrali, jest obraźliwa i politycznie niepoprawna.

– Bardzo mi przykro – zauważam – ale w tym kraju nie można zaskarżyć nikogo za niepoprawność polityczną, w przeciwnym razie przed laty otrzymałby pan wezwanie do sądu. Z kolei amerykańska konstytucja zapewnia obywatelom Stanów Zjednoczonych, w tym

153

także potomkom rdzennej ludności kontynentu, różne prawa, przede wszystkim zaś prawo do zgromadzeń i prawo do wolności słowa. Co za tym idzie, drużynie Białasów nie można będzie zabronić spotykania się, nawet jeśli zdoła pan spełnić swoją śmieszną groźbę i wnieść sprawę do sądu. A skoro już mowa o wymiarze sprawiedliwości, to proszę zastanowić się nad złożeniem pozwu grupowego przeciwko ludzkości jako takiej, bo jak sądzę, nie pozostanie pan obojętny na tak rażąco rasistowskie nazwy jak Biały Dom, Góry Białe czy też idiomatyczne wyrażenie „biały kruk". – W słuchawce zapada martwa cisza. – Czy mam rozumieć, że mogę poinformować mojego klienta o zmianie pańskiej decyzji? A może nadal chce pan złożyć sprawę do sądu?

Dyrektor rzuca słuchawkę. Wciskam klawisz telefonu wewnętrznego.

– Kerri, zadzwoń do Erniego Rybołowa i powiedz mu, że może przestać się martwić.

Zabieram się do stosu papierów zalegających na biurku. Pod nim leży zwinięty w kłębek Sędzia. Wygląda jak pleciony dywanik. Wzdycha przez sen, a jedna łapa mu drży.

To jest życie, powiedziała mi kiedyś, przypatrując się szczeniakowi goniącemu za własnym ogonem. Następnym razem chcę zostać psiakiem.

Zaśmiałem się. Zobaczysz, że będziesz kotem, oświadczyłem. Koty są samowystarczalne i nie potrzebują nikogo.

Ja potrzebuję ciebie, usłyszałem w odpowiedzi.

No cóż, odparłem. Może ja zostanę krzewem kocimiętki.

Przecieram mocno powieki kciukami. To fakt, że nie dosypiam; najpierw zagapiłem się w restauracji na obcą kobietę, teraz to... Rzucam Sędziemu zagniewane spojrzenie, jakby to była jego wina. Muszę wracać do pracy. Co ja tam zapisałem w notesie? Nowy klient, handlarz narkotykami, schwytany na gorącym uczynku. Oskarżenie przedstawiło dowód – nagranie wideo. Od skazania nic go nie wybroni, chyba żeby miał brata bliźniaka, o którym nie słyszał nigdy i od nikogo, nawet od matki.

Zastanówmy się. A gdyby tak...

Słyszę dźwięk otwieranych drzwi. Bez podnoszenia głowy wydaję Kerri polecenie: „Przejrzyj akta sprawy Jenny'ego Jonesa. Spróbuj znaleźć dowód na to, że miał brata bliźniaka, o którym nic nie...".

– Witaj, Campbell.

Tracę rozum. Bezsprzecznie muszę już tracić rozum, bo mam przed sobą Julię Romano, którą ostatni raz widziałem piętnaście lat temu. Nosi teraz dłuższe włosy, a dookoła jej ust widać cieniutkie kreski, jak nawiasy wokół słów, których nigdy nie usłyszałem, bo nie było mnie przy niej. Udaje mi się wreszcie wydobyć z siebie głos.

– Julia.

Julia zamyka drzwi. Na ten dźwięk Sędzia zrywa się na równe nogi.

– Jestem kuratorem procesowym wyznaczonym do sprawy Anny Fitzgerald.

– Providence nie jest duże... Miałem nadzieję... Byłem pewien, że wpadniemy na siebie wcześniej czy później. Myślałem tylko, że wcześniej.

– Unikać kogoś to żadna sztuka – pada riposta. – Sam chyba wiesz o tym najlepiej. – Nagle widzę, że cały jej gniew ulatnia się w jednej chwili. – Przepraszam. To było nie na miejscu.

– Dawno się nie widzieliśmy – zagajam, chociaż tak naprawdę chcę tylko zapytać, co się z nią działo przez te piętnaście lat. Czy nadal pije herbatę z mlekiem

155

i z cytryną? Czy jest szczęśliwa? – Już nie masz różowych włosów – wyduszam z siebie, bo jestem kretynem.

– Nie mam – odpowiada. – Przeszkadza ci to?

Wzruszam ramionami.

– Chodzi mi o to, że... właściwie... – Jak zwykle braknie słów, kiedy naprawdę trzeba coś powiedzieć. – Podobał mi się tamten kolor – wyznaję.

– Niestety, różowe włosy nie przysparzają autorytetu na sali sądowej.

Uśmiecham się.

– Od kiedy to troszczysz się o to, co inni o tobie myślą? – pytam rozbawiony.

Julia nie odpowiada, ale wyczuwam jakąś nagłą zmianę. Spadła temperatura w pokoju czy może to ten mur, który nagle wyrósł między nami?

– Zamiast rozgrzebywać przeszłość, proponuję porozmawiać o Annie. – Julia wybiera rozwiązanie dyplomatyczne.

Kiwam głową. Czuję się tak, jakbyśmy toczyli tę rozmowę w autobusie, na ławce pełnej ludzi, a między nami siedział ktoś obcy, którego oboje postanowiliśmy nie zauważać; rozmawiamy przez niego i dookoła niego, rzucając na siebie ukradkowe spojrzenia, kiedy wiemy, że drugie nie patrzy. Jak mam się skupić na sprawie Anny Fitzgerald, skoro potrafię myśleć tylko o tym, czy Julia obudziła się kiedyś w ramionach jakiegoś mężczyzny i czy przez moment, zanim sen rozwiał się do końca, nie wydawało jej się może, że to ja?

Sędzia wyczuwa napięcie. Wstaje i podchodzi do mnie. Julia chyba dopiero teraz zauważyła, że nie jesteśmy w gabinecie sami.

– To twój wspólnik?

– Współpracownik – potrząsam głową. – Ale pisali o nim w „Law Review".

Julia sięga do łba Sędziego, drapie go za uchem. Cholerny szczęściarz.

– Nie rób tego, proszę. – Marszczę brwi. – To pies przewodnik. Nie wolno go głaskać.

Julia spogląda na mnie ze zdziwieniem. Zmieniam temat, zanim zdąży zapytać o szczegóły.

– Chciałaś porozmawiać o Annie. – Sędzia trąca mnie nosem w dłoń. Mocno.

Julia krzyżuje ramiona na piersi.

– Odwiedziłam ją w domu.

– I co?

– Trzynastolatki są pod silnym wpływem rodziców. Matka Anny wydaje się mieć całkowitą pewność, że do procesu nie dojdzie. Mam przeczucie, że będzie się starała wybić go córce z głowy.

– Znajdę na to sposób – mówię.

Julia znów spogląda na mnie, tym razem podejrzliwie.

– Jaki?

– Usunę Sarę Fitzgerald z domu.

– Żartujesz czy mówisz poważnie? – Julia jest zaskoczona.

Sędzia zaczyna szarpać mnie za ubranie. Nadal nie reaguję, więc szczeka dwa razy.

– Nie widzę powodu, dla którego to moja klientka powinna wyprowadzić się z domu. To nie ona zlekceważyła polecenia sędziego. Zdobędę tymczasowy nakaz sądowy zabraniający Sarze Fitzgerald wszelkich kontaktów z Anną.

– Campbell, to jest jej matka!

– W tym tygodniu występuje jako adwokat strony pozwanej. Skoro usiłuje wpłynąć na moją klientkę, należy jej się upomnienie.

– To nie jest twoja klientka, tylko dziecko, które ma trzynaście lat, a jego świat właśnie wali się w gruzy. Chcesz odebrać jej wszystko, na czym może się oprzeć? Czy ty w ogóle zadałeś sobie trud, żeby ją choć trochę poznać?

– Oczywiście – kłamię.

Sędzia kładzie się u moich stóp i zaczyna skamleć. Julia spogląda na niego.

– Co mu jest?

– Nic. Posłuchaj: do mnie należy obrona praw Anny. Mam wygrać dla niej ten proces i zrobię to.

– Nie wątpię. Może tylko niekoniecznie mając na względzie jej dobro. Bo wygranie procesu liczy się dla ciebie najbardziej. Cóż to za ironia, że dziecko, które potrzebuje pomocy, bo jest wykorzystywane i zmuszane do poświęceń na rzecz innej osoby, musiało trafić akurat do ciebie!

– Co ty możesz o mnie wiedzieć? – Zaciskam zęby.

– Niewiele, to fakt, ale czyja to wina?

A mieliśmy nie rozgrzebywać przeszłości. Przebiega mnie nagły dreszcz. Chwytam Sędziego za obrożę.

– Przepraszam – rzucam Julii i wychodzę. Zostawiam ją, tak jak to już raz zrobiłem.

Szkoła Wheelera nie była w zasadzie niczym innym jak fabryką wypuszczającą w świat damy z towarzystwa oraz przyszłych rekinów finansjery. Wszyscy byliśmy podobni, identyczni z wyglądu i z zachowania. Wakacje spędzaliśmy czynnie.

Byli w tej szkole, rzecz jasna, tacy, którzy wybijali się z jednolitego tłumu. Byli stypendyści, którzy nosili kołnierzyki postawione na sztorc i trenowali wykłócanie się o wszystko, ale nie widzieli, że bardzo dobrze zdajemy sobie sprawę, że nie są z tej samej gliny co my. Byli gwiazdorzy, tacy jak Tommy Boudreaux, który w trzeciej klasie dostał propozycję grania w drużynie Detroit Redwings. Było też kilku świrów; ci podcinali sobie żyły albo popijali valium wódką. Znikali po takich zajściach ze szkoły równie cichutko, jak się po niej wcześniej snuli.

Byłem już w szóstej klasie, kiedy Julia Romano trafiła do Wheelera. Chodziła w ciężkich wojskowych butach, a pod szkolną marynarką nosiła koszulkę z nadrukiem „Numerek za friko". Potrafiła w mgnieniu oka wbić sobie do głowy cały sonet. Podczas przerw, kiedy my chowaliśmy się przed dyrektorem i popalaliśmy papierosy, Julia wspinała się na dach sali gimnastycznej, siadała pod rurą grzewczą i zaczytywała się Henrym Millerem i Nietzschem. Wszystkie dziewczyny w szkole miały identycznie żółte i proste włosy, które zaczesywały do tyłu, przytrzymując opaską; wyglądało to jak paczka makaronu. Włosy Julii były burzą niesfornych czarnych loków. Miała ostre rysy twarzy i nie uznawała makijażu – nie podoba ci się, to nie patrz. W lewej brwi nosiła kolczyk ze srebrnego drutu, cieniutkiego jak włos. Jej zapach przywodził na myśl świeże, rosnące ciasto.

Krążyły o niej różne plotki: jedni mówili, że wyrzucono ją z żeńskiego poprawczaka; inni, że jest cudownym dzieckiem, a na wstępnym teście predyspozycyjnym przed przyjęciem do szkoły zdobyła maksymalną liczbę punktów; miała też podobno być dwa lata młodsza niż cały nasz rocznik; byli też tacy, którzy twierdzili, że miała tatuaż. Ale tak naprawdę nikt nie wiedział, co o niej myśleć. Mówili o niej „pokręcona", bo nie była taka jak wszyscy.

Pewnego dnia Julia Romano pojawiła się w szkole z włosami ściętymi na krótko i ufarbowanymi na różowo. Że ją zawieszą w prawach ucznia, to było pewne, czekaliśmy tylko kiedy. Okazało się jednak, że w gąszczu nakazów i zakazów dotyczących ubioru w szkole Wheelera nikt nie pomyślał o ustaleniu norm określających przyzwoitą fryzurę. Zacząłem się wtedy zastanawiać, dlaczego ani jeden chłopak w szkole nigdy nie zrobił sobie dredów, i nagle zrozumiałem, że to nie dlatego, że zabroniono nam się wyróżniać, ale dlatego, że sami tego nie chcieliśmy.

Tego samego dnia siedziałem w stołówce z grupką kumpli z drużyny żeglarskiej. Były z nami też ich dziewczyny. Julia Romano przeszła obok naszego stolika.

– Ej – zaczepiła ją jedna z dziewczyn. – Bolało?

– Co bolało? – Julia zwolniła kroku.

– Jak cię przeciągali przez maszynę do robienia lukru.

– Wybacz, złotko, ale nie stać mnie, żeby strzyc się w tym samym burdelu co wy – odparowała Julia bez zmrużenia oka i odeszła. Usiadła w kącie sali, przy tym samym stoliku co zawsze i jak zawsze sama. Przy obiedzie zwykle układała pasjansa. Jej karty miały na grzbietach wizerunki świętych.

– O, w mordę – powiedział jeden z moich kumpli. – Z taką to lepiej nie zaczynać.

Zaśmiałem się, bo wszyscy się śmiali, ale jednocześnie przyglądałem się Julii Romano, która usiadła przy swoim stoliku. Jednak zamiast jeść, odstawiła tacę na bok i zaczęła rozkładać karty. Ciekawe, pomyślałem, jak to jest być człowiekiem, który ma w głębokim poważaniu to, co ludzie o nim myślą.

I tak pewnego popołudnia, chociaż byłem kapitanem, urwałem się z treningu żeglarskiego i zacząłem śledzić Julię. Starałem się trzymać dystans, żeby mnie nie zauważyła. Poszedłem za nią wzdłuż Blackstone Boulevard i dalej, na cmentarz Swan Point, na sam szczyt najwyższego wzgórza. Julia wyjęła z plecaka książki i segregator, po czym wyciągnęła się na trawie przed stojącym tam samotnym grobem.

– Możesz już wyjść – powiedziała, a ja nieomal odgryzłem sobie język, bo pomyślałem, że zaraz zjawi się duch. Dopiero po chwili zrozumiałem, że mówiła do mnie. – Jak zapłacisz ćwierć dolca, to pozwolę ci nawet popatrzeć z bliska.

Wyszedłem zza wielkiego dębu, z rękami wbitymi głęboko w kieszenie. Teraz, kiedy już tu za nią przyszedłem, nagle doszedłem do wniosku, że nie wiem po co.

– Ktoś z rodziny? – Skinąłem głową w stronę nagrobka. Obejrzała się przez ramię.

– Aha. Kiedy moja babcia płynęła „Mayflower", miała krzesło obok tej pani. – Zwróciła ku mnie swoją twarz, składającą się z samych kątów i ostrych krawędzi. – Nie grasz dziś przypadkiem w krykieta, co?

– Nie grywam w krykieta, tylko w polo. – Zmusiłem się do uśmiechu. – Umówiłem się tutaj z koniem.

Nie załapała żartu... a może wcale jej nie rozśmieszył?

– Czego chcesz? – zapytała.

Nie mogłem się przyznać, że ją śledziłem.

– Pomóż mi – odpowiedziałem. – Z pracą domową. Z angielskiego.

Prawdę mówiąc, to nie miałem pojęcia, co było zadane. Wyciągnąłem kartkę z jej segregatora i odczytałem z niej na głos: „Jesteś świadkiem tragicznego wypadku. Zderzyły się cztery samochody, ciała leżą na chodniku, ludzie jęczą z bólu. Czy masz moralny obowiązek zatrzymać się, aby udzielić im pomocy?".

– Z jakiej racji mam komuś pomagać? – zapytała.

– Z prawnego punktu widzenia nawet nie powinnaś, bo jeśli wyciągając kogoś z samochodu, spowodujesz jeszcze cięższe obrażenia, będzie można cię zaskarżyć.

– Pytałam, dlaczego mam tobie pomagać.

Papier spłynął na ziemię.

– Nie masz o mnie najlepszej opinii, prawda?

– Nie mam żadnej opinii o żadnym z was. Jesteście bandą płytkich idiotów, którzy woleliby umrzeć, niż pokazać się publicznie z kimś, kto nie jest taki sam jak wy.

– A ty przypadkiem nie zachowujesz się tak samo?

Przez długą chwilę patrzyła mi w oczy. Potem zaczęła zbierać swoje rzeczy i upychać je w plecaku.

– Masz własny fundusz powierniczy, tak? – powiedziała. – Skoro potrzebna ci pomoc, to zapłać za korki.

Postawiłem stopę na jednym z podręczników leżących na ziemi.

– Więc jak brzmi twoja odpowiedź?

– Wybij sobie z głowy, żebym miała udzielać ci korepetycji.

– Pytałem, czy zatrzymałabyś się, żeby pomóc ofiarom wypadku.

Jej ręce zamarły.

– Tak. Bo nawet jeśli według prawa nikt nie ponosi odpowiedzialności za drugiego człowieka, to i tak trzeba pomagać tym, którzy potrzebują pomocy.

Usiadłem obok niej. Blisko. Tak blisko, że czułem, jak jej skóra wibruje tuż przy moim ramieniu.

– Naprawdę w to wierzysz?

– Tak. – Opuściła głowę.

– Skoro tak – powiedziałem – to czy możesz teraz odejść?

Już po wszystkim. Wycieram twarz papierowym ręcznikiem i poprawiam krawat. Sędzia krąży obok, stawiając ciche kroki. Zawsze tak robi.

– Dobrze się spisałeś. – Klepię go po szyi, zagłębiając dłoń w gęstą sierść.

Julii nie ma już w moim biurze. Kerri stuka na komputerze, ogarnięta rzadkim u niej napadem pracowitości.

– Powiedziała, że jak będzie ci potrzebna, to sam rusz tyłek i jej poszukaj. To był cytat. Zażyczyła sobie też kopii wszystkich dokumentów medycznych. – Kerri rzuca mi spojrzenie przez ramię. – Wyglądasz jak kupa nieszczęścia.

– Dzięki. – Moją uwagę przyciąga pomarańczowa karteczka na jej biurku. – Na ten adres mamy odesłać tamte dokumenty?

– Tak.

Wsuwam karteczkę do kieszeni.

– Zajmę się tym – mówię.

Tydzień później, pod tym samym grobem, rozwiązałem ciężkie wojskowe buty Julii Romano. Zsunąłem z jej ramion kurtkę z kamuflażem. Jej stopy były drobne i różowe jak wnętrze kwiatu tulipana. Ramiona wspaniałe, wprost nie do opisania.

– Wiedziałem, że pod spodem jesteś piękna – powiedziałem jej, a to cudowne ramię było pierwszym miejscem na jej ciele, którego dotknąłem ustami.

Fitzgeraldowie mieszkają w Upper Darby, w typowym domu amerykańskiej rodziny: garaż na dwa samochody, ściany kryte aluminiowym sidingiem, w oknach naklejki informacyjne dla straży pożarnej. Kiedy docieram na miejsce, słońce chowa się już za krawędzią dachu.

Jadąc tutaj, przez całą drogę usiłowałem sobie wmówić, że to, co usłyszałem od Julii, nie miało żadnego wpływu na to, że akurat dziś zdecydowałem się osobiście odwiedzić moją klientkę. Że od dawna już planowałem pojechać kiedyś do domu nieco okrężną drogą, żeby rozejrzeć się po tej okolicy.

Prawda natomiast wygląda tak, że po raz pierwszy w całej mojej wieloletniej praktyce składam wizytę w domu klienta.

Dzwonię do drzwi. Otwiera Anna.

– Co pan tutaj robi? – dziwi się.

– Czynię wywiad środowiskowy.

– Czy to kosztuje ekstra?

– Nie – oznajmiam suchym tonem. – W tym miesiącu mam dla klientów specjalną promocję.

– Aha. – Dziewczyna splata ramiona na piersi. – Rozmawiał pan z moją mamą?

– Staram się jej unikać. Rozumiem, że nie ma jej w domu?

Anna potrząsa głową.

– Pojechała do szpitala. Kate znów jest chora. Myślałam, że i pan się tam wybrał.

– Nie jestem adwokatem Kate.

Na dźwięk moich ostatnich słów na twarzy Anny maluje się rozczarowanie. Zakłada włosy za uszy.

– To co, wejdzie pan?

Prowadzi mnie do salonu. Siadam na kanapie w optymistyczne niebieskie pasy, a Sędzia obwąchuje meble.

– Słyszałem, że widziałaś się ze swoim kuratorem procesowym.

– Tak, z panią Julią. Zabrała mnie do zoo. Jest całkiem w porządku. – Anna rzuca mi szybkie spojrzenie. – Mówiła panu coś o mnie?

– Martwi się, że twoja mama będzie rozmawiać z tobą o procesie.

– A o czym ma ze mną rozmawiać, jeśli nie o Kate?

Przez chwilę gapimy się na siebie. Gdy opuszczam gabinet, zupełnie nie potrafię postępować z ludźmi.

Mógłbym poprosić, żeby pokazała mi swój pokój, ale jak by to wyglądało: adwokat z nastolatką w pokoju na pięterku? Za nic. Mógłbym zabrać ją gdzieś na kolację, ale wątpię, czy przypadłby jej do gustu Café Nuovo, jeden z moich ulubionych lokali, a z kolei ja nie wmusiłbym w siebie whoppera w Burger Kingu. Mógłbym zapytać, jak jej idzie w szkole, ale przecież teraz nie ma żadnych egzaminów.

– Ma pan dzieci? – pyta Anna.

– A jak cię się wydaje? – Śmieję się w głos.

– Całe szczęście – przyznaje ona. – Proszę się nie obrazić, ale nie wygląda pan na rodzica.

Fascynujące.

– A jak wygląda rodzic? – pytam.

Anna przez chwilę wydaje się zastanawiać.

– Widział pan cyrkowców chodzących po linie? Taki facet chce, żeby wszyscy myśleli, że jest wielkim artystą, ale przecież wyraźnie widać, że tak naprawdę marzy tylko o jednym: dotrzeć na drugi koniec liny. Rodzic wygląda tak samo. – Rzuca mi szybkie spojrzenie. – Niech się pan nie obawia. Nie zwiążę pana i nie będę katować gangsta rapem.

– No cóż – odpowiadam swobodniejszym tonem. – W takim razie... – Rozluźniam krawat i rozsiadam się wygodniej.

Przez twarz Anny przemyka raptownie ulotny uśmiech.

– Nie musi pan udawać mojego przyjaciela.

– Nie chcę niczego udawać. – Przeczesuję włosy palcami. – Tyle tylko, że to dla mnie zupełna nowość.

– Co takiego?

Szerokim gestem zakreślam salon, w którym siedzimy.

– Wizyta u klienta. Pogaduszki. Sprawa, która pod koniec dnia roboczego nie zostaje w biurze.

– Dla mnie to też nowość – wyznaje Anna.

– Co takiego?

Dziewczyna nawija na palec pasemko włosów.

– Nadzieja.

Adres, który Julia zostawiła w moim biurze, prowadzi mnie do ekskluzywnej części miasta, do okolicy zamieszkanej przez kawalerów z odzysku. Jest to uciążliwe i irytujące, bo bardzo długo nie mogę znaleźć miejsca do zaparkowania samochodu. Dodatkowo ochroniarz siedzący w holu domu, gdzie mieszka Julia, zrywa się i staje mi na drodze, kiedy tylko dostrzega Sędziego u mojej nogi.

– Z psem nie wolno – oznajmia. – Bardzo mi przykro.

– To jest pies przewodnik. – Chyba jednak nic mu to nie mówi. Widzę, że trzeba wytłumaczyć. – No, wie pan. Taki jak dla ociemniałych.

– Coś mi się widzi, że pan wcale nie ślepy.

– Jestem alkoholikiem – wyjaśniam. – Przechodzę terapię odwykową. Pies odciąga mnie od piwa.

Mieszkanie Julii znajduje się na ósmym piętrze. Pukam do drzwi i po chwili w wizjerze ukazuje się oko. Julia uchyla drzwi, nie zdejmując łańcucha. Głowę ma przewiązaną chustką, twarz lekko opuchniętą, a na policzkach ślady łez.

– Cześć – witam ją. – Możemy zacząć od nowa?

Julia wyciera nos.

– Czy my się znamy?

– No, dobrze. Być może masz rację. Być może zasłużyłem sobie na takie traktowanie. – Wskazuję wzrokiem łańcuch. – Wpuścisz mnie?

Julia patrzy na mnie jak na wariata.

– Naćpany jesteś czy co?

Nagle dobiega mnie drugi głos i słyszę odgłosy przepychanki. Drzwi otwierają się na całą szerokość, a mnie przez głowę przebiega głupia myśl: są dwie Julie.

– Campbell – pyta prawdziwa Julia – co ty tutaj robisz?

Wyciągam w jej stronę teczkę z dokumentami medycznymi. Wciąż nie mogę się otrząsnąć. Jakim cudem, do diabła ciężkiego, przez cały rok naszej znajomości nie dowiedziałem się, że Julia Romano ma siostrę bliźniaczkę?

– Izzy, to jest Campbell Alexander. Campbell, to moja siostra.

– Campbell... – Izzy obraca moje imię w ustach. Po dokładniejszym przyjrzeniu się wcale nie jest podobna do Julii. Nos ma odrobinę dłuższy, a jej skóra, co prawda tak samo złota, ma jednak inny odcień. No i kiedy patrzę na jej usta, to nie czuję, że mi staje. – Chyba nie ten Campbell, co? – Izzy odwraca się do Julii. – Ten ze...

– Ten – wzdycha Julia.

Izzy mruży oczy.

– Wiedziałam, że lepiej go nie wpuszczać.

– Nic się nie stało – uspokaja ją Julia, biorąc ode mnie dokumenty. – Dziękuję, że mi je przyniosłeś.

Izzy macha dłonią.

– Możesz odejść.

– Przestań. – Julia klepie siostrę w ramię. – Campbell jest adwokatem. W tym tygodniu pracujemy razem.

– Ale przecież to jest ten sam facet, który...

– Dziękuję ci bardzo, mam w pełni sprawną pamięć.

– A wiesz – przerywam im – odwiedziłem dziś Annę.

Julia odwraca się ku mnie.

– I co?

– Ziemia do Julii – wtrąca się Izzy. – To się nazywa postępowanie autodestrukcyjne, wiesz?

– Nie w tym wypadku, Izzy. Prowadzimy razem sprawę i bierzemy za to pieniądze. Zrozumiałaś? I nie pouczaj mnie, co to znaczy autodestrukcyjne postępowanie. Kto wydzwaniał do Janet w pierwszą noc po rozstaniu i błagał o ostatni pożegnalny raz?

– Stary – zwracam się do Sędziego – a może tak byśmy poszli na mecz?

Izzy odchodzi ciężkim krokiem, tupiąc ze złości.

– Tnij się, powieś, rób, co chcesz! – wrzeszczy. Słychać huk zatrzaskiwanych drzwi.

– Chyba mnie polubiła – mówię. Julia jednak nie odwzajemnia uśmiechu.

– Dzięki za dokumenty. Żegnam.

– Julio...

– O co chodzi? Chcę oszczędzić ci wysiłku. Pewnie było niełatwo tak wytresować psa, żeby wyciągał pana na spacer, kiedy tylko znienacka zaistnieje jakaś sytuacja grożąca wybuchem niekontrolowanych emocji, dajmy na to, wizyta byłej dziewczyny, która ma nawyk mówienia prawdy prosto w oczy. Jak to robicie, Campbell? Dajesz mu znak ręką? Głosem? A może masz gwizdek ultradźwiękowy?

Spoglądam tęsknym wzrokiem w głąb pustego korytarza.

– Możesz poprosić Izzy z powrotem?

Julia napiera na mnie, chcąc wypchnąć za drzwi.

– No dobrze, przepraszam – mówię. – Nie chciałem być niegrzeczny dziś w biurze. Musiałem wyjść. To był... nagły kryzys.

Julia patrzy na mnie, zdziwiona.

– Po co ci ten pies? Przypomnij mi.

– Na razie jeszcze ci tego nie powiedziałem – poprawiam ją. Julia odwraca się i idzie w głąb mieszkania. Ja i Sędzia ruszamy za nią, zamykając za sobą drzwi wejściowe. – A więc byłem dziś u Anny Fitzgerald. Miałaś rację: musiałem z nią porozmawiać przed podjęciem decyzji o wystosowaniu zakazu sądowego przeciwko jej matce.

– I co?

Powracam myślą na tę kanapę w pasy, na której siedzieliśmy, snując pomiędzy sobą nić porozumienia i wzajemnego zaufania.

– Chyba jedziemy na tym samym wózku – odpowiadam.

Julia milczy. Zamiast coś powiedzieć, bierze z kuchennego stołu kieliszek z białym winem.

– Dziękuję – mówię. – Chętnie się napiję.

Wzruszenie ramion.

– Idź do Smilli.

Oczywiście chodzi o lodówkę. „Smilla w labiryntach śniegu". Też to czytałem. Otwieram drzwi i wyjmuję butelkę. Wyczuwam, że Julia za chwilę się uśmiechnie.

– Zapomniałaś, że cię znam.

– Znałeś – słyszę w odpowiedzi.

– Zatem proszę bardzo, czekam na informacje. Czym się zajmowałaś przez te piętnaście lat? – Wskazuję głową w stronę pokoju, w którym zniknęła Izzy. – Bo że sprawiłaś sobie klona, to już wiem. – Coś nagle przychodzi mi do głowy, ale zanim zdążę dobyć głos, odzywa się Julia:

– Wszyscy moi bracia skończyli zawodówki. Jeden jest budowniczym, drugi kucharzem, trzeci hydraulikiem... Rodzice chcieli, żeby ich córki poszły na studia, i wymyślili, że ostatni rok szkoły średniej spędzony u Wheelera może się bardzo przydać. Ja miałam oceny na tyle dobre, że dostałam częściowe stypendium. Izzy się nie udało. Rodzice nie mogli sobie pozwolić na posłanie nas obu do prywatnej szkoły.

– Czy Izzy w końcu dostała się na studia?

– Skończyła szkołę wzornictwa – odpowiada Julia. – Jest projektantką biżuterii.

– I ma wrogie nastawienie do świata.

– Skutki złamanego serca. – Nasze oczy się spotykają. Do Julii dopiero teraz dociera, co przed chwilą powiedziała. – Wprowadziła się do mnie dopiero dziś rano.

Omiatam wzrokiem pokój, sondując go w poszukiwaniu kija hokejowego, sportowych pism, wygodnego fotela. Czegokolwiek, co zdradzałoby obecność mężczyzny.

– Czy trudno się przyzwyczaić do mieszkania razem? – pytam.

– Do tej pory mieszkałam sama, Campbell, jeśli o to pytasz. – Julia spogląda na mnie sponad krawędzi uniesionego do ust kieliszka. – A ty?

– Ja mam sześć żon, piętnaścioro dzieci i stado owiec.

Uśmiech w kącikach jej ust.

– Kiedy spotykam ludzi takich jak ty, zawsze mam wrażenie, że nie realizuję się w życiu tak, jak bym mogła.

– Zgadzam się. Szkoda dla ciebie miejsca na tej planecie. Licencjat i skończone prawo na Harvardzie, teraz kurator procesowy z krwawiącym sercem...

– Skąd wiesz, że studiowałam prawo?

– Od sędziego DeSalvo – kłamię, a ona to kupuje.

Ciekawe, myślę, czy Julii też się wydaje, że od czasu kiedy byliśmy razem, upłynęły nie całe lata, ale zaledwie parę chwil. Czy siedząc ze mną tutaj, w tej kuchni, czuje się tak samo swobodnie jak ja. Bo ja odnoszę takie wrażenie, jakbym miał przed sobą nuty nieznanego mi utworu i po kilku minutach mozolnego ich rozczytywania odkrył nagle, że to przecież melodia, którą znam na pamięć i którą mogę zagrać z marszu.

– Kto by pomyślał, że będziesz pracować w sądzie jako kurator procesowy – mówię.

– Na pewno nie ja. – Julia uśmiecha się. – Do tej pory czasem myślę, jakby to było znów wygłaszać płomienne odezwy za zniesieniem patriarchalnego modelu społeczeństwa na zaimprowizowanej mównicy w parku Boston Common. Niestety, dogmatami nie opłaci się mieszkania. – Rzuca mi spojrzenie. – Ty też mnie rozczarowałeś. Spodziewałam się, że do tej pory sięgniesz już po prezydenturę.

– Zaciągałem się przy paleniu trawki – wyznaję szczerze – i nie mogłem już mierzyć tak wysoko. Ale ciebie wyobrażałem sobie raczej w domku na przedmieściu, z gromadką dzieci jakiegoś szczęściarza.

Julia potrząsa głową.

– Chyba mylisz mnie z Muffy, Bitsie, Toto albo jakąś inną foczką z Wheelera.

170

– Nie. Myślałem tylko... że to może mnie się tak poszczęści.

Cisza, która zapada, jest gęsta i kleista.

– Wcale tego nie chciałeś – odzywa się wreszcie Julia. – Postawiłeś sprawę nad wyraz jasno.

Chcę zaprzeczyć, kłócić się, przekonywać. Ale jak to niby miało wyglądać z jej strony, skoro kiedy było już po wszystkim, zerwałem z nią wszelkie kontakty? Skoro zachowałem się tak, jak cała reszta tych chłopaków z Wheelera?

– Pamiętasz... – zaczynam.

– Ja wszystko pamiętam, Campbell – przerywa mi Julia. – I właśnie dlatego tak mi z tym ciężko.

Serce zaczyna mi walić tak szybko, że Sędzia, zaniepokojony, zrywa się z podłogi i trąca mnie mocno nosem w udo. Wtedy, przed laty, byłem pewny, że Julii nie można zranić, że ona jest ponad wszystko. Miałem też nadzieję, że mnie również uda się ta sztuka.

Myliłem się. W obu wypadkach.

ANNA

W naszym salonie na ścianie wisi półka pełna fotografii dokumentujących historię rodziny. Są tam zdjęcia z wczesnego dzieciństwa, nasze i rodziców, jest kilka fotografii ze szkolnych albumów, są fotki wakacyjne, urodzinowe, świąteczne. Kiedy na nie patrzę, przypominają mi nacięcia na pasku od spodni albo kreski na ścianie celi – dowód na to, że czas naprawdę płynie, że nie unosimy się zawieszeni w niebycie.

Zdjęcia stoją na tej półce w oprawkach pojedynczych i podwójnych, rozkładanych, w mniejszych i większych formatach. Ramki są z jasnego, gładkiego drewna albo inkrustowane, jedna nawet jest ozdobiona bardzo fikuśną szklaną mozaiką. Biorę do ręki fotografię Jessego, roześmianego dwulatka w kowbojskim kostiumie. Kto by się domyślił, patrząc na to zdjęcie, co z niego wyrosło?

Są tam zdjęcia Kate z włosami i Kate całkiem łysej; na jednym Kate jest malutka, a Jesse trzyma ją na kolanach; na innym mama siedzi razem z nimi na brzegu jakiegoś basenu, tuląc każde jedną ręką. Są tam też moje zdjęcia, ale tylko kilka. Na jednym jestem niemowlakiem, na następnym mam już dziesięć lat; czas leci jak pikujący samolot.

Może to dlatego, że jestem trzecim dzieckiem. Do tego czasu rodzice mieli już po dziurki w nosie prowadzenia kroniki życia swoich pociech. A może po prostu zapomnieli.

Właściwie to niczyja wina i w zasadzie nie ma się czym przejmować, ale jednak trochę to smutne. Bo co mówi taka fotografia? Chciałem uwiecznić chwilę, kiedy byłaś szczęśliwa. Byłaś dla mnie tak ważna, że rzuciłam wszystko, żeby przyjść i popatrzeć na ciebie.

O jedenastej dzwoni tata i pyta, czy chcę, żeby po mnie przyjechał.

– Mama została w szpitalu – wyjaśnia. – Jeśli nie chcesz siedzieć sama w domu, możesz przyjść na noc do mnie, do jednostki.

– Mogę zostać w domu – uspokajam go. – W razie czego Jesse mi pomoże.

– No tak – mówi ojciec. – Jesse.

Oboje udajemy, że jest to plan awaryjny, który nie zawiedzie.

– Co z Kate? – pytam.

– Jest nieprzytomna, bo cały czas dostaje leki. – Słyszę, jak tata bierze głęboki wdech. – Wiesz co... – zaczyna, ale przerywa mu przenikliwy dźwięk alarmu. – Muszę kończyć – rzuca i już go nie ma. Pozostaje po nim szum w słuchawce.

Nie odkładam jej jeszcze przez chwilę; wyobrażam sobie, jak tata wskakuje w robocze buty, jak wciąga spodnie od kombinezonu, rozlewające się kałużą dookoła kostek. Widzę w myślach drzwi remizy, rozwierające się jak wrota baśniowego sezamu, słyszę ryk potężnego silnika wozu strażackiego, w którym obok kierowcy siedzi mój ojciec. Każdego dnia, kiedy idzie do pracy, musi gasić ogień.

Lepszej zachęty mi nie trzeba. Wychodzę z domu, łapiąc po drodze sweter. Idę do garażu.

173

Do naszej szkoły chodził kiedyś taki jeden chłopak. Nazywał się Jimmy Stredboe i był frajerem do kwadratu. Na twarzy miał syfa na syfie, hodował szczura, którego nazwał Ciotka-Sierotka, a raz na biologii puścił pawia prosto do akwarium. Nikt nie chciał z nim rozmawiać, bo wszyscy się bali, że frajerstwem można się zarazić. Kiedy jednak się okazało, że naprawdę jest chory, w dodatku na stwardnienie rozsiane, natychmiast przestaliśmy być niemili. Uśmiechaliśmy się do niego na korytarzu. Kiedy przysiadał się do stolika na stołówce, witaliśmy go uprzejmym skinieniem głowy. To, że był palantem, nagle stało się niczym w porównaniu z ogromem jego nieszczęścia.

Od samego urodzenia miałam ciężko chorą siostrę. Nigdy w życiu nie dostałam jednego lizaka od kasjera w banku – zawsze były co najmniej dwa; dyrektor szkoły zawsze wiedział, jak się nazywam. Nikt nigdy nie powiedział mi otwarcie nic niemiłego.

No właśnie. Ciekawe, jak by mnie traktowali, gdybym była taka jak wszyscy. Może jestem zła i podła, tylko nikt nigdy nie miał odwagi powiedzieć mi tego prosto w oczy. Może wszyscy tak naprawdę myślą, że jestem chamska, brzydka albo głupia, ale muszą być dla mnie mili ze względu na moją sytuację; gdyby nie to, może byłabym całkiem inna, milsza, ładniejsza, mądrzejsza.

No właśnie. Ciekawe, czy to, co teraz robię, wynika z mojej prawdziwej natury.

Światła samochodu jadącego za nami odbijają się w lusterku, rzucając na twarz Jessego refleksy, które wyglądają jak zielone patrzałki. Brat prowadzi leniwie, tylko jedną ręką, opierając ją nadgarstkiem o kierownicę. Zauważam, że już od dawna należą mu się postrzyżyny.

– Twój samochód śmierdzi dymem – mówię.

– Zgadza się. Dym świetnie maskuje aromat rozlanej whisky. – Zęby Jessego błyskają w mroku. – Przeszkadza ci to?

– Trochę.

Jesse sięga ponad moimi kolanami do schowka. Wyjmuje zapalniczkę i paczkę papierosów. Przypala jednego, wydmuchując dym w moim kierunku.

– Przepraszam – mówi, chociaż wiem, że zrobił to specjalnie.

– Poczęstujesz mnie?

– Czym?

– Papierosem. – Paczka jest pełna cienkich patyczków, tak białych, że zdają się błyszczeć w mroku.

– Chcesz zapalić? Ty? – Jesse wybucha śmiechem.

– Nie żartowałam – mówię.

Jesse unosi brew, po czym skręca tak gwałtownie, że tylko cudem nie wywraca samochodu. Zatrzymujemy się na poboczu, w tumanie kurzu. Jesse włącza lampkę w kabinie i potrząsa dłonią. Z paczki wysuwa się jeden papieros.

Biorę go w palce. Jest cieniutki i delikatny jak ptasia kosteczka. Trzymam go jak aktorki w teatrze, między palcem wskazującym a środkowym, oba palce proste. Podnoszę papierosa do ust.

– Najpierw trzeba zapalić. – Jesse się śmieje, trzaskając zapalniczką.

Za Chiny Ludowe nie pochylę się nad płomieniem. Prędzej spalę sobie włosy, niż trafię papierosem tam, gdzie trzeba.

– Ty mi przypal – mówię.

– Nic z tego. Jeśli chcesz się nauczyć, to od A do Z – oznajmia Jesse, ponownie pstrykając zapalniczką.

Dotykam papierosem płomienia, zaciągam się mocno, tak jak podpatrzyłam u brata. W mojej piersi eksploduje bomba. Łapie mnie taki kaszel, że przez chwilę jestem zupełnie pewna, że płuca podeszły mi do gardła – wyraźnie czuję coś gąbczastego na końcu przełyku. Jesse pokłada się ze śmiechu i wyrywa mi papierosa, zanim go upuszczę. Zaciąga się dwa razy i wyrzuca niedopałek przez okno.

– Nieźle ci poszło – komentuje.

W gardle mam piasek.

– Smakowało tak, jakbym wylizywała grilla.

Jesse rusza i wyjeżdża z powrotem na drogę, a ja usiłuję sobie przypomnieć, jak się oddycha.

– Dlaczego chciałaś spróbować?

Wzruszam ramionami.

– Pomyślałam, że wszystko mi jedno.

– Mam ci sporządzić listę czynów niemoralnych? – pyta mój brat. Nie odpowiadam. Po chwili Jesse spogląda na mnie. – Posłuchaj: nie robisz nic złego.

Zatrzymujemy się na szpitalnym parkingu.

– Dobre to też nie jest – zauważam.

Jesse wyłącza silnik, ale nie rusza się z miejsca.

– Wzięłaś pod uwagę, że jaskini strzeże smok?

Mrużę oczy.

– Mów po ludzku.

– Tak sobie myślę, że mama śpi dziś mniej więcej dwa metry od łóżka Kate.

Cholera jasna. Nie chodzi o to, że mama mnie stamtąd wyrzuci, ale też z całą pewnością nie zostawi mnie z Kate sam na sam. A tego pragnę w tym momencie bardziej niż czegokolwiek na świecie. Jesse przygląda mi się.

– Wizyta u Kate wcale nie poprawi ci nastroju.

Nie potrafię mu wytłumaczyć, dlaczego muszę wiedzieć, że Kate czuje się dobrze, przynajmniej w tej chwili. Muszę, choć przecież sama podjęłam decyzję, która sprawi, że Kate przestanie mieć się dobrze.

176

Tym razem jednak ktoś mnie rozumie. Chociaż raz w życiu czuję, że ktoś mnie rozumie.

– Zajmę się tym – mówi Jesse, wyglądając przez szybę.

Miałam jedenaście lat, a Kate czternaście. Trenowałyśmy razem, żeby dostać się do Księgi rekordów Guinnessa. Byłyśmy pewne, że nie ma w niej jeszcze dwóch sióstr, które potrafią jednocześnie stanąć na głowach i wytrzymać tak długo, aż policzki im zsinieją, a przed oczami zaczną latać czerwone plamy. Kate była leciutka jak wróbelek, ręce i nogi miała cienkie jak nitki makaronu. Kiedy kucnęła i odbiła się nogami od podłogi, wyglądała równie wdzięcznie jak pająk idący po ścianie. Ja musiałam walczyć z grawitacją; nie obyło się bez hałasu i łomotu.

Przez chwilę w ciszy łapałyśmy równowagę.

– Chciałabym mieć bardziej płaską głowę – powiedziałam. Czułam wyraźnie, jak brwi marszczą mi się i opadają. – Jak myślisz, czy ktoś przyjdzie tutaj, żeby zmierzyć nam czas, czy może wystarczy wysłać im kasetę wideo?

– Sami wszystko nam powiedzą. – Kate wyciągnęła skrzyżowane ręce na dywanie.

– A będziemy bardzo sławne?

– Możemy nawet wystąpić w programie „Today". Widziałam tam raz chłopaka, który grał na fortepianie nogami. Miał jedenaście lat. – Zamyśliła się na chwilę. – Jednemu znajomemu mamy zleciał na głowę fortepian, który wypadł z okna. Śmierć na miejscu.

– Bujasz. Po co ktoś miałby wyrzucać fortepian przez okno?

– To prawda. Sama ją zapytaj. I wcale nikt go nie wyrzucał, wręcz odwrotnie – chcieli go wstawić do mieszkania. – Skrzyżowała też nogi. Wyglądało to tak, jakby leżała do góry nogami na ścianie. – Jak myślisz, jaka śmierć jest najlepsza?

– Nie chcę o tym rozmawiać – powiedziałam.

– Dlaczego? Przecież ja umieram. A ty to co? – Zmarszczyłam brwi, a Kate dokończyła: – Ty też umierasz. – Wyszczerzyła zęby. – Ja po prostu mam do tego większy talent niż ty.

– Głupia rozmowa. – Zaczynałam mieć dość tego tematu, a wiedziałam, że od tego dnia będzie mnie on męczyć już zawsze.

– Katastrofa lotnicza? – zastanawiała się na głos Kate. – Na pewno do chrzanu jest ten moment, kiedy nagle dociera do ciebie, że spadasz... Ale szybko jest po wszystkim, a po tobie nie zostaje nawet ślad. Jak to się dzieje, że w takich katastrofach ludzie wyparowują, ale na drzewach zostają ich ubrania? A te czarne skrzynki?

Czułam, jak krew zaczyna pulsować mi w skroniach.

– Zamknij się, Kate.

Kate osunęła się po ścianie i usiadła na podłodze. Twarz miała czerwoną.

– Można wykitować we śnie, ale to jest nuda...

– Zamknij się – powtórzyłam. Byłam zła, bo wytrzymałyśmy tylko ze dwadzieścia dwie sekundy; wiedziałam, że teraz trzeba będzie zaczynać bicie naszego rekordu od początku. Z powrotem stanęłam na głowie, walcząc ze skołtunionymi włosami, które zasłoniły mi całą twarz. – Normalny człowiek nie myśli bez przerwy o tym, jak i kiedy umrze.

– Kłamiesz. Wszyscy o tym myślą.

– Wszyscy myślą o tym, kiedy ty umrzesz – odpowiedziałam.

Zapadła cisza tak głęboka, że aż przyszło mi na myśl, że mogłybyśmy ustanowić inny siostrzany rekord, we wstrzymywaniu oddechu.

Wreszcie Kate uśmiechnęła się drżącymi ustami.

– No – spojrzała na mnie – przynajmniej raz w życiu powiedziałaś prawdę.

Jesse wsuwa mi do ręki banknot dwudziestodolarowy. To na taksówkę do domu. On nie będzie mógł wrócić samochodem; plan, który wymyślił, ma właśnie taki mankament. Wchodzimy na ósme piętro po schodach, zamiast wjechać windą, bo drzwi windy otwierają się prosto na punkt pielęgniarski, a z klatki schodowej wychodzi się dalej, za nim. Jesse wpycha mnie do bieliźniarki, gdzie na półkach leżą plastikowe poduszki i pościel ze stemplami z nazwą szpitala. Chwyta za klamkę, żeby zamknąć za mną drzwi.

– Czekaj. – Łapię go za rękaw. – Skąd będę wiedzieć, że mogę już wyjść?

Jesse parska śmiechem.

– O to już się nie martw. Zauważysz.

Wyjmuje z kieszeni srebrną piersiówkę. Poznaję ją; to ta, którą tata dostał w prezencie od swojego dowódcy. Wsiąkła gdzieś trzy lata temu. Tata myśli, że ją zgubił. Zdjąwszy nakrętkę, Jesse zalewa sobie całą koszulę alkoholem, po czym rusza przed siebie korytarzem. Właściwie określenie „rusza przed siebie" jest bardzo dalekie od tego, jak naprawdę to wygląda: Jesse zatacza się od ściany do ściany, udaje mu się nawet wywrócić wózek ze szczotkami, ścierkami i płynami do czyszczenia.

– Mamo! – wrzeszczy. – Mamo, gdzie jesteś?

Jest zupełnie trzeźwy, ale trzeba przyznać, że udaje po mistrzowsku. Przypomina mi się, że nieraz w nocy widziałam przez okno, jak rzyga pod rododendron na podwórku. Ciekawe, czy wtedy to też było na pokaz?

Nagle korytarz roi się od pielęgniarek, które wylatują ze swojego punktu jak pszczoły z ula. Zaczynają szarpać się z chłopakiem dwa razy od nich młodszym i trzy razy silniejszym. Podczas szamotaniny Jesse łapie się najwyższej półki regalika na bieliznę pościelową i przewraca go. Huk jest taki, że aż dzwoni mi w uszach.

Odzywają się sygnały wezwania; elektryczna tablica na biurku pielęgniarek dzwoni jak centralka telefoniczna, ale cała nocna zmiana, trzy kobiety, walczy z Jessem, który kopie dookoła i młóci na oślep rękami.

W drzwiach do pokoju Kate staje mama. Oczy ma czerwone i zapuchnięte. Na widok Jessego staje jak wryta; biedaczka, właśnie zrozumiała, że same problemy z Kate to nie wszystko, że może być jeszcze gorzej. Jesse zarzuca głową w jej stronę niczym wielki rogaty buhaj, a jego twarz rozpływa się w szerokim uśmiechu.

– Cześć, mamciu. – Szczerzy się.

– Przepraszam – zwraca się mama do pielęgniarek. Jesse prostuje się i podchodzi bliżej, zataczając się. Nieskoordynowanym ruchem zarzuca jej ręce na szyję. Mama zamyka oczy.

– W stołówce podają kawę – sugeruje jedna z pielęgniarek. Mama ze wstydu nawet nie sili się na odpowiedź, tylko rusza w stronę wind, ciągnąc za sobą Jessego przylepionego do jej ramienia jak skorupiak do kadłuba okrętu. Raz za razem naciska przycisk przywołania, jakby to mogło sprawić, że drzwi otworzą się szybciej.

Kiedy już ich nie ma, sprawa jest dziecinnie prosta. Jedna pielęgniarka biegnie szybko na wezwanie do pacjenta, a dwie wracają na swoje miejsca i ściszonym głosem dzielą się uwagami na temat Jessego i mojej biednej mamy, zupełnie jakby wymieniały się znaczkami. Nawet nie spojrzą w moją stronę. Wymykam się z bieliźniarki, biegnę na palcach korytarzem i zakradam się do pokoju, w którym leży siostra.

Zdarzyło się pewnego roku, że na Święto Dziękczynienia Kate akurat nie leżała w szpitalu. Mogliśmy wtedy udawać prawdziwą rodzinę. Obejrzeliśmy transmisję parady z Nowego Jorku, na której niespodziewany powiew wiatru porwał jeden z tych gigantycznych balonów i rzucił go na słup sygnalizacji świetlnej. Do indyka podano sos domowej roboty. Mama postawiła na stole talerzyk z kostką z mostka ptaka, którą przełamuje się, myśląc życzenie. Zgodnie ze zwyczajem Kate i ja miałyśmy przełamać się tą kostką, a ta, której został w ręce dłuższy kawałek, mogła liczyć na to, że jej życzenie się spełni. Zanim jeszcze zdążyłam dobrze chwycić, mama nachyliła mi się do ucha i szepnęła: „Wiesz, czego sobie życzyć". Zamknęłam więc oczy i z całych sił myślałam o tym, żeby u Kate nastąpiła remisja, chociaż z początku miałam zupełnie inne życzenie: chciałam dostać discmana. Kiedy Kate wygrała, poczułam złośliwą satysfakcję.

Po świątecznym obiedzie wyszliśmy we trójkę z tatą na dwór i graliśmy na trawniku w futbol, dwoje na dwoje. Mama została w domu, żeby pozmywać naczynia. Zanim skończyła i wyszła do nas, ja i Jesse zdążyliśmy już dwa razy ograć tatę i Kate.

– Uszczypnijcie mnie – powiedziała zimnym głosem – bo ja chyba śnię.

Nie musiała nic dodawać. Wszyscy nieraz widzieliśmy, jak Kate przewraca się jak każde normalne dziecko, a wstaje zalana krwią jak bardzo chory człowiek.

– Nie bój się, Saro. – Tata uśmiechnął się do niej, tak jasno i promiennie, jakby włożył sobie świeże baterie. – Kate jest ze mną w drużynie. Nie dam jej skosić.

Pomaszerował dumnym krokiem do mamy, wziął ją w ramiona i pocałował. Pocałunek był tak mocny i trwał tak długo, że poczułam, jak na twarz występują mi rumieńce; byłam pewna, że sąsiedzi wszystko widzą. Kiedy tata podniósł głowę, oczy mamy miały kolor, którego nie widziałam u niej nigdy wcześniej ani nigdy później.

– Zaufaj mi – powiedział i rzucił piłkę do Kate.

Mam kilka wspomnień z tego dnia. Pamiętam, że ziemia szczypała lekko, kiedy się na niej usiadło – pierwsza zapowiedź nadchodzącej zimy. Pamiętam starcia z tatą. Kiedy mnie przewracał, zawsze podpierał się na rękach, żeby mnie nie przygnieść; czułam tylko cudowne ciepło jego ciała. Pamiętam, jak mama kibicowała równie gorąco obu drużynom.

I pamiętam też, jak podałam piłkę do Jessego, ale Kate przejęła ją w locie. Jeszcze dziś widzę bezbrzeżne zdumienie malujące się na jej twarzy, kiedy chwyciła piłkę. Tata krzyknął, żeby biegła po przyłożenie. Kate pomknęła jak strzała i byłoby się jej udało, gdyby Jesse nie rzucił się na nią od tyłu, przygniatając całym swoim ciężarem do ziemi.

W tym momencie wszystko zamarło. Kate leżała bez ruchu, z rozrzuconymi rękami i nogami. Tata w okamgnieniu był już przy niej i odepchnął Jessego.

– Co ty wyprawiasz, do cholery!

– Zapomniałem!

– Gdzie cię boli? Możesz usiąść? – dopytywała się mama.

Ale kiedy Kate przewróciła się na plecy, zobaczyliśmy, że się śmieje.

– Nic mnie nie boli. Jakie to cudowne!

Rodzice spojrzeli po sobie. Żadne z nich nie zrozumiało, o co chodzi Kate, za to ja i Jesse dobrze ją rozumieliśmy: kimkolwiek się jest, zawsze gdzieś w głębi duszy tli się pragnienie, żeby być kimś innym. A kiedy, choćby na ułamek sekundy, to pragnienie się spełnia, dzieje się cud.

– Zapomniał – powiedziała Kate w powietrze, wyciągnięta na plecach, uśmiechając się promiennie do wszystkowidzącego słońca, błyszczącego na chłodnym listopadowym niebie.

182

W szpitalu nigdy nie jest całkiem ciemno. Nad łóżkiem pacjenta zawsze błyszczy jakaś tabliczka, jak światła na lądowisku. Jest tam zresztą w tym samym celu – żeby pielęgniarki i lekarze trafili do chorego, w razie gdyby coś się stało. Setki razy widziałam Kate w identycznym łóżku; tylko rurki i przewody się zmieniają. Zawsze wygląda na mniejszą, niż ją zapamiętałam.

Siadam na pościeli, bardzo delikatnie. Sine żyły na szyi i klatce piersiowej Kate są jak mapa drogowa, jak autostrady donikąd. Wmawiam sobie, że widzę te złowrogie komórki białaczkowe krążące w jej krwiobiegu jak ohydne plotki.

Nagle Kate otwiera oczy. Ze strachu o mało co nie spadam z łóżka. Scena jak z „Egzorcysty".

– Anna? – pyta Kate, patrząc prosto na mnie. Już bardzo dawno nie widziałam, żeby aż tak się bała. Ostatni raz to było chyba wtedy, gdy Jesse wmówił nam, że pod naszym domem przez pomyłkę zakopano kości starego Indianina, a jego duch wrócił i krąży wokół śmiertelnych szczątków.

Kiedy umrze czyjaś siostra, to czy taki ktoś przestaje wtedy mówić: „Mam siostrę"? A może siostra to zawsze siostra, bez względu na to, czy to siostrzane równanie ma jedną czy dwie strony?

Wślizguję się na łóżko, które jest wąskie, ale nie aż tak, żebyśmy nie mogły się na nim zmieścić we dwie. Kładę głowę na piersi Kate, tak blisko cewnika, że widzę płyn, który wsącza się przez rurkę do jej żył. Jesse wcale nie wie, o co chodzi. Nie przyszłam do Kate po to, żeby poprawić sobie nastrój. Przyszłam dlatego, że bez niej nie potrafię sobie przypomnieć, kim jestem.

BRIAN

Kiedy przychodzi wezwanie, z początku nigdy nie wiadomo, czy jedziemy gasić wulkan czy ognisko. Dziś w nocy światło na piętrze remizy zapaliło się o godzinie drugiej czterdzieści sześć. Włączył się też sygnał alarmowy, ale on tak naprawdę nigdy do mnie nie dociera. Nim upłynęło dziesięć sekund, byłem już ubrany i wyszedłem z pokoju. W dwudziestej sekundzie wciskałem się w kombinezon, miałem na ramionach długie elastyczne szelki od spodni, a na plecach żółwią skorupę kurtki. Pod koniec drugiej minuty od włączenia alarmu nasz wóz pędził już ulicami Upper Darby. Prowadził Cezar. Z tyłu siedzieli Paulie, ratownik, i Red, odpowiedzialny za obsługę hydrantu.

Kilka chwil później zaczęliśmy racjonalnie myśleć. Sprawdziliśmy aparaty tlenowe, naciągnęliśmy rękawice. Zadzwonił dyspozytor i podał adres: Hoddington Drive. Paliła się albo konstrukcja budynku, albo pokój i sprzęty domowe. Poleciłem Cezarowi skręcić w lewo. Hoddington to zaledwie osiem przecznic od mojego domu.

Dom przypominał paszczę smoka ziejącego ogniem. Cezar objechał budynek dookoła, żebym mógł obejrzeć go z trzech stron. Wysypaliśmy się z wozu i przez jedną chwilę mierzyliśmy wzrokiem ogień, czterech Dawidów naprzeciwko Goliata.

– Podaj wodę do dwuipółcalowego węża – poleciłem operatorowi motopompy, którym dzisiaj był także Cezar.

Podbiegła do mnie kobieta ubrana jedynie w koszulę nocną, zapłakana, z trójką dzieci uczepionych rąbka jej ubrania.

– *¡Mija!* – krzyknęła przeraźliwie, wymachując ręką.

– *¡Mija!*

– *¿Dónde está?* – Stanąłem wprost przed nią, tak żeby nie widziała nic oprócz mojej twarzy. – *¿Cuantos años tiene?*

Wskazała okno na drugim piętrze.

– *Tres* – załkała.

– Kapitanie – zawołał Cezar. – Jesteśmy gotowi.

Usłyszałem zbliżające się wycie syreny drugiego wozu, naszego wsparcia.

– Red, wybij otwór do oddymiania w północno--wschodnim narożniku dachu. Paulie, zabierz się do gaszenia, kiedy tylko będzie można. Na drugim piętrze jest mała dziewczynka. Idę po nią.

To nie była krótka piłka, tak jak na filmach, gdzie główny bohater rzuca się bohatersko w płomienie i wychodzi z nich z Oscarem. Gdybym po wejściu do budynku stwierdził, że runęły schody... Że konstrukcja grozi zawaleniem... Że temperatura jest już tak wysoka, że wszystko zajmuje się ogniem... Wtedy byśmy się wycofali. Bezpieczeństwo ratownika ma pierwszeństwo przed bezpieczeństwem ofiary.

Zawsze.

Jestem tchórzem. Bywa, że po pracy zostaję w remizie. Zamiast jechać od razu prosto do domu, zwijam węże albo parzę świeżą kawę dla kolegów z następnej zmiany. Często zastanawiałem się, dlaczego najlepiej odpoczywam w miejscu pracy, pracy, której specyfika polega na tym, że bardzo często zrywam się z łóżka dwa albo trzy razy w ciągu nocy. I chyba już wiem dlaczego: tutaj, w remizie, nie muszę się martwić, że zdarzy się jakiś wypadek, bo wypadki mają to do siebie, że się zdarzają. Kiedy przekraczam próg domu, zaczynam się przejmować na zapas – tym, co może się wydarzyć.

Kiedy Kate była w drugiej klasie, narysowała kiedyś obrazek przedstawiający strażaka z aureolą dookoła głowy. Powiedziała przy całej klasie, że jej tata będzie musiał pójść do nieba, bo gdyby poszedł do piekła, to zgasiłby tam wszystkie ognie.

Wciąż jeszcze mam ten obrazek.

Wbijam tuzin jajek do miski i sięgam po ubijaczkę. Bekon na patelni zaczyna skwierczeć, a blacha już się grzeje; dziś na śniadanie będą omlety. Strażacy jedzą razem – a przynajmniej siadają razem do stołu, bo z reguły kiedy tylko zaczynają jeść, po chwili zaczyna wyć alarm. Chcę zrobić frajdę moim chłopcom, którzy w tej chwili zmywają z siebie pod prysznicem wspomnienia dzisiejszej nocy. Słyszę za sobą kroki.

– Przystaw sobie krzesło – wołam przez ramię, nie oglądając się. – Zaraz będzie gotowe.

– Dziękuję serdecznie, ale nie skorzystam – słyszę kobiecy głos. – Nie chcę się narzucać.

Odwracam się z łopatką w ręce. Dźwięk kobiecego głosu w tym miejscu to niecodzienne zjawisko. Niezwykłości dodaje mu jeszcze fakt, że właścicielka głosu zjawiła się w remizie tak wcześnie rano, zaledwie kilka minut przed siódmą. Jest niewysoka, a burza jej loków przywodzi mi na myśl pożar lasu. Na palcach migoczą niezliczone srebrne pierścionki.

– Kapitan Fitzgerald? Witam. Jestem Julia Romano, kurator procesowy wyznaczony do sprawy Anny.

Słyszałem o niej od Sary: to jest kobieta, której będzie słuchać sędzia, kiedy przyjdzie co do czego.

– Pięknie pachnie. – Uśmiecha się do mnie, podchodząc i wyjmując mi z ręki łopatkę. – Kiedy ktoś robi jedzenie, nie mogę spokojnie się przyglądać. Muszę pomagać. Mam taką wadę genetyczną. – Szpera w lodówce i wyciąga ostatnią rzecz, jaka przyszłaby mi do głowy: słoik chrzanu. – Chciałam poprosić pana o kilka minut rozmowy.

– Nie ma sprawy.

Chrzan?

Julia Romano wrzuca sporą łyżkę chrzanu do ubitych jajek. Z półki w przyprawami zdejmuje skórkę pomarańczową i chili, dosypuje do mieszanki.

– Jak się czuje Kate? – pyta.

Wylewam na blachę porcję ciasta, czekam, aż pojawią się bąbelki. Odwracam omlet; pod spodem jest równo przypieczony na brąz. Jest rano, ale zdążyłem już porozmawiać z Sarą. Kate miała spokojną noc, w przeciwieństwie do mojej żony. Ale to nic takiego. To był tylko Jesse.

Podczas pożaru budynku zawsze następuje jeden moment krytyczny, kiedy albo uda się opanować ogień, albo to ogień opanuje wszystko, czego tylko dotknie. Z sufitu zaczynają odpadać płaty farby, klatka schodowa pożera żywcem samą siebie, dywan z włókna syntetycznego klei się do butów i tak po kolei, aż w końcu trzeba się wycofać i przypomnieć sobie starą prawdę, że każdy ogień musi kiedyś się wypalić, nawet bez naszej pomocy.

Teraz właśnie nadszedł taki czas, kiedy ogień otoczył mnie z sześciu stron. Wprost przed sobą mam chorą Kate. Za mną stoją Anna i jej adwokat. Jesse, kiedy nie pije na umór, to dla odmiany ćpa. Sara desperacko szuka ratunku. Co więc robię? Chowam się za moim sprzętem. Ręce mam pełne haków, łomów, żelaznych drągów – narzędzi przeznaczonych do niszczenia, gdy tymczasem najbardziej jest mi potrzebna solidna lina, którą mógłbym powiązać nas wszystkich w jedną całość.

– Kapitanie... Brian! – krzyk Julii Romano odrywa mnie od własnych myśli i ponownie jestem na środku kuchni szybko wypełniającej się dymem. Julia podbiega i spycha z blachy przypalone ciasto.

– Boże! – Wrzucam do zlewu zwęglony krążek, który niedawno był omletem. Po chwili dobiega mnie stamtąd jego wściekły syk. – Przepraszam.

Dziwną moc ma to słowo; potrafi w mgnieniu oka odmienić cały krajobraz, jak zaklęcie „Sezamie, otwórz się!".

– Dobrze, że są jeszcze jajka – mówi Julia Romano.

W płonącym domu trzeba kierować się szóstym zmysłem, bo inne zawodzą. Nic nie widać w gęstym dymie. Nic nie słychać, bo huk ognia zagłusza wszystko. Niczego nie wolno dotykać, bo to grozi śmiercią.

Przede mną postępował Paulie z sikawką w rękach. Kilku kolegów pomagało mu taszczyć gruby, nabrzmiały wodą wąż. Dla jednego człowieka byłby to ciężar ponad siły. Oczyściliśmy schody i weszliśmy po nich na piętro. Ogień nawet nas nie liznął. Chcieliśmy wypchnąć go przez tę dziurę w dachu, którą wybił Red. Jak u każdej uwięzionej istoty, tak i tutaj działa naturalny instynkt – ogień chce uciekać.

Ruszyłem na czworakach wzdłuż korytarza. Matka powiedziała mi, że to będą trzecie drzwi po prawej. Ogień przemykał się pod sufitem, po drugiej stronie korytarza; uciekał w stronę otworu. Kiedy zaatakowano go pianą, gęsty biały opar pochłonął moich kolegów.

Drzwi do sypialni dziewczynki były otwarte. Wpełzłem do środka, wołając małą po imieniu. Niczym magnes przyciągnął mnie duży kształt majaczący pod oknem, ale okazało się, że to tylko olbrzymi pluszowy miś. Zajrzałem do szaf i pod łóżko. Nikogo.

Wróciłem na korytarz, potykając się o wąż gruby niczym pięść dorosłego mężczyzny. Człowiek potrafi myśleć, ogień nie. Można przewidzieć, którędy pójdzie ogień; zachowania dziecka przewidzieć nie sposób. Dokąd ja bym uciekał, gdybym umierał ze strachu?

Zacząłem szybko przeglądać pokoje, jeden po drugim. Pierwszy był cały różowy – pokój dziecięcy. W drugim na podłodze i na piętrowych łóżkach leżało mnóstwo małych samochodzików. Trzecie drzwi nie prowadziły do pokoju, tylko do schowka. Sypialnia rodziców znajdowała się na drugim końcu korytarza.

Gdybym był dzieckiem, chciałbym do mamy.

W tej sypialni kłębił się gęsty czarny dym, którego nie było w innych pokojach. Ogień wypalił szczelinę pod drzwiami. Otworzyłem je, świadomy tego, że wchodząc, wpuszczam powietrze, czego robić nie wolno, ale nie miałem wyjścia.

Tak jak się spodziewałem, próg, przedtem ledwo się tlący, buchnął płomieniem, który momentalnie wypełnił prostokąt drzwi. Wbiegłem do środka jak szarżujący byk. Czułem, jak drobinki żaru spadają mi na hełm i kurtkę.

– Luisa! – zawołałem. Macając rękami ściany, obszedłem cały pokój, znalazłem szafę, uderzyłem w drzwi. Jeszcze raz wykrzyknąłem imię dziewczynki.

Ze środka dobiegło stuknięcie, ciche, lecz wyraźne.

– Możemy mówić o szczęściu. – Julia Romano na pewno nie spodziewała się usłyszeć ode mnie czegoś takiego. – Kiedy zanosi się na dłuższy pobyt w szpitalu, siostra Sary opiekuje się dziećmi. Przy krótszych wymieniamy się. Sara zostaje z Kate w szpitalu, a ja siedzę z dziećmi, albo na odwrót. Teraz mamy łatwiej, bo są już na tyle duże, że mogą zostawać same.

Julia zapisuje coś w notesie. Nachodzi mnie nieprzyjemna myśl, od której aż zaczynam wiercić się na krześle. Anna ma dopiero trzynaście lat – a jeśli to za mało, żeby zostawać samej w domu? Być może takie jest zdanie opieki społecznej, ale oni nie znają Anny, która okres dojrzewania ma już dawno za sobą.

– Czy z Anną wszystko w porządku? – pyta Julia.

– Gdyby tak było, nie pozwałaby nas chyba do sądu – odpowiadam z wahaniem. – Sara twierdzi, że Annie brakuje naszej troski.

– A pan co o tym myśli?

Żeby zyskać na czasie, nabieram widelcem porcję omleta. Chrzan okazał się nadzwyczaj dobrym dodatkiem. Podkreślił smak skórki pomarańczowej. Mówię o tym Julii.

Julia kładzie serwetkę obok swojego talerza.

– Nie odpowiedział pan na moje pytanie.

– Bo nie było wcale proste. – Odkładam sztućce, bardzo ostrożnie. – Ma pani brata albo siostrę?

– I to, i to. Sześciu starszych braci i siostrę bliźniaczkę.

Gwiżdżę z podziwem.

– Ma pani cierpliwych rodziców.

Wzruszenie ramionami.

– To dobrzy katolicy. Nie wiem, jak im się to udało, ale nigdy żadne z nas nie czuło się zaniedbane.

– Zawsze tak pani uważała? – pytam. – A może jako dziecko miała pani jednak wrażenie, że rodzice mają swoich ulubieńców?

Przez jej twarz przemyka ledwo uchwytny cień. Czuję wyrzuty sumienia, że postawiłem ją w niezręcznej sytuacji.

– Wiadomo, że każde z dzieci trzeba kochać jednakowo, ale nie zawsze się to udaje – mówię, wstając z krzesła. – Ma pani jeszcze trochę czasu? Chciałbym pani kogoś przedstawić.

Zeszłej zimy wezwano nas do człowieka, który mieszkał pod miastem. Znalazł go robotnik wynajęty do przekopania drogi przed jego domem i to właśnie on zadzwonił po pomoc. Wszystko wskazywało na to, że poprzedniego wieczoru mężczyzna poślizgnął się, wysiadając z samochodu, upadł i przymarzł do żwirowego podjazdu. Robotnik myślał, że to zaspa i mało brakowało, a najechałby na niego.

Kiedy zjawiliśmy się na miejscu, mężczyzna leżał na mrozie już ósmą godzinę. Zmarzł na kość i przypominał sopel lodu, a na dodatek nie można było wyczuć pulsu. Nogi miał zgięte w kolanach; pamiętam, że kiedy w końcu oderwaliśmy go od ziemi i ułożyliśmy na noszach, jego nogi sterczały w górze. Zanieśliśmy go do karetki, maksymalnie rozkręciliśmy ogrzewanie i zaczęliśmy rozcinać na nim ubranie. Zanim zdążyliśmy wypełnić formularze potrzebne do wezwania pogotowia i odesłania go do szpitala, facet usiadł o własnych siłach i zaczął z nami rozmawiać.

Dlaczego wam o tym opowiedziałem? Żebyście wiedzieli, że cuda się zdarzają – niezależnie od waszych przekonań.

To, co teraz powiem, zabrzmi banalnie, ale to prawda: zostałem strażakiem przede wszystkim po to, żeby ratować ludzi. Tak więc kiedy wyszedłem już z płonącego domu, niosąc w ramionach małą Luisę, przepełniało mnie poczucie dobrze spełnionego obowiązku. Dziewczynka słaniała się na nogach. Ratownik z ekipy pogotowia, która przyjechała w drugim wozie, musiał podać jej tlen. Kasłała i była w szoku, ale wyglądało na to, że dojdzie do siebie.

Ogień prawie już wygasł; chłopcy weszli do środka, żeby się zorientować, co da się jeszcze uratować. Dym przesłonił nocne niebo ciemnym welonem; szukałem

Skorpiona, ale nie mogłem dostrzec ani jednej gwiazdy z tej konstelacji. Zdjąłem rękawice i przetarłem oczy, które, jak wiedziałem, będą mnie piec jeszcze przez długi czas.

– Dobra robota – powiedziałem do Reda, który zwijał węża.

– Udana akcja ratownicza, kapitanie! – zawołał w odpowiedzi.

Poszłoby lepiej, rzecz jasna, gdybym znalazł Luisę w pokoju dziecinnym, tak jak mówiła jej matka. Z dziećmi jest jednak taki kłopot, że nigdy nie ma ich tam, gdzie powinny być. Zanim się człowiek obejrzy, już mała jest w szafie, choć jeszcze przed chwilą była w sypialni; zanim się człowiek obejrzy, już ma trzynaście lat, choć jeszcze przed chwilą miała trzy. Bycie rodzicem to coś podobnego do tropienia śladów; rodzic nieustannie śledzi swoje dziecko i może mieć tylko nadzieję, że nie zniknie mu ono z oczu na dobre, że zawsze będzie mógł przewidzieć jego następny ruch.

Zdjąłem hełm i poruszyłem zesztywniałą szyją, przyglądając się szkieletowi budynku, który kiedyś był domem. Nagle poczułem na dłoni dotyk czyichś palców. Stała przede mną kobieta, która tutaj mieszkała. W oczach miała łzy, a w ramionach wciąż jeszcze tuliła swoje najmłodsze dziecko. Reszta gromadki siedziała w naszym wozie pod okiem Reda. Kobieta, nie mówiąc ani słowa, uniosła moją dłoń do ust. Po jej policzku przesunął się rękaw mojej kurtki, zostawiając czarny pas sadzy.

– Nie ma za co – powiedziałem.

W drodze powrotnej do remizy poprosiłem Cezara, żeby nadłożył trochę drogi, tak byśmy przejechali moją ulicą. Jeep Jessego stał przed domem, na moim miejscu. W żadnym z okien nie paliło się światło. Wyobraziłem sobie Annę leżącą w łóżku z kołdrą naciągniętą aż pod samą brodę; wyobraziłem sobie puste łóżko Kate.

– Już, Fitz? – zapytał Cezar. Wóz ledwie się toczył, a na wysokości mojego podjazdu niemalże przystanął.

– Już – powiedziałem. – Wracamy do jednostki.

Zostałem strażakiem po to, żeby ratować ludzi, ale żałuję, że nie byłem bardziej konkretny. Trzeba było ułożyć listę osób, które chciałem uratować.

JULIA

Samochód Briana Fitzgeralda jest pełen gwiazd. Na siedzeniu pasażera leżą mapy nieba, za przednią szybą – tabele. Tylne siedzenie to minigaleria kserokopii zdjęć mgławic i planet.

– Przepraszam. – Mój rozmówca czerwienieje. – Nie spodziewałem się, że ktoś będzie dziś ze mną jechał.

Pomagając mu uprzątnąć siedzenie dla mnie, biorę do ręki mapę złożoną z malutkich punkcików.

– Co to jest? – pytam.

– Atlas nieba. – Brian wzrusza ramionami. – Takie hobby.

– Kiedy byłam mała, postanowiłam nadać wszystkim gwiazdom na niebie imiona moich krewnych. Przerażające jest to, że zasnęłam, zanim doszłam do końca ich listy.

– Anna tak naprawdę nazywa się Andromeda. To jedna z galaktyk.

– Fajnie. Lepiej mieć imię po galaktyce niż po jakimś świętym patronie – myślę na głos. – Kiedyś zapytałam mamę, dlaczego gwiazdy świecą. Odpowiedziała, że gwiazdy to latarenki, które Bóg ustawił dla aniołków, żeby nie pogubiły się w niebie, ale kiedy zapytałam tatę o to samo, usłyszałam coś o gazach. Nie wiem, jakim

194

sposobem połączyłam obie te rzeczy, ale wyszło mi, że Bóg karmi aniołki zepsutym jedzeniem, po którym w środku nocy muszą po kilka razy latać do łazienki. Brian wybucha głośnym śmiechem.

– No proszę. A ja tłumaczyłem moim dzieciakom, na czym polega synteza jądrowa.

– Udało się?

Brian zastanawia się przez chwilę.

– Wydaje mi się, że każde z nich z zamkniętymi oczami znalazłoby na niebie Wielki Wóz.

– Jestem pod wrażeniem. Dla mnie wszystkie gwiazdy są identyczne.

– To wcale nie jest takie trudne. Wystarczy wiedzieć, jak wygląda fragment gwiazdozbioru, dajmy na to Pas Oriona, i nagle okazuje się, że bardzo łatwo jest rozpoznać Rigela w stopie gwiezdnego myśliwego i Betelgeze na ramieniu. – Brian przerywa na moment, jakby się wahał. – Ale i tak dziewięćdziesiąt procent materii we wszechświecie jest niewidoczne.

– W takim razie skąd wiadomo, że w ogóle istnieje? Przystajemy na czerwonym świetle.

– Ciemna materia wytwarza pole grawitacyjne. Nie można jej zobaczyć ani wyczuć, ale można zaobserwować, jak przyciąga wszystko inne.

Wczoraj wieczorem, dziesięć sekund po wyjściu Campbella, Izzy wmaszerowała do salonu. Siedziałam na kanapie i właśnie nabierałam tchu, żeby wydać z siebie rozdzierający, ale i oczyszczający jęk; jest to cenna technika, którą każda kobieta powinna stosować w celach terapeutycznych co najmniej raz podczas cyklu księżycowego.

– No tak – powiedziała moja siostra oschłym tonem. – Jak widać, łączą was wyłącznie stosunki zawodowe.

– Podsłuchiwałaś? – Skrzywiłam się.

– Przepraszam, że masz w mieszkaniu takie cienkie ściany, przez które dokładnie było słychać wasze szczebioty.

– Jeśli chcesz mi coś powiedzieć – poradziłam jej – to mów.

– Ja? – Izzy zmarszczyła brwi. – A czy to moja sprawa?

– Masz rację. Nie twoja.

– No właśnie. Zachowam więc moje zdanie dla siebie.

Przewróciłam oczami.

– Gadaj.

– Już myślałam, że nigdy nie zapytasz. – Izzy usiadła na kanapie obok mnie. – Coś ci powiem. Kiedy komar widzi to piękne fioletowe światło, bijące od elektrycznej muchołapki, z początku wydaje mu się, że to sam Bóg. Ale za drugim razem jest już mądrzejszy i wie, że trzeba wziąć nogi za pas.

– Po pierwsze, nie porównuj mnie do komara. Po drugie, komary nie biegają, tylko latają, więc nie mogą wziąć nóg za pas. Po trzecie, drugiego razu nie ma, bo komar nie żyje.

Izzy obdarzyła mnie lekkim uśmieszkiem.

– Jesteś obrzydliwie rzeczowa. Prawdziwy prawnik!

– Ale nie jestem muchą. Nie pozwolę Campbellowi się złapać na byle jaki lep.

– Więc poproś o przeniesienie.

– Sąd to nie wojsko. – Wzięłam poduszkę z kanapy i przytuliłam ją jak pluszowego misia. – Poza tym teraz już nie mogę tego zrobić, bo wyjdę przed nim na niedorajdę, która nie potrafi oddzielić życia zawodowego od jakiejś głupiej, szczeniackiej... przygody.

– Bo nie potrafisz – potrząsnęła głową Izzy – a ten facet to samolubny palant, który cię wyssie i wypluje. Ty jednak, swoją drogą, masz naprawdę potężne ciągoty do najgorszych okazów mężczyzny. Zawsze wybierzesz sobie takiego, przed którym trzeba uciekać jak najdalej. I wiesz co? Nie mam ochoty siedzieć przy tobie i słuchać, jak wmawiasz sobie, że nic nie czujesz do Campbella Alexandra, skoro od piętnastu lat liżesz rany, które ci zadał, bezskutecznie szukając kogoś na jego miejsce.

– No, no... – Spojrzałam na nią przeciągle. Izzy wzruszyła ramionami.

– Wyszło na to, że ja też musiałam coś z siebie wyrzucić. I że było tego całkiem sporo.

– Nienawidzisz mężczyzn w ogóle czy tylko Campbella?

Izzy udała, że się zastanawia.

– Tylko Campbella – odpowiedziała po chwili.

Marzyłam o tym, żeby zostać sama, żeby móc rzucić o ścianę pilotem, wazonem, a najchętniej siostrą. Ale nie mogłam wyprosić Izzy z mieszkania, do którego wprowadziła się zaledwie kilka godzin temu. Wstałam więc i wzięłam z komódki klucze do drzwi.

– Wychodzę – powiedziałam jej. – Nie czekaj na mnie.

Nie jestem bardzo towarzyska, co poniekąd tłumaczy, dlaczego dotąd nie trafiłam do klubu „Kot Szekspira", chociaż znajduje się on nie dalej niż cztery przecznice od mojego bloku. Wewnątrz było mroczno, panował tłok, a w powietrzu unosiła się mieszanina zapachu olejku goździkowego i olejku z paczuli. Przepchnęłam się do baru i opadłam na stołek. Obok mnie siedział jakiś facet. Uśmiechnęłam się do niego.

Byłam w takim nastroju, że mogłabym pójść do kina z kolesiem, który nie spytałby nawet, jak mi na imię, i dać mu się macać w ostatnim rzędzie. Miałam ochotę zobaczyć, jak trzech panów walczy o zaszczyt postawienia mi drinka.

Chciałam pokazać Campbellowi Alexandrowi, co stracił.

Mój sąsiad miał oczy koloru nieba, czarne włosy związane w koński ogon i uśmiech jak Cary Grant. Skinął mi uprzejmie głową, a potem odwrócił się do białowłosego mężczyzny, który siedział obok niego, i pocałował go prosto w usta. Rozejrzałam się i dopiero dotarło do mnie, co przegapiłam przy wejściu: bar był pełen facetów bez kobiet, a jakże, ale ci faceci tańczyli ze sobą, flirtowali i podrywali się nawzajem.

– Co podać? – Barman miał fryzurę koloru fuksji. Fioletowe włosy sterczały we wszystkie strony jak kolce jeżozwierza. W chrząstce nosa nosił kółko jak bawół.

– Czy to jest bar dla gejów?

– Nie. To jest kantyna oficerska na West Point. Mam ci czegoś nalać czy będziesz tak siedzieć?

Wskazałam palcem ponad jego ramieniem na butelkę tequili. Barman sięgnął po szklankę. Pogrzebałam w torebce i wyciągnęłam pięćdziesiąt dolarów.

– Całą – powiedziałam. Przyjrzałam się butelce, marszcząc brwi. – Założę się, że Szekspir nie miał żadnego kota.

– Coś cię gryzie? – zapytał barman.

Przyjrzałam mu się, mrużąc oczy.

– Ty nie jesteś gejem.

– Jestem, a jakże.

– Z mojego doświadczenia wynika, że gdybyś był homo, to miałbyś szanse mi się podobać. Tymczasem... – Rzuciłam okiem na zajętą sobą parkę obok i wzruszyłam ramionami, powróciwszy wzrokiem do barmana. Pobladł i oddał mi moją pięćdziesiątkę. Wsunęłam ją z powrotem do portfela. – Kto powiedział, że przyjaciół nie można kupić – mruknęłam pod nosem.

Trzy godziny później w barze byłam już tylko ja, no i oczywiście Siedem. Tak nazywał się barman, a ściśle mówiąc, tak nazwał się w sierpniu zeszłego roku, kiedy postanowił zerwać z wszelkimi konotacjami związanymi z imieniem Neil. W imieniu Siedem, jak mi się zwierzył, podobało mu się to, że nie miało kompletnie żadnych skojarzeń.

– To może ja zmienię imię na Sześć – zaproponowałam, kiedy w mojej butelce widać już było dno – a ty na Dziewięć.

– Masz dość – powiedział Siedem, odstawiając ostatnią czystą szklankę. – Więcej nie pijesz.

– Nazywał mnie Perełką – przypomniałam sobie. Wystarczyło; natychmiast wybuchnęłam płaczem.

Perła to mały śmieć umieszczony we wnętrznościach małża. Niezwykłe rzeczy najprędzej można znaleźć tam, gdzie nikt ich nie szuka.

Ale Campbell był z tych, którzy szukają tam, gdzie nikt nie szuka. A potem odszedł, przypominając mi, że to, co znalazł, nie było warte jego czasu ani wysiłku.

– Kiedyś miałam różowe włosy – powiedziałam.

– A ja prawdziwą pracę – odrzekł Siedem.

– I co się stało?

Wzruszył ramionami.

– Ufarbowałem włosy na różowo. A ty?

– Ja zapuściłam.

Siedem wytarł z kontuaru plamę tequili. Nie zauważyłam, że rozlałam alkohol.

– Nikt nigdy nie jest zadowolony z tego, co ma – powiedział.

Anna siedzi sama jak palec przy kuchennym stole i je płatki śniadaniowe. Jest zdumiona, widząc mnie razem z tatą wracającym z pracy, ale nie okazuje tego niczym poza lekkim rozszerzeniem źrenic.

– W nocy był pożar? – pyta ojca, marszcząc nos.

Brian podchodzi do stołu i przytula córkę.

– Był, i to spory.

– Podpalacz? – pyta Anna.

– Raczej nie. On wybiera opustoszałe budynki, a w tamtym było dziecko.

– Które uratował kapitan Fitzgerald – domyśla się Anna.

– A jakże – Brian spogląda w moją stronę. – Zabieram panią Julię do szpitala. Chcesz pojechać z nami?

Anna spuszcza wzrok.

– Nie wiem.

– Hej. – Brian ujmuje córkę pod brodę. – Nikt nie zabroni ci widywać się z Kate.

– Ale jak pojawię się w szpitalu, to też nikt nie oszaleje z radości – odpowiada Anna.

Dzwoni telefon. Brian odbiera, słucha przez chwilę, a jego twarz rozjaśnia szeroki uśmiech.

– Wspaniale. Cudownie. Jasne, zaraz do was jadę. – Oddaje słuchawkę Annie. – Mama chce z tobą rozmawiać. – Przeprasza i wychodzi się przebrać.

Anna waha się przez moment, w końcu bierze słuchawkę do ręki, garbiąc się, jakby chciała w ten sposób wytworzyć sobie chociaż odrobinkę przestrzeni osobistej.

– Halo? – mówi, a po chwili: – Naprawdę?

Rozmowa trwa krótko. Anna wraca do stołu i przełyka jeszcze jedną łyżkę płatków.

– Rozmawiałaś z mamą? – pytam, siadając po drugiej stronie stołu.

– Tak. Kate odzyskała przytomność – pada odpowiedź.

– To dobrze.

– Chyba tak.

Opieram łokcie na stole.

– Dlaczego chyba?

Ale Anna nie odpowiada.

– Pytała o mnie.

– Mama?

– Kate.

– Rozmawiałaś już z nią o procesie?

Anna puszcza moje pytanie mimo uszu, chwyta pudełko z płatkami i zawija plastikową torebkę, która jest w środku.

– Już czerstwe – mruczy. – Nikt nigdy nie zawinie torebki ani nie zamknie pudełka porządnie.

– Czy Kate w ogóle wie, co się dzieje?

Anna ściska pudełko w rękach, usiłując wepchnąć kartonowe wieczko na miejsce. Nic to nie daje.

– Ja nawet niespecjalnie lubię te chrupki – mówi. Przy kolejnej próbie pudełko wyślizguje się jej z rąk i ląduje na podłodze. Jego zawartość pryska we wszystkie strony. – Kurde! – woła Anna i ześlizguje się pod stół. Zbiera płatki rękami.

Przyklękam obok niej i przyglądam się, jak wpycha je całymi garściami do torebki wyciągniętej z pudełka. Nie patrzy w moją stronę.

– Zdążymy jeszcze dokupić płatków, żeby Kate miała, jak wróci – mówię łagodnie.

Anna przestaje się uwijać. Spogląda na mnie.

– A co będzie, jeśli ona mnie znienawidzi?

Dotykam jej włosów i zakładam kosmyk za ucho.

– A jeśli nie?

– Chodzi o to – wytłumaczył mi wczoraj Siedem – że żaden człowiek nigdy nie pokocha tej osoby, którą powinien.

Tak zaintrygował mnie tym twierdzeniem, że zdobyłam się na wielki wysiłek i zdołałam odlepić twarz od kontuaru.

– To znaczy, że nie tylko ja taka jestem?

– W żadnym razie, do diabła! – Postawił na barze tacę z czystymi szklankami. – Pomyśl tylko. Romeo i Julia chcieli walczyć z systemem i jak skończyli? Superman leciał na Lois Lane, chociaż każdy widział, że Wonder Woman byłaby dla niego lepsza. Dawson i Joey – muszę coś dodawać? Że nie wspomnę o Charliem Brownie z Fistaszków i tej jego małej, rudej...

– A ty? – zapytałam.

Siedem wzruszył ramionami.

– Mówiłem, wszyscy jesteśmy tacy sami. – Oparłszy łokcie na blacie, pochylił się ku mnie tak blisko, że mogłam zobaczyć ciemne odrosty jego cynobrowych włosów. – I tak też było ze mną i z Lipą.

– Mam nadzieję, że to ksywa, a nie imię – powiedziałam współczującym tonem. – Też bym zerwała z kimś, kto się tak nazywa. To był facet czy dziewczyna?

– Nie powiem. – Siedem wyszczerzył zęby.

– A powiesz, co ci w niej nie pasowało?

Westchnął.

– Była...

– Mam cię! Powiedziałeś: „była"!

Przewrócił oczami.

– No dobrze. Rozpracowałaś mnie. Wytropiłaś heteryka w gejowskim przybytku. Zadowolona?

– Niespecjalnie.

– Musiała wrócić do domu, do Nowej Zelandii. Skończyła się zielona karta. Mieliśmy dwa wyjścia: rozstanie albo ślub.

– Co z nią było nie tak?

– Absolutnie nic – wyznał Siedem. – Sprzątała jak domowy skrzat; ani razu nie zmyłem przy niej talerza. Wysłuchiwała każdego mojego słowa. W łóżku była jak wulkan. Szalała na moim punkcie i możesz mi wierzyć albo nie, ja też byłem dla niej stworzony. Nasz związek był idealny w dziewięćdziesięciu ośmiu procentach.

– A co z tymi dwoma?

– Bo ja wiem... – Siedem zabrał się do ustawiania czystych szklanek na drugim końcu baru. – Czegoś jednak brakowało, chociaż sam nie wiem czego. Jeśli porównać związek do człowieka, to nie jest jeszcze najgorzej, kiedy te dwa procent przypada na, dajmy na to, paznokieć. Inna sprawa, kiedy to jest serce. – Odwrócił się z powrotem do mnie. – Nie płakałem, kiedy wsiadała do samolotu. Żyła ze mną przez cztery lata, a kiedy jej zabrakło, zupełnie nic nie czułem.

– Ze mną było inaczej – powiedziałam. – Ja miałam to serce, ale nie było ciała, w którym mogłoby bić.

– I co się stało?

– A co miało się stać? – odparłam. – Wszystko poszło w diabły.

Ironia losu polegała na tym, że Campbella pociągało we mnie to, że stanowczo odcinałam się od wszystkich uczniów szkoły Wheelera, ale lgnęłam do niego, bo za wszelką cenę potrzebowałam kogoś bliskiego. Wiedziałam, że nasz związek jest szeroko komentowany, widziałam spojrzenia znajomych Campbella, którzy nie mogli zrozumieć, dlaczego on traci czas na kogoś takiego jak ja. Bez wątpienia myśleli, że chodzi o łóżko, że jestem łatwa.

Ale do niczego takiego między nami nie doszło. Po szkole spotykaliśmy się na cmentarzu. Czasami mówiliśmy do siebie wierszem. Raz spróbowaliśmy rozmawiać bez użycia głoski „s". Siadaliśmy też, opierając się o siebie plecami, i staraliśmy się czytać w swoich myślach, choć wiedzieliśmy, że takie udawane jasnowidzenie ma sens tylko wtedy, gdy wszystkie jego myśli będą przepojone mną, a moje nim.

Uwielbiałam jego zapach, tak wyraźny, kiedy pochylał głowę, żeby lepiej mnie słyszeć – zapach przywodzący na myśl muśniętą słońcem skórkę pomidora lub pianę schnącą na masce samochodu. Uwielbiałam dotyk jego ręki na moich plecach. Uwielbiałam go całego.

– A gdybyśmy – powiedziałam pewnego wieczoru, leżąc z ustami przy jego ustach, kradnąc każdy jego oddech – gdybyśmy to zrobili?

Campbell leżał na plecach, przyglądając się księżycowi huśtającemu się w hamaku z gwiazd. Jedną rękę miał pod głową, drugą przytulał mnie do swojej piersi.

– Gdybyśmy co zrobili? – zapytał.

Zamiast odpowiedzieć, uniosłam się na łokciu i pocałowałam go tak mocno i głęboko, że aż ziemia zatrzęsła się w posadach.

– Aha – powiedział schrypniętym głosem. – To.

– Robiłeś to już?

Uśmiechnął się tylko. Pomyślałam wtedy, że pewnie tak, że przeleciał jakąś Muffy, Buffy czy Puffy, czy nawet wszystkie trzy naraz, na boisku do baseballu, gdzieś w jakimś boksie dla rezerwowych. A może to było na imprezie w domu którejś z nich, kiedy oboje mieli w czubie i zalatywali bourbonem podebranym tatusiowi z barku. Zaczęłam się zastanawiać, dlaczego w takim razie Campbell nie próbował jeszcze przespać się ze mną i doszłam do wniosku, że dla niego Julia Romano to nie Muffy, Buffy ani Puffy. Dla niego Julia Romano się do tego nie nadaje.

– Chcesz tego? – zapytałam.

Wiedziałam dobrze, że to jest jeden z takich momentów, w których słowa są niepotrzebne. A ponieważ tak naprawdę słów mi brakło, bo nigdy przedtem nie byłam w takiej sytuacji i nie wiedziałam, jak przejść do czynów, położyłam po prostu rękę tam, gdzie w jego spodniach wyczuwałam twarde zgrubienie. Campbell się odsunął.

– Perełko – szepnął. – Nie chcę, żebyś myślała, że to dlatego tutaj z tobą jestem.

Coś wam powiem: każdy samotnik, choćby się zaklinał, że tak nie jest, pozostaje samotny nie dlatego, że lubi, ale dlatego, że próbował stać się częścią świata, ale nie mógł, bo doznawał ciągłych rozczarowań ze strony ludzi.

– A dlaczego? – zapytałam.

– Bo znasz wszystkie zwrotki „American Pie" – odpowiedział. – Bo kiedy się uśmiechasz, widać prawie ten twój krzywy boczny ząbek. – Spojrzał na mnie. – Bo nigdy w życiu nie spotkałem kogoś takiego jak ty.

– Kochasz mnie? – szepnęłam.

– Przecież właśnie ci to wyznałem.

Tym razem nie odsunął się, kiedy sięgnęłam do guzików w jego dżinsach. Był tak gorący, że aż przestraszyłam się, że poparzy mi dłoń i zostawi bliznę na całe życie. W przeciwieństwie do mnie Campbell wiedział, co robić. Pocałował mnie w usta, a potem wsunął się we mnie, pchnął, przebił na wylot. I wtedy zamarł w bezruchu.

– Nie powiedziałaś mi, że jesteś dziewicą.

– Nie pytałeś.

Ale mógł się domyślić. Zadrżał na całym ciele i poruszył się we mnie. Poezja. Poezja poruszeń. Sięgnęłam ręką ponad głowę, chwytając się płyty nagrobnej, odczytując oczyma duszy napis, który znałam na pamięć: Nora Deane, 1832–1838.

– Perełko – szepnął, gdy już było po wszystkim. – Myślałem...

– Wiem, co myślałeś – przerwałam mu. Co się teraz stanie, zapytałam siebie. Co się dzieje, kiedy ktoś oddaje się komuś jak prezent, a ten drugi człowiek po rozpakowaniu stwierdza, że to wcale nie to, co chciał dostać, ale i tak musi się uśmiechać, kłaniać i dziękować?

Za wszystkie moje niepowodzenia w związkach całkowicie odpowiedzialny jest Campbell Alexander. Aż wstyd się przyznać, ale przez całe życie przespałam się tylko z trzema i pół faceta i żaden z nich nie dostarczył mi o wiele lepszych doznań niż te z pierwszego razu.

– Niech zgadnę – powiedział Siedem. – Pierwszy z nich był porzucony, a drugi żonaty.

– Skąd wiesz?

Siedem zaśmiał się.

– To stary, ograny schemat.

Zamieszałam małym palcem w kieliszku martini. Załamanie światła sprawiało, że palec wyglądał, jakby był wybity.

– Następny był instruktorem windsurfingu.

– To chyba było warto się o niego postarać? – zapytał Siedem.

– Był fantastyczny – odpowiedziałam. – I miał fiuta wielkości frankfurterki.

– Bolesny mankament.

– Szczerze mówiąc – dodałam w zamyśleniu – wcale nie było go czuć.

Siedem wyszczerzył zęby w uśmiechu.

– I to on był tą połową?

– Nie. – Pokręciłam głową, czerwieniejąc jak burak. – To był inny facet. Nie wiem, jak się nazywał – przyznałam się. – Obudziłam się po nocy takiej jak dziś, a on leżał na mnie.

– Twoje życie erotyczne – zawyrokował Siedem – przypomina katastrofę kolejową.

Nie do końca mogłam się z tym zgodzić. Wykolejenie pociągu zawsze następuje przypadkowo; ja natomiast rzucam się wprost pod pędzącą lokomotywę i jeszcze sama się przywiązuję do torów. W moich myślach wciąż pokutuje jakieś pozbawione sensu i logiki przekonanie, że Superman przylatuje na ratunek tylko do tych, których naprawdę trzeba ratować.

Kate Fitzgerald wygląda jak upiór, jakby już czekała, kiedy się nim stanie. Jej skóra jest niemalże przezroczysta, włosy tak jasne, że nie widać ich na poduszce.

– Jak się czujesz, skarbie? – mruczy Brian, schylając się, żeby pocałować ją w czoło.

– Chyba w tym roku nie wystartuję w zawodach siłaczy. – Kate uśmiecha się do ojca.

Anna zatrzymuje się w progu, tuż przede mną, niezdecydowana. Sara wyciąga rękę. Annie nie potrzeba większej zachęty; w mgnieniu oka siedzi już na łóżku Kate. Odnotowuję w myślach ten matczyny gest. Dopiero teraz Sara spostrzega mnie w drzwiach.

– Brian – marszczy brwi – co ta pani tutaj robi?

Czekam, żeby Brian się odezwał, ale on jakoś nie spieszy się z wyjaśnieniami. Wchodzę więc sama do pokoju, przykleiwszy do twarzy uśmiech.

– Podobno Kate ma się już lepiej, pomyślałam więc, że mogłabym z nią porozmawiać.

Kate z wysiłkiem unosi się na łokciach.

– Kim pani jest?

Nastawiałam się na opór raczej ze strony Sary, ale to Anna odzywa się pierwsza.

– Chyba jeszcze nie dziś – mówi, choć przecież dobrze wie, że właśnie po to tutaj przyjechałam. – Kate wciąż nie czuje się najlepiej.

Muszę się przez chwilę zastanowić, ale w końcu udaje mi się zrozumieć Annę: całe jej doświadczenie życiowe wskazuje na to, że kto tylko porozmawia z Kate, zawsze bierze jej stronę. A Annie bardzo zależy na tym, żebym ja pozostała w jej obozie.

– Anna ma rację, proszę pani – dodaje pospiesznie Sara. – Kate dopiero co przeszła przesilenie.

Kładę rękę na ramieniu Anny.

– Nie bój się – uspokajam ją, po czym odwracam się

do jej matki. – Jak rozumiem, to właśnie pani nalegała, żeby rozpatrzenie...

Sara nie daje mi dokończyć.

– Pani Romano, czy możemy zamienić słowo w cztery oczy?

Wychodzimy razem na korytarz. Sara, odczekawszy, aż minie nas pielęgniarka niosąca igły na styropianowej tacce, odzywa się pierwsza:

– Wiem, co pani sobie o mnie myśli.

– Pani Fitzgerald...

Sara potrząsa głową.

– Trzyma pani stronę Anny. Bardzo dobrze. Byłam kiedyś prawnikiem i to rozumiem. Taka jest pani rola; pani drugie zadanie polega na tym, żeby dowiedzieć się, dlaczego nasza rodzina jest taka, jaka jest. – Trze oczy zaciśniętą pięścią. – Natomiast ja mam za zadanie troszczyć się o moje córki. Pierwsza z nich jest ciężko chora, druga – bezgranicznie nieszczęśliwa. Nie przemyślałam jeszcze do końca, jak powinnam postąpić w tej sytuacji, ale wiem, że Kate trudniej będzie powrócić do zdrowia, jeśli się dowie, że odwiedziła ją pani dlatego, że Anna nie wycofała jeszcze pozwu. Niech jej pani tego nie mówi. Proszę.

Powoli kiwam głową. Sara odwraca się do drzwi, przystaje, waha się jeszcze przez chwilę z ręką na klamce.

– Kocham je obie – mówi, stawiając przede mną równanie, które sama będę musiała rozwiązać.

Powiedziałam barmanowi o imieniu Siedem, że prawdziwa miłość nosi wszelkie znamiona przestępstwa.

– Chyba że ma się skończone osiemnaście lat – odparł, zatrzaskując kasę.

Bar zdążył już zrosnąć się ze mną na dobre, stając się drugim tułowiem, podtrzymującym ten pierwszy.

– Cierpienia w miłości – zaczęłam wyliczać. – Zakochany człowiek nie śpi, nie je, niknie w oczach jak torturowany więzień. – Pchnęłam palcem szyjkę pustej butelki w jego stronę. – Kradnie mu się serce.

Siedem przetarł ścierką kontuar przede mną.

– Każdy sędzia wyśmiałby taki pozew.

– Żebyś się nie zdziwił.

Siedem rozwiesił ścierkę na mosiężnej poręczy.

– Moim zdaniem kwalifikuje się to najwyżej jako lekkie wykroczenie.

Oparłam policzek o chłodne wilgotne drewno baru.

– I tu się mylisz – powiedziałam. – Bo blizny po tym pozostają na całe życie.

Brian i Sara zabierają Annę na dół, do stołówki. Zostaję sam na sam z wyraźnie zaciekawioną Kate. Domyślam się, że dziewczyna na palcach obu rąk może policzyć, kiedy matka dobrowolnie zostawiła ją samą. Wyjaśniam jej, że jestem specjalistą od opieki zdrowotnej i pomagam jej rodzicom podjąć decyzje, dotyczące dalszego przebiegu jej leczenia.

– Jest pani z komisji etyki lekarskiej? – zgaduje Kate. – Czy może ze szpitalnej kancelarii prawniczej? Wygląda pani na prawnika.

– A jak według ciebie wygląda prawnik?

– Mniej więcej tak samo jak lekarz, kiedy nie chce powiedzieć, jakie wyniki przyszły z laboratorium.

Przysuwam krzesło do łóżka.

– Cieszę się, że dzisiaj czujesz się już lepiej.

– Wczoraj byłam na niezłym haju – przyznaje Kate. – Dostałam tyle leków, że pomyliłabym czarnoksiężnika z krainy Oz z Ozzym Osbourne'em.

– Czy znasz obecny stan swojego zdrowia?

Kate kiwa głową.

– Po przeszczepie szpiku kostnego przeszłam chorobę Grafta, czyli tak zwaną reakcję „przeszczep przeciwko gospodarzowi". Samo w sobie nie jest to takie złe, bo pomaga wykończyć białaczkę, ale jednocześnie różne śmieszne rzeczy dzieją się ze skórą i różnymi narządami wewnętrznymi. Żeby sobie z tym poradzić, dostawałam sterydy i cyklosporynę, które podziałały jak trzeba, ale przy okazji rozwaliły mi nerki. I to jest rewelacja tego sezonu. Tak jest za każdym razem: zatkaj jedną dziurę w tamie, a zaraz woda tryśnie z innej. We mnie zawsze coś się psuje.

Ton Kate jest rzeczowy, jakbym wypytywała ją o pogodę albo o to, co dziś podano jej na obiad. Mogłabym ją teraz zapytać, czy rozmawiała z nefrologiem na temat przeszczepu nerki, albo o to, co czuje na myśl o różnych bolesnych zabiegach, które ją czekają. Ale Kate spodziewa się właśnie takich pytań, więc decyduję się zagadnąć ją z zupełnie innej beczki.

– Kim chcesz zostać, kiedy dorośniesz?

– Nikt nigdy mnie o to nie pyta. – Kate przygląda mi się uważnie. – Uważa pani, że ja zdążę dorosnąć?

– A ty uważasz, że nie zdążysz? Przecież po to chyba robisz to wszystko, prawda?

Kate milczy tak długo, że tracę już nadzieję, że doczekam się odpowiedzi. W końcu jednak się odzywa:

– Zawsze chciałam być baletnicą. – Unosi wiotką rękę, wykonuje nią gest z arabeski. – Tancerki baletu mają...

Kłopoty z przyswajaniem pożywienia, kończę w myśli.

– ...całkowitą kontrolę nad swoim ciałem. Wiedzą dokładnie, co i kiedy ma się wydarzyć. – Kate wzrusza ramionami, powracając do rzeczywistości, do szpitala. – Nieważne.

– Opowiedz mi o swoim bracie.

Wybuch śmiechu.

– Widzę, że nie miała pani przyjemności go poznać.

– Jeszcze nie.

210

– Żeby wyrobić sobie opinię na jego temat, wystarczy pół minuty. Jesse robi dużo różnych szkodliwych rzeczy.

– To znaczy pije, bierze narkotyki?

– Proszę następne pytanie.

– Rodzina pewnie ciężko to znosi?

– Faktycznie nie jest z nim łatwo, jednak moim zdaniem Jesse nie robi tego celowo. On walczy o to, żeby ktoś zwrócił na niego uwagę. Niech pani sobie wyobrazi wiewiórkę, która mieszka w zoo w jednej klatce ze słoniem. Czy ktoś kiedyś stanie przed tą klatką i powie: „O, jaka fajna wiewiórka"? Nie, bo słoń jest tak wielki, że pierwszy rzuca się w oczy. – Kate przebiega palcami po jednej z rurek wczepionych w jej klatkę piersiową. – Kradzieże w sklepach, alkohol. W zeszłym roku fałszywe listy z wąglikiem. To są wybryki Jessego.

– A Anna?

Kate zaczyna skubać palcami koc, którym jest przykryta.

– Był taki rok, kiedy w każde święto, nawet w maju, w dzień pamięci poległych, musiałam leżeć w szpitalu. Tak wyszło, chociaż przecież nikt tego specjalnie nie zaplanował. Na Boże Narodzenie w moim pokoju stała choinka, na Wielkanoc szukałyśmy jajka w stołówce, a w Halloween ganiałyśmy po ortopedyce i zbierałyśmy cukierki. Anna miała wtedy mniej więcej sześć lat. Wściekła się okropnie, kiedy na Czwartego Lipca nie pozwolili jej przynieść do szpitala zimnych ogni, bo na oddziale leżeli pacjenci pod namiotami tlenowymi. – Kate spogląda na mnie. – Uciekła. Nie zdążyła pobiec nigdzie dalej, ktoś ją przyłapał chyba już na dole, w holu. Powiedziała mi potem, że chciała sobie znaleźć inną rodzinę. Miała tylko sześć lat, więc nikt nie potraktował tego poważnie, ale ja akurat często się zastanawiałam, jak wygląda normalne życie, więc nie dziwię się Annie, że też o tym myślała.

– Jak układają się wasze stosunki, kiedy nie jesteś chora?

– Jesteśmy jak dwie zwykłe siostry. Tak mi się przynajmniej wydaje. Kłócimy się o to, czyich płyt będziemy słuchać, gadamy o przystojnych facetach, podkradamy jedna drugiej dobry lakier do paznokci. Krzyczę na nią, kiedy coś mi podbierze, a kiedy ja wezmę coś od niej bez pytania, ona drze się na cały dom. Czasem jest nam razem super. A czasem żałuję, że w ogóle mam siostrę.

To brzmi tak znajomo, że muszę się uśmiechnąć.

– Ja też mam siostrę bliźniaczkę. Kiedy wygadywałam na nią takie rzeczy jak ty teraz, mama zawsze pytała, czy naprawdę chciałabym być jedynaczką.

– I co?

Śmieję się.

– Cóż... Bywały takie sytuacje, kiedy potrafiłam wyobrazić sobie życie bez siostry.

Kate wcale to nie bawi.

– Widzi pani – odzywa się – u nas to Anna zawsze musiała wyobrażać sobie życie beze mnie.

SARA
1996

Kate w wieku lat ośmiu to istna plątanina rąk i nóg, czasem bardziej podobna do lalki z drutu, przez którą prześwieca słońce, niż do małej dziewczynki. Zaglądam do jej pokoju już po raz trzeci tego ranka, a ona znów wystroiła się inaczej; teraz ma na sobie białą sukienkę z materiału w czerwone wisienki.

– Spóźnisz się na własne przyjęcie urodzinowe – upominam ją.

Kate energicznymi ruchami ściąga sukienkę przez głowę.

– Wyglądam jak lody w pucharku.

– Są gorsze rzeczy – zauważam.

– Którą spódniczkę mam włożyć? Różową czy tę w paski?

Rzucam okiem na dwie barwne kałuże na podłodze.

– Różową.

– A ta w paski? Nieładna?

– Dobrze, niech będzie ta w paski.

– Włożę tę z wisienkami – postanawia Kate i odwraca się, żeby podnieść upuszczoną sukienkę. Na jej udzie widnieje siniak wielkości półdolarówki, wiśniowa plama przebijająca przez pończoszkę.

– Kate – pytam – co to jest?

213

Mała wykręca się, żeby zobaczyć, na co wskazuję.

– To? Chyba sobie nabiłam.

Kate od pięciu lat jest w stanie remisji. Przetoczenie krwi pępowinowej przyniosło oczekiwany skutek, lecz ja z początku i tak czekałam tylko, kiedy ktoś mi powie, że zaszła jakaś pomyłka. Kiedy Kate poskarżyła mi się, że bolą ją stopy, natychmiast zawiozłam ją do doktora Chance'a, pewna, że to ból w kościach, jeden z objawów nawrotu choroby. Okazało się, że wyrosła ze starych tenisówek. Kiedy się przewróciła, to ja, zamiast pocałować ją tam, gdzie się podrapała, pytałam, czy ma dobrą liczbę płytek krwi.

Siniak powstaje na skutek przesączenia się krwi przez tkankę pod skórą, z reguły – lecz nie zawsze – w wyniku uderzenia lub stłuczenia.

Wspomniałam już, że upłynęło całe pięć lat?

W drzwiach pokoju ukazuje się głowa Anny.

– Tata kazał powiedzieć, że przyjechali już pierwsi goście i że jemu jest wszystko jedno, w czym Kate zejdzie na dół, może być nawet włosiennica. Co to jest włosiennica?

Kate wciągnęła już sukienkę z powrotem przez głowę. Podciąga spódniczkę i rozciera siniak.

– No dobra – prycha.

Na dole czeka już dwadzieścioro dwoje jej rówieśników z drugiej klasy, tort w kształcie jednorożca, a w charakterze atrakcji – student z sąsiedztwa, który wiąże z kolorowych balonów miecze, misie i korony na głowę. Kate rozpakowuje prezenty: są tam naszyjniki ze świecących koralików, modele do sklejania, ubranka i różne gadżety dla Barbie. Największe pudełko, prezent ode mnie i od Briana, zostawia na koniec. W pudełku jest kulisty słój, a w nim złota rybka.

Kate zawsze chciała mieć własne zwierzątko. Nie możemy trzymać kota, bo Brian ma alergię na kocią sierść. Pies z kolei wymaga zbyt wiele troski jak na naszą sytuację. Zdecydowaliśmy się więc na rybkę. Kate szaleje z radości. Do końca przyjęcia wszędzie nosi ją ze sobą. Rybka dostaje imię Herkules.

Po skończonej zabawie, kiedy sprzątamy dom, przyłapuję się na tym, że wpatruję się w słój, gdzie lśniąca jak dukat rybka pływa w kółko, zadowolona z tego, że nigdzie się nie wybiera.

Trzydzieści sekund wystarczy, żeby do świadomości dotarło, iż wszystkie plany właśnie wzięły w łeb, że trzeba wykreślić z kalendarza każdą rzecz, którą miało się odwagę w nim zapisać, kpiąc przy tym z losu. Następne trzydzieści sekund przynosi pogodzenie z faktem, że nie mamy zwyczajnego życia, choćbyśmy nawet uwierzyli tym, którzy starali nam się to wmówić.

Rutynowe badanie szpiku kostnego, którego termin wyznaczono na długo przed pojawieniem się tego siniaka, wykazało obecność nieprawidłowych promielocytów. Przeprowadzony później test metodą łańcuchowej reakcji polimerazowej, czyli analiza DNA, ujawnił u naszej Kate translokację w chromosomie 15 i 17.

To wszystko oznacza, że nastąpił nawrót na poziomie komórkowym, a co za tym idzie, tylko patrzeć, jak pojawią się objawy kliniczne. Być może jeszcze przez cały miesiąc badania nie wykażą obecności blastów. Może przez cały rok Kate nie będzie miała krwiomoczu ani krwistych stolców. W końcu jednak to nastąpi. Nie da się tego uniknąć.

Nawrót. W ich ustach to słowo brzmi tak zwyczajnie jak „urodziny" albo „termin zapłaty podatku". To część ich pracy, nieodłącznie wpisana w rozkład zajęć.

Doktor Chance wyjaśnił nam, że to właśnie jest temat jednej z wielkich debat toczonych obecnie przez specjalistów onkologów: czy lepiej naprawiać sprawne koło, czy czekać, aż cały wóz się przewróci? Doradza nam, żebyśmy zdecydowali się na leczenie kwasem all-trans-retinowym, czyli tretinoiną. Podaje się go w tabletkach wielkości połowy mojego kciuka. Jego formułę zawdzięczamy – lepiej chyba powiedzieć: ukradliśmy – starożytnym chińskim lekarzom, którzy stosowali ten środek przez długie lata. W odróżnieniu od leczenia chemioterapią, która zabija wszystko, co stanie jej na drodze, tretinoina kieruje się wprost do chromosomu 17, a ponieważ to właśnie translokacja w chromosomie 15 i 17 uniemożliwia właściwe dojrzewanie promielocytów, tretinoina pomaga rozwinąć poplątane geny... i powstrzymać dalsze mutacje.

Doktor Chance mówi, że dzięki tretinoinie być może uda się doprowadzić do ponownej remisji.

Kate jednak może uodpornić się na ten środek.

– Mamo... – Do salonu wchodzi Jesse, zastając mnie siedzącą na kanapie. Tkwię tutaj już od kilku godzin. Nie mogę się zmusić, żeby wstać i zabrać się do domowych obowiązków. Bo przecież to wszystko nie ma sensu. Po co robić dzieciom kanapki do szkoły, obszywać im spodnie, po co nawet płacić rachunki za ogrzewanie?

– Mamo – powtarza Jesse. – Chyba nie zapomniałaś, co?

Patrzę na niego i nie rozumiem. Zupełnie jakby mówił po chińsku.

– O czym?

– Powiedziałaś, że jak pójdziemy do ortodonty, to potem kupisz mi nowe korki. Obiecałaś.

Obiecałam. Obiecałam, bo za dwa dni zaczynają się mecze, a Jesse wyrósł już ze swoich starych korków. Ale w tej chwili nie wiem, czy znajdę w sobie tyle siły, żeby zwlec się z kanapy i pojechać z nim do przychodni, gdzie recepcjonistka jak zwykle uśmiechnie się do Kate, a mnie powie, że mam śliczne dzieciaki. A już wyprawa do sklepu sportowego wydaje mi się po prostu grubą nieprzyzwoitością.

– Odwołam wizytę u ortodonty – mówię.

– Fajnie! – Jesse błyska srebrem na zębach. – To od razu pojedziemy po korki?

– To nie jest najlepszy moment.

– Ale...

– Jesse. Daj... mi... spokój.

– Nie mogę grać, jak nie będę miał nowych butów. A ty i tak nic nie robisz, tylko siedzisz.

– Twoja siostra – mówię opanowanym tonem – jest bardzo ciężko chora. Przykro mi, jeśli to koliduje z twoją wizytą u dentysty i z zakupem nowej pary korków. Te sprawy w żadnym razie nie są w tej chwili na pierwszym planie. Poza tym wydaje mi się, że skoro masz już dziesięć lat, to mógłbyś wreszcie dorosnąć na tyle, żeby móc zrozumieć, że cały świat nie kręci się wokół ciebie.

Jesse rzuca spojrzenie za okno, przez które widać Kate siedzącą okrakiem na gałęzi dębu. Na trawie stoi Anna, słuchając wskazówek starszej siostry; dziś jest lekcja chodzenia po drzewach.

– Właśnie widać, jaka ona chora – mówi Jesse z przekąsem. – A może to ty byś w końcu dorosła, co? Może to ty nie możesz zrozumieć, że cały świat nie kręci się dookoła niej?

Po raz pierwszy w życiu zaczynam rozumieć, jak można uderzyć dziecko. Bo patrzę w oczy mojego syna i widzę w nich samą siebie, odbicie, którego wcale nie chcę oglądać. Jesse biegnie na górę do swojego pokoju i zatrzaskuje za sobą drzwi.

Zamykam oczy i robię kilka głębokich wdechów. I nagle uderza mnie myśl: nie wszyscy umierają ze starości. Ludzie giną pod kołami samochodów, w katastrofach lotniczych, można się udławić fistaszkiem. Na tym świecie nie ma nic pewnego, a już najmniej pewna jest przyszłość.

Z ciężkim westchnieniem wchodzę po schodach, pukam do drzwi pokoju syna. Jesse niedawno odkrył muzykę; dźwięki sączą się przez jasną szparę wzdłuż progu. Słysząc pukanie, przycisza piosenkę.

– Czego chcesz?

– Porozmawiać. Chciałam cię przeprosić.

Ze środka dobiega rumor, a po chwili Jesse szeroko otwiera drzwi. Na jego wargach widnieją plamy krwi, upiorna wampirza szminka; z ust sterczą kawałki drutu, jak szpilki w ustach krawcowej. W ręce trzyma widelec, którym porozrywał aparat korekcyjny.

– Teraz już nigdzie nie musisz ze mną jeździć – mówi krótko.

Kate już od dwóch tygodni bierze tabletki z tretinoiną. Siedzimy wszyscy przy stole; Kate o tej porze dostaje lekarstwo.

– Wiecie, co wyczytałem? – mówi Jesse. – Żółwie olbrzymie żyją sto siedemdziesiąt siedem lat. – Właśnie odkrył książkę z serii „Czy wiecie, że...". Zwariował na jej punkcie. – A małże arktyczne żyją dwieście dwadzieścia lat.

– Co to są małże arktyczne? – pyta Anna.

– Nieważne – mówi Jesse. – Papugi żyją osiemdziesiąt lat. Koty trzydzieści.

– A Herkules? – pyta Kate.

– W książce piszą, że w dobrych warunkach, przy odpowiedniej opiece, złote rybki żyją siedem lat.

Jesse przygląda się, jak Kate kładzie tabletkę na języku i popija wodą.

– Gdybyś była złotą rybką – mówi – już byś nie żyła.

Siadamy z Brianem na krzesłach w gabinecie doktora Chance'a. Minęło pięć lat, ale te znajome siedzenia są jak stara baseballowa rękawica, idealnie dopasowane. Zdjęcia na biurku też się nie zmieniły: żona lekarza wciąż ma na głowie kapelusz z szerokim rondem i stoi na molo w Newport, zbudowanym wprost na skałach, a jego syn zatrzymał się w wieku sześciu lat. Nadal trzyma w rękach tego cętkowanego pstrąga, co dodatkowo pogłębia wrażenie, że tak naprawdę nie ruszyliśmy się z tego pokoju nawet na krok.

Kuracja tretinoiną dała efekty. Przez miesiąc Kate wykazywała oznaki remisji na poziomie komórkowym. A potem w rozmazie krwi znów wykryto promielocyty.

– Możemy dalej podawać jej tretinoinę, w innych dawkach – mówi doktor Chance – ale moim zdaniem obecne niepowodzenie tej kuracji nie daje wielkich szans. Ta droga jest już zamknięta.

– A przeszczep szpiku kostnego?

– To ryzykowny zabieg, szczególnie u dziecka, które w dodatku nie wykazało pełnych objawów klinicznych nawrotu choroby. – Doktor Chance przygląda się nam. – Najpierw warto by spróbować czegoś innego. Nazywamy to wlewem limfocytów dawcy. Czasami dzieje się tak, że zastrzyk świeżych białych krwinek od zgodnego dawcy pomaga pierwszej grupie komórek, tej pochodzącej z przeszczepu krwi pępowinowej, w walce z komórkami białaczkowymi. To jakby taka armia odwodowa, wspierająca front bitwy.

– Czy to doprowadzi do remisji? – pyta Brian.

Doktor Chance potrząsa głową.

– To tylko tymczasowe rozwiązanie. Całkowity nawrót choroby wedle wszelkiego prawdopodobieństwa i tak nastąpi, ale dzięki takiemu działaniu Kate zyska na czasie i będzie mogła przygotować się odpornościowo na bardziej agresywną kurację.

– Ale ile zajmie sprowadzenie limfocytów do szpitala? – pytam.

Doktor Chance odwraca się do mnie.

– To zależy. Kiedy możecie przywieźć do nas Annę?

Drzwi windy się otwierają. W środku jest tylko jeden pasażer, bezdomny w opalizujących niebieskich okularach na nosie. Dookoła niego leży sześć plastikowych toreb wypchanych szmatami.

– Zamykać drzwi, do diabła! – krzyczy, zanim zdążymy wejść. – Nie widać, że jestem ślepy?

Naciskam przycisk parteru.

– Jutro zajęcia w przedszkolu kończą się w południe.

– Zejdź mi z torby! – ryczy bezdomny.

– Nawet jej nie dotknęłam – odpowiadam grzecznie, nieobecna myślami.

– A może jednak... – zaczyna Brian.

– Przecież stoję sto metrów od niego!

– Saro, ja nie o tym. Chodzi mi o ten wlew limfocytów. Nie możesz wymagać od Anny, żeby oddała siostrze krew.

Nagle, bez żadnego powodu, winda staje na jedenastym piętrze. Drzwi otwierają się, a potem zamykają z powrotem.

Bezdomny zaczyna szperać w swoich torbach.

– Kiedy Anna się urodziła – przypominam mężowi – mieliśmy pełną świadomość, że będzie dawcą dla Kate.

– Tak. Jeden raz. Poza tym ona tego nie pamięta.

Milczę, dopóki Brian nie spojrzy na mnie.

– Oddałbyś Kate swoją krew?

– Jezu, Saro, co za pytanie...

– Ja też bym oddała. Oddałabym jej połowę serca, przysięgam, gdyby to mogło jej pomóc. Człowiek zrobi wszystko, co trzeba, żeby ratować tych, których kocha, tak? – Brian pochyla głowę i po chwili kiwa nią potakująco. – Więc czemu sądzisz, że Anna myśli inaczej?

Drzwi kabiny otwierają się, ale my nie ruszamy się z miejsca. Stoimy, patrząc na siebie. Bezdomny przepycha się między nami, niosąc na rękach swoje skarby, upchnięte w szeleszczących torbach.

220

– Przestańcie się drzeć! – krzyczy, chociaż żadne z nas nie powiedziało ani słowa. – Jestem głuchy, nie widać?

Dla Anny ten dzień to święto. Mama i tata zabrali ją na wycieczkę. Ją i tylko ją. Może trzymać nas oboje za ręce, kiedy powoli idziemy przez parking. Co z tego, że przyjechaliśmy do szpitala?

Wytłumaczyłam jej, że Kate jest chora i żeby znów była zdrowa, panowie doktorzy potrzebują czegoś, co ma Anna. Wezmą to od niej i dadzą Kate. Moim zdaniem więcej informacji nie było konieczne.

Siedzimy w sali do badań i czekamy na lekarza. Kolorujemy rysunki prehistorycznych gadów – pterodaktyli i tyranozaurów.

– A dziś przy jedzeniu Ethan powiedział, że dinozaury umarły, bo się wszystkie przeziębiły – opowiada Anna – ale i tak nikt mu nie uwierzył.

Brian uśmiecha się szeroko.

– A jak ty sądzisz? Dlaczego dinozaury wymarły?

– Bo... ee... bo miały milion lat. – Anna spogląda na tatę. – A były wtedy urodziny?

W drzwiach staje hematolog.

– Witam wszystkich – mówi, wchodząc do sali. – Mama potrzyma córeczkę na kolanach, tak?

Siadam więc na stole do badań i biorę Annę na ręce. Brian staje obok, tak żeby mógł w razie potrzeby przytrzymać ją za ramię i za nogę.

– Gotowa? – To pytanie do Anny, która wciąż jeszcze się uśmiecha.

A potem lekarz bierze do ręki strzykawkę.

– Jedno maleńkie ukłucie – obiecuje. Źle. Nie te słowa. Anna momentalnie zaczyna się rzucać. Jej ręce biją mnie po twarzy, po brzuchu. Brian nie może jej złapać. Przez wrzaski małej przebija się jego krzyk:

– Miałaś jej o wszystkim powiedzieć!

Do sali powraca lekarz; nawet nie zauważyłam, że wyszedł. Prowadzi ze sobą kilka pielęgniarek.

– Dzieci nie lubią zastrzyków, zastrzyki nie lubią dzieci – żartuje. Pielęgniarki zabierają Annę z moich rąk. Ich łagodne głosy i jeszcze łagodniejszy dotyk szybko uspokajają dziecko.

– Nie bój się – mówią. – My się na tym dobrze znamy.

Déjà vu. Patrzę na tę scenkę i widzę Kate tego dnia, kiedy wykryto u niej białaczkę. Ostrożnie z życzeniami, myślę. Anna naprawdę jest taka sama jak jej siostra.

Odkurzam pokój dziewczynek. Nagle niechcący zawadzam rączką odkurzacza o akwarium. Herkules śmiga w powietrzu. Słój ocalał, ale odszukanie rybki rzucającej się na suchej podłodze pod biurkiem Kate zajmuje mi dłuższą chwilę.

– Trzymaj się, kolego – szepczę, wrzucając go do wody. Zabieram słój do łazienki i dolewam wody do pełna.

Herkules wypływa brzuchem do góry. Tylko nie to, błagam w myślach.

Przysiadam na skraju łóżka. Jak ja teraz powiem Kate, że zabiłam jej rybkę? A może mała nie zauważy, jeśli szybko pobiegnę do sklepu i przyniosę drugą taką samą?

Nagle obok mnie jak spod ziemi wyrasta Anna. Akurat wróciła z porannych zajęć w przedszkolu.

– Mamusiu, a dlaczego Herkules nie pływa?

Wyznanie winy mam już na końcu języka, ale w tym momencie rybka nagle przewraca się z boku na bok, daje nurka i po chwili zaczyna z powrotem krążyć dookoła swojej kuli.

– No widzisz – mówię. – Nic mu nie jest.

Pięć tysięcy limfocytów to za mało. Doktor Chance prosi o dziesięć. Termin pobrania krwi wypada w samym środku przyjęcia urodzinowego koleżanki z klasy Anny. Przyjęcie ma się odbyć w klubie gimnastycznym, na sali do ćwiczeń. Pozwalam Annie pójść tam na chwilę, złożyć życzenia, a potem jedziemy prosto do szpitala.

Solenizantka wygląda jak krucha księżniczka z porcelany; jest kopią swojej mamy w miniskali. Zsuwam z nóg pantofle i stąpam ostrożnie po miękkiej macie, rozpaczliwie usiłując przypomnieć sobie ich imiona. Mała nazywa się... Mallory. A mama? Monica? Margaret?

Od razu dostrzegam Annę. Siedzi razem z trenerką na batucie; obie podskakują jak popcorn na patelni. Mama Mallory podchodzi do mnie z uśmiechem rozpiętym na twarzy jak sznur światełek choinkowych.

– Pani jest pewnie mamą Anny. Nazywam się Mittie – przedstawia się. – Tak mi przykro, że Anna musi już iść. Oczywiście rozumiemy sytuację. To wspaniałe, że otrzyma pani szansę, aby dotrzeć tam, gdzie było tak niewielu.

Chodzi jej o szpital?

– Szczerze życzę, żeby pani nigdy to nie spotkało – mówię.

– Tak, tak, wiem. Ja już w windzie dostaję zawrotów głowy. – Pani Mittie odwraca się, wołając w kierunku batutu: – Aniu, kochanie! Twoja mama przyszła!

Anna biegnie do nas po miękkich matach. Kiedy moje dzieci były małe, marzyłam, żeby w naszym salonie była taka podłoga, ściany, nawet sufit, żeby nic nie mogło im się stać. A co się okazało? Że mogę zapakować Kate jak komplet kruchego szkła i nic to nie da, bo największe zagrożenie czai się w środku, pod samą jej skórą.

– Co się mówi? – przypominam Annie. Mała dziękuje mamie Mallory.

– Proszę bardzo. – Mittie uśmiecha się i wręcza Annie na pożegnanie torebkę słodyczy. – Proszę przekazać mężowi, żeby dzwonił do nas, kiedy tylko będzie potrzebował. Z przyjemnością zaopiekujemy się Anną, dopóki pani nie wróci z Teksasu.

Anna zamiera, nie dokończywszy wiązania butów.

– Co właściwie powiedziała pani moja córka? – pytam.

– Że musi wyjść dziś tak wcześnie, bo cała rodzina odprowadza panią na lotnisko. W Houston zaczynają się szkolenia i treningi, więc zobaczy się pani z rodziną dopiero po powrocie na Ziemię.

– Jak to: po powrocie na Ziemię?

– Bo leci pani promem kosmicznym...?

Przez chwilę stoję jak wryta. Nie mieści mi się w głowie, że Anna mogła wymyślić podobną bzdurę, a tym bardziej że ta kobieta w nią uwierzyła.

– Nie jestem astronautką – mówię. – Nie wiem, dlaczego córka naopowiadała pani takich rzeczy.

Chwytam Annę za ramię i podrywam z ławki, chociaż nie skończyła jeszcze wiązać drugiego buta. Wychodzimy na zewnątrz. Odzywam się dopiero przy samochodzie.

– Dlaczego nakłamałaś tej pani?

Anna patrzy na mnie. Minę ma nadąsaną.

– A dlaczego nie mogłam zostać dłużej?

Bo twoja siostra jest ważniejsza od tortu i lodów. Bo ja nie mogę zrobić dla niej tego co ty. Bo tak powiedziałam i koniec.

Jestem taka zła, że dopiero za drugim razem udaje mi się otworzyć samochód.

– Przestań się zachowywać, jakbyś miała pięć lat – wypominam Annie, zanim zdążę sobie przypomnieć, że przecież tyle właśnie ma.

– Temperatura była taka – opowiada Brian – że stopił się srebrny serwis do herbaty. Ołówki na biurku były zgięte wpół.

Odrywam wzrok od gazety.

– Kto zaprószył ogień?

– Właściciele wyjechali na wakacje. Zostawili w domu psa i kota. Zwierzaki ganiały się po mieszkaniu i włączyły kuchenkę elektryczną. – Zsuwa spodnie, krzywiąc się z bólu. – Od samego klęczenia na dachu dostałem poparzeń drugiego stopnia.

Jego kolana są całe w pęcherzach i płatach schodzącej skóry. Brian spryskuje poparzenia neosporinem i zakłada opatrunek z gazy, opowiadając mi przy tym o nowym koledze z zespołu, świeżo upieczonym absolwencie szkoły pożarniczej. Mówią na niego Cezar. Przestaję słuchać, kiedy wpada mi w oko jeden list od czytelniczki, zamieszczony w dziale porad:

Proszę o radę. Moja teściowa przy każdej wizycie w naszym domu zwraca mi uwagę, że powinnam wyczyścić lodówkę. Mąż mówi, że to z życzliwości, ale ja czuję się przez nią oceniana. Ta kobieta niszczy mi życie. Jak mogę się jej przeciwstawić, nie niszcząc przy tym mojego małżeństwa?

Pozdrawiam
Czytelniczka z Seattle

Co to za kobieta, która nie ma większych problemów? Wyobrażam ją sobie, pochyloną nad kartką czerpanego papieru listowego, skrobiącą na niej swoją prośbę o poradę w tej ważnej sprawie. Ciekawe, czy ta kobieta nosiła kiedyś pod sercem dziecko, czy czuła dotyk maleńkich rączek i nóżek starannie obmacujących każdy centymetr brzucha mamy, jakby to była kraina, którą należy dokładnie wymierzyć, aby wykreślić jej mapę.

– W co się tak wczytujesz? – pyta Brian, zerkając mi przez ramię.

Potrząsam głową z niedowierzaniem.

– Kobieta pisze, że jej życie wali się w gruzy z powodu głupich weków.

– A może skwaśniałej śmietany? – Brian chichocze.

– Albo oślizgłej sałaty. Jak ta biedaczka z tym wytrzymuje?

Oboje wybuchamy śmiechem, który jest tak zaraźliwy, że wystarczy nam jedno spojrzenie na siebie, żeby zacząć śmiać się jeszcze głośniej.

A po chwili wesołość gaśnie tak samo nagle, jak się zaczęła. Nie wszyscy ludzie żyją w świecie, w którym zawartość lodówki jest barometrem szczęśliwego pożycia. Niektórzy mają pracę polegającą na wchodzeniu do płonących budynków. A inni mają umierającą córeczkę.

– Zasrana oślizgła sałata – mówię łamiącym się głosem. – To niesprawiedliwe.

Brian w mgnieniu oka przemyka przez pokój. Jedna chwila i już jestem w jego ramionach.

– Na tym świecie nie ma sprawiedliwości, kochanie – odpowiada.

Mija kolejny miesiąc. Musimy jeszcze raz jechać do szpitala, na trzecie pobranie limfocytów. Anna i ja siadamy w gabinecie lekarskim i czekamy, aż nas poproszą na zabieg. Po kilku minutach czuję pociągnięcie za rękaw.

– Mamusiu – mówi Anna.

Spoglądam na nią. Siedzi na krześle, wymachując nogami. Paznokcie ma pomalowane; Kate pożyczyła jej lakier na poprawę humoru.

– Co? – pytam.

Anna uśmiecha się do mnie.

– Chcę powiedzieć ci już teraz, gdybym potem zapomniała: wcale nie było tak strasznie, jak się spodziewałam.

Pewnego dnia, zupełnie niezapowiedzianie, zjawia się u nas moja siostra i porywa mnie ze sobą. Okazuje się, że umówiła się z Brianem: on zostaje z dziećmi, a ona zabiera mnie na wycieczkę do Bostonu. Zatrzymujemy się w hotelu Ritz-Carlton, w apartamencie na ostatnim piętrze.

– Będziemy robić, co tylko zechcesz – mówi Zanne. – Możemy iść do muzeum, zwiedzić zabytki na Szlaku Wolności, zjeść obiad gdzieś w porcie...

Ale ja marzę tylko o jednym: zapomnieć. Mijają trzy godziny, a my siedzimy na podłodze i kończymy drugą butelkę wina za sto dolarów sztuka.

Unoszę butelkę, trzymając ją w palcach za szyjkę.

– Mogłabym za to kupić sobie sukienkę.

– Chyba w tanich ciuchach – parska moja siostra, rozwalona na białym dywanie, z nogami na obitym brokatem krześle. Z ekranu telewizora Oprah Winfrey doradza, że należy żyć z umiarem. – Poza tym pomyśl o tym, że od wina, dajmy na to, marki Pinot Noir, nie sposób utyć.

Spoglądam na nią, myślę o sobie i nagle robi mi się straszliwie smutno.

– Tylko nie to – woła Zanne. – Nie będziesz mi tutaj płakać. Za płakanie w hotelu płaci się ekstra.

Nagle jedna myśl wypiera mi z głowy wszystkie inne: jakże głupi są ci goście w programie Oprah, te kobiety sukcesu z wypełnionymi terminarzami i szafami zapchanymi po brzegi. Wracam myślą do domu. Ciekawe, co Brian zrobił dziś na obiad. A Kate? Czy dobrze się czuje?

227

– Zadzwonię do nich.

Suzanne unosi się na łokciu.

– Masz święte prawo wyrwać się stamtąd na trochę. Żaden męczennik nie ma obowiązku umartwiać się od świtu do nocy.

Jestem odmiennego zdania.

– Macierzyństwo to taki zawód, w którym nie można pracować na zmiany.

– A matka – śmieje się Zanne – to nie męczennica.

Uśmiecham się blado.

– Tak uważasz?

Siostra wyjmuje mi słuchawkę z ręki.

– To może najpierw wyciągnij z walizki tę swoją koronę cierniową i wystrój się w nią, co? Posłuchaj siebie samej przez chwilę i przestań tak dramatyzować. Tak, to prawda, miałaś w życiu cholernego pecha. Tak, to prawda, trudno ci zazdrościć.

Czuję, jak rumieńce biją mi na policzki.

– Nie masz pojęcia, jak wygląda moje życie.

– Ty też nie – wypala Zanne – bo to wcale nie jest życie. To oczekiwanie na śmierć Kate.

– Nieprawda... – zaczynam, ale milknę. Bo to jest prawda.

Zanne głaszcze mnie po włosach i pozwala się wypłakać.

– Czasami tak mi ciężko... – wyznaję jej to, do czego nie przyznałam się nigdy i nikomu, nawet Brianowi.

– Byłoby ci lżej, gdybyś od czasu do czasu zrobiła sobie małą przerwę – mówi Zanne. – Zrozum, kochana, że Kate nie umrze wcześniej tylko dlatego, że mama wypije sobie jeszcze kieliszek wina, spędzi jedną noc w hotelu albo uśmieje się z kiepskiego kawału. Siadaj na tyłku, weź pilota, zrób głośniej i zachowuj się jak normalny człowiek.

Rozglądam się po tym pokoju, kapiącym bogactwem, patrzę na nasze dekadenckie przekąski: wino i truskawki w czekoladzie.

– Zanne – ocieram oczy – normalni ludzie tak nie robią.

Siostra podąża za moim wzrokiem.

– Masz całkowitą rację. – Bierze do ręki pilota i skacze po kanałach, dopóki nie trafi na program Jerry'ego Springera. – Może być?

Parskam śmiechem. Po chwili Suzanne dołącza do mnie i nie trzeba wiele czasu, a już leżymy na dywanie, wpatrując się w ząbkowane gzymsy dookoła sufitu, a cały pokój wiruje dookoła nas. Ni stąd, ni zowąd przypominam sobie, że kiedy byłyśmy dziećmi, to w drodze na przystanek autobusowy moja siostra zawsze szła przodem. Mogłam podbiec i dogonić ją, ale nigdy tego nie zrobiłam. Wystarczyło mi, że idę za nią. Nie chciałam niczego więcej.

Śmiech wlewa się przez otwarte okna, faluje dookoła niczym mgła. Po trzech dniach ulewnych deszczów dzieci mogły nareszcie wyjść na dwór. Są w siódmym niebie. Uganiają się z Brianem za piłką. Nasze życie w chwilach normalności potrafi być zwyczajne aż do znudzenia.

Z naręczem upranych ubrań zakradam się do pokoju Jessego, lawirując pomiędzy porozrzucanymi po całej podłodze komiksami i klockami lego. Kładę czyste rzeczy na łóżku i idę do pokoju Kate i Anny, żeby porozdzielać ich bieliznę, wymieszaną w praniu.

Kiedy układam koszulki Kate na jej komodzie, mój wzrok pada na słój; Herkules pływa do góry brzuchem. Wkładam rękę do wody i odwracam go, trzymając za ogon. Kilka machnięć płetwami i znów to samo: Herkules wypływa na powierzchnię, poruszając pyszczkiem i błyskając białym brzuchem.

Przypominam sobie słowa Jessego: przy odpowiedniej opiece złota rybka żyje siedem lat. Nasza przeżyła siedem miesięcy.

Przenoszę słój do swojego pokoju i dzwonię do informacji. Proszę o numer sklepu zoologicznego. Kiedy odbiera sprzedawczyni, pytam ją o Herkulesa.

– To znaczy, że chce pani kupić nową rybkę?

– Nie. Chcę odratować tę, którą kupiłam.

– Proszę pani – mówi dziewczyna – przecież to tylko złota rybka.

Dzwonię więc kolejno do trzech weterynarzy, lecz żaden z nich nie zna się na rybach. Przez chwilę jeszcze przyglądam się Herkulesowi, którym wstrząsają śmiertelne drgawki, a potem dzwonię na wydział oceanografii uniwersytetu stanowego i proszę o połączenie z jakimkolwiek profesorem, który może w tej chwili odebrać telefon.

Doktor Orestes przedstawia się jako badacz fauny brzegowej. Jego dziedzina to mięczaki, skorupiaki i jeżowce, nie złote rybki, ale mimo to zaczynam mu opowiadać o mojej córce, która cierpi na bardzo ostrą odmianę białaczki, i o Herkulesie, który już kiedyś przeżył beznadziejny, zdawałoby się, kryzys.

Badacz fauny morskiej milczy przez chwilę.

– Czy woda była zmieniana?

– Tak, dziś rano.

– Przez ostatnich kilka dni padały u państwa bardzo silne deszcze, prawda?

– Tak.

– Mają państwo studnię głębinową?

A co to ma do rzeczy?

– Mamy...

– Wydaje mi się, że przy takich opadach woda w państwa studni ma zbyt wiele minerałów. Proszę napełnić akwarium wodą butelkowaną, może rybka odżyje.

Opróżniam więc akwarium Herkulesa, szoruję jego ścianki i wlewam dwa litry wody mineralnej. Herkules ożywia się, choć dopiero po dwudziestu minutach. Zaczyna pływać, krąży pomiędzy liśćmi sztucznej roślinki, podszczypuje karmę.

Pół godziny później Kate zastaje mnie nad słojem, pochłoniętą obserwacją Herkulesa.

– Nie musiałaś zmieniać mu wody. Zrobiłam to dziś rano.

– Nie wiedziałam – kłamię.

Kate przyciska twarz do szklanej ścianki. Jej uśmiechnięta buzia powiększa się jak pod lupą.

– Jesse mówi, że złote rybki potrafią skupić uwagę tylko przez dziewięć sekund – opowiada mi – ale mnie się wydaje, że Herkules mnie rozpoznaje.

Dotykam jej włosów, myśląc o tym, czy wykorzystałam już swój limit cudów.

ANNA

Reklamówki potrafią wbić człowiekowi do głowy różne bzdury: że miód brazylijskich pszczół można stosować jako wosk do depilacji, że istnieją noże zdolne przeciąć metal, że pozytywne myślenie naprawdę dodaje skrzydeł, na których można polecieć, dokądkolwiek dusza zapragnie. Dzięki przejściowemu okresowi dokuczliwej bezsenności i stanowczo zbyt natężonemu katowaniu się programem Tony'ego Robbinsa z cyklu „Obudź w sobie olbrzyma" postanowiłam pewnego dnia, że zmuszę się, aby wyobrazić sobie mój świat po śmierci Kate. Tony zaklinał się, że dzięki temu, kiedy to naprawdę nastąpi, będę przygotowana.

Pracowałam nad tym całymi tygodniami. Trzymanie się myślami przyszłości jest trudniejsze, niż się wydaje, zwłaszcza kiedy przed samym nosem paraduje ci siostra, upierdliwa jak zawsze. Wymyśliłam sposób, żeby sobie z tym poradzić: udawałam, że to jej duch, który mnie nawiedza. Kiedy przestałam się do niej odzywać, Kate zaczęła myśleć, że zrobiła coś nie tak; pewnie faktycznie miała coś na sumieniu. Jeśli chodzi o mnie, to bywały dni, kiedy płakałam od rana do wieczora. Zdarzały się dni, że czułam się, jakbym połknęła kilo ołowiu, i takie, kiedy z zapałem wstawałam, ubierałam się, słałam łóżko i wkuwałam słówka do szkoły – tylko dlatego, że do tego najłatwiej było mi się zabrać. Ale od czasu do czasu pozwalałam sobie uchylić rąbka żałobnej woalki. Wtedy przychodziły mi do głowy zupełnie nowe pomysły. Wyobrażałam sobie na przykład, że studiuję oceanografię na uniwersytecie stanowym na Hawajach. Że trenuję akrobacje spadochronowe. Że przeprowadzam się do Pragi. Starałam się wpasować w różne role, lecz czułam się tak, jakbym zmuszała się do chodzenia w tenisówkach, które są o dwa numery za małe: można w nich zrobić kilka kroków, ale potem szybko trzeba usiąść i ściągnąć but, bo każdy następny krok sprawia wielki ból. Jestem przekonana, że w moim mózgu siedzi cenzor z czerwoną pieczątką i za każdym razem przypomina mi, że o pewnych rzeczach, choćby były nie wiadomo jak kuszące, nie wolno mi nawet pomyśleć.

W sumie to chyba nawet dobrze, bo coś mi się wydaje, że gdyby naprawdę udało mi się zobaczyć siebie samą bez Kate wpisanej w mój portret, to ten widok by mi się nie spodobał. Ani trochę.

Siedzę razem z rodzicami przy stoliku w szpitalnej stołówce. Mówię „razem" w dość ogólnym znaczeniu tego słowa. Jesteśmy raczej jak troje astronautów w próżni; każde z nas ma własny hełm i niezależny zbiornik powietrza do oddychania. Na stole stoi małe prostokątne pudełko pełne torebek z cukrem. Mama układa je z bezlitosną konsekwencją: najpierw zwykłe, potem słodzik, a na końcu nierafinowane gruzełki brązowego cukru. W końcu podnosi na mnie wzrok i odzywa się:

– Kotku...

Dlaczego te pieszczotliwe nazwy zawsze wywodzą się od zwierząt? Kotku, rybko, misiaczku, żabciu – czy to ma znaczyć, że człowiekowi wystarczy tyle troski co zwierzęciu domowemu?

– Wiem, co chcesz osiągnąć – ciągnie mama. – Zgadzam się, że należy ci się z naszej strony trochę więcej uwagi. Naprawdę nie musimy słyszeć o tym od sędziego.

Serce podchodzi mi do gardła, czuję je jak miękką gąbkę na dnie przełyku.

– Czyli że to wszystko może się skończyć?

Uśmiech mamy jest jak pierwszy słoneczny dzień w marcu, kiedy po wydającej się nie mieć końca zimie nagle powraca zapomniane ciepło na odsłoniętych łydkach i odkrytej głowie.

– O tym właśnie mówię – potakuje mama.

Koniec z krwiodawstwem. Koniec z granulocytami, limfocytami, komórkami macierzystymi, koniec planów dotyczących nerki.

– Mogę sama powiedzieć o tym Kate – ofiaruję się – żebyście wy nie musieli.

– Nie będzie trzeba. Wystarczy, że sędzia DeSalvo się dowie i będzie tak, jakby nic się nie stało.

W mojej głowie zaczyna cichutko dzwonić alarm.

– Ale... czy Kate nie będzie pytać, dlaczego przestałam być jej dawcą?

Mama nieruchomieje.

– Mówiąc „skończyć", miałam na myśli ten twój proces.

Z całych sił potrząsam głową. To ma być odpowiedź, a jednocześnie chcę w ten sposób wyrzucić z siebie słowa, które stoją mi ością w gardle.

– Anno, na miłość boską – mama jest wprost zszokowana – co my ci zrobiliśmy, że tak nas traktujesz?

– Nic.

– Więc czego w takim razie nie zrobiliśmy?

– Ty mnie w ogóle nie słuchasz! – podnoszę głos i akurat w tym samym momencie obok naszego stolika staje zastępca szeryfa Vern Stackhouse. Wodzi wzrokiem po mnie i rodzicach. W końcu udaje mu się przywołać na twarz uśmiech.

– Widzę, że pojawiam się nie w porę. Przepraszam. – Podaje mamie kopertę, po czym skinąwszy nam głową, odchodzi.

Mama otwiera kopertę. Przebiega oczami pismo i zwraca się wprost do mnie rozkazującym tonem:

– Co ty mu nagadałaś?

– Komu?

Tata bierze do ręki zawiadomienie, które równie dobrze mogłoby być napisane po chińsku, gdyż jest pełne żargonu prawniczego.

– Co to jest? – pyta.

– Wniosek o wydanie tymczasowego zakazu kontaktów z Anną. – Mama wyrywa mu papier z ręki. – Czy ty zdajesz sobie sprawę, że żądasz, aby wyrzucono mnie z domu? Tego właśnie chcesz?

Wyrzucono z domu? Nagle brak mi tchu.

– Nigdy o to nie prosiłam.

– Żaden adwokat nie złożyłby takiego wniosku we własnym imieniu, Anno.

Czasem, kiedy wywrócisz się na rowerze albo staczasz się z wysokiej wydmy, albo kiedy omsknie ci się noga i spadasz ze schodów, sekundy wloką się niemiłosiernie, jakby celowo, żeby człowiek miał czas uświadomić sobie, że sytuacja jest poważna. Znacie to uczucie?

– Nie wiem, co się stało – mówię.

– Więc jak możesz twierdzić, że potrafisz podejmować decyzje za siebie? – Mama wstaje tak gwałtownie, że przewraca krzesło. – Ale dobrze. Skoro tego sobie życzysz, zaczniemy od zaraz.

Odchodzi i zostawia mnie, a jej słowa wiszą jeszcze przez chwilę w powietrzu, twarde i szorstkie jak napięta lina.

Zdarzyło się raz, mniej więcej trzy miesiące temu, że pożyczyłam sobie od Kate kosmetyki do makijażu. No dobrze, nie pożyczyłam: ukradłam. Nie mam własnych; rodzice pozwalają nam się malować dopiero po piętnastych urodzinach. Ale sytuacja była wyjątkowa: zdarzył się cud, a Kate nie było w domu, dlatego nie mogłam zapytać jej o zgodę. A wyjątkowe sytuacje wymagają stosowania wyjątkowych metod.

Cud miał ponad metr siedemdziesiąt wzrostu, włosy srebrzyste jak wąsy kukurydzy i uśmiech, od którego kręciło się w głowie. Nazywał się Kyle i niedawno przeprowadził się tutaj z Idaho, kiedy więc zaprosił mnie do kina, byłam przekonana, że nie robi tego ze współczucia. Poszliśmy na nowego „Spidermana", ale film widział tylko on; ja przez cały seans bezskutecznie próbowałam zmusić jakąś iskrę do przeskoczenia pomiędzy jego dłonią a moją.

Wróciłam do domu, wciąż unosząc się dobre piętnaście centymetrów nad chodnikiem. Gdyby nie to, nie dałabym się zaskoczyć Kate. Przewróciła mnie na łóżko i usiadła na mnie okrakiem.

– Ty złodziejko – zasyczała. – Grzebałaś bez pytania w mojej szufladzie w łazience.

– Ty też cały czas bierzesz moje rzeczy. Dwa dni temu pożyczyłaś sobie moją niebieską bluzę.

– To zupełnie co innego. Bluzę można uprać.

– Tak? Jakoś ci nie przeszkadza, że przetaczają ci moje zarazki razem z krwią, ale na szmince już są be? – Szarpnęłam się mocniej i udało mi się przewrócić Kate na plecy. Teraz ja byłam górą.

Jej oczy zabłysły.

– Kto to był?

– O czym ty gadasz?

– Nie mów mi, że malowałaś się tak sobie.

– Spadaj – mruknęłam.

– Spierdalaj. – Kate uśmiechnęła się uroczo, łaskocząc mnie wolną ręką. Tak mnie zaskoczyła, że ją puściłam. W następnej chwili stoczyłyśmy się na podłogę, walcząc zajadle, każda z nas starała się zmusić drugą do kapitulacji.

– Dość już – sapnęła wreszcie Kate. – Zabijesz mnie! Wystarczyło. Moje ręce momentalnie opadły, jakbym oparzyła się gorącym żelazem. Leżałyśmy na podłodze pomiędzy naszymi łóżkami, dysząc ciężko i udając, że wypowiedziane przed chwilą słowa nie były wcale aż tak okrutne.

Jedziemy samochodem. Rodzice się kłócą.

– Może warto wynająć prawdziwego adwokata, proponuje tato.

– Jestem prawdziwym adwokatem, odparowuje mama.

– Saro – tłumaczy tata – jeśli nie uda ci się jej przekonać, to lepiej...

– Co lepiej, Brian? – pyta mama wyzywającym tonem.

– Twierdzisz, że jakiś obcy facet w garniturze, którego widzisz po raz pierwszy w życiu, wyjaśni Annie te sprawy lepiej niż własna matka?

Po tych słowach reszta drogi upływa w milczeniu.

Na schodach wiodących do budynku sądu roi się od dziennikarzy i operatorów kamer. Jestem w głębokim szoku. Przekonana, że przyszli tutaj, żeby zrobić materiał z jakiejś naprawdę dużej sprawy, przeżywam nieziemskie zaskoczenie, kiedy ktoś podsuwa mi pod nos mikrofon. Reporterka z włosami obciętymi na miskę dopytuje się, dlaczego skarżę własnych rodziców. Mama odsuwa ją na bok. „Córka nie udziela komentarzy", powtarza aż do znudzenia. Jeden facet wyrywa się do mnie z pytaniem, czy wiem, że jestem pierwszym dzieckiem na zamówienie urodzonym w stanie Rhode Island; przez chwilę wydaje mi się, że mama zaraz mu przyłoży.

Dowiedziałam się, w jaki sposób zostałam poczęta, kiedy miałam siedem lat. Przyjęłam to na zupełnym luzie z dwóch powodów: po pierwsze, w tym wieku myśl o moich rodzicach uprawiających seks wydałaby mi się o wiele bardziej obrzydliwa niż opowiadanie o połączeniu komórek na szalce Petriego. Po drugie, z czasem leki na bezpłodność weszły do powszechnego użycia, na świat zaczęły przychodzić pięcioraczki, a mój przypadek nagle zupełnie spowszedniał. Ale żeby nazywać mnie dzieckiem na zamówienie? Bez przesady. Gdyby moi rodzice naprawdę chcieli zadawać sobie tyle trudu, toby się postarali, żeby nie zabrakło u mnie genów posłuszeństwa, pokory i wdzięczności.

Siedzę na ławce w korytarzu sądowym. Obok mnie tata sztywno trzyma splecione dłonie na kolanach. Mama i Campbell Alexander weszli do gabinetu sędziego. Tam toczy się ich słowna potyczka. My, którzy zostaliśmy tutaj, na korytarzu, siedzimy w dziwnej, nienaturalnej ciszy, jakby tamtych dwoje zabrało ze sobą wszystkie słowa stosowne na taką chwilę.

Dobiega mnie przekleństwo wypowiedziane kobiecym głosem. Zza rogu wychodzi Julia Romano.

– Przepraszam, że się spóźniłam. Nie mogłam się przedrzeć przez tłum dziennikarzy. Wszystko w porządku?

Przytakuję, a potem potrząsam głową w milczącym zaprzeczeniu.

Julia klęka przede mną.

– Nie chcesz, żeby mama wyprowadziła się z domu?

– Nie! – Moje oczy napełniają się łzami. Co za wstyd! – Zmieniłam zdanie. Już nie chcę tego ciągnąć. Chcę to wszystko skończyć.

Julia przygląda mi się przez długą chwilę, a potem kiwa głową.

– Porozmawiam z sędzią.

Po jej odejściu koncentruję się na tym, żeby prawidłowo wciągać powietrze do płuc. Dużo rzeczy, które dotąd robiłam odruchowo, teraz sprawia mi wiele trudu. Na przykład oddychanie. Albo siedzenie cicho. Robienie tego, co trzeba.

Czuję na sobie ciężki wzrok. Odwracam się. Tata na mnie patrzy.

– Mówiłaś poważnie? – pyta. – Naprawdę nie chcesz tego dalej ciągnąć?

Nie odpowiadam. Nie drgnę nawet o milimetr.

– Bo jeśli wciąż nie jesteś pewna, to znam miejsce, gdzie mogłabyś pomyśleć w spokoju. W moim pokoju w jednostce są dwa łóżka. – Tata pociera kark. – To nie będzie wyprowadzka. Nic z tych rzeczy. Po prostu... – Spogląda na mnie.

– Będę tam mogła odetchnąć – kończę za niego, oddychając głęboko.

Tata wstaje i wyciąga do mnie dłoń. Ręka w rękę wychodzimy z budynku sądu. Dziennikarze opadają nas jak wilki, ale tym razem wykrzykiwane pytania spływają po mnie. Głowę mam lekką, a oddech czysty, jakbym znów była małą dziewczynką noszoną w letni wieczór przez tatę na barana, małą dziewczynką, która wie, że wystarczy wyciągnąć ręce, a wschodzące gwiazdy zaplączą się między palcami jak w sieci.

CAMPBELL

Być może to prawda, że na adwokatów bezwstydnie wykorzystujących każdą sposobność do autoreklamy czeka w piekle osobny kącik, nie znaczy to jednak, że z tego powodu mamy być nieprzygotowani na nadarzające się okazje. Przed gmachem sądu rodzinnego opada mnie sfora dziennikarzy; wgryzam się w tłum, jakby był z czekolady, i dokładam wszelkich starań, żeby skupić na sobie obiektywy kamer. Wygłaszam odpowiednie komentarze na temat mojej obecnej sprawy, mówię, że jest niecodzienna, niemniej bardzo bolesna dla obu stron. Napomykam, że decyzja sędziego może mieć wpływ na prawa nieletnich w naszym kraju, jak również na badania nad komórkami macierzystymi. Na tym kończę, wygładzam na sobie garnitur od Armaniego i ciągnąc lekko za smycz Sędziego, odchodzę, wyjaśniając, że muszę pilnie porozmawiać z moją klientką.

Wewnątrz napotykam Verna Stackhouse'a. Zastępca szeryfa chwyta moje spojrzenie i unosi kciuk. Spotkałem go dziś rano i najniewinniej w świecie zapytałem, czy jego siostra – dziennikarka z „ProJo" – wybiera się dziś do sądu.

– Nie mogę zdradzić szczegółów, właściwie w ogóle

nie powinienem o tym mówić – rzuciłem zagadkowo – ale szykuje się naprawdę duża sprawa.

W tym osobnym, wydzielonym kącie piekła zapewne czeka tron przygotowany specjalnie dla tych, którzy czerpią korzyści z działalności charytatywnej.

Kilka minut później już jesteśmy w gabinecie.

– Panie Alexander – sędzia DeSalvo unosi mój wniosek o zakaz kontaktów – zechce mi pan wyjaśnić, dlaczego złożył pan ten wniosek, skoro wczoraj jasno wyraziłem swoje zdanie w tej sprawie?

– Podczas pierwszego, wstępnego spotkania z kuratorem procesowym – odpowiadam – dowiedziałem się, panie sędzio, że pani Sara Fitzgerald, w obecności pani Romano, oznajmiła mojej klientce, że jej pozew jest nieporozumieniem, które wkrótce samo się wyjaśni. – Rzucam matce Anny spojrzenie z ukosa. Jej emocje zdradzają tylko naprężone mięśnie szczęk. – Jest to jawne pogwałcenie poleceń wysokiego sądu. W dotychczasowym toku tej sprawy usiłowano stworzyć warunki nieingerujące w jedność rodzinną, jednak moim zdaniem takie działanie jest bezcelowe, skoro pani Fitzgerald nie potrafi oddzielić obowiązków rodzicielskich od obowiązków adwokata strony pozwanej. Dopóki to się nie zmieni, konieczna będzie fizyczna separacja obu stron.

Sędzia DeSalvo bębni palcami po biurku.

– Pani Fitzgerald, czy to prawda, że wyraziła się pani w ten sposób w rozmowie z Anną?

– A cóż w tym dziwnego?! – Sara wybucha. – Chcę dotrzeć do sedna tej sprawy!

Jej przyznanie się jest jak zawalenie się namiotu cyrkowego. W gabinecie zapada głęboka cisza. Julia wybiera właśnie ten moment, żeby stanąć w otwartych gwałtownie drzwiach.

– Przepraszam za spóźnienie – mówi zdyszana.

– Pani Romano – zapytuje ją sędzia – czy miała pani okazję rozmawiać dziś z Anną?

– Tak, widziałyśmy się przed chwilą. – Julia spogląda na mnie, potem na Sarę. – Wydała mi się bardzo zdezorientowana.

– Czy mogę poznać pani zdanie na temat wniosku złożonego przez pana Alexandra?

Julia zakłada za ucho nieposłuszny kosmyk włosów.

– Zebrałam jak dotąd zbyt mało informacji, żeby podjąć oficjalną decyzję, ale przeczucie mówi mi, że usunięcie matki Anny z domu rodzinnego byłoby pomyłką.

Słysząc te słowa, momentalnie sztywnieję. Mój pies, wyczuwając napięcie, wstaje z podłogi.

– Panie sędzio, pani Fitzgerald przed chwilą sama przyznała, że złamała polecenie sądu. Powinna przynajmniej odpowiedzieć za naruszenie praw etyki zawodowej i...

– Panie Alexander, w tej sprawie nie sposób kierować się wyłącznie literą prawa – mówi sędzia DeSalvo, po czym zwraca się do Sary: – Pani Fitzgerald, stanowczo doradzam pani wynajęcie niezawisłego adwokata, który będzie w tej sprawie reprezentował panią oraz pani męża. Dziś jeszcze nie wydam zakazu kontaktów, ale ostrzegam panią po raz kolejny: proszę nie rozmawiać z córką o procesie aż do rozpatrzenia sprawy, które odbędzie się w poniedziałek. Jeżeli usłyszę, że ponownie zlekceważyła pani niniejsze polecenie, sam postawię panią przed sądem i osobiście dopilnuję pani usunięcia z domu. – Sędzia zatrzaskuje segregator z aktami sprawy i wstaje. – Do poniedziałku bardzo proszę nie zawracać mi głowy, panie Alexander.

– Muszę porozmawiać z moją klientką – oświadczam i szybko wycofuję się na korytarz. Wiem, że Anna czeka tam z ojcem.

Tak jak się spodziewałem, Sara Fitzgerald depcze mi po piętach. Za nią podąża Julia, domyślam się, że z zamiarem łagodzenia ewentualnych spięć. Nagle stajemy jak wryci, cała trójka. Na ławce, na której została Anna, siedzi tylko Vern Stackhouse i drzemie.

– Vern? – odzywam się.

Zastępca szeryfa zrywa się na równe nogi, odchrząkując z zażenowaniem.

– Mam chory kręgosłup. Co jakiś czas muszę usiąść i go odciążyć.

– Gdzie jest Anna Fitzgerald?

Vern ruchem głowy pokazuje główne drzwi.

– Wyszła z ojcem kilka minut temu.

Sara, jak można wyczytać z jej twarzy, jest tym tak samo zaskoczona jak ja.

– Podwieźć panią do szpitala? – pyta Julia.

Matka Anny potrząsa głową i wygląda przez przeszklone drzwi, za którymi tłoczą się dziennikarze.

– Czy jest tutaj jakieś inne wyjście?

Sędzia, mój pies, wtyka mi pysk w dłoń. Cholera, myślę.

Julia odprowadza Sarę korytarzem na tyły budynku.

– Muszę z tobą porozmawiać! – woła do mnie przez ramię.

Czekam, aż odwróci się plecami, potem prędko łapię Sędziego za jego uprząż i ciągnę w przeciwnym kierunku.

– Czekaj! – Nie mija pięć sekund, a już słyszę za sobą stukot szpilek na posadzce. – Powiedziałam, że chcę z tobą porozmawiać!

Przez chwilę całkiem poważnie zastanawiam się nad skokiem przez okno. Zatrzymuję się gwałtownie, odwracam i przywołuję na twarz najbardziej ujmujący uśmiech.

– Ściśle rzecz biorąc, powiedziałaś, że musisz ze mną porozmawiać. Gdybyś powiedziała, że chcesz, to być może poczekałbym na ciebie. – Sędzia wbija zęby w połę marynarki, mojej bardzo drogiej marynarki od Armaniego, i zaczyna mnie ciągnąć. – Ale teraz wybacz, jestem umówiony.

– Co ci odbiło? – pyta Julia. – Przecież rozmawiałeś z Anną o zachowaniu jej matki. Powiedziałeś, że wszyscy jedziemy na tym samym wózku.

– To prawda. Jedziemy. Sara wywierała nacisk na Annę. Anna miała dość nacisków. Wytłumaczyłem jej, na czym polegają możliwe rozwiązania tej sytuacji.

– Rozwiązania sytuacji? Przecież to jest trzynastoletnia dziewczynka. Czy ty wiesz, ile razy widziałam już na procesach dzieci, które zachowują się dokładnie odwrotnie, niż przewidują ich rodzice? Przychodzi do mnie mama z zapewnieniem, że synek zezna przeciwko facetowi, który go molestował; mówi tak dlatego, że chce posadzić zboczeńca za kratki na dożywocie. Tymczasem jej synka nie obchodzi wyrok dla zboczeńca. On tylko nie chce drugi raz mieć go przed sobą na wyciągnięcie ręki albo uważa, że powinno mu się przebaczyć i dać szansę poprawy, bo tak robią jego rodzice, kiedy on jest niegrzeczny. Nie możesz traktować Anny jak zwykłego dorosłego klienta. Ona nie jest emocjonalnie przygotowana na odcięcie się od rodziny i podejmowanie własnych, niezależnych decyzji.

– Cały ten proces to właśnie ma na celu – zauważam.

– Więc może cię zainteresuje wiadomość, że niecałe pół godziny temu Anna oświadczyła mi, że zmieniła zdanie w kwestii całego tego procesu. – Julia unosi brew. – Nie wiedziałeś o tym, prawda?

– O tym mi nie powiedziała.

– A wiesz dlaczego? Bo obydwoje mówicie o kompletnie różnych rzeczach. Ty jej zreferowałeś prawne metody przeciwdziałania naciskom strony przeciwnej, mającym na celu doprowadzenie do wycofania pozwu.

Zgodziła się bez problemu, to jasne. Ale czy naprawdę sądzisz, że ona zrozumiała, co to będzie oznaczać w praktyce? Że w domu będzie o jednego rodzica mniej, że nie będzie komu ugotować obiadu, odwieźć jej do szkoły, pomóc przy lekcjach, że nie będzie mogła pocałować mamy na dobranoc, a cała reszta rodziny będzie na nią bardzo zła? Z całej twojej przemowy Anna wyłowiła dwa słowa: koniec nacisków. Słowa „separacja" nawet nie usłyszała.

Sędzia skowyczy już nie na żarty.

– Muszę iść – mówię.

– Dokąd? – Julia rusza za mną.

– Mówiłem ci. Jestem umówiony. – Wszystkie drzwi w korytarzu są zamknięte, ale w końcu jedna gałka obraca się w mojej dłoni. Zamykam za sobą drzwi na zasuwkę. – Męska – mówię serdecznym tonem.

Julia szarpie za gałkę, bije pięścią w okienko z przydymionego szkła.

– Tym razem mi się nie wymkniesz! – krzyczy do mnie przez zamknięte drzwi. – Czekam tu na ciebie.

– A ja jestem zajęty – odkrzykuję. Sędzia opiera pysk na moim udzie. Zanurzam palce w jego gęstym, długim futrze. – Już dobrze – mówię mu, obracając się twarzą w stronę pustego pomieszczenia.

JESSE

Co jakiś czas zachodzą takie okoliczności, kiedy muszę zaprzeczyć moim poglądom i uwierzyć w Boga. To jest właśnie taka chwila: wracam do domu, a na progu siedzi nieziemska laska. Na mój widok wstaje i startuje do mnie z pytaniem, czy znam może Jessego Fitzgeralda.

– A kto chce wiedzieć? – odpowiadam pytaniem.

– Ja.

Posyłam jej mój najbardziej czarujący uśmiech.

– W takim razie oto jestem.

Przerwę na chwilę opowieść i opiszę wam to zjawisko. Dziewczyna jest starsza ode mnie, ale z każdym kolejnym spojrzeniem różnica wieku coraz bardziej się zaciera. W burzy jej loków mógłbym się zagubić, a jej usta są tak miękkie i pełne, że trudno mi oderwać od nich wzrok nawet po to, żeby ocenić resztę jej walorów. Oddałbym wszystko, żeby móc dotknąć jej skóry, nawet w tych całkiem zwyczajnych miejscach – żeby tylko się przekonać, czy naprawdę jest taka gładka, na jaką wygląda.

– Nazywam się Julia Romano – mówi anioł. – Jestem kuratorem sądowym.

Orkiestra niebiańskich smyczków grająca w mojej duszy w jednej chwili kończy swój występ fałszywym zgrzytem.

– Z policji?

– Nie. Jestem adwokatem. Pomagam sędziemu w sprawie twojej siostry.

– Kate?

Przez jej twarz przebiega jakiś cień.

– Nie. W sprawie Anny. Anna złożyła wniosek o usamowolnienie w kwestii zabiegów medycznych.

– Aha. No tak, wiem o tym.

– Naprawdę? – Widzę, że jest zaskoczona. Pewnie uważała, że nieposłuszeństwo wobec rodziców jest wyłączną domeną Anny. – A wiesz może, gdzie ona teraz jest?

Rzucam okiem na ciemne okna opustoszałego domu.

– Azali jestem stróżem siostry mojej? – Szczerzę do niej zęby. – Jeśli masz życzenie poczekać tutaj na nią, zapraszam do siebie, na górę. Pokażę ci, że tak powiem, moją kolekcję znaczków.

Anioł nie odmawia. Jestem w szoku.

– Niezły pomysł. Chcę cię spytać o parę rzeczy.

Opieram się o framugę i splatam ręce na piersi, wypychając pięściami bicepsy. Posyłam jej uśmiech, który zawrócił w głowie połowie studentek na uniwerku Rogera Williamsa w Bristolu.

– A co robisz dziś wieczorem?

W jej oczach widzę zdziwienie, jakbym mówił po chińsku. Nie, cholera, ona pewnie rozumie po chińsku. Po chińsku, japońsku czy nawet, kurna, po marsjańsku.

– Czy ty aby nie próbujesz wyrwać mnie na randkę? – pyta, dowodząc, że się nie myliłem.

– Staram się, nie widać? – odpowiadam.

– To możesz przestać – pada chłodna odpowiedź. – Mogłabym być twoją matką.

– Masz cudowne oczy. – Tak naprawdę chodzi mi o jej cycuszki, ale co tam.

247

Akurat w tym właśnie momencie Julia Romano szczelnie zapina marynarkę od kostiumu. Parskam śmiechem.

– A może porozmawiamy tutaj? – proponuje.

– Wszystko jedno – odpowiadam i prowadzę ją do siebie.

W środku nie jest nawet najgorzej, zważywszy na to, jak zwykle wygląda moje mieszkanie. Stos naczyń w zlewie ma dopiero dwa dni, a rozsypane płatki, leżące cały dzień na podłodze, przynajmniej nie śmierdzą tak jak rozlane mleko. Na samym środku stoi wiadro, kanister z benzyną, a obok leżą szmaty; majstruję pochodnie. Wszędzie walają się ubrania; część z nich wykorzystałem w przemyślny sposób, żeby zatkać przecieki w moim destylatorze.

– I co ty na to? – Uśmiecham się. – Martha Stewart byłaby zachwycona, nie?

– Martha Stewart poświęciłaby życie badaniu twojego przypadku – mruczy Julia w odpowiedzi. Siada na kanapie, ale natychmiast podskakuje, odrywając od siedzenia garść frytek. O mój Boże! Na jej słodkim tyłeczku został tłusty ślad w kształcie serca!

– Napijesz się czegoś? – proponuję. Niech nikt nie mówi, że matka nie wpoiła mi manier.

Julia rozgląda się i potrząsa głową.

– Opuszczę kolejkę.

Wzruszam ramionami, wyjmując z lodówki browarek.

– Rozumiem, że front domowy się podzielił?

– Nie wiesz, co się dzieje w domu?

– Staram się tym nie interesować.

– Dlaczego?

– Bo w tym jestem najlepszy. – Pociągam solidny łyk piwa, uśmiechając się szeroko. – Chociaż takiego wydarzenia w sumie nie chciałbym przegapić.

– Opowiedz mi o twoich siostrach.

– Co chciałabyś wiedzieć? – Przysiadam się do niej na kanapę, za blisko, o wiele za blisko. Celowo.

– Jak ci się z nimi układa?

Pochylam się w jej stronę.

– Czy to ma być pytanie z serii: „Czy jesteś dobrym bratem"? – Nie doczekuję się nawet mrugnięcia okiem, daję więc spokój wygłupom. – Znoszą mnie jakoś – odpowiadam. – Jak wszyscy.

Ta odpowiedź widocznie ją zaciekawiła, bo zapisuje coś w małym notesiku.

– Jak to jest dorastać w takiej rodzinie? – pyta po chwili.

Mam na końcu języka co najmniej dziesięć luzackich tekstów, ale nie wiadomo czemu odpowiadam jej w sposób, który mnie samego zaskakuje.

– Kiedy miałem dwanaście lat, Kate znów zachorowała, nic poważnego, zwykła infekcja, ale i tak przecież nie mogła poradzić sobie z tym sama. Zabrali więc Annę do szpitala, żeby pobrać od niej granulocyty, no, krwinki białe. Wypadło to akurat w Wigilię, chociaż przecież nikt, a zwłaszcza sama Kate, tego złośliwie nie zaplanował. Rano mieliśmy iść całą rodzinką kupić choinkę. – Wyciągam z kieszeni paczkę fajek. – Pozwoli pani? – Nie czekając na odpowiedź, zapalam jednego. – W ostatniej chwili podrzucili mnie sąsiadom. Głupio wyszło, bo do tamtych zjechali krewni na wielką rodzinną Wigilię. Wszyscy szeptali po kątach, zerkając co chwila na mnie, jakbym był jakimś przybłędą z domu dziecka, a na dodatek głuchym jak pień. Szybko zaczęło mnie to wkurzać. Powiedziałem, że idę do łazienki, i dałem stamtąd nogę. Wróciłem do domu, wziąłem siekierę ojca – ma ich kilka – do tego piłę i ściąłem taki mały świerczek, który rósł na środku podwórka. Zanim sąsiedzi się kapnęli, że mnie nie ma, zdążyłem osadzić drzewko w stojaku i ustawić je w dużym pokoju, przybrane, z łańcuchami, bombkami i czym tam jeszcze.

Do tej pory pamiętam te światełka, czerwone, niebieskie, żółte, mrugające z gałęzi choinki, na których nawieszałem tyle tego badziewia, że aż się uginały.

Rano w pierwszy dzień świąt rodzice przyjechali po mnie do sąsiadów. Byli zmęczeni jak diabli, ale w domu pod choinką czekały prezenty. Ucieszyłem się jak nie wiem co. Wyszukałem paczkę z moim imieniem. W środku był mały nakręcany samochodzik. Świetny prezent, ale dla trzylatka, a nie dla mnie. No i poza tym akurat wiedziałem, że sprzedają takie w szpitalnym kiosku. Wszystkie prezenty, które wtedy dostałem, były tam kupione. Wyobraź to sobie. – Gaszę peta o spodnie. – A o drzewku nie wspomnieli nawet słowem. Tak to jest dorastać w tej rodzinie.

– A Anna? Czy rodzice traktują ją tak samo jak ciebie?

– Nie. Anna jest potrzebna Kate, która jest na pierwszym planie. Dlatego ją hołubią.

– W jaki sposób rodzice decydują, kiedy Anna udzieli pomocy siostrze? – pyta Julia.

– Uważasz, że decyzja w ogóle wchodzi w grę? Że ktoś tu ma jakiś wybór?

Julia unosi głowę.

– A nie jest tak?

Zbywam ją milczeniem, bo nie jestem na tyle głupi, żeby nie domyślić się, że to jest pytanie retoryczne. Wyglądam przez okno. Na podwórku cały czas sterczy pieniek po tamtym świerku. W tej rodzinie nikt nie trudzi się zacieraniem śladów po swoich błędach.

Kiedy miałem siedem lat, wbiłem sobie do głowy, że przekopię się do Chin. Próbowałem sobie wyobrazić, ile czasu i pracy będzie wymagało wykonanie tunelu w linii prostej na wylot przez całą Ziemię. Wziąłem z garażu łopatę i zacząłem kopać dziurę, niezbyt szeroką, na tyle tylko, żebym mógł się do niej wślizgnąć. Wieczorem zakrywałem wykop starym plastikowym workiem, na wypadek gdyby w nocy miało padać. Pracowałem w pocie czoła przez cztery tygodnie; kamienie drapały moje ramiona, znacząc je bliznami bojowymi, a korzenie chwytały mnie za nogi.

Nie wziąłem jednak pod uwagę ścian mojego tunelu, wyrastających coraz wyżej dookoła mnie, ani też gorącego łona planety, parzącego mnie przez podeszwy trampek. Kiedy wkopałem się już dość głęboko, kompletnie straciłem orientację. Zgubiłem się. W ciemnym tunelu trzeba oświetlać sobie drogę, a w tym akurat nigdy nie byłem dobry.

Tata przybiegł, słysząc moje krzyki. Znalazł mnie w pół sekundy, chociaż w moim odczuciu czekałem na niego przez kilka ludzkich pokoleń. Wsunął się do mojej jamy, nie wiedząc, czy ma podziwiać moją ciężką pracę, czy ganić bezdenną głupotę.

– Przecież to się mogło na ciebie zawalić! – powiedział, wyciągając mnie stamtąd i stawiając na twardej ziemi.

Dopiero gdy stąd spojrzałem, zdałem sobie sprawę, że moja jama nie ciągnie się jednak całe kilometry w głąb ziemi. Tata, stojąc na dnie, schował się w niej tylko po piersi.

Coś wam powiem. Ciemność to pojęcie względne.

BRIAN

Niecałe dziesięć minut. Tyle potrzeba Annie, żeby wprowadzić się do mojego pokoju w remizie. Układa ubrania w szufladzie i kładzie swoją szczotkę do włosów na półce, tuż obok mojej. Zostawiam ją i zaglądam do kuchni. Paulie robi obiad, a chłopcy siedzą dookoła stołu. Czekają na wyjaśnienia.

– Przez jakiś czas Anna pomieszka tutaj ze mną – informuję ich. – Musimy przemyśleć pewne sprawy.

Cezar odrywa wzrok od czasopisma.

– Będzie z nami jeździć?

O tym nie pomyślałem. Może jeśli poczuje się jak praktykantka ze szkoły pożarniczej, łatwiej jej będzie oderwać myśli od tamtej sprawy.

– A wiesz – odpowiadam Cezarowi – że to chyba dobry pomysł?

Paulie odwraca się od kuchni. Robi dziś meksykańskie fajitas z wołowiny.

– Dobrze się czujesz, kapitanie?

– Jasne. Miło, że pytasz.

– Gdyby ktoś chciał ją tu niepokoić – mówi Red – najpierw będzie miał z nami do czynienia.

Reszta zgodnie kiwa głowami. Ciekawe, co by sobie pomyśleli, gdybym im powiedział, że tym kimś, kto niepokoi Annę, są jej rodzice – Sara i ja.

Zostawiam chłopaków przygotowujących kuchnię do obiadu i wracam do pokoju. Anna siedzi po turecku na drugim łóżku.

– Hej – próbuję ją zagadnąć, ale nie odpowiada. Dopiero po chwili dostrzegam słuchawki, przez które Bóg raczy wiedzieć, co sączy się wprost do jej uszu.

Zauważywszy, że wszedłem, Anna wyłącza muzykę i zsuwa słuchawki na szyję. Wyglądają jak naszyjnik-obroża.

– Hej – mówi.

Przysiadam na skraju łóżka.

– Chcesz coś porobić?

– A masz jakiś pomysł?

Wzruszam ramionami.

– Nie wiem. Możemy pograć w karty.

– W pokera?

– W pokera, w wojnę, wszystko jedno.

Uważne spojrzenie.

– W wojnę?

– Mogę zapleść ci warkocze...

– Tato – pyta Anna – dobrze się czujesz?

Łatwiej mi wbiec prosto do walącego się budynku, niż pomóc córce oswoić się z nowym, nieznanym miejscem.

– Chciałem tylko... żebyś nie czuła się tutaj skrępowana i robiła, co chcesz.

– Mogę zostawić paczkę tamponów w łazience?

W jednej chwili na moją twarz bije rumieniec. Anna, jakby tym zarażona, też się czerwieni. Pracuje u nas tylko jedna kobieta strażak, w dodatku w niepełnym wymiarze godzin, a toaleta dla kobiet jest na dole. Ale mimo wszystko...

Anna opuszcza głowę, włosy opadają jej na twarz.

– Nie chciałam... Będę je trzymać u siebie...

– Możesz je trzymać w łazience – oznajmiam, po

czym dodaję z przekonaniem: – Gdyby ktoś miał jakieś obiekcje, powiemy, że to moje.

– Chyba ci nie uwierzą, tato.

Obejmuję córkę ramieniem.

– Nie wszystko musi od razu mi wychodzić. Nigdy nie dzieliłem pokoju z trzynastolatką.

– Ja też nieczęsto pomieszkuję z facetami po czterdziestce.

– To dobrze, bo musiałbym ich wszystkich pozabijać.

Czuję na szyi jej uśmiech, wilgotną pieczątkę. Być może to wcale nie będzie takie trudne, jak mi się wydaje? Może jakoś uda mi się przekonać samego siebie, że to posunięcie scementuje jedność mojej rodziny, chociaż pierwszy krok w tym kierunku oznacza rozdarcie jej na dwa obozy.

– Tato?

– Hmm?

– Tak na przyszłość: w wojnę grają dzieci, które jeszcze nie wiedzą, do czego służy nocniczek.

Obejmuje mnie supermocno, tak jak kiedyś, kiedy była malutka. W nagłym przebłysku przypominam sobie ostatni raz, kiedy niosłem ją na rękach. Spacerowaliśmy przez łąkę całą piątką; pałki wodne górowały nad Anną. Porwałem ją na ręce i razem przedzieraliśmy się przez morze traw. Wtedy właśnie po raz pierwszy oboje zauważyliśmy, że nogi mojej córeczki prawie dotykają ziemi, że jest już za duża, żeby siedzieć u taty na rękach. Bardzo szybko zaczęła się wiercić, żebym postawił ją na ziemi. Chciała iść sama.

Złote rybki nigdy nie urosną większe niż akwarium, w którym się je trzyma. Fantastycznie wygięte gałęzie drzewek bonsai są miniaturowe. Oddałbym wszystko, żeby Anna nie musiała dorosnąć. Dzieci przerastają nas o wiele szybciej, niż my przerastamy je.

To niezwykłe, że to wszystko dzieje się w tym samym czasie: jedna z naszych córek ciąga nas po sądach, a druga, ciężko chora, po szpitalach. Ale przecież dobrze wiedzieliśmy, że Kate przechodzi ostatnie stadia choroby nerek; to sytuacja z Anną spadła na nas jak grom z jasnego nieba. A jednak jak zawsze okazało się, że potrafimy sobie jakoś z tym poradzić. Ludzka odporność na stres przypomina łodygę bambusa: na pierwszy rzut oka nikt nie dałby wiary, jak bardzo jest elastyczna.

Dziś po południu, po powrocie z sądu, zostawiłem Annę w domu, zajętą pakowaniem swoich rzeczy, i pojechałem do szpitala. Kiedy wszedłem do pokoju Kate, akurat trwała dializa. Kate spała ze słuchawkami na uszach. Z krzesła obok łóżka podniosła się Sara, kładąc ostrzegawczo palec na ustach.

Wyprowadziła mnie na korytarz.

– Co tam u Kate? – zapytałem.

– Bez większych zmian – odparła. – A co z Anną?

Wymieniliśmy informacje o naszych dzieciach tak, jakby to była gra kartami obrazkowymi; nie chcemy się jeszcze ich pozbywać, więc tylko migamy nimi przed oczami przeciwnika. Spojrzałem na Sarę, zachodząc w głowę, jak mam jej powiedzieć o tym, co zrobiłem.

– Gdzie was dwoje poniosło, kiedy ja użerałam się z sędzią? – zapytała.

No cóż. Ten, kto tylko siedzi i rozmyśla o tym, czy ogień jest bardzo gorący, nigdy nie ruszy do akcji.

– Zabrałem Annę do jednostki.

– Miałeś wezwanie do pracy?

Wziąłem głęboki wdech i skoczyłem w tę przepaść, którą stało się moje małżeństwo.

– Nie. Anna przez kilka dni pomieszka ze mną. Ona potrzebuje teraz mieć trochę czasu dla siebie.

Sara wbiła we mnie wzrok.

– Przecież nie będzie sama, tylko z tobą.

Ni stąd, ni zowąd w jednej chwili szpitalny korytarz zrobił się w moich oczach zbyt jasny i przepastnie szeroki.

– Czy to źle? – zapytałem.

– Tak – padła odpowiedź. – Chyba nie myślisz poważnie, że pomożesz Annie na dłuższą metę, wkupując się w jej łaski, kiedy ma napad złego humoru?

– Ja nie wkupuję się w jej łaski. Chcę stworzyć jej warunki, w których będzie mogła przemyśleć pewne rzeczy i sama dojść do właściwych wniosków. To ja siedziałem z Anną na korytarzu, kiedy ty byłaś w gabinecie sędziego. Martwię się o nią.

– I tutaj się różnimy – zwraca mi uwagę Sara. – Ja martwię się o obie nasze córki.

Przez jedną krótką chwilę ujrzałem Sarę taką, jaką ją kiedyś znałem: zawsze wiedziała, gdzie znaleźć uśmiech, i nie musiała wygrzebywać go z samego dna; umiała spalić każdy dowcip, a mimo to uśmiać się z niego do rozpuku; potrafiła namówić mnie do wszystkiego praktycznie bez żadnego wysiłku. Ujął em jej twarz w dłonie. Aha, znalazłem cię, pomyślałem, i pochyliwszy się, pocałowałem ją w czoło.

– Wiesz, gdzie nas szukać – powiedziałem, po czym odwróciłem się i odszedłem.

Kilka minut po północy przychodzi wezwanie do wypadku. Anna mruga, wystawiając nos spod koca, rozbudzona dzwonkiem alarmowym i oślepiona automatycznie włączonym światłem, które zalewa cały pokój.

– Możesz zostać – mówię jej, ale ona już jest na nogach i wkłada buty.

Dałem jej stary, używany kombinezon naszej jedynej strażaczki, robocze buty i kask. Anna zarzuca na ramiona kurtkę i wskakuje na tył karetki, na siedzenie zwrócone tyłem do kierunku jazdy, zaraz za siedzeniem kierowcy, którym dzisiaj jest Red. Zapina pas.

Pędzimy na sygnale ulicami Upper Darby. Wezwano nas do domu starców „Sunshine Gates", do tej poczekalni lepszego świata. Red wyciąga z karetki nosze, a ja biorę torbę ze środkami pierwszej pomocy. Przy drzwiach wejściowych czeka na nas pielęgniarka.

– Upadła i na chwilę straciła przytomność – informuje nas. – Ocknęła się, ale umysłowo nie doszła do siebie.

Prowadzi nas do pokoju, w którym na podłodze leży pani w starszym wieku, niskiego wzrostu i drobnej, ptasiej budowy. Z rany na czubku jej głowy sączy się krew. W powietrzu czuć zapach wskazujący na to, że nie panuje nad wypróżnieniem.

– Witaj, złotko. – Bez chwili zwłoki pochylam się nad nią. Ujmuję jej dłoń, o skórze cienkiej jak krepa. – Dasz radę chwycić mnie za palce? – Odwracam głowę do pielęgniarki: – Jak ona się nazywa?

– Eldie Briggs. Ma osiemdziesiąt siedem lat.

– Zaraz ci pomożemy, Eldie – mówię do niej, nie przerywając badania. – Rana tłuczona w okolicy kości potylicznej. Będą potrzebne sztywne nosze. – Red wraca biegiem do karetki, a ja mierzę ciśnienie krwi i tętno. Nieregularne. – Czujesz ból w piersi? – pytam Eldie. Staruszka jęczy, lecz mimo to kręci przecząco głową, a za chwilę jej twarz wykrzywia grymas. – Będę musiał założyć ci kołnierz, złotko, dobrze? Wygląda na to, że mocno uderzyłaś o coś głową. – Wraca Red, niosąc sztywne nosze. Spoglądam ponownie na pielęgniarkę. – Czy zaburzenie percepcji to przyczyna czy skutek upadku?

Pielęgniarka potrząsa głową.

– Nikt nie widział, jak to się stało.

– No jasne – mamroczę pod nosem. – Potrzebny mi koc.

Podaje mi go ktoś o drobnych, roztrzęsionych rękach. Dopiero w tej chwili przypominam sobie, że Anna pojechała z nami.

– Dziękuję, kochanie – przerywam na chwilę te czynności, żeby uśmiechnąć się do córki. – Chcesz nam pomóc? Stań przy nogach pani Briggs.

Anna potakuje, przykucnąwszy tam, gdzie jej powiedziałem. Twarz ma bladą.

– Eldie, kiedy policzę do trzech, obrócimy cię... – Odliczam, kładziemy chorą na sztywnych noszach, zapinamy taśmy. Rana na głowie znów zaczyna krwawić.

Ładujemy nosze do karetki. Red zapuszcza silnik i rusza do szpitala. Ja, uwijając się w ciasnocie tylnej kabiny, zawieszam zbiornik z tlenem na ramieniu wieszaka, prosząc jednocześnie Annę, żeby mi podała zestaw do kroplówki. Rozcinam ubranie Eldie.

– Jest pani z nami, pani Briggs? Uwaga, teraz lekko panią ukłuję. – Biorę w dłonie jej rękę i próbuję znaleźć żyłę, ale wszystkie są tak cienkie jakby wyrysowane ołówkiem. Przypominają szkic jakiegoś projektu. Moje czoło pokrywa się kropelkami potu. – Kochanie – proszę Annę – możesz znaleźć igłę dwadzieścia dwa? Dwudziestką nie dam rady.

Płacz i jęki chorej wcale mi nie pomagają. Wstrząsy karetki, zarzucanie na zakrętach i przy hamowaniu też nie ułatwiają trafienia cieńszą igłą w żyłę.

– Cholera. – Rzucam drugi zestaw na podłogę.

Szybko mierzę tętno, po czym sięgam po radiotelefon i wybieram numer szpitala, żeby uprzedzić ostry dyżur, że już do nich jedziemy.

– Pacjentka, osiemdziesiąt siedem lat. Upadła. Jest przytomna i odpowiada na pytania. Ciśnienie sto trzydzieści sześć na osiemdziesiąt trzy, tętno około stu trzydziestu, nieregularne. Próbowałem podłączyć kroplówkę, ale nic mi z tego nie wyszło. Z tyłu głowy rana tłuczona, krwawienie opanowane. Podałem chorej tlen. Co jeszcze chcecie wiedzieć?

Światła nadjeżdżającej z naprzeciwka ciężarówki zalewają kabinę jasnością, w której dostrzegam twarz Anny. Ciężarówka skręca, robi się ciemniej. Zauważam, że moja córka trzyma w dłoniach rękę tej obcej kobiety. Dojeżdżamy pod wejście na ostry dyżur. Wyciągamy z karetki nosze. Automatyczne drzwi otwierają się przed nami. W środku czekają już lekarze i pielęgniarki.

– Chora jest przytomna i rozmawia z nami – melduję im.

Jeden z pielęgniarzy bierze w dłoń wątły nadgarstek Eldie, uderza po nim palcami.

– Jezu... – szepcze.

– No właśnie. Dlatego nie mogłem podłączyć kroplówki. Ciśnienie musiałem mierzyć opaską dla dzieci.

Nagle przypominam sobie o Annie, która wciąż stoi w drzwiach. Jej oczy są szeroko otwarte.

– Tatusiu, czy ta pani umrze?

– Wydaje mi się, że miała udar, ale wyliże się z tego. Usiądziesz tu, na tym krześle, i poczekasz na mnie? Zaraz do ciebie przyjdę. Nie będzie mnie najwyżej pięć minut.

– Tato? – dobiega mnie jej głos. Zatrzymuję się w progu. – Fajnie by było, jakby każdy chory był taki jak ta pani, prawda?

Anna nie potrafi spojrzeć na to moimi oczami. Nie wie, że Eldie Briggs to był koszmar wszystkich ratowników: żyły cienkie jak niteczki, niestabilna... Moja córka nie zdaje sobie sprawy, że to wcale nie był dobry przypadek. Chodzi jej o to, że panią Eldie Briggs można będzie wyleczyć.

Wchodzę na salę i zgodnie z procedurą przekazuję ekipie z ostrego dyżuru wszelkie informacje dotyczące przywiezionej pacjentki. Około dziesięciu minut później, po wypełnieniu formularza, wychodzę do poczekalni. Anny już tam nie ma. W karetce Red wygładza na noszach świeże prześcieradło i wsuwa poduszkę pod pasek.

– Gdzie jest Anna? – pytam go.

– Przecież poszła z tobą.

Rzucam okiem w korytarz po prawej, potem po lewej stronie. Widzę tylko wyczerpanych lekarzy, innych ratowników paramedycznych, małe grupki półprzytomnych ludzi popijających kawę i podtrzymujących w sobie płomyk nadziei, że wszystko będzie dobrze.

– Zaraz wracam.

W porównaniu z szalonym młynem, jakim jest ostry dyżur, ósme piętro wydaje się cichutkie i spokojne jak dziecko otulone kołdrą. Pielęgniarki poznają mnie i witają po imieniu. Znajduję pokój, w którym leży Kate, i delikatnie popycham drzwi.

Anna jest już za duża, żeby zmieścić się na kolanach u Sary. Pomimo to wspięła się właśnie tam i usnęła. Kate też śpi. Sara patrzy na mnie ponad głową Anny.

Przyklękam przed moją żoną i przeczesuję palcami włosy na skroni naszej córki.

– Kotku – szepczę – jedziemy już do domu.

Anna powoli się prostuje, pozwala wziąć się za rękę i pociągnąć. Dłoń Sary przesuwa się w dół wzdłuż jej pleców.

– To nie jest żaden dom – mówi Anna, ale nie opiera się. Idzie za mną. Wychodzimy.

Jest już dobrze po północy. Pochylam się nad łóżkiem Anny i szepczę jej prosto do ucha:

– Chodź, musisz to zobaczyć.

Anna daje się skusić; wstaje, bierze bluzę, wsuwa stopy w tenisówki. Razem wychodzimy na dach remizy.

Niebo świetlistymi smugami spada nam na głowy. Meteory strzelają niczym sztuczne ognie, prując ciemną tkaninę nocy. Anna wydaje okrzyk zachwytu i kładzie się na plecach, żeby lepiej widzieć.

– To Perseidy – wyjaśniam. – Deszcz meteorów.

– Niesamowite.

Spadające gwiazdy to w gruncie rzeczy wcale nie są gwiazdy, tylko skalne okruchy, które wpadają do atmosfery i płoną pod wpływem tarcia. To, na co patrzymy, wypowiadając życzenie, to nic innego jak szlak wysypany gruzem.

W lewym górnym kwadrancie nieboskłonu bucha nowy strumień iskier.

– Czy to się powtarza każdej nocy, kiedy śpimy?

Niezwykłe pytanie: czy wszystkie piękne wydarzenia mają miejsce wtedy, kiedy nie możemy ich zaobserwować? Potrząsam przecząco głową. Ściśle rzecz biorąc, Ziemia przechodzi przez ten zapylony ogon komety co roku, ale tak żywiołowy spektakl zdarza się może raz na pokolenie.

– Fajnie by było, gdyby gwiazda spadła u nas na podwórku. Znaleźlibyśmy ją rano, po wschodzie słońca, i włożylibyśmy do szklanej kuli. Byłaby z niej świetna lampka nocna albo latarenka kempingowa. – Bardzo łatwo mogę sobie wyobrazić Annę, jak przeczesuje trawnik w poszukiwaniu spalonych źdźbeł. – Jak myślisz, czy Kate ze swojego okna też to widzi?

– Nie jestem pewien. – Unoszę się na łokciu i przyglądam jej uważnie.

Ale Anna ani na chwilę nie odrywa oczu od nieba, tego wielkiego durszlaka przewróconego do góry dnem.

– Wiem, że chcesz mnie zapytać, dlaczego robię to wszystko.

– Nie musisz nic mówić, jeśli nie chcesz.

Anna kładzie głowę na moim ramieniu jak na poduszce. W każdej sekundzie na niebie wykwitają nowe pęki srebra: są tam nawiasy, wykrzykniki, przecinki – pełen zestaw odlanych ze światła znaków interpunkcyjnych do zdań zbyt trudnych, by mogły przejść przez gardło.

Nie wierz w bieg słońca przez firmament;
Nie wierz w żar gwiazd, co w niebie stoją;
Nie wierz w prawdziwość prawdy samej;
Lecz wierz bez reszty w miłość moją.

William Shakespeare, „Hamlet"

CAMPBELL

Już pierwsze chwile spędzone w szpitalu dowodzą, że nie będzie łatwo. Od samego progu mamy kłopoty. Kobieta ochroniarz, zauważywszy Sędziego, zagradza nam drogę do windy. Staje przed nami z rękami skrzyżowanymi na piersi. Wygląda jak Hitler w kobiecym przebraniu, z bardzo kiepską trwałą.

– Z psem nie wolno – słyszę.

– To jest pies przewodnik.

– Pan nie jest niewidomy.

– Mam arytmię serca, a on jest przeszkolony w resuscytacji krążeniowo-oddechowej.

Udaję się wprost do gabinetu doktora Petera Bergena, psychiatry. Tak się składa, że to właśnie psychiatra jest przewodniczącym szpitalnej komisji do spraw etyki lekarskiej. Idę do niego na wszelki wypadek, ponieważ nie mogę skontaktować się z moją klientką i dowiedzieć od niej, czy proces trwa, czy może wniosek został wycofany. Szczerze mówiąc, po wczorajszym spotkaniu w sądzie byłem mocno wkurzony. Chciałem, żeby Anna zgłosiła się do mnie, ale nie przyszła do kancelarii. Posunąłem się nawet do tego, że wieczorem czekałem na nią całą godzinę przed jej domem, wczoraj jednak najwidoczniej nikt tam nie nocował. Dziś rano pojechałem do szpitala, założywszy, że Anna czuwa przy łóżku siostry. Nie wpuszczono mnie do pokoju Kate. Nie mogę też skontaktować się z Julią; kiedy wczoraj wyszliśmy z łazienki po tym nagłym zajściu w sądzie, spodziewałem się, że, tak jak obiecała, będzie czekać na korytarzu. Prosiłem jej siostrę przez telefon, żeby przynajmniej podała mi jej numer komórkowy, ale coś mi mówi, że pod 401-SPA-DAJ trudno będzie się dodzwonić.

Tak więc nie pozostało mi nic innego, jak pracować dalej nad tą sprawą, mając nadzieję – niewielką, przyznaję – że jest jeszcze nad czym pracować.

Sekretarka doktora Bergena jest młoda i najwyraźniej należy do tego rodzaju kobiet, które mają większy numer stanika niż iloraz inteligencji.

– O, psiaczek! – piszczy na widok Sędziego i wyciąga rękę, żeby poklepać go po łbie.

– Proszę tego nie robić. – Już chcę ją poczęstować jednym z tekstów, które mam zawsze pod ręką, ale dochodzę do wniosku, że nie warto marnować go dla niej. Kieruję się prosto do drzwi gabinetu jej szefa.

Zastaję tam niskiego, przysadzistego mężczyznę zajętego ćwiczeniami tai-chi. Ma na sobie strój do jogi, a na siwiejącej czuprynie bandanę w barwach narodowych.

– Nie mam czasu – burczy doktor Bergen.

– To tak samo jak ja, panie doktorze. Nazywam się Campbell Alexander. Jestem adwokatem. To ja prosiłem o historię choroby córki państwa Fitzgeraldów.

– Przesłałem wszystkie dokumenty. – Psychiatra robi wydech, trzymając ramiona wyciągnięte prosto przed siebie.

– Przesłał mi pan historię choroby Kate, a ja potrzebuję dokumentów dotyczących Anny Fitzgerald.

– Wie pan co – słyszę – w tej chwili trudno mi będzie…

– Proszę sobie nie przeszkadzać w ćwiczeniach. – Siadam na krześle, a Sędzia kładzie się u moich stóp.

– Tak jak mówiłem, interesuje mnie przypadek Anny Fitzgerald. Czy rada etyki lekarskiej zajęła stanowisko w tej sprawie?

– Komisja nigdy nie poddała pod dyskusję przypadku Anny Fitzgerald. To jej siostra jest naszą pacjentką, nie ona.

Doktor Bergen wygina się w tył, potem robi skłon. Przyglądam się temu przez chwilę.

– Czy wie pan, ile razy Anna Fitzgerald była hospitalizowana i leczona ambulatoryjnie w tym szpitalu?

– Nie – odpowiada Bergen.

– Według mojej rachuby osiem razy.

– Zabiegi, które przeszła, nie muszą od razu kwalifikować się do rozpatrzenia przez komisję etyki lekarskiej. Jeśli lekarze wiedzą, czego pacjent sobie życzy, a czego nie, a pacjent wie, co lekarze chcą mu zrobić, i zgadza się na to, wtedy nie ma sprzeczności interesów, a my w ogóle nie musimy o niczym słyszeć. – Doktor Bergen stawia na ziemi stopę, którą przez jakiś czas trzymał w powietrzu, i sięgnąwszy po ręcznik, wyciera się pod pachami. – Każdy z nas pracuje na pełny etat, panie Alexander. W komisji zasiadają psychiatrzy, pielęgniarki, lekarze, naukowcy i kapelani. Staramy się raczej unikać wszelkich problemów.

Staliśmy na szkolnym korytarzu, opierając się plecami o moją szafkę i dyskutując zawzięcie na temat Matki Boskiej. Obracałem w palcach cudowny medalik, który Julia nosiła na szyi. No dobrze, przyznaję się, chodziło mi o samą szyję, a medalik akurat tam wisiał. I przeszkadzał.

– A jeśli – powiedziałem – Dziewica Maryja była po prostu nastolatką, która wpadła w zwyczajne w tym wieku kłopoty, ale zamiast panikować, wymyśliła genialne rozwiązanie problemu?

Julia o mało się nie zakrztusiła.

– Za coś takiego, Campbell, możesz wylecieć z Kościoła episkopalnego.

– Ale pomyśl tylko: masz trzynaście lat, czy ile tam wtedy miały dziewczyny na wydaniu, poszłaś raz na siano z Józefem, było fajnie, a tu nagle szast-prast i dwie kreski na teście ciążowym. Masz dwa wyjścia: albo ciężko podpadniesz staremu, albo wymyślisz jakąś niezłą historyjkę. A kto ośmieli się zarzucić ci kłamstwo, jeśli powiesz, że to Bóg zrobił ci dziecko? Nie wydaje ci się, że ojciec Maryi myślał sobie tak: Mógłbym ją ukarać szlabanem, ale co będzie, jeśli spadnie na nas jakaś plaga?

Mówiąc to, mocno szarpnąłem drzwi mojej szafki. Ze środka wysypało się chyba ze sto prezerwatyw. Dookoła nagle zmaterializowali się moi kumple z załogi żeglarskiej, skowycząc ze śmiechu jak hieny.

– Tak sobie pomyśleliśmy, że pewnie kończą ci się już stare zapasy gumek – parsknął jeden z nich.

Co miałem zrobić? Uśmiechnąłem się.

Zanim się obejrzałem, Julii już nie było. Jak na dziewczynę, biegła jak wicher. Kiedy ją dogoniłem, szkoła ledwie majaczyła na horyzoncie.

– Perełko... – zacząłem, ale nie miałem żadnego pomysłu, co powiedzieć dalej. Nie po raz pierwszy widziałem, jak dziewczyna płacze przeze mnie, ale nigdy wcześniej ten widok nie sprawił mi bólu. – Co miałem zrobić? Tłuc się ze wszystkimi? Tego byś chciała?

Spiorunowała mnie wzrokiem.

– Co im mówisz o nas, kiedy gadacie w szatni dla chłopaków?

– Nic. Nie opowiadam im o nas.

– A co powiedziałeś o mnie swoim rodzicom?

– Nic – przyznałem się.

– To spierdalaj – warknęła Julia i znów puściła się biegiem przed siebie.

Winda zatrzymuje się na trzecim piętrze. Drzwi otwierają się, ukazując Julię Romano stojącą na korytarzu. Patrzymy się na siebie przez chwilę; nagle Sędzia wstaje, machając ogonem.

– Jedziemy? – pytam.

Julia wchodzi do środka i naciska przycisk parteru, nie zauważywszy, że już się świeci. Żeby go dosięgnąć, musi stanąć przede mną tak blisko, że czuję zapach jej włosów. Wanilia i cynamon.

– Co tutaj robisz? – pyta mnie.

– Pozbywam się wszelkich złudzeń na temat państwowej służby zdrowia. A ty?

– Przyszłam porozmawiać z doktorem Chance'em, onkologiem prowadzącym Kate.

– Czy to ma znaczyć, że nasz proces toczy się dalej?

Julia potrząsa głową.

– Nie wiem. Dzwoniłam do nich, do każdego z osobna, ale nikt nie odpowiada na telefony. No, może oprócz Jessego, ale to kwestia hormonów, nie grzeczności.

– Byłaś u...

– Kate? Tak. Nie wpuścili mnie. Mówili coś o dializie.

– Mnie powiedzieli to samo.

– Jeśli będziesz z nią rozmawiał...

– Posłuchaj mnie – przerywam. – W obecnej sytuacji, dopóki nie usłyszę od samej Anny, że jest inaczej, muszę założyć, że proces się toczy i że za trzy dni czeka nas rozpatrzenie sprawy. A jeśli naprawdę ma do niego dojść, musimy usiąść we dwójkę i ustalić, co się dzieje z tym dzieciakiem. Chodźmy na kawę.

– Nie. – Julia zbiera się do odejścia.

– Zaczekaj. – Kiedy łapię ją za rękę, zastyga w bezruchu. – Wiem, że jesteś w niezręcznej sytuacji. Ja też jestem w niezręcznej sytuacji. Ale to, że nam nie udało się dorosnąć, nie znaczy, że możemy teraz pozwolić, że-

267

by z Anną stało się to samo. – Przywołuję na twarz minę skruszonego winowajcy.

Julia splata ramiona na piersi.

– Dobry tekst. Zapisz go sobie, bo zapomnisz.

Wybucham śmiechem.

– Widzę, że nie ustąpisz ani na krok.

– Wypchaj się. Masz w zanadrzu pełno gładkich tek-ścików. Wygłaszanie ich przychodzi ci tak łatwo, jakbyś co rano smarował sobie język wazeliną.

Te słowa mocno pobudzają moją wyobraźnię; przed oczami przewija mi się całe mnóstwo scenek, ale to jej usta i cała reszta grają w nich główną rolę.

– Masz rację – mówi w końcu Julia.

– I to bym sobie dla odmiany chętnie zapisał... – Tym razem kiedy Julia rusza przed siebie, ja i Sędzia idziemy za nią. Po wyjściu ze szpitala prowadzi nas boczną uliczką, właściwie alejką. Mijamy kamienicę czynszową i wychodzimy na zalaną słońcem Mineral Spring Avenue w północnej części miasta. Zanim jednak to nastąpiło, zdążyłem docenić poczucie bezpieczeństwa, jakie daje idący przy nodze pies z pyskiem pełnym zębów.

– Chance powiedział, że dla Kate nic już nie można zrobić – odzywa się Julia.

– Więc jedynym wyjściem jest przeszczep nerki?

– Nie. To jest właśnie w tym wszystkim najdziwniejsze. – Julia zatrzymuje się przede mną jak wrośnięta w ziemię. – Doktor Chance uważa, że Kate jest za słaba na taką operację.

– A mimo to Sara Fitzgerald upiera się przy swoim.

– Jej rozumowaniu w sumie trudno cokolwiek zarzucić. Zastanów się, Campbell. Skoro Kate i tak umrze bez przeszczepu, dlaczego nie zaryzykować?

Obchodzimy ostrożnie siedzącego na ziemi bezdomnego i rozstawioną dookoła niego kolekcję butelek.

– Dlatego że przeszczep nerki to bardzo poważna operacja także dla jej drugiej córki – wyjaśniam – a skoro nie jest absolutnie konieczna, wygląda na to, że dla kogoś tutaj zdrowie Anny nie ma zbyt wielkiego znaczenia.

Nagle Julia zatrzymuje się przed drzwiami niewielkiego domku opatrzonego ręcznie malowanym szyldem głoszącym: „Ravioli u Luigiego". Obejście wygląda tak, jakby specjalnie nie montowano tu oświetlenia, żeby nie było widać szczurów.

– Nie ma tu gdzieś w okolicy jakiegoś Starbucksa? – pytam, ale w tej chwili drzwi otwierają się i na progu staje olbrzymi łysy mężczyzna w białym kucharskim fartuchu. Porywa Julię w ramiona, o mało jej nie wywracając.

– Isobella! – wykrzykuje, cmokając ją w oba policzki.

– Nie, wujku, to ja, Julia.

– Julia? – Mężczyzna zwany wujkiem, jak należy przypuszczać Luigi, właściciel lokalu, cofa się o krok, marszcząc brwi. – Na pewno? Powinnaś ściąć te włosy, żeby cię można było rozpoznać.

– Kiedy miałam krótkie włosy, wszyscy się mnie czepialiście.

– Nie chodziło nam o ich długość, tylko o kolor. – Wujek obrzuca mnie spojrzeniem. – Przyszliście coś zjeść?

– Chcieliśmy napić się kawy i usiąść gdzieś, gdzie nikt by nam nie przeszkadzał.

– Aha. – Wujaszek uśmiecha się znacząco. – Nikt ma wam nie przeszkadzać.

Julia wzdycha.

– Nie o to chodzi.

– Już dobrze, rozumiem. Sekret to sekret. Wejdźcie. Możecie usiąść na zapleczu. – Spogląda na Sędziego. – Pies zostaje.

– Pies idzie ze mną – odpowiadam.

– W mojej knajpie psów nie ma – mówi twardo wujek Luigi.

– To jest pies przewodnik. Nie może zostać na ulicy. Wujek pochyla się ku mnie i przygląda mi się z bliska.

– Jesteś ślepy?

– Jestem daltonistą – odpowiadam. – Pies mówi mi, czy na skrzyżowaniu pali się czerwone czy zielone światło.

Wujek Julii wykrzywia usta w grymasie niezadowolenia.

– Co za czasy! Co jedno to mądrzejsze – mruczy, a potem odwraca się i prowadzi nas do środka.

Przez wiele tygodni mama starała się zgadnąć, kim jest moja dziewczyna.

– To ta... Bitsy, prawda? Poznaliśmy ją w Vineyard? Nie, nie, zaraz, to chyba córka Sheili, ta ruda. Mam rację?

Powtarzałem jej do znudzenia, że nie może jej znać, chociaż tak naprawdę miałem na myśli to, że Julia jest taką osobą, której moja matka wcale nie chciałaby poznać.

– Wiem, co Anna powinna zrobić – mówi Julia – ale nie mam pewności, czy jest na tyle dojrzała, żeby samodzielnie podejmować decyzje.

Nabijam na patyczek oliwkę. Podano je w charakterze przystawki.

– W czym problem, skoro uważasz, że miała słuszność, kierując sprawę do sądu?

– Chodzi o jej uczucia względem rodziny – odpowiada sucho Julia. – Mam ci zdefiniować pojęcie uczucia?

– Wiesz co, niegrzecznie jest dogryzać komuś, siedząc z nim przy jednym stole.

– W tej chwili sytuacja wygląda tak: przy każdej konfrontacji z mamą Anna kładzie uszy po sobie. Potulnieje za każdym razem, kiedy coś się dzieje z Kate. Być może uważa, że jest zdolna podjąć tę decyzję, ale naprawdę jeszcze nigdy w życiu nie stała przed tak brzemiennym w skutki wyborem – mam na myśli to, co stanie się z jej siostrą.

– A jeśli ci powiem, że do czasu poniedziałkowego rozpatrzenia sprawy Anna poczuje się na siłach, aby podjąć taką decyzję?

Julia unosi głowę.

– Skąd masz taką pewność?

– Zawsze jestem pewny siebie.

Julia sięga do talerzyka stojącego pomiędzy nami i nabija na patyczek oliwkę.

– Faktycznie – mówi cicho. – Pamiętam.

Nie opowiedziałem Julii o moich rodzicach ani o naszym domu, chociaż na pewno snuła jakieś własne przypuszczenia i podejrzenia. Pojechaliśmy moim jeepem do Newport. Zajechałem przed ogromną rezydencję wzniesioną z cegły.

– Campbell – szepnęła Julia – wygłupiasz się.

Zawróciłem na podjeździe i ruszyłem z powrotem w stronę bramy.

– Wygłupiam się – przyznałem.

W ten sposób mój dom rodzinny dwie bramy dalej, rozległa posiadłość ocieniona rzędami buków, wybudowana na wzgórzu opadającym łagodnie aż do samej zatoki, nie wywarł na Julii aż tak przytłaczającego wrażenia. No, w każdym razie nasz dom był mniejszy niż tamta rezydencja.

Julia potrząsnęła głową.

– Wystarczy, że twoi rodzice rzucą na mnie okiem i od razu postawią między nami zasieki.

– Będą tobą zachwyceni – odparłem.

To był pierwszy raz, kiedy okłamałem Julię. Pierwszy, ale nie ostatni.

Julia znika pod blatem stołu. Stawia na podłodze talerz makaronu.

– Wcinaj – mówi do Sędziego. – Powiesz mi w końcu, po co ci ten pies? – pyta.

– Mam kilku hiszpańskojęzycznych klientów. Potrzebny mi tłumacz.

– Naprawdę?

– Naprawdę. – Szczerzę zęby.

Julia pochyla się ku mnie, mrużąc oczy.

– A ja mam sześciu braci. Wiem, o co chodzi facetom.

– Podziel się tą wiedzą, zaklinam cię.

– Mam zdradzić moje sekrety zawodowe? Nic z tego. – Julia potrząsa głową. – Domyślam się, dlaczego Anna zwróciła się do ciebie. Jesteś tak samo asekurancki jak ona.

– Zwróciła się do mnie, bo przeczytała o mnie w gazecie – wzruszam ramionami – i tyle.

– Ale jakim cudem się zgodziłeś? Zazwyczaj bierzesz inne sprawy.

– Skąd wiesz, jakie sprawy zazwyczaj biorę?

Zadaję to pytanie lekkim tonem, ale Julia znienacka milknie. No i mam odpowiedź: przez te wszystkie lata śledziła moją karierę.

Co w tym dziwnego? W końcu ja robiłem to samo.

Czuję się niezręcznie. Przełykam ślinę.

– Masz sos... O, tutaj. – Pokazuję palcem.

Julia ociera usta serwetką, ale nie w tym miejscu, w którym trzeba.

– Już? – pyta.

Biorę swoją serwetkę i ścieram plamkę, ale ręki nie cofam. Dotykam dłonią jej policzka. Nasze oczy spotykają się i w jednej chwili znów jesteśmy młodzi, uczymy się siebie dotykiem.

– Campbell – mówi Julia. – Nie rób mi tego.

– Czego?

– Nie wpychaj mnie drugi raz w ten sam kanał.

W tym momencie dzwoni moja komórka. Oboje podskakujemy spłoszeni, Julia niechcący przewraca swój kieliszek z winem. Odbieram telefon.

– Nie, spokojnie. Bez nerwów. Gdzie jesteś? Dobrze, już tam jadę. – Rozłączam się. Julia zamiera, trzymając w ręku serwetkę, którą wycierała stół. – Muszę iść.

– Wszystko w porządku?

– Dzwoniła Anna – mówię. – Jest na posterunku policji.

Kiedy wracaliśmy do Providence, z każdym kilometrem drogi wymyślałem coraz to okrutniejsze sposoby uśmiercenia rodziców. Zatłuc na śmierć. Oskalpować. Obedrzeć żywcem ze skóry i posypać solą. Zapeklować w dżinie. Szczerze mówiąc, co do tego ostatniego nie byłem pewien, czy byłaby to powolna, bestialska tortura czy też prosta droga do nirwany.

Możliwe, że rodzice widzieli, jak zakradam się do pokoju gościnnego, jak sprowadzam Julię po schodach dla służby, jak wymykamy się z domu tylnym wyjściem. Mogli obserwować z daleka, jak zdejmujemy ubrania i brodzimy nago w falach zatoki. Mogli patrzeć, jak jej nogi oplatają moje biodra, jak układam ją na łożu z wełnianych swetrów i flanelowych piżam.

Wymówkę znaleźli bardzo prostą. Rano, przy śniadaniu złożonym z szynki i jajek w sosie hollandaise, oznajmili mi, że tego samego wieczoru jesteśmy zaproszeni na przyjęcie w klubie. Na przyjęciu miał obowiązywać smoking, a zaproszenia nie przewidywały nikogo oprócz najbliższej rodziny. Oczywiście było wykluczone, żeby Julia mogła pójść ze mną.

Kiedy zajechaliśmy przed jej dom, słońce prażyło już tak niemiłosiernie, że jakiś chłopak z sąsiedztwa wykazał się inicjatywą i odkręcił hydrant przeciwpożarowy. Woda tryskała strumieniami, a dzieciaki podskakiwały dookoła jak popcorn na patelni.

– Żałuję – powiedziałem do Julii – że zaciągnąłem cię do siebie. Że chciałem na siłę przedstawić cię rodzicom.

– Jest czego żałować – zgodziła się. – Począwszy od znajomości ze mną.

– Odezwę się do ciebie przed rozdaniem świadectw – powiedziałem, a Julia pocałowała mnie i wyszła z samochodu.

Nie odezwałem się jednak, a na uroczystości rozdania świadectw nie rozglądałem się za nią. Julia sądzi, że wie, dlaczego tak się wtedy zachowałem. Myli się.

Stan Rhode Island jest ciekawy dlatego, że nikt nie wykazał absolutnie żadnej dbałości o zasady feng shui. Chodzi mi o to, że mamy Little Compton, czyli Małe Compton, ale nigdzie nie ma Dużego Compton. Na tej samej zasadzie mamy Upper Darby, Górne Darby, ale próżno szukać Dolnego. Takich miejsc jest u nas więcej, miejsc o nazwach odnoszących się do obiektów, których nie zaznaczono na żadnej mapie.

Julia jedzie za mną swoim samochodem. Najwidoczniej udało mi się wraz z Sędzią pobić lądowy rekord szybkości, bo od odebrania telefonu do momentu, kiedy wpadamy razem na posterunek policji, upłynęło chyba nie więcej niż pięć minut. Anna stoi przy biurku oficera dyżurnego, odchodząc od zmysłów z niepokoju. Przypada do mnie roztrzęsiona.

– Musi pan pomóc – szlocha. – Jesse siedzi w areszcie.

– Co takiego? – Patrzę na nią, myśląc o doskonałym obiedzie, od którego mnie oderwała, nie wspominając już o rozmowie, którą naprawdę chciałem doprowadzić do końca. – Dlaczego zadzwoniłaś z tym do mnie?

– Bo musi pan go wyciągnąć – mówi Anna, powoli mierząc słowa, jakby tłumaczyła coś kompletnemu idiocie. – Jest pan adwokatem.

– Ale nie pracuję dla twojego brata.

– A nie mógłby pan zacząć?

– Zadzwoń do mamy – proponuję. – Podobno szuka nowych klientów.

– Zamknij się – syczy Julia, waląc mnie pięścią w ramię. – Co się stało? – pyta Anny.

– Złapali Jessego w kradzionym samochodzie.

– Znasz może więcej szczegółów? – pytam, chociaż już teraz żałuję, że dałem się w to wciągnąć.

– To był humvee – mówi Anna. – Chyba. Duży i żółty.

W całym stanie Rhode Island jest jeden żółty egzemplarz wojskowego terenowego humvee. Jeździ nim sędzia Newbell. Głęboko pomiędzy oczami czuję pierwsze ukłucia bólu głowy.

– Twój brat ukradł samochód sędziego, a ty chcesz, żebym go wyciągał z aresztu?

Anna mruga oczami ze zdziwieniem.

– No... tak.

Boże.

– Porozmawiam z dyżurnym.

Zostawiam Annę pod opieką Julii, a sam podchodzę do biurka oficera dyżurnego, który, mógłbym przysiąc, już się ze mnie śmieje.

– Reprezentuję Jessego Fitzgeralda – mówię z ciężkim westchnieniem.

– Współczuję – pada odpowiedź.

– To był wóz sędziego Newbella, tak?

Dyżurny się uśmiecha.

– Nie inaczej.

Biorę głęboki oddech.

– Chłopak nie był notowany.

– Bo dopiero co skończył osiemnaście lat. W sądzie dla nieletnich ma akta grube jak Biblia.

– Proszę posłuchać – mówię. – Jego rodzina przechodzi w tej chwili poważny kryzys. Jedna córka umiera, a druga skarży rodziców w sądzie. Niech mi pan pójdzie na rękę.

Dyżurny spogląda na Annę.

– Dobrze. Porozmawiam z prokuratorem generalnym, ale najlepiej by było, żeby pan wytłumaczył jakoś tego chłopaka, bo coś mi mówi, że sędzia Newbell wcale nie marzy o tym, żeby zeznawać w sądzie.

Negocjacje trwają jeszcze chwilę. W końcu wracam do Anny, która siedzi jak na szpilkach.

– Załatwił pan wszystko? – dopytuje się.

– Załatwiłem, ale ostatni raz robię coś takiego. A z tobą jeszcze nie skończyłem.

Ruszam na tyły budynku komisariatu, gdzie znajduje się areszt. Jesse Fitzgerald leży wyciągnięty na metalowej pryczy, jedną ręką przysłaniając oczy. Przez chwilę stoję bez słowa u drzwi jego celi.

– Wiesz co? – odzywam się wreszcie. – Patrząc na ciebie, zaczynam rozumieć logikę zjawiska selekcji naturalnej.

Chłopak zrywa się.

– Kim pan jest, do diabła?

– Dobrą wróżką. Ty głupi gnojku! Rozumiesz, co zrobiłeś? Ukradłeś samochód sędziego stanowego!

– Skąd miałem wiedzieć, czyja to bryka?

– Nic ci nie powiedziała szpanerska tablica rejestracyjna, na której jak byk stoi: SĄD JEDZIE? – warczę. – Chcesz wiedzieć, kim jestem? Jestem adwokatem. Twoja siostra poprosiła mnie, żebym zajął się twoją sprawą. Zgodziłem się wbrew zdrowemu rozsądkowi.

– Serio? Wyciągnie mnie pan stąd?

– Załatwiłem ci warunkowe wypuszczenie. Będziesz musiał oddać policji prawo jazdy i zobowiązać się do zamieszkania pod opieką rodziców, z czym, jak wiem, nie będzie problemu, bo i tak mieszkasz jeszcze w domu.

Jesse namyśla się przez chwilę.

– A samochód też będę musiał oddać?

– Nie.

Jego myśli widać jak na dłoni. Taki dzieciak jak Jesse Fitzgerald ma w głębokim poważaniu urzędowy świstek – do jeżdżenia samochodem potrzebne mu są dobre opony, benzyna w baku i nic więcej.

– Może być – decyduje się.

Skinieniem ręki przywołuję policjanta czekającego w pobliżu, który otwiera celę i wypuszcza Jessego. Wychodzimy razem do poczekalni. Chłopak nie ustępuje mi wzrostem, ale jest nieco kanciastej budowy. Kiedy mijamy zakręt korytarza, jego twarz rozjaśnia uśmiech; widząc to, przez chwilę wydaje mi się, że nie wszystko jeszcze dla niego stracone, że może się jeszcze poprawić, że współczuje Annie na tyle, żeby wesprzeć ją moralnie w tej trudnej chwili.

Ale Jesse nawet nie zauważa siostry. Podchodzi prosto do Julii.

– Cześć – mówi. – Martwiłaś się o mnie?

W tej chwili myślę tylko o jednym. Wsadzić go z powrotem za kratki. A przedtem zastrzelić.

– Spływaj. – Julia wzdycha. – Chodź – mówi do Anny. – Zjemy coś.

– Świetny pomysł – przyznaje Jesse. – Padam z głodu.

– Nie nastawiaj się na to – rozwiewam jego mrzonki. – Jedziemy do sądu.

W dniu, w którym ukończyłem szkołę Wheelera, nad miasto nadciągnęła szarańcza. Przygnał ją wiatr, jak nabrzmiałą chmurę burzową. Owady trzepotały w gałęziach drzew i spadały z głuchym łomotem na ziemię. Meteorolodzy mieli używanie w radiu i w gazetach, na wszelkie sposoby usiłując wyjaśnić to zjawisko, poczynając od plag egipskich, na zjawisku El Niño i długotrwałej suszy w naszym rejonie kończąc. Doradzali zaopatrzenie się w parasole, noszenie kapeluszy z szerokim rondem, odradzali zaś wychodzenie z domu.

Ceremonia rozdania świadectw absolwentom odbyła się jednak na świeżym powietrzu, pod olbrzymim białym namiotem. Staccato samobójczych uderzeń owadów o płótno rozlegało się podczas tradycyjnego przemówienia prymusa, akcentując treści jego wypowiedzi. Szarańcze staczały się po stromiźnie płóciennego dachu prosto na kolana zgromadzonych.

Nie chciałem tam iść, ale rodzice się uparli i nie miałem wyjścia. Julia znalazła mnie, kiedy wkładałem biret. Objęła mnie w pasie. Chciała pocałować.

– Hej – zagadnęła żartobliwie. – Urwałeś się z choinki?

Pomyślałem sobie, pamiętam, że w tych naszych białych togach wyglądamy jak para duchów. Odsunąłem Julię od siebie.

– Przestań, dobrze? Nie rób tego.

Na każdym pamiątkowym zdjęciu, które tego dnia zrobili moi rodzice, uśmiecham się tak szeroko, jakby ten nowy, otwierający się przede mną świat naprawdę był szczytem moich marzeń; dookoła mnie z nieba sypią się owady wielkości ludzkiej pięści.

Pojęcie etyki w rozumieniu prawnika różni się zasadniczo od tego, co to słowo oznacza dla reszty ludzkości. My, prawnicy, mamy nawet własny pisany kodeks, noszący nazwę Regulaminu Odpowiedzialności Zawodowej; musimy znać go na wyrywki i stosować w codziennej praktyce pod groźbą pozbawienia praw do wykonywania zawodu. Ten sam kodeks wymaga od nas jednak robienia rzeczy, które większość ludzi uznałaby za niemoralne. Przykładowo: ktoś przychodzi do mojej kancelarii i oznajmia, że jest mordercą poszukiwanym w słynnej sprawie zaginionego dziecka Lindberghów. Gdybym zapytał takiego delikwenta, gdzie są zwłoki, a on by odpowiedział, że w jego sypialni, zakopane pod podłogą, metr poniżej poziomu fundamentów, to jeśli chcę wykonać moją pracę jak należy, nie mam prawa nikomu pisnąć ani słowa o tym, gdzie jest ukryte ciało, w przeciwnym razie grozi mi utrata uprawnień adwokackich.

Co oznacza, że moje wykształcenie zawodowe wpoiło mi przekonanie, że moralność i etyka nie zawsze idą w parze.

– Posłuchaj, Bruce – zwracam się do oskarżyciela. – Mój klient zachowa sprawę w tajemnicy, a jeśli ty puścisz w niepamięć kilka jego przewinień drogowych, masz moje słowo, że nikt go nigdy nie zobaczy w odległości mniejszej niż piętnaście metrów od sędziego i od samochodu sędziego.

Zastanawia mnie, czy i jak wielu ludzi domyśla się, że system prawny w tym kraju ma mniej wspólnego ze sprawiedliwością, a więcej z pokerem, gdzie najważniejsze jest mieć dobre karty.

Bruce to porządny facet; słyszałem też, że właśnie dostał z przydziału prowadzenie sprawy o podwójne morderstwo, więc szkoda mu czasu na skazywanie Jessego Fitzgeralda.

– Wiesz, że ten skradziony samochód to był humvee sędziego Newbella, Campbell? – pyta.

– Mam tę świadomość – odpowiadam poważnie, chociaż tak naprawdę chcę powiedzieć, że człowiek szpanujący dużym żółtym humvee praktycznie prosi się o to, żeby ktoś mu go podprowadził.

– Porozmawiam z sędzią. – Bruce wzdycha. – Oberwę

za to potem po uszach, ale wspomnę mu, że gliniarze nie mają nic przeciwko, żebyśmy popatrzyli na wybryk chłopaka przez palce.

Dwadzieścia minut później wszystkie dokumenty są już podpisane, a Jesse stoi u mojego boku przed gmachem sądu. Dwadzieścia pięć minut później schodzimy już po tych samych schodach na ulicę, a Jesse jest pod oficjalnym nadzorem sądowym.

Jest pogodny letni dzień, jeden z tych, które budzą chwytające za gardło wspomnienia. W dni takie jak ten pływałem z ojcem żaglówką.

Jesse odchyla głowę do tyłu.

– Kiedyś łowiliśmy kijanki – mówi nagle ni w pięć, ni w dziewięć. – Łapaliśmy je do wiadra i obserwowaliśmy, jak z ogonów robią im się łapy. Ani jedna, dosłownie ani jedna, nie dorosła. Nigdy nie doczekaliśmy się nawet jednej żaby. – Odwraca się do mnie, wyjmując z kieszeni koszuli paczkę papierosów. – Zapali pan?

Nie paliłem od czasów szkoły średniej, ale biorę papierosa, którym częstuje mnie Jesse, i zapalam. Sędzia obserwuje ten element ludzkiego życia, siedząc obok z wywieszonym językiem. Jesse wyjmuje pudełko zapałek i pociera drewienkiem o draskę.

– Dziękuję – mówi do mnie – że zajął się pan sprawą Anny.

Ulicą przejeżdża samochód. Ma włączone radio; przez otwarte okno dobiega nas melodia piosenki, której w zimie nigdy nie puszczają. Z ust Jessego ulatuje smuga błękitnego dymu. Ciekawe, czy ten chłopak był kiedykolwiek na żaglach. Czy ma takie wspomnienie, do którego wracał przez całe życie, na przykład gdy siedział na trawniku przed domem i czuł, jak po zachodzie słońca trawa robi się coraz chłodniejsza, albo kiedy Czwartego Lipca usiłował utrzymać sztuczne ognie jak najdłużej, aż poparzył sobie palce. Każdy z nas ma coś takiego.

Zostawiła wiadomość pod wycieraczką na przedniej szybie mojego jeepa siedemnaście dni po rozdaniu świadectw. Zanim jeszcze otworzyłem kopertę, zachodziłem w głowę, w jaki sposób przyjechała aż do Newport i jak wróciła do domu. Zabrałem list nad zatokę, na skały i tam go przeczytałem. Skończywszy, przyłożyłem kartkę do nosa w nadziei, że poczuję jeszcze jej zapach.

Nie wolno mi wtedy było brać samochodu, ale nawet nie pomyślałem o zakazie. Pojechałem na cmentarz, tak jak napisano w liście.

Julia czekała u stóp nagrobka, gdzie zwykle się spotykaliśmy. Siedziała na ziemi, obejmując kolana ramionami. Kiedy podszedłem, spojrzała w górę.

– Chciałam, żebyś był inny.

– Nie chodzi o to, kim jesteś i jaka jesteś naprawdę.

– Nie? – Julia zerwała się na nogi. – Ja nie mam funduszu powierniczego, Campbell. Mój ojciec nie ma własnego jachtu. Jeśli liczyłeś na to, że jestem kopciuszkiem, który pewnego dnia zmieni się w posażną królewnę, to srodze się rozczarowałeś.

– Nie dbam o to.

– Uważaj, bo ci uwierzę. – Zmrużyła oczy, co nie wróżyło nic dobrego. – Czego szukałeś na nizinach społecznych? Rozrywki? Czy może chciałeś wkurzyć rodziców? A teraz jestem dla ciebie jak błoto, że nie powiem gorzej, w które przypadkiem wdepnąłeś i chcesz zdrapać z podeszwy, tak? – Rzuciła się na mnie z pięściami, trafiając w pierś. – Nie potrzebuję cię i nigdy nie potrzebowałam!

– Ale ja ciebie, do cholery, potrzebowałem! – krzyknąłem tak jak ona. Odwróciła się do mnie, a ja chwyciłem ją za ramiona i pocałowałem. W tym pocałunku wsączyłem w jej usta wszystko to, czego nie potrafiłem z siebie wydusić.

Pewne rzeczy robi się dlatego, że człowiek jest przekonany, iż tak będzie lepiej dla wszystkich. Wmawiamy sobie, że tak trzeba, że tak jest szlachetniej. To o wiele prostsze niż szczere przyznanie się do prawdy przed samym sobą.

Odepchnąłem Julię od siebie. Zszedłem z cmentarnego wzgórza. Nie obejrzałem się ani razu.

Anna zajmuje siedzenie dla pasażera. Sędzia w widoczny sposób jest z tego niezadowolony; wtyka pysk pomiędzy nas i dyszy jak odkurzacz.

– To, co dziś się stało – mówię Annie – nie najlepiej rokuje na przyszłość.

– O co panu chodzi?

– Jeśli zamierzasz walczyć o prawo do podejmowania ważnych decyzji samodzielnie, musisz nauczyć się je podejmować już teraz. Nie zawsze znajdzie się ktoś, kto posprząta bałagan za ciebie.

Anna krzywi się z niezadowoleniem.

– To wszystko dlatego, że poprosiłam pana o pomoc dla mojego brata? Myślałam, że jest pan moim przyjacielem.

– Nie jestem twoim przyjacielem, już raz ci to mówiłem. Jestem twoim adwokatem. To zasadnicza różnica.

– Dobrze. Proszę bardzo. – Anna łapie za klamkę. – Wracam na policję i powiem, że mają aresztować Jessego z powrotem. – O mały włos udaje jej się otworzyć drzwi, a jedziemy autostradą. Przechylam się mocno, chwytam klamkę i zatrzaskuję je z powrotem.

– Zwariowałaś?

– Nie wiem. – Anna wzrusza ramionami. – Zapytałabym, jak się panu wydaje, ale moje zdrowie psychiczne to chyba nie pańska działka.

Szarpię ostro kierownicą i zjeżdżam na pobocze.

– Chcesz wiedzieć, co mi się wydaje? Powiem ci:

nikt nie pyta cię o zdanie w ważnych kwestiach, bo twoje zdanie zmienia się tak często, że w żaden sposób nie
można na tobie polegać. Spójrz na to na przykład z mojej strony. Ja nawet nie wiem, czy podtrzymujemy
wniosek o usamowolnienie, czy może już go wycofali-
śmy.

– Dlaczego mielibyśmy go wycofać?

– Zapytaj swojej mamy. Zapytaj Julii. Do kogo tylko
się zwrócę, słyszę, że postanowiłaś skończyć z tą sprawą. – Mój wzrok przykuwa jej dłoń spoczywająca na
podłokietniku drzwi. Paznokcie, pociągnięte błyszczą-
cym fioletowym lakierem, są obgryzione do żywego
mięsa. – Jeśli życzysz sobie, żeby sąd traktował cię jak
dorosłą, musisz zachowywać się jak dorosła. Ja mogę
bronić cię tylko wtedy, kiedy sama udowodnisz, że potrafisz się obronić beze mnie.

Wracam na szosę. Co jakiś czas rzucam Annie spojrzenie z ukosa. Nic. Siedzi z zaciętą miną, tyle że teraz
ściska dłonie pomiędzy kolanami.

– Zaraz dojedziemy do twojego domu – mówię
oschle. – Będziesz mogła wysiąść i zatrzasnąć mi drzwi
przed samym nosem.

– Nie jadę do domu. Przeprowadziłam się na kilka
dni do taty. Mieszkam u niego w jednostce.

– Czy ja dobrze słyszę? To o co ja wczoraj wykłóca-
łem się przez kilka godzin w sądzie? A dlaczego od Julii usłyszałem, że nie chcesz być rozdzielona z mamą?
Rozumiesz teraz, o co mi chodzi? – pytam, waląc dłonią
w kierownicę. – Czy ty wiesz chociaż, czego chcesz?

W tym momencie Anna wybucha. Wrażenie jest pio-
runujące.

– Pyta pan, czego chcę? Chcę, żeby przestano mnie
traktować jak królika doświadczalnego, bo mam już tego po dziurki w nosie. Do szału mnie doprowadza, że
wszyscy mają gdzieś, jak ja się z tym czuję. Rzygam już

tym wszystkim, ale nawet gdybym naprawdę się cała zarzygała, na nikim nie zrobi to wrażenia, bo ta rodzina nie takie rzeczy już widziała. – Anna szarpie za klamkę, wyskakuje z samochodu, zanim zdążę go całkowicie zatrzymać, i puszcza się biegiem do remizy, którą widać już kilkaset metrów dalej.

No, no. Moja mała klientka ma prawdziwy talent. Potrafi zwrócić na siebie uwagę i sprawić, żeby wysłuchano tego, co ma do powiedzenia. Niepotrzebnie się obawiałem: da sobie radę na przesłuchaniu, i to lepiej, niż się spodziewałem.

Druga strona medalu wygląda tak: Anna poradzi sobie ze złożeniem zeznań, ale to, co ma do powiedzenia, nie zrobi dobrego wrażenia na sędzi. Wyjdzie na nieczułą egoistkę, w dodatku nie całkiem dojrzałą. Innymi słowy, taką postawą bardzo trudno jej będzie przekonać sędziego do wydania korzystnego dla niej wyroku.

BRIAN

Ogień wiąże się z nadzieją, gdybyście chcieli wiedzieć. Grecki mit opowiada o tym w taki sposób: Zeus polecił tytanom Prometeuszowi i Epimeteuszowi, aby stworzyli życie na ziemi. Spod ręki Epimeteusza wyszły zwierzęta, obdarzone cennymi bonusami w rodzaju szybkich nóg, silnych mięśni, ciepłego futra lub skrzydeł. Zanim Prometeusz uwinął się ze swoim projektem, człowiekiem, wszystkie najlepsze cechy już rozdano. Mógł co najwyżej sprawić, żeby człowiek chodził prosto na dwóch nogach. Dał mu też ogień.

Zeus, zobaczywszy to, wkurzył się nie na żarty i odebrał człowiekowi ogień. Ale Prometeusz nie mógł ścierpieć, że jego umiłowane dzieło trzęsie się z zimna i nie może sobie nic upiec ani ugotować. Zapalił pochodnię od słońca i zaniósł ogień z powrotem na ziemię. Zeus ukarał Prometeusza za nieposłuszeństwo, przykuwając go do skały i codziennie przysyłając orła, który wyżerał tytanowi wątrobę. Karą dla człowieka była pierwsza kobieta, Pandora. Otrzymała w prezencie od Zeusa puszkę, której nie wolno jej było otwierać.

Jednak kobieca ciekawość wzięła górę. Pewnego dnia Pandora uchyliła wieka i wtedy na świat wyleciały wszelkie plagi, nieszczęścia i podłości. Na dnie zaś była nadzieja; tę udało się Pandorze zatrzasnąć w środku, zanim uleciała tak jak wszystko inne. To właśnie nadzieja jest naszym jedynym sprzymierzeńcem w walce z plagami tego świata.

Zapytajcie pierwszego lepszego strażaka, czy to prawda. Odpowie, że tak. Do diabła, po co komu strażak; zapytajcie pierwszego lepszego ojca.

– Chodźmy na górę – zapraszam Campbella Alexandra, który przywiózł Annę. – Mam tam świeżą kawę. – Wchodzimy po schodach, a za nami maszeruje owczarek, nie odstępując swojego pana na krok. – Po co panu pies? – pytam.

– Bajer na laski – słyszę w odpowiedzi. – Ma pan może trochę mleka?

Wyjmuję z lodówki karton i podaję mu, a potem biorę swój kubek i siadam przy stole. Jest bardzo cicho; chłopcy są na dole, czyszczą maszyny i konserwują sprzęt.

– Słyszałem od Anny – Alexander pociąga łyk kawy – że chwilowo mieszka tutaj razem z panem.

– Zgadza się. Domyślałem się, że będzie pan chciał mnie o to spytać.

– Zdaje pan sobie sprawę, że pańska żona w tym procesie broni strony pozwanej? – pyta ostrożnie prawnik.

Spoglądam mu w oczy.

– Chce pan przez to powiedzieć, że nie powinniśmy rozmawiać.

– Tylko gdy pańska żona nadal reprezentuje interesy obojga państwa.

– Nie prosiłem Sary, żeby podjęła się tego zadania.

Alexander marszczy brwi.

– Nie jestem pewien, czy ona to rozumie.

– Z całym szacunkiem, proszę pana, ta sprawa jest faktycznie bardzo poważna, ale borykamy się w tej chwili z innym nieszczęściem, również bardzo poważnym. Nasza starsza córka jest w szpitalu... A Sara walczy na dwóch frontach.

– Wiem. Współczuję panu z powodu Kate, panie Fitzgerald.

– Proszę mi mówić Brian. – Zaciskam dłonie na kubku do kawy. – Chciałbym porozmawiać... w cztery oczy, bez Sary.

Prawnik poprawia się na składanym foteliku.

– Możemy odbyć tę rozmowę teraz?

To nie jest dobry moment, ale w końcu na taką rozmowę żaden moment nie jest odpowiedni.

– Niech będzie. – Biorę głęboki wdech. – Moim zdaniem Anna ma słuszność.

W pierwszej chwili wydaje mi się, że Campbell Alexander w ogóle mnie nie usłyszał. Potem dobiega mnie jego pytanie:

– Powtórzy to pan przed sędzią na rozpatrzeniu sprawy?

Opuszczam głowę, wbijając wzrok w kubek z kawą.

– Wychodzi na to, że będę musiał.

Dziś rano otrzymaliśmy wezwanie do wypadku. Zanim dotarliśmy z Pauliem karetką na miejsce, chłopak zdążył już wsadzić dziewczynę pod prysznic. Znaleźliśmy ją leżącą w brodziku, bezwładną, kompletnie ubraną, zapiętą pod szyję. Jej twarz zasłaniał wielki kołtun włosów, ale nawet bez tego było widać, że jest nieprzytomna.

Paulie od razu wszedł pod prysznic i zaczął ją stamtąd wyciągać.

– Ma na imię Magda – powiedział jej chłopak. – Nic jej nie będzie, prawda?

– Choruje na cukrzycę?

– A co to ma do rzeczy?

287

Trzymajcie mnie.

– Mów, co braliście – powiedziałem ostro.

– Trochę popiliśmy, nic więcej – odparł chłopaczek.
– Tequili.

Nie mógł mieć więcej niż siedemnaście lat. Akurat tyle, żeby usłyszeć od kolegów popularną bajeczkę, że zimny prysznic pomaga odzyskać przytomność po przedawkowaniu heroiny.

– Coś ci wyjaśnię, młody człowieku. Ja i mój kumpel chcemy pomóc Magdzie. Chcemy uratować jej życie. Jeśli ona brała narkotyki, a ty teraz powiesz nam, że piła alkohol i nic więcej, wtedy to, co jej podamy, może źle zadziałać i tylko pogorszy sprawę. Dociera to do ciebie?

Paulie uporał się już z wyciągnięciem Magdy spod prysznica i ściągnął jej koszulkę. Na ramionach widać było ślady igieł.

– Może i pili tequilę, ale podkręcali się czymś jeszcze. Podajemy naloksan?

Wyjąłem z torby narcan i podałem Pauliemu pompę infuzyjną.

– Ale, no wiecie... – odezwał się nagle chłopak. – Nie zadzwonicie chyba po gliny, co?

Jednym błyskawicznym ruchem złapałem go za kołnierz i ustawiłem pod ścianą.

– Naprawdę jesteś taki głupi czy tylko udajesz, gówniarzu?

– No, bo rodzice... Zabiją mnie, jak się dowiedzą.

– O mały włos sam się nie zabiłeś. I tej dziewczyny przy okazji. – Złapałem go za twarz i odwróciłem ją tak, żeby przyjrzał się swojej Magdzie wymiotującej na podłogę. – Wydaje ci się, że w życiu jest tak jak w grze komputerowej? Że po przedawkowaniu będziesz mógł zacząć od nowa, jeszcze raz?

Krzyczałem mu prosto w twarz. Nagle poczułem na ramieniu czyjąś rękę. Paulie.

– Nie tak ostro, stary – mruknął cicho.

Powoli dotarło do mnie, że dzieciak stojący przede mną dygocze ze strachu i że to wcale nie z jego powodu tak krzyczę. Wyszedłem z łazienki na korytarz, żeby ochłonąć. Kiedy Paulie skończył, dołączył do mnie.

– Jeśli nie dajesz rady, weź wolne – zaproponował. – Poradzimy sobie jakoś bez ciebie. Szef nie będzie robił problemów, dostaniesz tyle urlopu, ile będziesz chciał.

– Muszę pracować – odparłem, zerkając ponad ramieniem Pauliego na pechową parkę małolatów. Na twarzy dziewczyny zaczynały już pojawiać się rumieńce; chłopak siedział obok i łkał z twarzą skrytą w dłoniach. Spojrzałem Pauliemu prosto w oczy. – Kiedy nie jestem w pracy – dodałem tonem wyjaśnienia – muszę być tam.

Kończymy kawę.

– Może dolewkę? – proponuję prawnikowi.

– Nie, wystarczy. Muszę wracać do kancelarii.

Obaj kiwamy głowami, bo wszystko zostało już powiedziane.

– O Annę proszę się nie martwić – mówię. – Niczego jej tutaj nie zabraknie.

– Radzę też zajrzeć do domu – odpowiada Alexander. – Wyciągnąłem dziś Jessego z aresztu. Ukradł samochód sędziego stanowego.

Odstawia kubek do zlewu i wychodzi, nie patrząc, jak wielki ciężar zrzucił mi na ramiona tą ostatnią wiadomością, a przecież wiedział, że prędzej czy później ten ciężar mnie przygniecie.

SARA
1997

Wizyta na ostrym dyżurze nigdy nie będzie czymś
zwyczajnym, choćby się tam jeździło tysiąc razy. Brian
niesie naszą córkę na rękach. Jej twarz zalana jest
krwią. Dyżurna pielęgniarka od wejścia macha do nas
ręką, żebyśmy od razu szli dalej, zbiera pozostałą dwójkę naszych dzieci i sadza je na plastikowych krzeseł-
kach w poczekalni. Do salki zabiegowej wchodzi lekarz
dyżurny, wcielenie profesjonalizmu.

– Co się stało?

– Spadła z roweru, głową do przodu – wyjaśniam. –
Prosto na beton. Nie ma objawów wstrząsu mózgu, ale
tuż pod linią włosów jest krwawiąca rana tłuczona długości około czterech centymetrów.

Doktor ostrożnie układa pacjentkę na stole i rzuca
okiem na jej czoło, naciągając rękawiczki.

– Jest pani lekarzem albo pielęgniarką?

Zmuszam się do drętwego uśmiechu.

– Nie. Mam wprawę.

Żeby zamknąć ranę, trzeba założyć osiemdziesiąt
dwa szwy. Potem jeszcze tylko opatrunek ze śnieżnobia-
łej gazy przyklejony taśmą do głowy, zdrowa dawka ty-
lenolu dla dzieci i już jest po wszystkim. Razem wychodzimy z salki zabiegowej.

Jesse chce wiedzieć, ile było szwów. Brian chwali małą za odwagę, jak mówi, „godną strażaka". Kate przygląda się czystemu bandażowi na czole Anny.

– Fajnie jest siedzieć w poczekalni – mówi.

Zaczyna się od krzyku Kate dobiegającego z łazienki. Pędzę na górę. Drzwi są zamknięte, wyłamuję więc zamek. Moja dziewięcioletnia córeczka stoi na środku posadzki zachlapanej krwią. Krew ścieka jej po udach, sącząc się przez majteczki. To właśnie jest wizytówka białaczki promielocytowej – krwotok pod każdą możliwą postacią. Kate miała już kiedyś krwawienie odbytnicze, ale była wtedy bardzo malutka i na pewno nic z tego nie pamięta.

– Już dobrze. Wszystko w porządku – mówię spokojnie.

Wycieram małą do czysta myjką nagrzaną na kaloryferze. Wyjmuję z szafki podpaskę. Kate nie wie, jak prawidłowo ją ułożyć między nogami. Powinnam jej to pokazać przy pierwszej miesiączce, ale teraz już sama nie wiem, czy jej dożyje.

– Mamo – mówi Kate – zaczyna się od nowa.

– Kliniczny nawrót choroby. – Doktor Chance zdejmuje okulary i przeciera kąciki oczu kciukami. – Chyba konieczny będzie przeszczep szpiku kostnego.

W mojej głowie błyska wspomnienie nadmuchiwanego dziecięcego worka treningowego, którym się bawiłam, kiedy miałam tyle lat co teraz Anna. To był worek stojący, na sprężynie; dolną część napełniało się piaskiem. Biłam go pięścią z całej siły, a on momentalnie wracał do pionu.

– Kilka miesięcy temu rozmawialiśmy o przeszczepie szpiku – mówi Brian. – Powiedział nam pan wtedy, że to niebezpieczne.

– Bo to prawda. Skuteczność takiej operacji wynosi pięćdziesiąt procent. Druga połowa pacjentów nie przeżywa chemioterapii i naświetlań, które są konieczne przed samym zabiegiem. Zdarzają się też śmiertelne powikłania pooperacyjne.

Brian podnosi na mnie wzrok, a potem wypowiada na głos pytanie, które zawisło niewypowiedziane pomiędzy nami:

– Czy jest zatem sens w ogóle narażać Kate? Po co?

– Bo jeżeli tego nie zrobicie – wyjaśnia doktor Chance – na pewno umrze.

Usiłuję się dodzwonić do towarzystwa ubezpieczeniowego. Za pierwszym razem rozłączają rozmowę przez przypadek. Za drugim razem przez dwadzieścia dwie minuty słucham muzyki. W końcu zgłasza się dział obsługi klienta. Kobiecy głos prosi mnie o numer polisy ubezpieczeniowej. Podaję numer, który dostają wszyscy pracownicy miejscy, i numer Briana w zakładzie ubezpieczeń społecznych.

– W czym mogę pani pomóc?

– Dzwoniłam do państwa tydzień temu – tłumaczę. – Moja córka ma białaczkę. Konieczny jest przeszczep szpiku kostnego. W szpitalu wytłumaczono nam, że towarzystwo musi wyrazić zgodę na pokrycie ubezpieczeniowe.

Operacja przeszczepu szpiku kostnego kosztuje od stu tysięcy dolarów wzwyż. Rzecz jasna dla nas jest to suma wprost niebotyczna, a opinia lekarza specjalisty o konieczności przeszczepu wcale jeszcze nie oznacza, że firma ubezpieczeniowa da się przekonać.

– W takiej sytuacji musimy przeprowadzić specjalną analizę...

– Wiem. O tym właśnie rozmawialiśmy w zeszłym tygodniu. Od tego czasu towarzystwo milczy, więc pozwoliłam sobie zadzwonić.

Pracowniczka działu obsługi klienta każe mi poczekać, bo musi dotrzeć do moich danych. W słuchawce rozlega się delikatne kliknięcie, a po nim blaszany głos z taśmy: „Aby dodzwonić się do"...

– Cholera jasna! – Rzucam słuchawkę na widełki.

Anna, zawsze czujna, zagląda przez drzwi.

– Powiedziałaś brzydkie słowo.

– Wiem. – Podnoszę słuchawkę z powrotem i wciskam klawisz ponownego wybrania ostatniego numeru. Uważnie przechodzę przez menu wybierania tonowego i w końcu słyszę w słuchawce głos żywej osoby. – Poprzednim razem mnie rozłączyło – informuję kobietę, która odebrała telefon. – I to po raz drugi.

Znów przez pięć minut muszę robić to, co robiłam już dwa razy: podaję numery, nazwiska i opisuję całą sytuację.

– Przeanalizowaliśmy przypadek państwa córki – informuje mnie kobieta. – Niestety, wedle naszej opinii tym razem operacja nie leży w jej najlepiej pojętym interesie.

Czuję, jak rumieńce biją mi na twarz.

– Sądzą państwo, że lepiej będzie dla niej, gdy umrze?

Przygotowanie dawcy do pobrania szpiku kostnego polega na tym, że muszę stale podawać Annie dożylnie preparat zawierający czynnik wzrostu, taki sam jak ten, który podawałam Kate po zabiegu przetoczenia krwi pępowinowej. Chodzi o to, że im więcej komórek szpikowych ma Anna, tym więcej dostanie ich Kate.

Anna wie o tym wszystkim, ale dla niej oznacza to tylko tyle, że dwa razy dziennie mama musi zrobić jej zastrzyk.

Za każdym razem smaruję jej rękę kremem znieczulającym, żeby nie czuła ukłucia igły, ale i tak nie obywa się bez krzyków. Zastanawiam się, czy ból, który czuje Anna przy zastrzyku, jest porównywalny z tym, który ja czuję w momencie, kiedy moja sześcioletnia córka patrzy mi prosto w oczy i mówi, że mnie nienawidzi.

– Pani Fitzgerald – mówi kierownik działu obsługi klienta – my naprawdę doskonale rozumiemy, że pani sytuacja jest poważna. Zapewniam panią.

– Trudno mi w to uwierzyć – odpowiadam. – Z jakiegoś powodu nie wydaje mi się, że też ma pan córkę, której życie wisi na włosku. Nie mogę też sobie wyobrazić, żeby dla rady konsultacyjnej pańskiego towarzystwa nie liczył się tylko i wyłącznie koszt takiej operacji jak przeszczep szpiku kostnego. – Obiecywałam sobie, że będę nad sobą panować; przegrałam to starcie walkowerem już w trzydziestej sekundzie rozmowy z przedstawicielem firmy ubezpieczeniowej.

– Towarzystwo AmeriLife zapłaci dziewięćdziesiąt procent uzasadnionych standardowych kosztów operacji infuzji limfocytów dawcy. Jeśli jednak nalega pani na przeprowadzenie przeszczepu szpiku kostnego, jesteśmy skłonni pokryć dziesięć procent kosztów.

Biorę głęboki wdech.

– W jakiej dziedzinie specjalizują się lekarze konsultanci, którzy wydali taką opinię?

– Przykro mi, ale nie...

– Domyślam się, że nie w leczeniu ostrej białaczki promielocytowej. Wie pan, dlaczego tak uważam? Bo nawet ostatni leser, który z wielkim trudem skończył medycynę na jakimś prowincjonalnym uniwerku, wie, że wlew limfocytów dawcy nie leczy tej choroby. Że za trzy miesiące musielibyśmy dyskutować od nowa na ten sam temat. Gdyby jednak zwrócił się pan do lekarza, który miał jakąkolwiek styczność z moją córką, dowiedziałby się pan, że u chorej na ostrą białaczkę promielocytową każde leczenie można zastosować tylko raz, ponieważ jej organizm natychmiast się na nie uodparnia. Oznacza to tyle, że towarzystwo AmeriLife woli wyrzucić pieniądze w błoto, zamiast spożytkować je w sposób, który daje mojej córce choćby cień szansy na uratowanie życia.

Po drugiej stronie linii zapada cisza.

– Pani Fitzgerald – mówi kierownik działu obsługi klienta – o ile dobrze rozumiem, to jeśli najpierw przeprowadzą państwo zabieg infuzji limfocytów dawcy, to w następnej kolejności towarzystwo bez problemów sfinansuje przeszczep szpiku kostnego.

– Z tą drobną różnicą, że moja córka może tego nie dożyć. Jeżeli jeszcze pan tego nie zauważył, nie rozmawiamy o naprawie serwisowej samochodu, gdzie można najpierw zamontować używaną część zamienną, a potem, jeśli się nie sprawdzi, zamówić nową. Rozmawiamy o człowieku. O żywej istocie. Czy wy tam za tymi swoimi biurkami w ogóle wiecie, co to takiego, czy potraficie tylko liczyć pieniądze?

Tym razem wiem, dlaczego połączenie nagle się urywa.

Zanne przyjeżdża do nas wieczorem ostatniego dnia przed rozpoczęciem zabiegów przygotowujących do przeszczepu szpiku kostnego. Pozwala Jessemu pomagać przy rozstawianiu swojego przenośnego biura, odbiera telefon z Australii, a potem przychodzi do kuchni po instrukcje na temat codziennych czynności domowych.

– We wtorki Anna ma trening gimnastyczny – mówię. – O trzeciej po południu. W tym tygodniu mają też wywieźć szambo.

– Śmieci wywożą w środy – dodaje Brian.

– W żadnym razie nie odprowadzaj Jessego do szkoły. Wszystko wskazuje na to, że w szóstej klasie to straszny obciach.

Suzanne słucha, kiwa głową, robi nawet notatki. Kiedy wreszcie milkniemy, mówi, że teraz ona z kolei ma do nas kilka pytań.

– Rybka...

– Dostaje pokarm dwa razy dziennie. Jesse się tym zajmie, jeśli będziesz go pilnować.

– Jest jakaś ustalona godzina, o której dzieci kładą się do łóżek?

– Jest – odpowiadam. – Podać ci wersję oficjalną czy z godziną doliczoną w nagrodę za dobre sprawowanie?

– Anna jest w łóżku o ósmej – ucina Brian. – Jesse o dziesiątej. Coś jeszcze?

– Tak. – Zanne sięga do kieszeni. W jej ręce pojawia się czek wystawiony na nasze nazwisko. Na kwotę stu tysięcy dolarów.

– Suzanne – szepczę oszołomiona – nie możemy tego przyjąć.

– Wiem, ile kosztuje taka operacja. Was na to nie stać. A mnie tak. Zgódźcie się.

Brian bierze czek i wręcza go z powrotem mojej siostrze.

– Jesteśmy ci bardzo wdzięczni – mówi – ale mamy pieniądze na przeszczep.

Pierwszy raz o tym słyszę.

– Mamy? – pytam. – Skąd?

– Koledzy z pracy rozesłali wici po całym kraju. Wielu strażaków przysłało datki. – Brian patrzy mi w oczy. – Dopiero dziś się o tym dowiedziałem.

– Naprawdę? – Czuję, jak ciężar spada mi z serca.

Brian wzrusza ramionami.

– To moi bracia – mówi krótko.

Ściskam serdecznie moją siostrę.

– Dziękuję. Za sam fakt.

– W razie potrzeby zawsze możecie skorzystać – odpowiada Suzanne.

Ale nie ma takiej potrzeby. Przynajmniej tyle jeszcze możemy zrobić.

– Kate! – wołam następnego ranka. – Jedziemy!

Anna, która leży zwinięta w kłębek na kolanach cioci Suzanne, wyjmuje kciuk z ust, ale nie mówi nic, nawet „do widzenia".

– Kate! – krzyczę jeszcze raz. – Wychodzimy!

Jesse odrywa się od gry na nintendo i prycha kpiąco.

– Już widzę, jak jedziecie bez niej.

– Ona o tym nie wie. Kate! – Wzdychając, idę po schodach na górę, do pokoju dziewczynek.

Drzwi są zamknięte. Popycham je delikatnie. W środku Kate kończy właśnie słać łóżko. Kołdra jest tak wygładzona, że można by grać na niej w kapsle; poduszki strzepnięte i wyrównane. Przytulankowe zwierzaki – w tym wieku najświętsze relikwie dziecka – siedzą na parapecie w kolejności od największego do najmniejszego. Nawet buty w szafie stoją w równym rządku, a z biurka zniknęły wszelkie szpargały.

– Przepraszam. – A przecież nawet słowem nie wspomniałam, żeby u siebie posprzątała. – Chyba pomyliłam pokoje.

Kate odwraca się.

– To na wszelki wypadek, gdybym tu już nie wróciła.

Po urodzeniu pierwszego dziecka często w nocy nachodziły mnie czarne myśli. Wyobrażałam sobie najgorsze nieszczęścia, które mogły spaść na jego głowę: parzący dotyk meduzy na plaży, kuszący smak trujących leśnych jagód, złowrogi uśmiech nieznajomego człowieka, skok na głowę do płytkiej wody. Dziecko może zrobić sobie krzywdę na tyle rozmaitych sposobów, że wydaje się wprost niemożliwe, by jedna osoba mogła je ustrzec przed wszystkim. W miarę jak moje dzieci dorastały, zagrożeń wcale nie ubywało. Na miejsce starych pojawiały się nowe: wąchanie kleju, zabawa zapałkami, małe różowe pigułki sprzedawane pod blatem szkolnej ławki. Można wyliczać całą noc i do samego rana nie dotrzeć do końca tej listy, której tytuł brzmi: „Jak można stracić najbliższych".

Teraz, kiedy wiem, jak to jest, gdy któraś pozycja z tej listy staje się rzeczywistością, wydaje mi się, że rodzice dzieci reagują na wiadomość o śmiertelnej chorobie na dwa możliwe sposoby. Albo doszczętnie się załamują, albo bez słowa skargi przyjmują ten policzek od losu i z uniesionym czołem czekają na kolejne. Jest to taka cecha, która łączy nas ze śmiertelnie chorymi pacjentami.

Kate leży w łóżku półprzytomna. Z jej piersi wyrastają liczne rurki, jak strumienie wody tryskające z fontanny. Po chemioterapii wymiotowała trzydzieści dwa razy, ma spękane usta i tak ostre popromienne zapalenie błony śluzowej, że kiedy próbuje mówić, jej głos brzmi jak u chorej na mukowiscydozę.

Odwraca do mnie głowę i chce coś powiedzieć, ale krztusi się tylko.

– Dławi mnie. – Wypluwa kłąb flegmy.

Wyjmuję z jej rączek końcówkę odsysacza, którą kurczowo ściska, i oczyszczam jej usta, język i gardło.

– Odpoczywaj, mama to zrobi – obiecuję i tym sposobem pomagam mojej córce już we wszystkim, nawet w oddychaniu.

Dział onkologiczny przypomina pole bitwy i jak w każdym wojsku tak i tutaj istnieje podział na szarże. Pacjenci to żołnierze odbywający służbę zasadniczą. Lekarze przypominają bohaterskich zdobywców; pojawiają się nagle i równie nagle znikają, a żeby przypomnieć sobie poprzednią wizytę u czyjegoś dziecka, muszą zerknąć w jego kartę chorobową. Pielęgniarki natomiast pełnią funkcję sierżantów, zaprawionych w boju weteranów pierwszej linii; to one są zawsze na miejscu, kiedy twoje chore dziecko ma tak wysoką gorączkę, że trzeba okładać je całe lodem, one pokażą, jak przeczyścić centralne wkłucie żylne, czyli cewnik, i poinformują, na którym piętrze można jeszcze podebrać z kuchni lody, to od nich można się dowiedzieć, gdzie znaleźć pralnię chemiczną, w której usuwają z ubrania plamy krwi i po preparatach do chemioterapii. Pielęgniarki wiedzą, jak nazywa się ulubiony pluszowy mors twojej córeczki i nauczą ją robić kwiatki z bibułki, które można zawiesić na stojaku do kroplówki. Lekarze snują strategie tych gier wojennych, ale to pielęgniarki pomagają zwykłym ludziom znosić codzienny trud batalii.

Z upływem czasu między nimi a rodzicami chorych dzieci zawiązuje się nić sympatii. Po fatalnej diagnozie nagle wszyscy przyjaciele zostają gdzieś z tyłu, jakby w poprzednim życiu; ich miejsce zajmują właśnie pielęgniarki z pediatrii. Wiemy o sobie dużo: na przykład córka Donny studiuje weterynarię. Ludmilla, ta z nocnej zmiany, zawsze przypina do swojego stetoskopu, jak amulety, zafoliowane widokówki z wyspy Sanibel u brzegów Florydy; zaklina w ten sposób los, bo chce tam osiąść na emeryturze. Willie, pielęgniarz, przepada za czekoladą, a jego żona spodziewa się trojaczków.

Jednej nocy, podczas chemioterapii indukcyjnej, po tylu godzinach ciągłego czuwania, że zapomniałam już, jak się zasypia, włączyłam telewizor. Mała śpi, więc oglądam bez dźwięku, żeby jej nie obudzić. Na ekranie Robin Leach oprowadza widzów po pełnej przepychu rezydencji kogoś sławnego i bogatego. Kamera prześlizguje się po bidetach platerowanych złotem, ręcznie rzeźbionych łożach z drewna tekowego, pokazuje basen w kształcie motyla. W tym domu jest garaż na dziesięć samochodów i ceglasty kort do tenisa, a po ogrodzie przechadza się jedenaście pawi. Nie mieści mi się w głowie, jak można tak mieszkać; nigdy bym nie pomyślała, że moje życie mogłoby wyglądać w ten sposób.

Takiego życia, jakie mam, też nigdy sobie nie wyobrażałam.

Nie mogę sobie nawet przypomnieć, jak czułam się kiedyś, dawno temu, kiedy słyszałam opowieści o matkach, u których wykryto raka sutka, albo o dzieciach z wrodzoną wadą serca lub inną patologią. Nie pamiętam tego osobliwego uczucia rozdarcia pomiędzy szczerym współczuciem a głęboką ulgą, że moją rodzinę los uchronił od podobnych nieszczęść. Tymczasem to my staliśmy się bohaterami takich opowieści, ludźmi, o których inni mówią z trwogą i ulgą zarazem.

Donna pochyla się nade mną i wyjmuje mi z ręki pilota. Dopóki jej nie było, nie zauważałam łez płynących mi z oczu.

– Saro – pyta pielęgniarka – pomóc ci w czymś?

Potrząsam głową, wstydząc się tej chwili słabości, wstydząc się tym bardziej, że mnie na niej przyłapano.

– Nic mi nie jest – zapieram się.

– A ja jestem Hillary Clinton – mruczy Donna. Chwyta mnie za rękę, wyciąga z fotela i wyprowadza z pokoju.

– Kate...

– ... nawet nie zauważy, że nie było cię przy niej – kończy pielęgniarka.

Idziemy do malutkiej kuchni, gdzie ekspres z kawą pracuje okrągłą dobę. Donna napełnia dwa kubki.

– Przepraszam – mówię do niej.

– Za co? Że nie jesteś z kamienia?

– To nigdy nie ma końca – szepczę, a Donna kiwa głową, bo doskonale mnie rozumie. A ponieważ ja wiem, że ona rozumie, zaczynam mówić. Zwierzam się jej z wszystkich moich sekretów, a kiedy kończę, biorę głęboki wdech i uświadamiam sobie, że mówiłam bez przerwy przez godzinę. – O Boże – zrywam się – zajęłam ci tyle czasu.

– To nie był zmarnowany czas – odpowiada Donna. – A poza tym skończyłam zmianę już pół godziny temu.

Na moje policzki bije rumieniec.

– Musisz już iść. Na pewno chcesz się stąd wyrwać.

Zamiast wyjść, Donna przygarnia mnie do swojej szerokiej piersi.

– Jak my wszyscy, kochana – mówi.

Sala operacyjna w szpitalnej przychodni to małe pomieszczenie pełne lśniących srebrem przyrządów. Drzwi do niego otwierają się jak usta osoby noszącej aparat korekcyjny. Lekarze i pielęgniarki, których mała dobrze zna, tutaj kryją się za szczelnie zawiązanymi maskami i fartuchami; można ich poznać co najwyżej po oczach. Anna ciągnie mnie za połę ubrania, raz za razem, dopóki nie odwrócę się i nie klęknę przed nią.

– A gdybym teraz zmieniła zdanie? – pyta.

Kładę dłonie na jej ramionach.

– Nikt cię do niczego nie zmusi – odpowiadam – ale Kate na pewno bardzo liczy na ciebie. Tatuś i ja też.

Anna kiwa głową, wsuwając rączkę do mojej dłoni.

– Tylko nie puszczaj – prosi.

Pielęgniarka popycha ją lekko w stronę stołu operacyjnego.

– Zaraz zobaczysz, co my tu dla ciebie mamy – mówi, okrywając ją kocykiem nagrzanym na kaloryferze.

Anestezjolog przeciera maskę do narkozy wacikiem nasączonym jakimś czerwonym płynem.

– Wiesz, jak fajnie jest usnąć na truskawkowym polu? – pyta.

Zespół krząta się przy małej pacjentce, przylepiając do jej ciała czujniki, które będą śledzić oddech i pracę serca. Czynności te wykonują, dopóki mała leży na plecach, chociaż wiem, że do zabiegu przewrócą ją na bok. Szpik kostny pobiera się z kości krzyżowej.

Anestezjolog pokazuje Annie gumową harmonijkę pompki w jednym ze swoich przyrządów.

– Nadmuchasz mi ten balonik? – zagaduje, zakrywając jej maską nos i usta.

Anna do tej pory mocno trzymała moją rękę, ale w końcu jej uścisk zaczyna słabnąć. Jeszcze przez chwilę walczy z sennością. Choć całe jej ciało jest już w letargu, próbuje się na koniec jakby podnieść; widząc to, jedna pielęgniarka przytrzymuje ją za ramiona, a druga gestem mnie powstrzymuje.

– To zwyczajna reakcja na środek usypiający – wyjaśnia. – Możesz ją teraz pocałować.

Całuję więc córkę przez maskę. Dodaję też „dziękuję", po czym wychodzę. Na korytarzu zdejmuję papierowy czepek i obuwie ochronne. Zerkam przez malutkie kwadratowe okienko. Pielęgniarki przewracają Annę na bok, a lekarz podnosi z wyjałowionej tacki niewiarygodnie długą igłę.

Wracam na górę. Poczekam razem z Kate.

Brian zagląda do pokoju Kate.

– Saro – mówi wyczerpanym głosem – Anna prosi, żebyś do niej przyszła.

Ale ja nie mogę być w dwóch miejscach naraz. Podsuwam Kate różową miskę w kształcie nerki, bo mała znów ma wymioty. Donna, stojąca obok mnie, układa ją z powrotem na poduszce.

– Teraz jestem zajęta – odpowiadam Brianowi.

– Anna prosi, żebyś do niej przyszła – powtarza Brian krótko.

Donna spogląda na niego, potem na mnie.

– Poradzimy sobie, dopóki nie wrócisz – zapewnia mnie. Po chwili namysłu kiwam głową.

Anna leży na pediatrii, a tam nie ma izolatek z hermetycznymi drzwiami. Jej płacz słychać aż na korytarzu.

– Mamusiu – woła do mnie przez łzy – boli!

Siadam na łóżku i biorę ją w ramiona.

– Wiem, kochanie.

– Zostaniesz tutaj ze mną?

Potrząsam głową.

– Kate źle się czuje. Muszę do niej wrócić.

Anna mi się wyrywa.

– Ale ja też jestem w szpitalu – mówi. – Ja też!

Zerkam na Briana, stojącego nad nami.

– Czy ona dostaje środki przeciwbólowe?

– Tak, ale bardzo małe dawki. Pielęgniarka powiedziała, że tutaj nie przesadza się z lekami dla dzieci.

– Co za bzdura. – Wstaję z łóżka. Anna kwili płaczliwie i łapie mnie za ubranie. – Zaraz wracam, kotku.

Zatrzymuję pierwszą napotkaną pielęgniarkę. Na onkologii znam je wszystkie; tutaj nikogo.

– Anna godzinę temu dostała tylenol – słyszę. – Wiem, że odczuwa dolegliwości...

– Roxicet. Tylenol z kodeiną. Naproxen. Jeśli lekarz jeszcze tego nie przepisał, proszę natychmiast zapytać, czy można to podać.

– Proszę wybaczyć, pani Fitzgerald – mówi obruszona pielęgniarka – ale znam się na tym, robię to codziennie i...

– Ja też robię to codziennie.

Wracam do pokoju Anny, niosąc kieliszek z dziecięcą dawką roxicetu, która albo uśmierzy jej ból, albo odurzy ją na tyle, że nie będzie już zbyt wiele czuła. Kiedy wchodzę, zastaję w pokoju Briana, zmagającego się swoimi szerokimi dłońmi z lilipucią zapinką łańcuszka, na którym wisi złote serduszko.

– Twoja siostra dostała od ciebie wielki prezent. Ty też na coś zasłużyłaś – mówi Annie ojciec.

Zgadzam się z tym. Oczywiście, że Anna zasługuje na wdzięczność po tym, jak oddała siostrze szpik kostny. Oczywiście, że należy jej się wdzięczność i uznanie. A jednak nigdy nie przyszło mi na myśl, że można wynagrodzić czyjeś cierpienie. My wszyscy od tak dawna jesteśmy z nim oswojeni.

Kiedy wchodzę, dwie pary oczu kierują się na mnie.

– Zobacz, co dostałam od taty! – woła Anna.

Wyciągam w jej stronę kieliszek ze środkiem przeciwbólowym, nędzną namiastką prezentu od mamy.

Kilka minut po dziesiątej Brian przyprowadza Annę do pokoju, w którym leży Kate. Anna idzie powoli jak staruszka, wspierając się ciężko na ręce taty. Pielęgniarki pomagają jej nałożyć maskę, fartuch, rękawiczki i obuwie ochronne. Tylko w takim stroju można wejść do izolatki onkologicznej, a i tak lekarze wykazali sporo dobrej woli, bo dzieciom w ogóle nie wolno tutaj przebywać.

Doktor Chance wskazuje na torebkę ze szpikiem kostnym, wiszącą na stojaku do kroplówki. Obracam Annę tak, żeby mogła ją zobaczyć.

– To właśnie – mówię – dostaliśmy od ciebie.

Anna wydyma wargi.

– Ohyda. Weźcie to sobie.

– Dobry pomysł – przytakuje doktor Chance. Jeden jego ruch i gęsty rubinowy szpik zaczyna sączyć się do cewnika centralnego w piersi Kate.

Układam Annę na łóżku razem z siostrą. Swobodnie mieszczą się na nim obie, ramię w ramię.

– Bolało? – pyta Kate.

– Tak jakby. – Anna wskazuje na krew płynącą plastikowymi rurkami do nacięcia w klatce piersiowej Kate. – A to boli?

– Nie bardzo. – Kate unosi się lekko. – Wiesz co?

– No?

– Cieszę się, że to od ciebie. – Kate bierze Annę za rękę i kładzie jej dłoń na swojej piersi, tuż pod wkłuciem centralnym, niebezpiecznie blisko serca.

Dwadzieścia dwa dni po przeszczepie szpiku kostnego liczba krwinek białych w organizmie Kate zaczyna rosnąć. To dobry znak: przeszczep się przyjął. Brian upiera się, że musimy to uczcić i zaprasza mnie na obiad do restauracji. Zamawia pielęgniarkę do Kate, rezerwuje stolik w XO Café i nawet przywozi z domu moją czarną wyjściową sukienkę. Zapomina tylko o jednym: o czółenkach. Muszę iść w topornych szpitalnych chodakach.

W restauracji tłok, prawie wszystkie stoliki zajęte. Niemalże natychmiast zjawia się kelner podający wino. Brian zamawia cabernet sauvignon.

– Wiesz chociaż, czy to czerwone, czy białe wino? – Żyjemy razem już tyle lat, a ja chyba ani razu nie widziałam, żeby Brian pił coś innego niż piwo.

– Wiem, że jest w tym alkohol, i wiem, że mamy dziś co oblewać. – Mąż podnosi napełniony kieliszek, wznosząc toast. – Za naszą rodzinę.

Stukamy się szkłem i pijemy pomału.

– Co zamawiasz? – pytam.

– A co mam zamówić?

– Polędwicę, żebym mogła podjeść od ciebie, gdyby ktoś się pomylił i przyniósł mi solę. – Składam kartę. – Znasz wyniki ostatniej morfologii?

Brian wbija wzrok w blat stołu.

– Miałem nadzieję, że będziemy mogli uciec na

305

chwilę od tego wszystkiego. Porozmawiać. Tak zwyczajnie.

– Lubię z tobą rozmawiać – mówię, ale kiedy spoglądam na Briana, na usta cisną mi się informacje dotyczące Kate; nic poza tym, nic na żaden nasz osobisty temat. Nie czuję potrzeby zapytania go, jak spędził dzień, bo wiem, że wziął trzy tygodnie urlopu. Tym, co nas łączy, jest choroba naszej córki.

Przy naszym stoliku zapada cisza. Rozglądając się po restauracji, zauważam, że rozmowy toczą się przeważnie tam, gdzie siedzą ludzie młodzi i modnie ubrani. Pary starsze, oznaczone obrączkami, które błyszczą w zgodnym rytmie wraz ze sztućcami podnoszonymi do ust, spożywają posiłek w milczeniu, nie przyprawiając go konwersacją. Ciekawe, czy to dlatego, że są tak dobrze zgrani, że wiedzą już, co myśli druga osoba? Czy może przychodzi w końcu taki moment, kiedy nie ma się już sobie nic do powiedzenia?

Kiedy zjawia się kelner, żeby odebrać zamówienie, oboje zwracamy się do niego z nagłym ożywieniem, wdzięczni, że oto zjawił się ktoś, kto pomoże nam zapomnieć, iż siedzimy przy tym stoliku jak para obcych sobie ludzi.

Dziecko, które zabieramy ze szpitala do domu, to zupełnie ktoś inny niż tamta dziewczynka, którą tutaj przywieźliśmy. Kate porusza się ostrożnie, powoli. Wyciąga po kolei wszystkie szuflady w szafce nocnej, sprawdzając, czy niczego nie zostawiła. Dżinsy, które przywiozłam dla niej z domu, spadają jej z bioder, tak schudła podczas pobytu w szpitalu. Robimy jej prowizoryczny pasek ze związanych bandanek.

Brian zszedł już na dół, żeby podprowadzić samochód pod wejście. Upycham w torbie ostatnią przytulankę i płytę kompaktową. Kate naciąga wełnianą czapkę na gładką, łysą głowę, a szyję obwiązuje ciasno szalikiem. Sięga po maskę i rękawiczki; po wyjściu ze szpitala to ona, nie Anna, musi nosić strój ochronny.

Wychodzimy z pokoju. Na korytarzu stoją rządkiem wszystkie pielęgniarki, cały personel, nasi dobrzy znajomi. Rozlegają się oklaski.

– Tylko więcej nas już nie odwiedzaj, dobrze? – żartuje Willie.

Wszyscy po kolei podchodzą pożegnać się z Kate. W końcu korytarz pustoszeje.

– Gotowa? – Uśmiecham się do Kate.

Mała kiwa głową, ale nawet nie drgnie, stoi jak słup soli. Wie doskonale, że kiedy postawi stopę za tym progiem, nic już nie będzie takie jak kiedyś.

– Mamo? – słyszę jej głos.

Zamykam jej dłoń w swojej.

– Pomogę ci – przyrzekam i razem, ręka w rękę, robimy pierwszy krok.

Skrzynka pocztowa pęka w szwach od rachunków przysłanych ze szpitala. Dowiedzieliśmy się, że towarzystwo ubezpieczeniowe nie będzie prowadzić rozmów ze szpitalnym działem księgowym, ale mimo to obie strony podważają ścisłość wyliczeń kosztów operacji, skutkiem czego to nas chcą obciążyć kosztami niektórych zabiegów. Mają pewnie nadzieję, że jesteśmy na tyle głupi, że położymy uszy po sobie i zapłacimy. Finansowanie leczenia Kate to pełnoetatowe zajęcie, ale niestety ani ja, ani Brian nie mamy na to czasu, nie mówiąc już o kwalifikacjach.

Przeglądam ulotkę reklamową pobliskiego sklepu spożywczego, broszurkę Amerykańskiego Związku Motorowego i ogłoszenie o długoterminowych zmianach w opłatach czynszowych. W końcu otwieram korespondencję, która przyszła z banku, gdzie trzymamy oszczędności. Zazwyczaj nie zwracam na nią uwagi; Brian sam sobie radzi z budżetem domowym, kiedy trzeba zrobić coś bardziej skomplikowanego niż podliczenie miesięcznych wydatków. Poza tym trzy konta oszczędnościowe, które mamy w tamtym banku, zostały założone z myślą o edukacji naszych dzieci. Nie jesteśmy z tych, którzy mogą sobie pozwolić na szastanie pieniędzmi na giełdzie.

Ten list jest adresowany do mojego męża.

Szanowny Panie,
Potwierdzamy podjęcie przez Pana kwoty
8369,56 dolara z konta nr 323456 założonego
przez Briana D. Fitzgeralda na rzecz córki
Katherine S. Fitzgerald. Podjęcie powyższej
kwoty ostatecznie zamyka rachunek.

Nawet bankom zdarzają się pomyłki, ale to już jest poważna sprawa. Prawda, że na rachunku bieżącym w tym miesiącu pozostały nam grosze, ale ja nigdy dotąd nie zgubiłam ośmiu tysięcy dolarów. Wychodzę na podwórko do Briana, który właśnie zwija dodatkowy wąż ogrodniczy.

– Albo coś pochrzanili z naszym kontem oszczędnościowym – wręczam mu list z banku – albo w końcu się wydało, że masz drugą żonę na utrzymaniu.

Brian bierze kartkę z mojej ręki i czyta. O jedną chwilę za długo. Już wiem, że to nie jest żadna pomyłka. Mój mąż ociera czoło wierzchem zaciśniętej pięści.

– Wycofałem pieniądze z konta – mówi.

– I nic mi nie powiedziałeś? – Nie mieści mi się w głowie, że Brian mógł zrobić coś takiego. W przeszłości zdarzało się, że podbieraliśmy jakieś sumy z kont naszych dzieci, ale robiliśmy to tylko dlatego, że trafił nam się trudny miesiąc i nie starczyło i na jedzenie, i na hipotekę albo trzeba było wpłacić zaliczkę na nowy samochód, bo stary w końcu odmówił posłuszeństwa. W nocy nie mogliśmy spać, dręczeni wyrzutami sumienia ciężkimi jak dodatkowa kołdra, obiecując sobie zrobić wszystko, co w ludzkiej mocy, żeby jak najszybciej te pieniądze wróciły na konto.

– Mówiłem ci, że koledzy z pracy próbowali mi pomóc – tłumaczy się Brian. – Zebrali dziesięć tysięcy dolarów. Po dołożeniu tej sumy z konta Kate szpital zgodził się opracować dla nas jakiś plan ratalnej spłaty należności.

– Ale mówiłeś...

– Wiem, co mówiłem.

Potrząsam głową, nie mogąc dojść do siebie.

– Okłamałeś mnie?

– Nie myśl tak...

– Przecież Zanne...

– Nie chcę, żeby twoja siostra płaciła za Kate – ucina Brian. – To jest mój obowiązek. – Wąż opada na ziemię, krztusząc się i siejąc dookoła kropelkami wody. – Saro, Kate nie dożyje studiów, za które mieliśmy zapłacić z tych oszczędności.

Słońce świeci bardzo mocno. Nieopodal szumi zraszacz trawy, rozpylając wodną mgiełkę, w której tworzą się tęcze. Ten dzień jest zbyt piękny, żeby słyszeć takie słowa. Odwracam się na pięcie i wracam biegiem do domu. Zamykam się w łazience.

Po chwili słyszę stukanie do drzwi.

– Saro – mówi Brian. – Saro, przepraszam.

Udaję, że go nie słyszę. Udaję, że nie słyszałam tego, co przed chwilą powiedział. Ani jednego słowa.

W domu wszyscy nosimy maski, żeby Kate mogła chodzić bez niej. Kiedy szczotkuje zęby albo sypie płatki do miski, pilnie obserwuję jej paznokcie. Gdy znikną ciemne paski, znak przebytej chemioterapii, okaże się, że przeszczepiony szpik kostny działa jak należy. Dwa razy dziennie robię Kate zastrzyki w udo. Podaję jej czynnik wzrostu, konieczny, dopóki liczba krwinek białych w milimetrze sześciennym nie przewyższy tysiąca; kiedy to nastąpi, komórki szpikowe zaczną się już same namnażać.

Kate na razie nie może wrócić do szkoły, toteż sami przerabiamy z nią materiał. Raz lub dwa razy wybrała się ze mną po Annę do przedszkola, ale za nic w świecie nie chciała wyjść z samochodu. Nie robi problemów, kiedy trzeba pojechać do szpitala na rutynowe badania krwi, ale kiedy w drodze do domu proponuję jej mały wypad do wypożyczalni wideo albo na ciastka, wykręca się, jak może.

Pewnego sobotniego ranka zastaję drzwi do pokoju dziewczynek uchylone. Pukam delikatnie.

– A może wybierzemy się na zakupy? – proponuję.

Kate wzrusza ramionami.

– Nie teraz.

Opieram się ramieniem o framugę.

– Dobrze ci zrobi, jeśli wyjdziesz z domu.

– Nie chcę wychodzić. – Kate wkłada rękę do tylnej kieszeni spodni, przedtem jednak przesuwa dłonią po głowie. Jestem pewna, że robi to bezwiednie.

– Kate... – zaczynam.

– Nie mów mi tego. Nie chcę słyszeć, że nikt nie będzie się na mnie gapił, bo właśnie że będą się gapić. Nie chcę słyszeć, że to wszystko jedno, czy się gapią czy nie, bo to wcale nie jest wszystko jedno. I nie chcę słyszeć, że wyglądam dobrze, bo to kłamstwo. – Jej pozbawione rzęs oczy napełniają się łzami. – Jestem dziwolągiem, mamo. Spójrz tylko na mnie.

Patrzę. Patrzę na kropeczki pozostałe w miejscu brwi, na przedłużone w nieskończoność czoło, na maleńkie dołeczki i guzki zwykle niewidoczne spod włosów.

– No cóż – mówię spokojnie. – Poradzimy sobie i z tym.

Bez słowa wychodzę z pokoju. Wiem, że Kate pójdzie za mną. Mijam Annę, która odkłada książeczkę do kolorowania i rusza w ślad za siostrą. Schodzę do piwnicy i ze starego pudła wyjmuję wiekową elektryczną maszynkę do włosów, którą znaleźliśmy tutaj po przeprowadzce. Włączam wtyczkę do kontaktu i jednym ruchem wycinam szeroki pas przez sam środek głowy.

– Mamo! – słyszę zdumiony głos Kate.

– Co? – Falujący brązowy lok opada na ramię Anny, która zbiera go delikatnie palcami. – To przecież tylko włosy.

Kolejne cięcie. Na ustach Kate wykwita uśmiech. Sama wskazuje miejsca, które ominęłam, gdzie mała kępka włosów wyrasta jak zagajnik na środku łąki. Przysiadłszy na odwróconej skrzynce na mleko, oddaję Kate maszynkę i pozwalam jej dokończyć strzyżenia. Anna wspina się na moje kolana.

– Potem ja – prosi.

Godzinę później wkraczamy do centrum handlowego, trzy łyse dziewczyny trzymające się za ręce. Spędzamy tam kilka godzin. Gdzie tylko się pokażemy, ludzie oglądają się za nami, szepczą. Jesteśmy piękne. Potrójnie piękne.

Gdzie się pali, tam i dymić się musi.
John Heywood, „Przysłowia"

JESSE

Nie mówcie mi, że nigdy nie przejechaliście wieczorem, po godzinach pracy, obok buldożera albo wywrotki stojącej na poboczu autostrady i nie zastanowiliście się chociaż przez chwilę, jak to się dzieje, że robotnicy drogowi zostawiają sprzęt w takich miejscach, gdzie każdy – czyli ja – może go zwinąć. Pierwszy raz podprowadziłem ciężarówkę już wiele lat temu: zakradłem się do kabiny betoniarki stojącej na wzniesieniu, wrzuciłem biegi na luz, a potem patrzyłem, jak wóz stacza się prosto na przyczepę, gdzie mieściło się biuro firmy budowlanej. Dziś, jakieś półtora kilometra od mojego domu, tuż przy autostradzie I-195, stoi zaparkowana wywrotka. Wygląda jak mały słonik śpiący obok stosu metalowych barierek. Nie jest to bryka moich marzeń, ale jak się nie ma, co się lubi, to się lubi, co się ma. Wszedłem w konflikt z prawem i musiałem oddać ojcu kluczyki do samochodu; zabrał go do jednostki i postawił na służbowym parkingu.

Wywrotką jedzie się zupełnie inaczej niż moim wozem. W ogóle nie ma porównania. Pierwsza rzecz: zajmuje całą drogę – poważnie. Dwa: prowadzi się jak czołg, a przynajmniej ja mam takie wyobrażenie o prowadzeniu czołgu. Chętnie bym się przejechał prawdziwym czołgiem, gdyby nie trzeba było w tym celu iść w kamasze, pomiędzy tych skretyniałych idiotów, co im we łbie

312

tylko szarża, żeby móc pomiatać innymi. Po trzecie, i to jest najmniej fajna rzecz w tym wszystkim, widać ją z daleka. Po dotarciu na miejsce, czyli do tunelu, gdzie mieszka Duracell Dan, zastaję go skulonego za beczkami. Wlazł tam ze strachu, gdy zobaczył, jak nadjeżdżam.

– Hej! – wołam do niego, wyskakując z kabiny. – To tylko ja.

Dan nie od razu daje się przekonać. Zerka przez palce, którymi zakrył twarz, upewniając się, czy aby na pewno go nie oszukuję.

– Fajny mam wózek? – pytam.

Dan wstaje ostrożnie i dotyka zabłoconej burty wywrotki. Dopiero wtedy wybucha śmiechem.

– Twój jeep się nieźle napakował, chłopaku.

Zabieram to, co mi potrzebne i ładuję na tył kabiny. Fajnie by było podjechać taką wielką ciężarówą pod jakieś okno, wrzucić do środka kilka butelek mojego koktajlu i wyrwać do przodu, zostawiając za sobą ścianę ognia. Zerkam na Dana, stojącego pod oknem od strony kierowcy. Koleś wypisuje na zakurzonych drzwiach słowo „Brudas".

– Stary... – zaczepiam go i zupełnie bez powodu, a może właśnie dlatego, że nigdy wcześniej tego nie robiłem, proponuję mu, żeby wybrał się ze mną.

– Powaga? – pyta Dan.

– Jasne. Jedna rzecz: nikomu ani słowa o tym, co widziałeś.

Dan wykonuje gest zamykania ust na klucz. Pięć minut później jesteśmy już w drodze. Jedziemy do starej szopy, która kiedyś służyła jako hangar dla łodzi studenckiego koła wioślarskiego. Podczas jazdy Dan zabawia się przełącznikami, podnosząc i opuszczając platformę wywrotki. Powtarzam sobie, że zabrałem go po to, by zabawa miała odrobinę pieprzu; świadek i publiczność w jednej osobie nada akcji zupełnie nowy wymiar. Ale prawda jest inna – w taką noc jak ta chce się mieć kogoś przy sobie, żeby pamiętać, że nie jest się samym na tym wielkim świecie.

Kiedy miałem jedenaście lat, dostałem od rodziców deskorolkę. Wcale o nią nie prosiłem; to był prezent od dokuczającego rodzicielskiego sumienia. Dostałem w życiu sporo takich dużych prezentów – zwykle wtedy, gdy Kate miała gorszy okres. Kiedy tylko szła do szpitala na jakiś zabieg, rodzice wręcz zasypywali ją fantami. Anna, ponieważ brała w tym udział, też dostawała różne rzeczy, a mniej więcej po tygodniu staruszków ruszało sumienie i kupowali mi jakąś zabawkę, żebym nie czuł się pokrzywdzony.

W sumie to jest zupełnie nieważne, bo ta moja deskorolka była na maksa czadowa. Na spodniej stronie miała wymalowaną czaszkę, która świeciła w ciemności. Zęby tej czaszki ociekały zieloną krwią. Kółka były jasnożółte, fluorescencyjne, a wierzch, pokryty specjalną szorstką okleiną, przy potarciu gumową podeszwą trampka wydawał taki odgłos, jakby wokalista kapeli metalowej odchrząknął prosto do mikrofonu. Szalałem na tej desce po podwórku, ćwicząc jazdę na tylnych kółkach, kickflipy i różne ollie. Nie wolno mi było tylko wyjeżdżać na ulicę, bo samochód zawsze pojawia się jak znikąd, a dziecko na jezdni bardzo łatwo potrącić.

Nie muszę chyba mówić, jak jedenastoletni przyszły przestępca traktuje domowe zakazy i nakazy. Nie minął tydzień, a już prędzej zjechałbym po brzytwie do wanny pełnej spirytusu, niż pokazał się na chodniku, po którym jeżdżą siusiumajtki na rowerkach.

Błagałem ojca, żebyśmy pojechali na parking przy hipermarkecie albo na szkolne boisko do kosza, wszystko jedno dokąd, byleby można tam było trochę pojeździć. Miałem obiecane, że w piątek, kiedy mama przywiezie Kate z rutynowego zabiegu aspiracji szpiku, wszyscy wybierzemy się do szkoły, na boisko. Ja wezmę moją deskę, Anna rower, a Kate, jeśli starczy jej siły, pojeździ sobie na rolkach.

Czekałem na to przez cały tydzień. Naoliwiłem kółka i wypolerowałem spód deski. Ćwiczyłem akrobacje na mojej podwórkowej rampie, którą zbudowałem ze starej płyty wiórowej i grubej belki. Kiedy tylko na podjeździe ukazał się nasz samochód, wybiegłem na werandę, żeby nie tracić czasu.

Jak się okazało, mama też bardzo się śpieszyła. Drzwi samochodu otworzyły się i ujrzałem moją siostrę zalaną krwią.

– Zawołaj tatę – poleciła mama, ocierając twarz Kate chusteczkami.

To nie był jej pierwszy krwotok z nosa, a poza tym mama nieraz mi powtarzała, kiedy panikowałem na ten widok, że taki krwotok zawsze jest mniej poważny, niż wygląda. Pobiegłem po ojca. Razem z mamą zanieśli Kate do łazienki, starając się powstrzymać ją od płaczu, bo to tylko pogarszało całą sprawę.

– Tato – zapytałem – kiedy pojedziemy na boisko?

Ojciec nie odpowiedział, bo właśnie składał papier toaletowy na czworo i przykładał go Kate do nosa.

– Tato – powtórzyłem.

Ojciec spojrzał na mnie, ale znów nic nie odrzekł. Oczy miał mętne i patrzył przeze mnie, jakbym był niewidzialny.

To był pierwszy raz, kiedy pomyślałem, że może faktycznie tak jest.

Ogień ma to do siebie, że jest podstępny: skrada się, parzy, a potem ogląda się przez ramię, skrzecząc ze śmiechu. I żebyście, kurwa, wiedzieli, że ogień to piękna rzecz. Jak promienie zachodzącego słońca, palące wszystko na swojej drodze. Dziś po raz pierwszy mam publiczność, która podziwia moje dzieło. Dan, stojący za mną, chrząka lekko. Bez wątpienia czuje respekt. Ale gdy odwracam się do niego, pękając z dumy, widzę, że chowa twarz w szerokim kołnierzu swojej kurtki z demobilu, a policzki zalane ma łzami.

– Dan, chłopie, co ci? – Facet to świr, ale bądź co bądź znajomy. Kładę mu rękę na ramieniu, ale on wzdryga się cały, jakby spadł mu tam skorpion. – Boisz się ognia, Danny? Wyluzuj. Jesteśmy daleko. Tutaj nic nam nie grozi. – Uśmiecham się do niego najmilej, jak potrafię. Muszę go jakoś uspokoić. A jeśli zacznie się drzeć i ściągnie mi tu jakiś zabłąkany patrol?

– Szopa – jęczy Dan.

– No, szopa. Nikt nie będzie po niej płakał.

– Szczur tam mieszka.

– Mieszkał. – Uśmiecham się.

– Ale ten...

– Zwierzęta potrafią uciec przed ogniem, mówię ci. Szczurowi nic nie będzie. Wrzuć na luz, stary.

– A gazety? On ma tam numer z zamachem na prezydenta Kennedy'ego...

Nagle oświeca mnie, że ten jego szczur to nie jakiś tam gryzoń, tylko drugi bezdomny, który nocuje w tej szopie i trzyma w niej swoje śmieci.

– Dan – pytam go – chcesz mi powiedzieć, że tam ktoś mieszka?

Dan wpatruje się w płomienie szalejące w kulminacyjnym momencie.

– Mieszkał – powtarza moje słowa.

Miałem więc, jak już mówiłem, jedenaście lat. Do dziś dnia nie mogę sobie przypomnieć, w jaki sposób zawędrowałem z Upper Darby aż do samego śródmieścia Providence. Pewnie błąkałem się po ulicach przez kilka godzin, a może uwierzyłem, że skoro jestem teraz niewidzialny jak jakiś superbohater, to może też potrafię się teleportować z miejsca na miejsce w mgnieniu oka.

Chcąc wypróbować moją nową zasłonę niewidzialności, przeszedłem przez całą dzielnicę handlową. Miałem rację – ludzie mijali mnie jak powietrze, z oczami wbitymi w chodnik albo utkwionymi gdzieś w oddali. Biurowe zombi. W jednym z budynków wzdłuż chodnika ciągnęła się długa ściana lustrzanych szyb; przeszedłem obok niej, wykrzywiając się na wszelkie możliwe sposoby, ale nikt z ludzkiej masy kłębiącej się dookoła nawet jednym słowem nie zwrócił mi uwagi.

Moja wędrówka skończyła się tego dnia na środku skrzyżowania, pod samymi światłami. Stałem tam, wśród skowytu klaksonów; pamiętam jakiś samochód odbijający ostro w lewo i dwóch policjantów pędzących mi na ratunek. Pamiętam komisariat i ojca, który przyjechał po mnie. Zapytał tylko o jedną rzecz: co ja sobie, do cholery, wyobrażam.

Niczego sobie nie wyobrażałem. Szukałem tylko miejsca, w którym ktoś by mnie zauważył.

Przede wszystkim zdejmuję koszulę. Na skraju drogi jest kałuża. Moczę w niej materiał i owijam nim twarz i całą głowę. Widać już dym, wściekle skłębione czarne chmury. Z daleka dobiega wycie syren. Trudno. Obiecałem coś Danowi.

Pierwsze mocne wrażenie to żar, ściana gorąca, o wiele twardsza, niżby się mogło z pozoru wydawać. Wśród kłębów dymu wybija się szkielet konstrukcji hangaru, niczym płomiennie pomarańczowe zdjęcie rentgenowskie. Wewnątrz nie widzę nawet tego, co mam przed samym nosem.

– Szczur! – krzyczę na cały głos. Dym momentalnie

wdziera mi się do gardła, które zaczyna drapać niemiłosiernie. Teraz mogę już tylko skrzeczeć. – Szczur!

Nikt nie odpowiada. Ale przecież ta szopa nie jest duża. Opadam na kolana i zaczynam obmacywać podłogę.

Tylko jeden raz wpadam w poważniejsze kłopoty – przez przypadek kładę rękę na jakimś metalowym przedmiocie, teraz rozpalonym do czerwoności. Skóra w jednej chwili przywiera do niego, złazi z ręki. Z mojej piersi wyrywa się szloch; jestem pewien, że zostanę tu już na zawsze. Nagle potykam się o nogę człowieka leżącego na podłodze. Łapię Szczura za ubranie, zarzucam go sobie na ramię i uciekam, zataczając się, tą samą drogą, którą tu przyszedłem.

Bóg chyba miał dziś dobry humor i chciał zrobić nam kawał, bo jakimś cudem wydostajemy się na zewnątrz. Wozy strażackie już podjeżdżają, pompy pracują. Może jest tu nawet mój ojciec. Trzymając się osłony, którą daje dym, rzucam Szczura na ziemię i uciekam w przeciwnym kierunku. Resztę roboty pozostawiam prawdziwym bohaterom, takim z powołania.

ANNA

Czy ciekawiło was kiedyś, skąd się tutaj wzięliśmy? Mam na myśli nasz świat. Historyjkę o Adamie i Ewie można sobie odpuścić, bo to kupa bzdetów. Mojemu tacie podobają się mity Paunisów, którzy opowiadają, że na początku ziemię zamieszkiwały gwiezdne bóstwa. Gwiazda Wieczorna zaczęła kręcić z Gwiazdą Poranną i stąd wzięła się pierwsza dziewczyna. Pierwszy chłopak był synem Słońca i Księżyca. Ludzie pojawili się na świecie przygnani potężnym tornadem.

Pan Hume, nasz nauczyciel biologii, opowiadał nam o tak zwanym bulionie pierwotnym, błotnistej brei gęstej od węgla i bulgoczącej od prostych gazów. Podobno z tej paćki jakimś cudem powstały organizmy jednokomórkowe, które nazwano wiciowcami kołnierzykowymi, ale na moje ucho ta nazwa jest bardziej odpowiednia dla zarazków przenoszonych drogą płciową niż dla pierwszego szczebla w drabinie ewolucyjnej. Ale mniejsza o nazwę; i tak od ameby do małpy, a od małpy do człowieka myślącego jest sto lat świetlnych.

Naprawdę niesamowite w tym wszystkim jest to, że obojętne, w co człowiek wierzy, to jednak każdy musi przyznać, że to nie byle co przeprowadzić życie od punktu, w którym nie było nic, do punktu, gdzie odpowiednie neurony iskrzą w mózgu, umożliwiając podejmowanie decyzji.

A jeszcze bardziej niesamowite jest to, że chociaż robimy to automatycznie, to i tak bez żadnego wysiłku potrafimy wszystko pochrzanić.

Jest sobotni poranek. Siedzę z mamą w szpitalu u Kate. Wszystkie trzy udajemy, że nie ma żadnego procesu i że za dwa dni nie będzie rozpatrzenia sprawy. Komuś mogłoby się wydawać, że takie udawanie to niełatwa sprawa, ale w tej sytuacji można zrobić tylko to albo tę drugą rzecz, która jest znacznie trudniejsza. W naszej rodzinie każdy opanował do perfekcji sztukę zatajania prawdy przed samym sobą; jeśli o czymś nie rozmawiamy, to raz, dwa, trzy i problem znika. Nie ma procesu, nie ma chorych nerek, nie ma się czym martwić.

Oglądam odcinek serialu „Happy Days". Dochodzę do wniosku, że ta rodzinka, Cunninghamowie, jest do nas bardzo podobna. Przejmują się tylko tym, czy kapela Richiego dostanie angaż w restauracji Ala albo czy Fonzie wygra turniej całowania. A przecież nawet ja wiem, że w latach pięćdziesiątych dzieciaki przechodziły w szkołach ćwiczenia obrony przeciwlotniczej, więc Joanie powinna się martwić właśnie czymś takim. Marion zapewne łykała valium, a Howard wyłaził ze skóry, bo bał się, że komuniści napadną na Amerykę. Może jeśli człowiek przez całe życie udaje, że gra w filmie, to nie musi zdawać sobie sprawy, że ściany są z papieru, jedzenie z plastiku, a słowa w jego ustach wymyślił ktoś inny.

Kate rozwiązuje krzyżówkę.

– Pojemnik, na cztery litery? – pyta nas.

Dziś jest dobry dzień. Dobry w takim sensie, że Kate ma siłę, by nawrzeszczeć na mnie, że pożyczyłam sobie dwie jej płyty bez pytania (bez przesady, była praktycznie w stanie śpiączki, jak miałam zapytać?), no a teraz na tę krzyżówkę.

– Pudło – podpowiadam jej. – Skrzynia.

– Mają być cztery litery, słyszałaś.

– Beka – odzywa się mama. – Może chodzi im o pojemnik na płyny.

– Cewnik – mówi doktor Chance, wchodząc do pokoju.

– Ale to ma sześć liter – odpowiada mu Kate. Dodam, że tonem o niebo milszym niż ten, którym zwróciła się do mnie.

Wszyscy lubimy doktora Chance'a. Przez te wszystkie lata stał się jakby szóstym członkiem naszej rodziny.

– Ile w skali, Kate? – Chodzi mu o skalę bólu. – Pięć?

– Trzy.

Doktor Chance siada na brzegu łóżka.

– Za godzinę może być pięć – ostrzega. – Albo dziewięć.

Twarz mamy nabiera koloru świeżego bakłażana.

– Przecież Kate czuje się świetnie! – rozlega się jej dziarski okrzyk.

– Wiem. Jednak takie przebłyski świadomości jak ten będą się zdarzać coraz rzadziej i będą coraz krótsze – mówi doktor Chance. – To już nie jest białaczka promielocytowa. To końcowe stadium niewydolności nerek.

– Ale po przeszczepie... – zaczyna mama.

Mogłabym przysiąc, że powietrze w pokoju robi się nagle gęste jak gąbka. Zapada taka cisza, że można by usłyszeć trzepot skrzydełek kolibra. Oddałabym wszystko, żeby rozpłynąć się w powietrzu jak mgła; oddałabym wszystko, żeby to wszystko nie była moja wina.

Tylko doktor Chance ma dość odwagi, żeby spojrzeć na mnie.

– Z tego, co wiem, Saro, przeszczep stoi pod znakiem zapytania.

– Ale...

– Mamo – przerywa jej Kate i zwraca się wprost do doktora Chance'a: – Ile czasu zostało?

– Tydzień. Może.

– Aha – szepcze Kate. – Aha. – Przesuwa palcami po stronie gazety, po jej ostrej krawędzi, zatrzymując kciuk na rogu kartki. – Będzie bolało?

– Nie – odpowiada doktor Chance. – Obiecuję.

Kate odkłada gazetę i dotyka jego dłoni.

– Dziękuję, że powiedział mi pan prawdę.

Doktor podnosi na nią zaczerwienione oczy.

– Nie dziękuj mi.

Wstaje, ale z takim wysiłkiem, jakby miał nogi z kamienia, i wychodzi bez słowa.

Mama zapada się w sobie. Nie znajduję innych słów, żeby opisać to, co widzę. Tak samo wygląda kartka papieru wrzucona głęboko do kominka; zamiast się palić, po prostu znika.

Kate spogląda na mnie, a potem przenosi wzrok na te wszystkie rurki, którymi jest przykuta do łóżka. A ja wstaję, podchodzę do mamy i kładę jej rękę na ramieniu.

– Mamo – proszę. – Przestań.

Mama podnosi głowę. W jej oczach widać udrękę i zmęczenie.

– Nie, Anno. To ty przestań.

Zanim się otrząsnę, mija kilka chwil.

– Anna – mamroczę pod nosem.

Mama odwraca głowę.

– Co?

– Pojemnik, na cztery litery – odpowiadam i wychodzę z pokoju, w którym leży Kate.

Jest sobota po południu. Kręcę się w obrotowym fotelu taty, który stoi w jego gabinecie w remizie. Naprzeciwko mnie, po drugiej stronie biurka, siedzi Julia. Na blacie leży kilka naszych zdjęć rodzinnych. Na jednym jest mała Kate w dzierganej czapeczce, która wygląda jak truskawka. Na drugim ja i Jesse trzymamy na rękach złowioną doradę błękitną; na naszych twarzach szerokie uśmiechy, ryba też szczerzy zęby. Kiedyś zastanawiałam się, kim są ludzie na zdjęciach, które wkłada się w sklepach do ramek na wystawie, te kobiety z gładkimi falami brązowych włosów i uśmiechami przyklejonymi do warg albo niemowlaki z głowami jak grejpfruty, siedzące na kolanach u starszego rodzeństwa; ludzie, którzy w rzeczywistości zapewne poznali się dopiero w studiu, gdzie przed obiektywem mieli udawać rodzinę.

A może to rzeczywistość jest taka jak te zdjęcia?

Biorę do ręki fotografię rodziców. Oboje są opaleni i wyglądają tak młodo jak nigdy.

– Masz chłopaka? – pytam Julię.

– Nie! – odpowiada natychmiast, o wiele za szybko. Podnoszę na nią wzrok, a ona tylko wzrusza ramionami.

– A ty?

– Jest taki jeden, nazywa się Kyle McFee. Myślałam, że mi się podoba, ale teraz już sama nie wiem. – Zaczynam rozkręcać wieczne pióro leżące na biurku. Wyciągam cienką rureczkę z niebieskim atramentem. Fajnie by było mieć coś takiego w sobie, jak kałamarnica; wystarczy dotknąć czegoś palcem, żeby zostawić ślad swojej obecności.

– Co z nim? – pyta Julia.

– Zaprosił mnie na taką niby-randkę. Byliśmy w kinie. Kiedy film się skończył, a my wstaliśmy, to on miał... – Robię się czerwona. – No, wiesz... – Macham ręką gdzieś mniej więcej w okolicy bioder.

– Aha – mówi Julia.

– Zapytał, czy chodzę na ZPT. No nie, ZPT, kto na to chodzi, myślę i nagle bęc! Łapię się na tym, że wpatruję się właśnie tam. – Pióro, któremu ukręciłam głowę, odkładam z powrotem na biurko. – Kiedy spotykam go na ulicy, nie mogę myśleć o niczym innym. – Spoglądam na Julię i nagle nachodzi mnie myśl. – Czy ja jestem zboczona?

– Nie, jesteś dorastającą nastolatką. Masz trzynaście lat i coś ci powiem: Kyle ma tyle samo. On nie mógł powstrzymać tego, co się z nim stało, tak samo jak ty nie możesz powstrzymać się od myślenia o tym, kiedy go widzisz. Mój brat Anthony mawiał, że są tylko dwie pory dnia, kiedy facet może się podniecić: kiedy jest jasno i kiedy jest ciemno.

– Twój brat rozmawiał z tobą o takich rzeczach?

Julia śmieje się.

– No chyba. Jesse unika tych tematów?

Parskam lekceważąco.

– Gdybym go kiedyś zapytała o seks, najpierw zacząłby rechotać, aż dostałby czkawki, a potem wręczyłby mi swoje stare „Playboye" jako materiał do samodzielnych badań w tej dziedzinie.

– A rodzice?

– Nigdy w życiu. Tata odpada, bo jest moim tatą. Mama ma za dużo na głowie. A Kate? Kate jedzie na tym samym wózku bez kierownicy co ja.

– Czy było kiedyś tak, że tobie i twojej siostrze podobał się ten sam facet? – pytam.

– Prawdę mówiąc, mamy odmienny gust.

– A jaki ty masz gust? Jaki chłopak by ci się podobał?

Julia namyśla się przez chwilę.

– Nie wiem. Wysoki. Brunet. Szeroka klata.

– Podoba ci się Campbell?

Julia niemal spada z krzesła.

– Co?

– No wiesz, jak na faceta w... hmm, dojrzałym wieku.

– Potrafię zrozumieć, że pewne kobiety... mogą w nim coś widzieć – odpowiada Julia.

– Campbell jest podobny do jednego kolesia z telenoweli, którą ogląda Kate. – Przeciągam kciukiem wzdłuż wyżłobienia w drewnianym blacie. – Dziwnie pomyśleć, że kiedyś dorosnę i doczekam wieku, kiedy będę mogła się całować i wyjść za mąż.

A Kate nie doczeka.

Julia pochyla się ku mnie.

– Co będzie, kiedy twoja siostra umrze?

Na jednym ze zdjęć leżących na biurku widać mnie i Kate. Jesteśmy bardzo małe, może pięć i dwa lata. Zdjęcie pochodzi jeszcze sprzed jej pierwszego nawrotu, ale włosy zdążyły jej już odrosnąć po chemioterapii. Stoimy na skraju plaży, mamy na sobie identyczne kostiumy i gramy w łapki. Gdyby złożyć to zdjęcie na pół, można by pomyśleć, że to jedna dziewczynka odbita w lustrze: Kate jest niska, a ja wysoka jak na swój wiek; jej włosy są innego koloru, ale mają taki sam naturalny przedziałek i podkręcają się na końcach. Stoimy tak naprzeciwko siebie, klaszcząc dłońmi o dłonie. Aż do tej chwili nie zdawałam sobie sprawy, że jesteśmy prawie jednakowe.

Kilka minut przed dwudziestą drugą w centrali remizy dzwoni telefon. Ku mojemu zdziwieniu dyżurny wywołuje przez interkom moje nazwisko. Odbieram z aparatu w kuchni, którą wieczorem wysprzątano i zamieciono.

– Halo?

– Cześć, Aniu. – W słuchawce rozlega się głos mamy.

Pierwsza, odruchowa myśl: coś się dzieje z Kate. O czym innym mogłybyśmy rozmawiać w takim momencie, w takiej atmosferze, jaka została po tej porannej sytuacji w szpitalu?

– Wszystko w porządku? – pytam.

– Kate śpi.

– To dobrze – odpowiadam, ale natychmiast ogarniają mnie wątpliwości, czy to naprawdę taki zdrowy objaw.

– Dzwonię, żeby powiedzieć ci dwie rzeczy. Po pierwsze: przepraszam za tę scenę dziś rano.

Cała płonę z wielkiego wstydu.

– Ja też cię przepraszam.

W tym momencie przypominam sobie, jak kiedyś mama przychodziła powiedzieć nam dobranoc. Najpierw szła do Kate i całowała ją, mówiąc: „Dobranoc, Anno". Potem podchodziła do mojego łóżka, pytając, gdzie jest Kate, bo chciała ją przytulić. Za każdym razem bawiło nas to do łez. Mama gasiła światło i wychodziła, zostawiając po sobie zapach płynu do ciała, dzięki któremu jej skóra zawsze była mięciutka jak wewnętrzna strona flanelowej poszwy na poduszkę.

– Po drugie – mówi mama – chciałam powiedzieć ci „dobranoc".

– I tylko dlatego dzwonisz?

– To za mało? – W głosie mamy słychać uśmiech.

– Nie – kłamię. Bo to faktycznie za mało.

Nie mogę zasnąć. Wstaję i cicho wychodzę z pokoju, po drodze mijając chrapiącego tatę. Z męskiej ubikacji podkradam Księgę rekordów Guinnessa i wychodzę z nią na dach. Kładę się tam i czytam przy świetle księżyca. Rekord przeżytego upadku z wysokości należy do osiemnastomiesięcznego chłopczyka imieniem Alejandro, który wypadł z okna mieszkania swoich rodziców, znajdującego się na wysokości dziewiętnastu metrów sześćdziesięciu siedmiu centymetrów; zdarzyło się to w Hiszpanii, w mieście Murcja. Roy Sullivan, Amerykanin ze stanu Wirginia, przeżył siedem porażeń piorunem, a potem popełnił samobójstwo, kiedy rzuciła go kochanka. Na Tajwanie, osiemdziesiąt dni po trzęsieniu ziemi, które zabiło około dwóch tysięcy ludzi, w gruzach odnaleziono żywego kota. Czytam raz za razem tę rubrykę, która nosi tytuł „Ci, którzy uszli z życiem". W myślach dodaję kolejne rekordy. Najdłuższe życie chorej na ostrą białaczkę promielocytową. Najszczęśliwsza, najradośniejsza siostra na świecie.

W końcu odkładam książkę i wpatruję się w niebo, szukając Wegi. W tym momencie odnajduje mnie tata.

– Mało dziś widać, co? – zagaduje, siadając obok. Noc jest pochmurna, nawet księżyc wygląda jak oklejony watą.

– Mało – przyznaję. – Wszystko takie niewyraźne.

– Chcesz zerknąć przez teleskop? – Tata majstruje przez chwilę pokrętłem ostrości, ale po chwili się rozmyśla. Dziś nie jest czas na takie rzeczy. Nagle wraca do mnie wspomnienie: miałam mniej więcej siedem lat i jechałam z tatą samochodem. Zapytałam go, skąd dorośli wiedzą, jak trafić w różne miejsca. Ciekawiło mnie to, bo nigdy nie widziałam, żeby korzystał z mapy.

– To chyba jest tak, że pamiętamy, gdzie trzeba skręcić – odpowiedział, ale mnie to nie wystarczyło.

– A kiedy jedziesz dokądś po raz pierwszy?

– Wtedy pytam o drogę.

Ja jednak chciałam wiedzieć, kto po raz pierwszy zapytał o drogę. No bo jeśli jedzie się w miejsce, gdzie nikt jeszcze nie był?

– Tato – pytam – czy to prawda, że gwiazdami można się kierować tak jak mapą?

– Tak, ale trzeba się znać na astronawigacji.

– To trudne do nauczenia? – Przyszło mi do głowy, że

to może się przydać. Jako koło ratunkowe w sytuacjach, kiedy wydaje mi się, że krążę bez celu po własnych śladach.

– Jest w tym sporo zawiłej matematyki. Najpierw mierzy się wysokość gwiazdy. Potem w almanachu nautycznym sprawdza się jej położenie. Następnie na podstawie własnych obserwacji trzeba określić przypuszczalną wysokość tej gwiazdy i kierunek, w którym powinna się znajdować. Porównuje się wysokość uzyskaną z pomiaru z tą obliczoną na podstawie obserwacji i nanosi się to na mapę, kreśląc linię pozycyjną. Kierunek, w którym należy podążać, leży na przecięciu takich linii. – Tata uśmiecha się, patrząc na mnie. – Jedna rada. – Śmieje się już na głos. – Nie wychodź z domu bez GPS-u.

Ale ja już widzę, że to wcale nie jest aż takie trudne. Dałabym sobie radę. Trzeba tylko iść tam, gdzie przecinają się te wszystkie linie, i nie tracić nadziei, że wszystko będzie dobrze.

Gdybym chciała kiedyś założyć nową sektę – nazwijmy ją kościołem annaistycznym – to nauka o powstaniu ludzkiej rasy brzmiałaby następująco: na początku nie było nic, tylko słońce i księżyc. Kobieta księżyc bardzo chciała świecić także w dzień, ale o tej porze na niebie wschodził ktoś tak jasny, że brak już było tam miejsca na kogokolwiek innego. Kobieta księżyc ze zgryzoty zaczęła chudnąć i maleć, aż został z niej tylko skrawek, sierp ostry jak nóż. Pewnego razu, przypadkiem, bo przecież przypadek rządzi wszystkim, jeden z tych spiczastych rogów zrobił dziurę w niebie. Z dziury, niczym fontanna łez, trysnęły miliony gwiazd.

Przerażona kobieta księżyc chciała je wszystkie połknąć. Czasami to się jej udawało i wtedy robiła się tłusta i okrągła, ale przeważnie strumień był zbyt obfity.

Gwiazd wciąż przybywało, a niebo stało się tak jasne, że kiedy zobaczył to mężczyzna słońce, poczuł wielką zazdrość. Zaprosił gwiazdy na swoją część nieba, tam gdzie zawsze była światłość, nie powiedział im jednak, że podczas dnia będą zupełnie niewidoczne. Kiedy to już się stało, te gwiazdy, które były głupie, zeskoczyły z nieba na ziemię i tam zastygły, przytłoczone ciężarem własnej naiwności.

Kobieta księżyc zrobiła, co było w jej mocy. Dotknąwszy tych ponurych monolitów, zamieniła każdy z nich w mężczyznę albo w kobietę. Od tej pory głównym jej zajęciem stało się pilnowanie, żeby już żadna z jej gwiazd nie spadła na ziemię. Od tej pory zaczęła żyć tym, co udało jej się ocalić.

BRIAN

Już prawie siódma rano. Do remizy wchodzi ośmiornica. Właściwie to tylko kobieta przebrana za ośmiornicę, ale kiedy się widzi coś takiego na własne oczy, nie zwraca się uwagi na subtelne różnice. Ośmiornica ma twarz zalaną łzami, a na rękach, czy też może w mackach, trzyma pekińczyka.

– Musi mi pan pomóc – zwraca się do mnie. Wtedy ją poznaję: ta pani ma na nazwisko Zegna. Kilka dni temu spalił się jej dom. Pożar zaczął się w kuchni.

– Nie mam się w co ubrać. Zostało mi tylko to. Kostium z Halloween – mówi pani Zegna, załamując macki. – Leżał i gnił w przechowalni w Taunton razem z moją kolekcją płyt.

Delikatnie ujmuję ją za ramię i sadzam na krześle naprzeciwko mojego biurka.

– Zdaję sobie sprawę, że pani dom nie nadaje się do zamieszkania...

– No chyba że się nie nadaje! Przecież nic z niego nie zostało!

– Mogę skierować panią do schroniska, a jeśli pani sobie życzy, mogę skontaktować się z pani firmą ubezpieczeniową i przyspieszyć wypłatę odszkodowania.

Pani Zegna unosi rękę, żeby otrzeć łzy. Pociąga przy tym za linki kostiumu i natychmiast podnosi się osiem macek.

– Nie mam polisy na życie – mówi. – Nie chcę żyć w ciągłym strachu przed najgorszym.

Przyglądam jej się przez chwilę, usiłując sobie przypomnieć, jak to jest być zaskoczonym nagłą tragiczną zmianą losu czy też samą możliwością nagłej katastrofy.

Jadę do szpitala. Kiedy wchodzę do pokoju Kate, zastaję ją pogrążoną we śnie. Jedną ręką mocno przytula misia, którego dostała od nas, kiedy miała siedem lat, a w drugiej trzyma przełącznik samoobsługowej kroplówki z morfiną. Co jakiś czas naciska przycisk przez sen, chociaż śpi mocno.

W pokoju stoi też fotel, który po rozłożeniu staje się wąskim łóżkiem, polówką, z materacem grubości kartki papieru. Leży na nim zwinięta w kłębek Sara.

– Cześć – mówi, odgarniając włosy z oczu. – Gdzie jest Anna?

– Śpi jeszcze, tak mocno, jak to tylko dziecko potrafi. Jak Kate w nocy?

– Nieźle. Tylko raz miała lekkie bóle, między drugą a czwartą.

Przysiadam na skraju jej polówki.

– Twój wczorajszy telefon bardzo pomógł Annie.

Kiedy patrzę w oczy Sary, widzę Jessego; oboje mają ten sam kolor włosów, te same rysy. Ciekawe, czy Sara, patrząc na mnie, widzi Kate. I czy to bardzo boli.

Trudno uwierzyć, że kiedyś przejechałem z tą kobietą całą długość transkontynentalnej autostrady nr 66, od początku do końca, i ani razu nie zabrakło nam tematów do rozmowy. Teraz nasze rozmowy to wymiana najważniejszych informacji, oszczędna w słowach, za to bogata w poufne szczegóły z pierwszej ręki.

– Pamiętasz tę wróżkę z Nevady? – zagaduję. Widzę, że nie kojarzy, o czym mówię, więc ciągnę temat: – To było, kiedy mieliśmy jeszcze chevroleta. Jechaliśmy przez Nevadę i w połowie drogi zabrakło nam benzyny. Musiałem iść szukać jakiejś stacji, a ty nie chciałaś zostać sama w samochodzie...

Za dziesięć dni ty wciąż będziesz błąkał się po własnych śladach, a tymczasem mnie tutaj rozdziobią sępy, powiedziała Sara, ruszając w drogę u mojego boku. Musieliśmy cofnąć się sześć kilometrów do stacji benzynowej, którą minęliśmy po drodze, nędznego baraku zamieszkanego przez starszego jegomościa – właściciela – i jego siostrę, która twierdziła, że potrafi przepowiadać przyszłość. Sara bardzo chciała sobie powróżyć, ale ja miałem tylko dziesięć dolarów, a wizyta u tej wróżki kosztowała pięć. Kupimy mniej benzyny, powiedziała Sara, i zapytamy ją, kiedy się skończy. Jak zawsze, dałem się jej przekonać.

Madame Agnes była niewidoma. Wyglądała tak, że można by straszyć nią dzieci: miała kataraktę na oczach, które przypominały bezchmurne lazurowe niebo. Dotknęła twarzy Sary powykrzywianymi palcami, żeby odczytać przyszłość z układu kości, i powiedziała, że widzi trójkę dzieci i długie życie, ale że to nie wystarczy. Sara, rozzłoszczona taką przepowiednią, zaczęła dopytywać się o sens tych słów. Madame Agnes wyjaśniła, że przyszłość jest jak glina, którą w każdej chwili można ugnieść i nadać jej inny kształt; da się to jednak zrobić wyłącznie z własną przyszłością, bo na los innych wpływu mieć nie można. Ale niektórym ludziom to nie wystarczy.

Potem położyła dłonie na mojej twarzy i powiedziała tylko: „Oszczędzaj się".

Jeśli chodzi o benzynę, miała nam się skończyć zaraz za granicą Kolorado. I tak się stało.

Znów siedzimy w pokoju szpitalnym. Sara patrzy na mnie pustym wzrokiem.

– To my byliśmy kiedyś w Nevadzie? – dziwi się. Po chwili potrząsa głową. – Musimy pogadać. Jeśli Anna do poniedziałku nie zmieni zdania, muszę wiedzieć, jak będziesz zeznawał.

– Zdecydowałem się już – opuszczam głowę. – Poprę wniosek Anny.

– Co takiego?

Rzuciwszy szybko okiem, czy Kate się nie obudziła, usiłuję znaleźć słowa wyjaśnienia.

– Saro, uwierz mi, że długo nad tym myślałem. Doszedłem do wniosku, że jeśli Anna nie chce być dłużej dawcą dla Kate, musimy to uszanować.

– Jeżeli weźmiesz stronę Anny, sędzia stwierdzi, że jedno z rodziców popiera jej wniosek i orzeknie na jej korzyść.

– Wiem o tym – odpowiadam. – Inaczej po co miałbym to robić?

Wpatrujemy się sobie w oczy. Brak nam słów. Nie chcemy myśleć o tym, co nas czeka na końcu każdej z tych dróg.

– Saro – przerywam w końcu to milczenie – czego ty chcesz ode mnie?

– Chcę patrzeć na ciebie i przypomnieć sobie, jak było kiedyś. – Jej słowa są niewyraźne, zdławione. – Chcę, żeby było tak jak dawniej. Pomóż mi, Brian.

Ale ta Sara to już nie jest tamta kobieta, którą znałem. To nie jest marzycielka, która biegła przez prerię i liczyła norki piesków preriowych, która czytała na głos ogłoszenia matrymonialne samotnych kowbojów, a w najciemniejszej głębinie nocy mówiła mi, że będzie mnie kochać, dopóki księżyc wschodzi na niebie.

Szczerze mówiąc, ja też nie jestem już tym samym człowiekiem. Tamten mężczyzna słuchał Sary. Tamten mężczyzna jej wierzył.

SARA
2001

Siedzę na kanapie w dużym pokoju. Czytam jedną część gazety, a Brian, siedzący obok mnie, drugą. Wchodzi Anna.

– Jak obiecam wam, że będę kosić trawnik, dopóki nie wyjdę za mąż – mówi – to dostanę teraz sześćset czternaście dolarów i dziewięćdziesiąt sześć centów?

– Na co? – pytamy jednym głosem.

Anna przestępuje z nogi na nogę.

– Potrzebuję trochę kasy.

Brian składa stronę z wiadomościami krajowymi.

– Jakoś nie wydaje mi się, żeby dżinsy firmy Gap aż tak podrożały.

– Wiedziałam, że tak będzie – burczy Anna, zbierając się do wyjścia.

– Zaczekaj. – Pochylam się, opieram łokcie na kolanach. – Co chcesz za to kupić?

– Czy to aż takie ważne?

– Anno – odpowiada Brian – nie możemy dać ci tyle pieniędzy, nie wiedząc, na co pójdą.

Anna namyśla się przez chwilę.

– Chcę coś kupić na e-Bay.

Moja córka, dziesięciolatka, zagląda na e-Bay?

– No dobrze. – Westchnęła ciężko. – Są do sprzedania parkany bramkarskie.

Spoglądam na męża, ale on też nic z tego nie rozumie.

– Takie do hokeja? – pyta Brian.

– Ee... no... tak.

– Przecież ty nie grasz w hokeja – zauważam. Anna czerwieni się, a do mnie w tym momencie dociera, że mogę się mylić.

Brian domaga się wyjaśnień.

– Kilka miesięcy temu – zaczyna Anna – przejeżdżałam na rowerze obok lodowiska do hokeja. Spadł mi łańcuch i zsiadłam. Na lodzie ćwiczyła drużyna juniorów, ale nie mieli bramkarza, bo się rozchorował. Trener powiedział, że jak stanę na bramce, to da mi pięć dolarów. Pożyczyłam strój i sprzęt tamtego chorego chłopaka i... no... całkiem nieźle mi poszło. Było fajnie. I teraz tam chodzę. – Anna uśmiecha się z zażenowaniem. – Trener zaproponował mi, żebym zagrała z nimi w turnieju. Byłabym pierwszą dziewczyną w drużynie. Ale muszę mieć własny sprzęt.

– Za sześćset czternaście dolarów?

– I dziewięćdziesiąt sześć centów. Ale to są same parkany, a potrzebne mi jeszcze bodiczki, łapaczka, rękawica na prawą rękę i maska. – Spogląda na nas wyczekująco.

– Musimy się zastanowić – odpowiadam.

Anna wychodzi, mamrocząc pod nosem coś, co brzmi jak: „Tak myślałam".

– Wiedziałaś, że ona gra w hokeja? – pyta Brian. Potrząsam przecząco głową. Ciekawe, zastanawiam się, jakie jeszcze sekrety moja córka skrywa przed nami.

Pięć minut przed wyjściem na pierwszy mecz Anny Kate oświadcza, że nigdzie nie pójdzie.

– Mamo, nie – błaga. – Zobacz, jak ja wyglądam.

Kate dostała niedawno złośliwej wysypki. Jej policzki, dłonie, podeszwy stóp i klatkę piersiową pokrywają małe czerwone kropki, a do tego całą twarz ma spuchniętą od sterydów, którymi się to leczy. Jej skóra jest szorstka i pogrubiała.

Te objawy są wizytówką choroby Grafta, czyli reakcji „przeszczep przeciwko gospodarzowi", która nastąpiła u Kate po przeszczepie szpiku kostnego. Od czterech lat choroba ta objawia się co jakiś czas w najbardziej niespodziewanych momentach. Szpik kostny to narząd, który po przeszczepie ciało może odrzucić, tak samo jak serce czy wątrobę. Czasami jednak dzieje się tak, że to szpik przestaje tolerować organizm, w którym się znajduje.

Ma to swoje dobre strony, mianowicie takie, że choroba Grafta zagraża także komórkom rakowym; doktor Chance nazywa to „chorobą przeszczep przeciwko białaczce". Gorsze natomiast są jej objawy: przewlekła biegunka, żółtaczka, ograniczenie ruchliwości stawów, uszkodzenia i stwardnienie tkanki łącznej. Zdążyłam już przywyknąć do tych sensacji i znoszę je ze spokojem, ale kiedy objawy są tak silne jak dziś, pozwalam Kate nie iść do szkoły. Dziewczyna ma trzynaście lat, a w tym wieku wygląd jest najważniejszy. Szanuję wolę Kate, bo moja córka nie jest próżna.

Ale nie mogę zostawić jej samej w domu, a przecież obiecałyśmy Annie, że przyjdziemy popatrzeć, jak gra.

– Dla twojej siostry to jest bardzo ważna sprawa – tłumaczę.

W odpowiedzi Kate rzuca się na kanapę i zakrywa twarz poduszką.

Nie mówię już ani słowa. Idę do przedpokoju i wyjmuję z szafy różne elementy zimowej garderoby. Podaję Kate rękawiczki, wciskam czapkę na głowę i owijam szalikiem twarz aż po same oczy.

– Na hali będzie chłodno – mówię tonem, z którym nie można się nie zgodzić.

Sprzęt pożyczyliśmy w końcu od siostrzeńca trenera Anny. Nasza córka jest nie do rozpoznania, opatulona i obwiązana jak chochoł licznymi warstwami stroju bramkarskiego. Nikt by się nie domyślił, że jest jedyną dziewczynką na lodowisku. Ani że jest o dwa lata młodsza od wszystkich graczy biorących udział w meczu.

Ciekawe, czy Anna słyszy doping przez ten hełm. A może jest tak skoncentrowana na tym, co się dzieje, że odsuwa od siebie wszelkie myśli, skupiając całą uwagę na śmigającym krążku i łomocie kijów o lód.

Jesse i Brian siedzą jak na szpilkach; nawet Kate zaczyna się emocjonować grą, choć przecież musiałam zaciągnąć ją tutaj niemal siłą. W porównaniu z Anną drugi bramkarz porusza się wolno jak mucha w smole. Gra przenosi się błyskawicznie spod bramki przeciwników pod bramkę Anny. Center podaje na prawe skrzydło, a napastnik rwie do przodu jak burza, siekąc lód łyżwami, niesiony rykiem rozentuzjazmowanego tłumu. Anna, bezbłędnie przewidując, gdzie za chwilę znajdzie się krążek, wychodzi z bramki, nisko na ugiętych kolanach, z łokciami wysuniętymi na zewnątrz.

– Nie do wiary – zachłystuje się Brian w przerwie po drugiej tercji. – Prawdziwy talent bramkarski!

To akurat wiem od dawna. Anna jest jak deska ratunku. W każdej sytuacji.

Tej samej nocy Kate budzi się zalana krwią, która cieknie strumieniami z nosa, odbytu i spod powiek. Nigdy w życiu nie widziałam tyle krwi. Usiłuję powstrzymać krwotok, myśląc tylko o jednym: ile Kate może jej stracić? Kiedy dojeżdżamy z nią na ostry dyżur, jest już otumaniona i miota się, aż wreszcie traci przytomność.

Pielęgniarki natychmiast podłączają ją do kroplówek z osoczem, krwią i płytkami, aby uzupełnić straconą krew, która i tak momentalnie wycieka na zewnątrz. Wygląda to tak, jakby wtłaczane do jej żył płyny przelewały się przez nią na wylot. Intubują Kate i podają jej płyny ustrojowe, aby zapobiec wstrząsowi hipowolemicznemu. Robią tomografię komputerową mózgu i płuc, żeby stwierdzić, jak rozległe jest krwawienie wewnętrzne.

Choć już nieraz jeździliśmy z Kate w środku nocy na ostry dyżur i często widzieliśmy u niej wszelkie objawy nagłego nawrotu choroby, to jednak teraz wiemy, że jeszcze nigdy nie było aż tak źle. Krwotok z nosa to jedno, ale awaria całego organizmu to zupełnie co innego. Do tej pory dwukrotnie nastąpiła arytmia serca. Krwotok powoduje niedokrwienie mózgu, serca, wątroby, płuc i nerek; żaden narząd w tym momencie nie funkcjonuje prawidłowo.

Doktor Chance zaprasza nas do małej salki w końcu korytarza na oddziale intensywnej opieki medycznej. Ściany pokoiku są wymalowane w stokrotki z uśmiechniętymi buźkami. Niedaleko okna jest narysowana pionowa podziałka w kształcie gąsienicy, długości mniej więcej metr dwadzieścia, opatrzona napisem: „Ile mogę urosnąć?".

Brian i ja siedzimy w kompletnym bezruchu, jakby obiecano nam nagrodę za dobre zachowanie.

– Arszenik? – powtarza Brian. – Trucizna?

– To zupełnie nowe leczenie – wyjaśnia doktor Chance. – Arszenik podaje się dożylnie, przez dwadzieścia pięć do sześćdziesięciu dni. Jak dotąd ta terapia nie doprowadziła jeszcze do wyleczenia choroby, co nie znaczy, że nie może to nastąpić w przyszłości. Jednak od momentu wprowadzenia leku pięć lat temu żaden z pacjentów leczonych tą metodą nie dożył chwili obecnej. Nasza sytuacja wygląda tak: wykorzystaliśmy już krew pępowinową, przeszczep allogeniczny, naświetlanie, chemioterapię i tretinoinę. Kate przeżyła nasze najbardziej optymistyczne prognozy o całe dziesięć lat.

Bez dalszego zastanawiania się kiwam głową na znak zgody. Czy powiedziałam Kate wczoraj wieczorem, że ją kocham? Nie mogę sobie przypomnieć. W żaden sposób.

Kilka minut po drugiej w nocy zauważam, że Brian gdzieś zniknął. Wymknął się, kiedy przysypiałam przy łóżku Kate. Nie ma go już godzinę. Wyruszam na poszukiwanie. Pytam pielęgniarek, sprawdzam w stołówce i w męskiej toalecie. Nigdzie go nie ma. W końcu odnajduję męża w maleńkim pokoiku noszącym imię jakiegoś biednego dziecka, które umarło na tym oddziale. Pokoik za dnia jest słoneczny, stoją w nim sztuczne roślinki, niezagrażające pacjentom z neutropenią. Brian siedzi na brzydkiej, obitej sztruksem kanapie i zawzięcie zapisuje coś niebieską kredką na kartce papieru.

– Hej – odzywam się cicho, nagle przypominając sobie, jak dzieci kiedyś kolorowały książeczki na podłodze w kuchni; kredki były rozsypane po całej podłodze jak naręcza polnych kwiatów. – Dam ci żółtą za niebieską.

Brian spogląda na mnie wystraszonym wzrokiem.

– Czy coś...?

– Nie, Kate czuje się dobrze. To znaczy bez zmian.

Steph, pielęgniarka, podała jej już pierwszą dawkę arszeniku, a do tego krew. Dwa razy. Trzeba było uzupełnić to, co mała wciąż traci.

– Może lepiej będzie zabrać Kate do domu – mówi Brian.

– Zabierzemy ją...

– Zabierzmy ją teraz. – Brian składa ręce, stykając ze sobą koniuszki palców. – Kate wolałaby umrzeć we własnym łóżku.

To jedno słowo eksploduje między nami jak granat.

– Kate nie...

– Umrze. – Twarz Briana znaczą głębokie bruzdy bólu. – Ona już umiera, Saro, i w końcu umrze, dziś, jutro, a przy ogromnym szczęściu może za rok. Słyszałaś, co powiedział doktor Chance. Arszenik nie leczy. On tylko powstrzymuje nieuniknione.

Moje oczy wzbierają łzami.

– Ale ja ją kocham – mówię, bo czy to nie wystarczy, żeby moja córka nie umarła?

– Ja też ją kocham. Kocham ją za bardzo, żeby dalej to ciągnąć.

Kartka papieru, na której pisał kredką, wypada z jego dłoni na moje kolana. Podnoszę ją, zanim Brian zdąży wyciągnąć rękę. Są na niej plamy od łez i wiele skreśleń. Czytam: *Uwielbiała pierwsze zapachy wiosny. Grała w remika, jakby urodziła się z kartami w ręku. Potrafiła tańczyć nawet bez muzyki.* Na marginesie są też notatki. *Ulubiony kolor: różowy. Ulubiona pora dnia: zmierzch. Czytała „Where the Wild Things Are" sto razy i do tej pory zna tę książkę na pamięć.*

Czuję przeraźliwie zimny dreszcz spływający mi po plecach.

– Czy to ma być... Czy to jest... mowa pogrzebowa?

Brian też już płacze.

– Muszę zapisać to teraz, bo potem, kiedy będzie trzeba, nie poradzę sobie z tym.

Potrząsam głową.

– Jeszcze nie trzeba.

O wpół do czwartej nad ranem dzwonię do mojej siostry.

– Obudziłam cię. – Dopiero kiedy słyszę jej głos, uświadamiam sobie, że dla niej, dla wszystkich normalnych ludzi, ta pora to sam środek nocy.

– Coś się stało Kate?

Kiwam głową, chociaż wiem, że ona tego nie zobaczy ani nie usłyszy.

– Zanne?

– Słucham.

Zaciskam powieki, ale łzy i tak płyną.

– Saro, co się stało? Mam do was przyjechać?

Nie mogę dobyć głosu. W gardle czuję jakby wielką ołowianą kulę; to niewypowiedziana prawda. Jak się okazuje, prawdą też można się udławić. Kiedy byłyśmy dziećmi, zawsze kłóciłyśmy się o światło w korytarzu dzielącym nasze pokoje; Zanne chciała, żeby gasić je na noc, a ja – żeby się paliło. Wsadź głowę pod poduszkę, mówiłam jej. Ty możesz zrobić ciemność, ale ja nie potrafię zrobić światła.

– Przyjedź. – Nie powstrzymuję już łez. – Proszę cię.

Wbrew wszelkim oczekiwaniom Kate wytrzymuje dziesięć dni intensywnych kroplówek i leczenia arszenikiem. Jedenastego dnia po przywiezieniu do szpitala zapada w śpiączkę. Postanawiam czuwać przy jej łóżku, dopóki się nie obudzi. Moje czuwanie trwa dokładnie czterdzieści pięć minut; przerywa je telefon. Dzwoni dyrektor szkoły, do której chodzi Jesse.

Dowiaduję się, że metaliczny sód jest przechowywany w pracowni chemicznej w małych pojemnikach wypełnionych olejem z uwagi na to, że gwałtownie reaguje z powietrzem. Dowiaduję się, że reaguje on również z wodą, a w wyniku reakcji powstaje tlen i wydziela się ciepło. Dowiaduję się w końcu, że mój syn, uczeń dziewiątej klasy, dzięki wrodzonej bystrości połączył oba te fakty, wykradł z pracowni pewną ilość tego pierwiastka i spuścił go w klozecie, rozsadzając szkolne szambo.

Dyrektor zawiesza go w prawach ucznia na trzy tygodnie. Dowiaduję się od niego dodatkowo, że mój syn kwalifikuje się do kryminału, gdzie zapewne skończy; oznajmiwszy mi to, ten człowiek ma jeszcze czelność dopytywać się o Kate. Zabieram Jessego i wracam razem z nim do szpitala.

– Nie muszę ci chyba mówić, że od dziś masz szlaban?

– Wszystko jedno.

– Dopóki nie skończysz czterdziestu lat.

Jesse garbi się i marszczy brwi, które choć i tak są blisko siebie, teraz wydają się całkiem zrośnięte. Próbuję przypomnieć sobie dokładnie, kiedy dałam sobie spokój z wychowywaniem syna. Nie mogę zrozumieć, dlaczego stał się taki, skoro jego los nie był nawet po części tak tragiczny jak życie jego siostry.

– Dyrektor to kutas.

– Wiesz, co ci powiem? Świat jest pełen, jak ich nazywasz, kutasów. Zawsze będziesz z kimś się zmagał. Z kimś albo z czymś.

Jesse rzuca mi wściekłe spojrzenie.

– Cholera, widzisz? Za każdym razem, o czymkolwiek by była rozmowa, zawsze potrafisz zejść na temat Kate i jej choroby.

Zatrzymuję samochód na szpitalnym parkingu, ale nie spieszę się z wysiadaniem. O przednią szybę biją krople deszczu.

– Każde z nas potrafi zwrócić na siebie uwagę – mówię. – Bo przecież po to i tylko po to wysadziłeś szkolne szambo. Może nie mam racji?

– Nie masz pojęcia, jak to jest mieć siostrę umierającą na raka.

– Nie jest to jednak temat całkowicie mi obcy. W końcu mam córkę umierającą na raka. I zgadzam się z tobą, że takie życie jest do chrzanu. Czasem ja też mam ochotę coś wysadzić, bo wydaje mi się, że jeśli tego nie zrobię, to za chwilę sama eksploduję. – Opuszczam wzrok. Na ramieniu Jessego, dokładnie w zgięciu łokcia widnieje siniak wielkości półdolarówki. Na drugiej ręce zauważam drugi taki sam, do pary. Gdybym zobaczyła coś takiego u którejś z jego sióstr, natychmiast pomyślałabym o białaczce. Ale u Jessego, co znamienne, wpierw przychodzi mi na myśl heroina. – Co to jest? – pytam.

Jesse zakłada ręce na piersi.

– Nic.

– Co to jest? – powtarzam.

– Nie twój interes.

– Otóż mylisz się – prostuję siłą jego rękę. – To ślad po igle, tak?

Jesse unosi głowę, jego oczy błyszczą hardo.

– Tak, mamo. Co trzy dni wbijają mi igłę. Tylko że zamiast walić herę, oddaję krew, tutaj, w tym szpitalu, na trzecim piętrze. – Patrzy mi w oczy. – Nie zastanawiałaś się nigdy, od kogo jeszcze Kate dostaje płytki?

Zanim zdążę powiedzieć choć słowo, Jesse wyskakuje z samochodu. Patrzę za nim przez zalaną deszczem szybę i widzę rozmazany świat, w którym nic już nie jest dla mnie jasne.

Upłynęły dwa tygodnie, odkąd przywieźliśmy Kate do szpitala. Pielęgniarkom udało się w końcu mnie namówić, żebym zrobiła sobie dzień przerwy. Jadę do domu. Kąpię się pod własnym prysznicem, zamiast w służbowej łazience dla personelu intensywnej opieki. Płacę zaległe rachunki. Zanne, która wciąż jeszcze mieszka u nas, parzy mi kawę; kiedy schodzę do kuchni z rozczesanymi, wilgotnymi włosami, parująca filiżanka już na mnie czeka.

– Ktoś dzwonił?

– „Ktoś” znaczy ktoś ze szpitala? Nie. – Zanne

przerzuca stronę książki kucharskiej, którą przegląda. – Co za pierdoły – wzdycha. – Gotowanie to żadna frajda.

Drzwi wejściowe otwierają się i zamykają z hukiem. Do kuchni wpada Anna. Na mój widok staje jak wryta.

– A co ty tu robisz? – dziwi się.

– Mieszkam w tym domu – przypominam jej.

Zanne chrząka z cicha.

– Kto by pomyślał – mruczy pod nosem, ale Anna jej nie słyszy albo nie chce usłyszeć. Wymachuje mi przed nosem jakąś kartką, uśmiechając się radośnie od ucha do ucha.

– Trener Urlicht dostał list. Do mnie! Czytaj, czytaj, czytaj!

> *Do Sz. P. Anny Fitzgerald,*
> *Serdecznie gratulujemy przyjęcia na letni obóz hokejowy dla dziewcząt. Zapraszamy Cię do grupy bramkarek. Tegoroczny obóz odbędzie się w dniach 3–17 lipca 2001 roku w Minneapolis. Prosimy o wypełnienie załączonego formularza i odesłanie go na podany adres do dnia 30 kwietnia 2001 roku, razem ze świadectwem zdrowia i historią przebytych chorób. Do zobaczenia na lodzie!*
> *Sarah Teuting, trenerka*

Odrywam wzrok od listu.

– Puściłaś Kate na ten specjalny obóz dla dzieci chorych na białaczkę, kiedy miała tyle lat co ja – mówi Anna. – Wiesz w ogóle, kto to jest Sarah Teuting? To bramkarka Team USA! I zobacz, ja nie jadę na spotkanie z nią, tylko będę trenować pod jej okiem, ona mi powie, co robię źle! Trener załatwił dla mnie pełny zwrot kosztów, więc was nie będzie to kosztować ani centa. Polecę tam samolotem, dostanę własny pokój i wszystko. To dla mnie wielka szansa...

– Kotku – przerywam jej, powoli dobierając słowa – nie możesz tam pojechać.

Anna potrząsa głową, jakby musiała wbić sobie do uszu to, co powiedziałam.

– Ale przecież to nie jest teraz, zaraz. To dopiero latem.

A do tego czasu Kate może już umrzeć.

Po raz pierwszy Anna dała mi do zrozumienia, że widzi koniec tego wszystkiego, że wyobraża sobie, że kiedyś może być wolna od obowiązków względem swojej siostry. Ale dopóki to nie nastąpi, wyjazd do Minnesoty jest wykluczony. Nie, nie boję się, że Annie coś się tam może stać; boję się o to, co może stać się Kate pod nieobecność siostry. Jeżeli przeżyje leczenie arszenikiem i wyjdzie z obecnego kryzysu, to nikt nie wie, jak długo będziemy czekać na następny, a wtedy Anna – jej krew, komórki macierzyste, jej tkanki – będzie nam potrzebna tutaj, na miejscu.

Świadomość tych faktów wisi pomiędzy nami jak zwiewna, przejrzysta zasłona. Zanne wstaje z krzesła i obejmuje Annę ramieniem.

– Wiesz co, pszczółko? Porozmawiamy o tym z mamą przy jakiejś innej okazji...

– Nie – przerywa jej Anna. – Chcę wiedzieć, dlaczego nie mogę tam pojechać.

Zasłaniam oczy dłonią.

– Anno, proszę cię, nie zmuszaj mnie do tego.

– Do czego, mamo? – pyta Anna głosem rwącym się z emocji. – Tak się składa, że ja cię do niczego nie zmuszam.

Wybiega z kuchni, gniotąc list w dłoni. Zanne uśmiecha się do mnie blado.

– Witaj w domu – mówi.

Anna wychodzi na podwórko, bierze kij do hokeja i zaczyna ćwiczyć strzały krążkiem, odbijając go o drzwi garażu. Rytmiczny łoskot nie ustaje przez godzinę; w końcu zapominam, że to ona, a w moich uszach stukot brzmi jak puls naszego domu.

Siedemnaście dni po przyjęciu do szpitala Kate łapie jakąś infekcję. Organizm natychmiast reaguje wysoką gorączką. Robią jej wszystkie możliwe posiewy – z ciała odprowadzane są krew, kał, uryna i ślina. Ma to chronić organizm przed dalszym zakażeniem. Aby sprowokować do reakcji wirusa, który ją dręczy, podają jej wszelkie możliwe antybiotyki.

Steph, nasza ulubiona pielęgniarka, od czasu do czasu zostaje po dyżurze do późna w nocy, abym nie musiała borykać się z tym w samotności. Przynosi mi numery magazynu „People" podkradzione z poczekalni w przychodni i przesiaduje przy łóżku mojej nieprzytomnej córki, snując na głos pogodne monologi. Jest wzorem determinacji i optymizmu, ale tylko na zewnątrz. Kilka razy dostrzegłam łzy w jej oczach, kiedy wycierała Kate gąbką, co w obecnych warunkach zastępuje kąpiel. Myślała, że na nią nie patrzę.

Któregoś dnia rano doktor Chance zagląda do Kate. Skończywszy ją badać, opuszcza stetoskop na szyję i przysiada na krześle naprzeciwko mnie.

– Chciałem być gościem na jej ślubie – mówi.

– Będziesz – przekonuję go, ale on potrząsa głową.

Widząc to, czuję, jak moje serce zaczyna bić szybciej.

– Nie wiesz, jaki prezent kupić? – pytam. – Może być waza do ponczu. Ramka na obrazek. Albo wystarczy, że wzniesiesz toast.

– Saro – przerywa mi doktor Chance. – Pożegnaj się z Kate.

346

Jesse siedzi sam na sam z Kate przez piętnaście minut, za zamkniętymi drzwiami. Kiedy wychodzi, wygląda jak uzbrojona bomba na chwilę przed detonacją. Puszcza się biegiem wzdłuż korytarza oddziału intensywnej opieki medycznej.

– Ja pójdę. – Brian rusza w kierunku, w którym pobiegł Jesse.

Anna siedzi na krześle oparta plecami o ścianę. Widać, że też jest zła.

– Nie wejdę tam – oświadcza.

Przyklękam obok niej.

– Uwierz mi, że ostatnią rzeczą, której pragnę, jest zmuszać cię do tego. Ale jeśli teraz tam nie pójdziesz, to przyjdzie dzień, kiedy będziesz tego żałować.

Anna wstaje i wchodzi do pokoju Kate, gotując się z wściekłości. Przysiada na krześle obok łóżka. Pierś Kate unosi się i opada w rytm pracy respiratora. Cała wojowniczość Anny znika w jednej chwili; wystarczy jej dotknąć palcami policzka siostry.

– Czy ona mnie słyszy?

– Oczywiście – odpowiadam bardziej sobie niż Annie.

– Nie pojadę do Minnesoty – szepcze Anna. – Już nigdzie nigdy nie pojadę. – Pochyla się nisko nad łóżkiem. – Obudź się, Kate.

Obie wstrzymujemy oddech. Nic. Nic się nie dzieje.

Nigdy nie mogłam zrozumieć, dlaczego mówi się „stracić dziecko". Brzmi to tak samo jak „stracić z oczu". A przecież żaden rodzic nie jest aż tak lekkomyślny; zawsze wiemy, gdzie są nasze dzieci, co najwyżej możemy życzyć sobie, żeby były gdzie indziej.

Siedzimy z Brianem na łóżku Kate. Trzymamy się za ręce, a w drugiej dłoni każde z nas ściska jedną rączkę naszej córeczki.

– Miałeś rację – mówię mu. – Trzeba było ją zabrać do domu.

Brian potrząsa głową.

– Gdybyśmy nie zdecydowali się na leczenie arszenikiem, to do końca życia byśmy tego żałowali. – Odgarnia z twarzy Kate jej jaśniutkie włosy. – Taka grzeczna dziewczynka. Zawsze robiła to, o co ją się prosiło. – Kiwam głową, bo słowa zamierają mi w gardle. – To dlatego wciąż tak jeszcze walczy. Czeka, aż pozwolisz jej odejść.

Pochyla się nad Kate, łkając tak mocno, że nie może złapać oddechu. Kładę dłoń na jego głowie. Nie jesteśmy pierwszymi rodzicami, którzy tracą dziecko. Cała różnica polega na tym, że po raz pierwszy przytrafia się to nam.

Brian zasnął, siedząc na stołku w nogach łóżka, oparty łokciami na pościeli. Ja nie mogę spać; biorę pooraną bliznami dłoń Kate w dłonie. Przesuwam palcami po spiłowanych na okrągło paznokciach mojej córeczki, przypominając sobie, kiedy pierwszy raz je pomalowałam. Brian nie mógł się nadziwić, po co to dziewczynce, która dopiero co skończyła roczek. Dziś, dwanaście lat później, odwracam dłoń Kate i przyglądam się linii życia, żałując, że nie umiem jej odczytać. Jeszcze bardziej żałuję, że nie potrafię jej poprawić, zapisać na nowo.

Przysuwam krzesło bliżej szpitalnego łóżka.

– Pamiętasz, jak zapisaliśmy cię na letni obóz? Ostatniej nocy przed wyjazdem oświadczyłaś nagle, że się rozmyśliłaś i chcesz zostać w domu. Poradziłam ci wtedy, żebyś w autobusie usiadła po lewej stronie, by móc mnie widzieć, kiedy będziesz ruszać. Żeby pamiętać, że czekam na ciebie. – Przyciskam jej dłoń do twarzy tak mocno, aż na skórze zostaje ślad. – Zajmij sobie to samo miejsce w niebie, żebyś mogła widzieć, że wciąż na ciebie patrzę.

Chowam twarz w fałdach kołdry i mówię mojej córce, jak bardzo ją kocham. Ściskam jej rączkę, ten jeden ostatni raz.

W odpowiedzi czuję najlżejsze drgnięcie, najdelikatniejsze poruszenie, najsłabszy uścisk małej dłoni dziecka powracającego do życia, chwytającego się wszystkiego, co wpadnie mu pod rękę.

ANNA

Zastanawia mnie jedna rzecz: ile lat ma się w niebie? Bo skoro już się tam jest, to powinno się wyglądać jak za swoich najlepszych dni. Jakoś mi się nie wydaje, żeby wszyscy ci, którzy umarli ze starości, błąkali się po raju bez zębów i świecąc z daleka łysiną. To zresztą nie jest jedyny problem, jaki nasuwa mi się na myśl. Czy samobójca, który się powiesił, wałęsa się po niebie spuchnięty, z wywalonym językiem? A jeśli ktoś zginął na wojnie, to czy przez całą wieczność musi obywać się bez nogi, którą urwała mu mina?

Tak sobie myślę, że w tej kwestii można wybrać samemu. Kiedy ktoś po śmierci zgłasza się do nieba, wypełnia specjalny formularz, w którym zaznacza, czy chce mieć pokój z widokiem na gwiazdy czy na chmury, czy na obiad woli kurczaka, ryby czy może mannę, no i jak chce być postrzegany przez innych, co obejmuje także to, ile chce mieć lat w oczach innych. Ja, przykładowo, wybrałabym siedemnaście – mam nadzieję, że do tego czasu zdążą urosnąć mi piersi. Bo nawet jeśli umrę jako zasuszona stulatka, w niebie chcę być młoda i ładna.

Raz, kiedy byliśmy w gościach u znajomych, usłyszałam, jak mój tata powiedział, że nawet kiedy będzie już stary i siwy, to w głębi serca wciąż będzie miał dwadzieścia jeden lat. Więc może to jest tak, że w życiu każdego człowieka jest taki okres, który wyrabia się jak koleina na drodze albo, jeszcze lepiej, jak ulubione miejsce na kanapie. Do tych czasów zawsze powraca się myślami bez względu na to, jak wygląda reszta życia.

Problem leży chyba w tym, że każdy człowiek jest inny. Bo co się dzieje, jeśli chce się odnaleźć w raju kogoś, kogo nie widziało się przez całe lata ziemskiego życia? Przypuśćmy, że zmarła żona zaczyna szukać w niebie swojego męża, którego straciła pięć lat wcześniej. Wyobraża go sobie jako siedemdziesięcioletniego staruszka, a on tymczasem zażyczył sobie mieć znów szesnaście lat i hasa w najlepsze, piękny i gładki.

A taka dziewczyna jak Kate, która umiera w wieku szesnastu lat, ale w raju chce wyglądać na trzydzieści pięć, choć na Ziemi tylu nie dożyła? Kto ją wtedy rozpozna?

Kiedy jemy z tatą śniadanie w remizie, dzwoni Campbell. Mówi, że adwokat strony pozwanej prosi o spotkanie w celu omówienia sprawy. Głupio to brzmi, bo przecież i tak wszyscy wiemy, że chodzi o moją mamę. Campbell każe nam przyjść o trzeciej do swojej kancelarii, chociaż jest niedziela.

Siedzę na podłodze i głaszczę Sędziego, który położył mi łeb na kolanach. Campbell jest tak skupiony na tym, co się dzieje, że zapomina nawet zwrócić mi uwagę, że nie wolno tego robić. Dokładnie co do minuty o godzinie trzeciej do gabinetu wchodzi moja matka. Sama musi otworzyć sobie drzwi, bo Kerri, sekretarka Campbella, nie pracuje w niedzielę. Mama ma włosy starannie zaczesane i ułożone w elegancki koczek. Na twarzy delikatny makijaż. Jednak pomimo wszystkich tych zabiegów widać na pierwszy rzut oka, że ona kompletnie tutaj nie pasuje. Campbell czuje się w tym gabinecie jak ryba w wodzie, tymczasem ona w kancelarii prawniczej wygląda jak niewłaściwa osoba na niewłaściwym miejscu. Trudno mi uwierzyć, że moja mama kiedyś pracowała w tym zawodzie. Coś mi się zdaje, że musiała być wtedy zupełnie inną osobą. Chyba każdy z nas kiedyś był inny.

– Dzień dobry – cicho odzywa się mama.

– Witam panią – odpowiada Campbell Alexander. Kompletny lód.

Mama odrywa wzrok od taty, który siedzi przy stole konferencyjnym, i przesuwa spojrzeniem po mnie. Nie wstałam z podłogi.

– Cześć – wita się jeszcze raz, robiąc krok w przód, jakby chciała podejść i mnie uściskać, ale zatrzymuje się w pół drogi.

– Prosiła pani o spotkanie – przypomina jej Campbell.

Mama siada przy stole.

– Wiem. Miałam... mam nadzieję, że dojdziemy do porozumienia. Chciałabym, żebyśmy wspólnie podjęli decyzję.

Campbell stuka palcami o blat stołu.

– Czy chce pani zaproponować nam jakąś umowę? – pyta, jakby był na naradzie handlowej. Mama patrzy na niego, mrugając oczami.

– Można to chyba tak nazwać. – Odwraca się razem z krzesłem w moim kierunku, jakbyśmy były same w tym pokoju. – Anno, wiem, jak wiele zrobiłaś dla Kate. Wiem też, że nie pozostało już prawie nic, co mogłoby pomóc twojej siostrze. Prawie nic. Tylko jedna rzecz daje jeszcze jakąś szansę.

– Proszę nie wywierać nacisku na moją klientkę...

– Nie trzeba, Campbell – przerywam mu. – Mogę tego wysłuchać.

– Jeśli przeszczep nerki nic nie da i nastąpi wznowa... Jeśli stan zdrowia Kate nie poprawi się, tak jak wszyscy jej tego życzymy... Wtedy ja już nigdy więcej nie poproszę cię, żebyś pomogła ją leczyć. Zrób to dla niej ten ostatni raz.

Skurczyła się podczas tej krótkiej przemowy, jest teraz mniejsza nawet ode mnie, jakby to ona była dzieckiem, a ja jej rodzicem. Ciekawe, w jaki sposób mogła zajść taka zmiana, skoro żadna z nas nawet nie drgnęła.

Rzucam szybkie spojrzenie na tatę, ale on siedzi jak skamieniały. Wydaje się całkowicie pochłonięty rysunkiem słojów na drewnianym blacie stołu i robi, co tylko może, aby nie wtrącać się do rozmowy.

– Czy chce pani przez to powiedzieć, że jeśli moja klientka z własnej woli odda nerkę, to w przyszłości nie będzie już musiała uczestniczyć w żadnych zabiegach mających na celu przedłużenie życia jej siostry Kate? – upewnia się Campbell.

Mama bierze głęboki wdech.

– Tak.

– Rozumie pani, że musimy się nad tym zastanowić.

Kiedy miałam siedem lat, Jesse wychodził ze skóry, żeby wybić mi z głowy Świętego Mikołaja. Tłumaczył mi, że to wszystko robią mama i tata, a ja kłóciłam się z nim o każde słowo. W końcu postanowiłam sprawdzić teorię w praktyce. Na Gwiazdkę napisałam list do Świętego Mikołaja, prosząc o chomika, bo najbardziej na świecie chciałam mieć chomika. Wrzuciłam ten list do skrzynki pocztowej w sekretariacie naszej szkoły, a rodzicom nie pisnęłam ani słóweczka o chomiku, chociaż wspominałam im o różnych zabawkach, które chciałam dostać pod choinkę.

Rankiem w dzień Bożego Narodzenia dostałam sanki, grę komputerową i ręcznie farbowany szal, o których mówiłam mamie, ale chomika nie dostałam, bo mama nic o nim nie wiedziała. Nauczyłam się wtedy dwóch rzeczy. Po pierwsze, Święty Mikołaj wcale nie jest taki, jakiego bym chciała. Po drugie, moi rodzice też tacy nie są.

Być może Campbell uważa, że chodzi o rozstrzygnięcie prawne, ale tak naprawdę chodzi o moją mamę. Zrywam się z podłogi, podbiegam do niej i rzucam się w jej ramiona, trochę przypominające to ulubione miejsce na kanapie, o którym mówiłam wcześniej, miejsce tak dobrze znane, że człowiek odruchowo wślizguje się tam, gdzie mu najwygodniej. Gardło ściska mi się boleśnie, a z oczu tryskają wszystkie łzy, które oszczędzałam z myślą o tej chwili.

– Dzięki Bogu – wzdycha mama przez łzy. – Dzięki Bogu.

Ściskam ją dwa razy mocniej niż normalnie, bo chcę zatrzymać ten moment, na tej samej zasadzie, na jakiej zdarza mi się marzyć o tym, żeby wymalować sobie w pamięci obraz ukośnych promieni letniego słońca, malowidło, na które mogłabym patrzeć, kiedy nastanie zima. Przykładam usta do ucha mamy i szepczę, żałując tych słów już w momencie ich wypowiadania:

– Nie mogę tego zrobić.

Mama sztywnieje na całym ciele. Odsuwa się ode mnie, patrząc mi prosto w oczy. Przywołuje na twarz sztuczny uśmiech, który łamie jej wargi w kilku miejscach. Dotyka moich włosów. I to wszystko. Wstaje, poprawia żakiet i wychodzi z gabinetu.

Campbell też podnosi się z krzesła. Przyklęka przede mną, w tym samym miejscu, co przed chwilą mama. Kiedy widzę go tuż przed sobą, wydaje się o wiele bardziej poważny niż kiedykolwiek.

– Anno – pyta – czy naprawdę tego chcesz?

Otwieram usta i znajduję odpowiedź na to pytanie.

JULIA

– Czy Campbell podoba mi się dlatego, że jest debilnym kretynem – pytam swoją siostrę – czy pomimo to, że taki właśnie jest?

Izzy psyka, żebym jej nie przeszkadzała. Siedzi na kanapie i ogląda „Tacy byliśmy", chociaż widziała to już sto tysięcy razy. Każdy jednak ma listę filmów, których nie przełączy za nic w świecie. Na liście mojej siostry oprócz tej pozycji znajdują się także „Pretty Woman", „Uwierz w ducha" i „Dirty Dancing".

– Jak zagadasz mi końcówkę – syczy – to cię zabiję.

– „To na razie, Katie – cytuję. – Na razie, Hubbell".

Izzy rzuca we mnie poduszką z kanapy. Ociera oczy. Muzyczny temat przewodni filmu przybiera na sile.

– Barbra Streisand – mówi – jest boska.

– Wydawało mi się, że tak twierdzą geje, a nie lesbijki. – Rzucam jej spojrzenie znad stołu zasłanego papierami i dokumentami, które przeglądam, przygotowując się na jutrzejsze rozpatrzenie sprawy. Podjęłam już decyzję, co powiem sędziemu; wydaje mi się, że wiem, jak rozumieć najlepszy interes Anny Fitzgerald. Problem polega na tym, że to bez znaczenia, czy wezmę jej stronę, czy wypowiem się przeciwko jej wnioskowi. Tak czy inaczej zrujnuję dziewczynie życie.

355

– A mnie się wydawało – odparowuje Izzy – że rozmawiamy o Campbellu.

– Nie. To ja o nim mówiłam. Ty rozpływałaś się nad filmem. – Masuję sobie skronie. – Mogłabyś okazać choć odrobinę współczucia.

– Z powodu Campbella Alexandra? Nie będę ci współczuć. Ani rozczulać się nad tobą.

– Dziękuję za tyle czułych słów.

– Posłuchaj mnie, Julio. Może to jest dziedziczne. – Izzy podnosi się z kanapy, staje za mną i zaczyna masować mi kark i szyję. – Może masz w genach coś takiego, co sprawia, że ciągnie cię do najgorszych palantów.

– W takim razie ty też to masz.

– No cóż. – Moja siostra śmieje się. – Celnie strzelasz.

– Za pamięci: ja naprawdę szczerze chcę go nienawidzić.

Izzy sięga nad moim ramieniem, zabiera ze stołu moją puszkę z colą i wypija resztkę napoju.

– Przecież to wszystko miało mieć podłoże czysto zawodowe.

– I ma. Kłopot w tym, że gdzieś w mojej głowie hałasuje silna grupa mniejszościowa głosząca wprost przeciwne hasła.

Izzy wraca na kanapę.

– Twój prawdziwy kłopot polega na tym, że nigdy nie zapomnisz swojego pierwszego faceta. Mądry móżdżek to jedno, ale twoje ciało ma iloraz inteligencji muszki owocowej.

– Z nim wszystko jest takie proste. Zupełnie jakbyśmy zaczynali w tym samym miejscu, w którym się rozstaliśmy. Ja już wiem o nim wszystko, co potrzeba, i on też wie o mnie wszystko, co powinien wiedzieć. – Spoglądam na siostrę. – Czy można się w kimś zabujać z lenistwa?

– A może po prostu idź z nim do łóżka, a po wszystkim wyrzuć go raz na zawsze z pamięci?

– Nie da rady – odpowiadam – bo kiedy będzie po wszystkim, do mojej kolekcji dołączy jeszcze jedno bolesne wspomnienie, którego nie będę umiała wyrzucić z pamięci.

– Mam trochę znajomych. Mogę cię z kimś umówić.

– Twoi znajomi to są znajome. Każda ma pusto między nogami.

– Widzisz? Patrzysz na świat w niewłaściwy sposób. W ludziach powinno cię przyciągać to, co mają w środku, a nie opakowanie, w którym to jest podane. Campbell Alexander może i jest śliczny, ale przypomina mi sardynkę w marcepanowym lukrze.

– Twoim zdaniem jest śliczny?

Izzy przewraca oczami.

– Co za beznadziejny przypadek – wzdycha.

Słychać dzwonek do drzwi. Izzy idzie do przedpokoju i wygląda przez wizjer.

– O wilku mowa – mówi, wróciwszy do pokoju.

– Campbell przyszedł? – pytam szeptem. – Powiedz, że mnie nie ma.

Izzy uchyla drzwi na kilka centymetrów.

– Julia mówi, że jej nie ma.

– Zabiję cię – mamroczę, wychodząc za nią do przedpokoju. Odpycham siostrę od drzwi, zdejmuję łańcuch i wpuszczam Campbella wraz z jego nieodłącznym psem.

– Przyjmują mnie tutaj coraz cieplej i bardziej wylewnie – słyszę.

– Czego chcesz? Mam po uszy roboty. – Krzyżuję ręce na piersi.

– Świetnie. Sara Fitzgerald złożyła nam propozycję ugody. Zapraszam cię na kolację. O wszystkim ci opowiem.

– Nie idę z tobą na żadną kolację – oświadczam.

– Idziesz, tylko jeszcze o tym nie wiesz. – Campbell wzrusza ramionami. – Znam cię. Ciekawość, co takiego powiedziała mama Anny, góruje nad twoją niechęcią do mnie. I tak w końcu jej ulegniesz, więc czy możemy sobie darować te podchody?

Izzy wybucha śmiechem.

– On cię faktycznie zna, siostrzyczko.

– A jeśli nie pójdziesz po dobroci – dodaje Campbell – nie zawaham się użyć siły. Trudno ci tylko będzie pokroić filet mignon związanymi rękami.

Odwracam się do siostry.

– Zrób coś. Proszę.

Izzy macha do mnie ręką.

– To na razie, Katie.

– Na razie, Hubbell – dopowiada Campbell. – Doskonały film.

Izzy przygląda mu się uważnie. Na jej twarzy maluje się zastanowienie.

– Kto wie? Może nie warto porzucać nadziei?

– Zasada numer jeden – oznajmiam. – Rozmawiamy o sprawie, o samej sprawie i tylko o sprawie.

– Tak mi dopomóż Bóg – kończy formułkę Campbell. – A mogę tylko powiedzieć, że pięknie wyglądasz?

– Widzisz, już złamałeś pierwszą zasadę.

Zajeżdżamy na parking nad wodą. Campbell gasi silnik i wysiada. Obchodzi samochód i otwiera moje drzwi. Rozglądam się. W zasięgu wzroku nie ma nic, co by mogło przypominać restaurację. Jesteśmy na przystani; przy nabrzeżu cumują żaglówki i jachty, a ich lakierowane na miodowo pokłady rudzieją w promieniach zachodzącego słońca.

– Zdejmij buty – mówi Campbell.

– Nie.

– Na miłość boską, nie żyjemy w czasach wiktoriańskich. Nie rzucę się na ciebie, kiedy mignie mi twoja goła kostka. Zrób to, o co cię proszę, dobrze?

– Dlaczego?

– Bo jesteś spięta jak agrafka pod szyją, a mnie nie przychodzi na myśl żaden bardziej cenzuralny sposób, żeby pomóc ci się rozluźnić. – Zdejmuje własne półbuty i wychodzi boso na trawnik okalający parking. Zanurza stopy w trawie i wzdycha głęboko. – Chodź, Perełko. *Carpe diem.* Lato się już kończy, ciesz się nim, dopóki możesz.

– A co z tą propozycją ugody...?

– To, że pójdziesz ze mną na bosaka, nie wpłynie na jej zmianę.

W dalszym ciągu nie wiem, czy Campbell wziął tę sprawę dlatego, że goni za sławą, dlatego że potrzebny mu zawodowy rozgłos, czy może po prostu dlatego, że chciał pomóc Annie. Jestem głupia i wolałabym uwierzyć w to ostatnie. Campbell czeka na mnie cierpliwie z psem przy nodze. Koniec końców rozwiązuję buty i ściągam skarpetki. Wychodzę na trawnik.

Letnie miesiące, myślę, są jak nieświadomość zbiorowa. Wszyscy pamiętamy melodię piosenki, którą śpiewał obwoźny lodziarz. Każdy dobrze wie, jak to jest oparzyć gołe uda na zjeżdżalni rozgrzanej słońcem niczym nóż w ogniu. Nie ma takiego człowieka, który w letni wieczór nie leżał w trawie na wznak, z zamkniętymi oczami, czując krew pulsującą pod powiekami, i nie myślał tylko o tym, żeby ten dzień był choć troszeczkę dłuższy niż poprzedni.

Campbell siada na trawie.

– A jaka jest druga zasada? – pyta.

– Taka, że ja tutaj dyktuję reguły – odpowiadam.

Campbell uśmiecha się, a ja wiem, że już po mnie.

Poprzedniego wieczoru barman imieniem Siedem przyniósł mi zamówione martini i zapytał, przed czym tak się ukrywam.

Zanim mu odpowiedziałam, pociągnęłam łyk z kieliszka, co mi przypomniało, dlaczego nie znoszę martini: to czysty, gorzki alkohol, lecz chociaż o to właśnie chodzi, jego smak zawsze pozostawia niejasne uczucie rozczarowania.

– Wcale się nie ukrywam – odpowiedziałam. – Przyszłam do baru, prawda?

Godzina była wczesna, zaledwie pora obiadu. Wstąpiłam tutaj po drodze z remizy, gdzie odbyłam rozmowę z Anną. W boksie w rogu sali obmacywało się dwóch facetów; na drugim końcu baru siedział jeszcze jeden gość, który nagle się odezwał, wskazując palcem telewizor:

– Można zmienić kanał? – zapytał, patrząc na prezentera popołudniowych wiadomości. – Ten Brokaw nie umywa się do Jenningsa.

Siedem pstryknął pilotem i powrócił do rozmowy ze mną.

– Niby się nie ukrywasz, ale w porze obiadowej przesiadujesz w barze dla gejów. Niby się nie ukrywasz, ale nosisz ten elegancki kostium jak pancerz.

– Warto posłuchać, co na temat mody ma do powiedzenia facet z przekłutym językiem.

Siedem uniósł brew.

– Jeszcze jedno martini i bez problemu dasz się namówić na wizytę u Johnstona, który zrobi ci to samo. Ścięłaś różowe włosy, ale od swoich korzeni nie zdołasz się odciąć.

Pociągam kolejny łyczek martini.

– Przecież ty mnie wcale nie znasz.

Klient siedzący u drugiego końca baru spojrzał w twarz Petera Jenningsa i uśmiechnął się.

– Być może – przyznał Siedem – ale ty też siebie nie znasz.

Na kolację jemy chleb z serem. No, niech już będzie: francuskie bagietki i ser gruyère. Do jedzenia zasiadamy na pokładzie dziesięciometrowego jachtu. Campbell, podwinąwszy nogawki spodni jak rozbitek, uwija się przy takielunku, halsuje i łapie wiatr, aż oddalamy się tak bardzo, że wybrzeże Providence nie jest już niczym innym jak tylko barwną linią na horyzoncie, naszyjnikiem skrzącym się klejnotami świateł.

W końcu dociera do mnie, że Campbell nie raczy mi udzielić żadnych informacji, dopóki nie skończymy deseru. Kładę się na plecach, obejmując ramieniem śpiącego psa. Przyglądam się poluzowanemu w tej chwili żaglowi, który łopocze jak skrzydło ogromnego pelikana. Z kajuty wyłania się Campbell, który buszował pod pokładem w poszukiwaniu korkociągu. W ręku trzyma dwa kieliszki czerwonego wina. Przysiada obok, po drugiej stronie śpiącego owczarka i drapie go za uszami.

– Myślałaś kiedyś, jak to jest być zwierzęciem? – pyta.

– Dosłownie czy w przenośni?

– Teoretycznie – odpowiada Campbell. – Czym byś była, gdyby twój los nie padł na człowieka?

Zastanawiam się przez chwilę.

– To jest podchwytliwe pytanie, tak? Jeśli teraz odpowiem, że byłabym orką, to ty stwierdzisz, że jestem podła, wyrachowana i zimna jak ryba?

– Orki należą do ssaków – mówi Campbell. – Źle ci się wydaje. To miało być proste pytanie zadane celem podtrzymania uprzejmej konwersacji.

Odwracam głowę.

– A czym ty byś był?

– To ja pierwszy zapytałem.

361

Po namyśle dochodzę do wniosku, że za nic w świecie nie mogłabym być ptakiem; mam straszny lęk wysokości. Kot też odpada, ze względu na różnicę charakterów. Mam też typowe usposobienie samotnika, nie nadaję się więc na zwierzę stadne jak wilk czy choćby pies. Już mam na końcu języka wyraz „tarsjusz", ale powiedziałabym to tylko po to, żeby się popisać. Zresztą Campbell zaraz zapytałby, co to za licho, a ja nie mogę sobie przypomnieć, czy to ssak czy jaszczurka.

– Gęś – odpowiadam w końcu.

Campbell wybucha śmiechem.

– Dzika czy głupia?

Wybrałam gęś dlatego, że wiąże się na całe życie z jednym partnerem, ale wolałabym raczej wyskoczyć za burtę, niż przyznać się do tego właśnie jemu.

– A ty? – pytam ponownie.

Campbell nie odpowiada wprost.

– Kiedy zapytałem Annę o to samo, usłyszałem, że chciałaby być feniksem.

– Feniksów nie ma. – W mojej głowie błyska obraz mitycznego ptaka odradzającego się z popiołów.

Campbell gładzi psa po głowie.

– Anna powiedziała, że to zależy od tego, czy ktoś potrafi je zobaczyć czy nie. – Po tych słowach podnosi wzrok na mnie. – Powiedz mi, co ty o niej sądzisz?

Wino w moich ustach nagle staje się gorzkie. Czy ten uroczy wieczór, kolacja na jachcie, rejs ku zachodzącemu słońcu, czy to wszystko było zabiegiem mającym na celu zdobycie mojego głosu na jutrzejszym rozpatrzeniu sprawy? Zdanie kuratora procesowego mocno zaważy na decyzji sędziego DeSalvo. Campbell wie o tym.

Aż do tej pory nie zdawałam sobie sprawy z tego, że można złamać komuś serce dwukrotnie, wzdłuż tych samych starych, zaleczonych szram po pęknięciach.

– Nie zdradzę ci, jakie stanowisko zajmę jutro w sądzie – odpowiadam mu drętwym tonem. – Poznasz je dopiero wówczas, kiedy wezwiesz mnie na świadka. – Chwytam linę kotwicy i zaczynam ją wybierać. – Chcę już wracać.

Campbell siłą wyrywa mi z rąk linę.

– Powiedziałaś mi już, że twoim zdaniem oddanie nerki siostrze nie leży w najlepiej pojętym interesie Anny.

– Powiedziałam też, że ona sama nie potrafi podjąć takiej decyzji.

– Mieszka teraz poza domem, razem z ojcem. On może stać się dla niej wzorem zasad moralnych.

– I jak długo nim będzie? Do następnego razu?

Jestem wściekła na siebie, że dałam się na to nabrać. Że zgodziłam się iść z nim na kolację, że pozwoliłam sobie uwierzyć, że Campbell chce być ze mną, a nie tylko planuje mnie wykorzystać i zostawić. Tymczasem wszystko, począwszy od komplementów na temat mojej urody, a skończywszy na winie, którego niedokończona butelka stoi na pokładzie pomiędzy nami, było skalkulowane na zimno w jednym celu: miało pomóc mu wygrać tę sprawę.

– Sara Fitzgerald zaproponowała nam ugodę – odzywa się Campbell. – Jeśli Anna odda teraz Kate nerkę, już nigdy więcej nie będzie musiała robić niczego dla siostry. Anna odrzuciła propozycję.

– Wiesz co? Za to, co właśnie zrobiłeś, idzie się za kratki. Tak według ciebie wygląda etyka zawodowa? Chcesz mnie zwieść, żebym zmieniła zdanie?

– Zwieść? Wyłożyłem wszystkie karty na stół. Ułatwiłem ci pracę.

– Masz rację, proszę o wybaczenie. – Uśmiecham się sarkastycznie. – Jak mogło przyjść mi do głowy, że myślisz tylko o sobie. Jak mogłam pomyśleć, że chodzi ci wyłącznie o to, żeby mój raport wyraźnie poparł wniosek twojej klientki. Chcesz wiedzieć, jakim zwierzęciem mógłbyś być, Campbell? Ohydną, oślizgłą ropuchą. Chociaż właściwie nie – byłbyś wszą na brzusysku ropuchy. Pasożytem, który zabiera, co mu się podoba, nigdy nie dając nic w zamian.

W jego skroni zaczyna pulsować sina żyła.

– Skończyłaś?

– Jeszcze nie, skoro o to pytasz. Chciałabym wiedzieć, czy ty choć raz w życiu powiedziałeś coś szczerze.

– Nie okłamałem cię.

– Tak twierdzisz? Po co ci ten pies?

– Zamkniesz się wreszcie? – wybucha Campbell, chwytając mnie w ramiona i przywierając ustami do moich ust.

Jego pocałunek jest jak snuta szeptem opowieść, a smakuje solą i winem. Nie ma między nami ani chwili zawahania, nie musimy się uczyć siebie od nowa, nie musimy się dopasowywać po tych piętnastu latach; nasze ciała poruszają się same, kierowane nieomylną pamięcią. Campbell językiem wypisuje imię Julia na mojej szyi. Przytula mnie tak mocno, tak ściśle, że blizny po dawnych zastarzałych ranach kurczą się i rozpływają, łączą nas, zamiast dzielić.

Odrywamy się od siebie, łapiąc oddech. Campbell mierzy mnie wzrokiem.

– I tak to ja mam rację – szepczę.

Campbell zsuwa ze mnie moją starą bluzę, bierze w palce zapięcie stanika; jest to najbardziej naturalna rzecz pod słońcem. Kiedy klęka przede mną z głową na wysokości mojego serca, a ja czuję, jak woda kołysze kadłubem łodzi, wydaje mi się, że może to właśnie jest miejsce stworzone specjalnie dla nas. Kto wie, może gdzieś są rozległe światy, w których nie ma żadnych barier, a człowiek żegluje swobodnie, niesiony falami uczucia.

Oto mały ogień, a jak wielki las podpala.

List Jakuba Apostoła 3,5

CAMPBELL

Noc spędzamy w mikroskopijnej kabinie jachtu zacumowanego do nadbrzeża. Ciasno, ale przecież to nie ma najmniejszego znaczenia, bo przez całą noc ona oplata mnie ramionami, zamykając w nich. Chrapie, ale tylko trochę. Jeden ząb, na samym przodzie, ma krzywy, a rzęsy długie jak paznokieć mojego kciuka.

Te drobiazgi bardziej niż cokolwiek innego przypominają piętnaście lat, które nas teraz dzielą. Kiedy człowiek ma lat siedemnaście, to nawet nie myśli o tym, w czyim mieszkaniu chce spędzić noc. W wieku siedemnastu lat oczom umyka bladoróżowy, perłowy kolor stanika albo koronka znikająca pomiędzy udami dziewczyny. Kiedy ma się siedemnaście lat, przyszłość nie istnieje; jest tylko teraźniejszość.

W Julii pokochałem to, że... No proszę, powiedziałem to na głos. A więc pokochałem w niej to, że była niezależna, że nikt nie był jej potrzebny. W tłumie uczniów Wheelera wyróżniała się na kilometr z tą swoją różową fryzurą, w glanach i ciężkiej kurtce z demobilu. Wyróżniała się, ale mimo to nosiła się dumnie, za nic nie przepraszając. A jednak, jak na ironię, związek z chłopakiem odebrał jej to wszystko; w chwili kiedy odpowiedziała miłością na moją miłość i zaczęło jej na mnie zależeć w takim samym stopniu, w jakim mnie zależało na niej, przestała być niezależna duchem.

Za żadne skarby świata nie mogłem jej tego pozbawić. Julia nie miała zbyt wielu następczyń. W każdym razie żadnej z nich nie pamiętam już z imienia. Pozory okazały się zbyt trudne do utrzymania, wybrałem więc jak tchórz krętą, wyboistą drogę przelotnych znajomości, które nigdy nie trwały dłużej niż do rana. Sytuacja – w znaczeniu medycznym i emocjonalnym – wymogła na mnie mistrzowskie opanowanie sztuki chowania głowy w piasek.

Ale też tej ostatniej nocy niejeden raz byłem już gotowy wstać i ją zostawić. Julia spała, a ja zastanawiałem się nad szczegółami: czy lepiej będzie przypiąć szpilką karteczkę do poduszki, czy może jej wiśniową szminką wypisać pożegnanie na deskach pokładu. A jednak ten impuls ucieczki nie był nawet po części tak silny jak pragnienie pozostania z nią jeszcze przez chwilę, przez jedną godzinę.

Sędzia, leżący w kambuzie, zwinięty w ciasny kłębek na złożonym blacie stolika, podnosi łeb. Skamle cichutko, a ja rozumiem go doskonale. Wyplątuję palce z bujnych loków Julii i wstaję z koi. Julia przez sen wślizguje się na nagrzane miejsce, które zwolniłem.

Przysięgam, że ten widok znów wywołuje u mnie dreszcz podniecenia.

Ale jednak nie robię tej najprostszej rzeczy pod słońcem: nie dzwonię do sekretarza sądowego, nie mówię mu, że złożyła mnie choroba, dajmy na to jakaś do tej pory uśpiona odmiana ospy, i nie proszę o przełożenie rozprawy, żeby móc spędzić cały dzień z Julią w łóżku. Zamiast tego wkładam spodnie i wychodzę na pokład. Muszę być w sądzie, zanim Anna się tam zjawi, a przedtem powinienem się jeszcze wykąpać i przebrać. Zostawiam Julii kluczyki do mojego wozu, bo mieszkam niedaleko przystani. Dopiero w drodze do domu dociera do mnie, że nigdy dotąd w podobnej sytuacji nie zdarzyło się, żebym zapomniał pozostawić po sobie jakiś czarujący drobiazg na pożegnanie, coś, co złagodziłoby ból porzucenia, który Julia z pewnością będzie czuła, kiedy się obudzi.

Zastanawia mnie, czy to zwykłe przeoczenie czy co innego: niewykluczone, że przez te wszystkie lata czekałem, aż Julia powróci do mnie, żebym mógł nareszcie dorosnąć.

Po przybyciu do gmachu Garrahiego musimy wraz z Sędzią przeciskać się siłą przez tłum dziennikarzy, licznie zgromadzonych z okazji Wielkiego Wydarzenia. Podsuwają mi mikrofony pod sam nos i depczą psu po łapach. Anna ucieknie na sam ich widok; wyglądają jak uzbrojeni w rózgi oprawcy, pomiędzy którymi trzeba za karę przebiec.

Po wejściu do budynku zatrzymuję Verna.

– Załatw nam kilku ochroniarzy, dobrze? – proszę go. – Te pismaki zjedzą świadków żywcem.

W tym momencie dostrzegam Sarę Fitzgerald, która już czeka na korytarzu. Ma na sobie kostium, który najprawdopodobniej spędził ostatnie dziesięć lat na wieszaku, a jej włosy są zebrane ciasno i spięte spinką. Nie nosi walizki; zamiast niej na ramieniu ma plecak.

– Dzień dobry – mówię spokojnym głosem.

Drzwi otwierają się z hukiem. Wchodzi Brian, wodząc wzrokiem od żony do mnie.

– Gdzie jest Anna? – pyta.

Sara zbliża się o krok.

– Nie przyjechała z tobą?

– Mieliśmy wezwanie. O piątej rano wróciłem do jednostki, a jej już nie było. Zostawiła kartkę, że będzie czekać na mnie tutaj. – Brian rzuca spojrzenie na tłum szakali kłębiący się za drzwiami. – Założę się, że dała nogę.

Znów komuś udało się przedrzeć przez szczelną barierę dziennikarzy. Na korytarz wypada Julia, niesiona falą krzykliwych pytań. Przygładza włosy i rozgląda się, a kiedy jej wzrok pada na mnie, widzę, że w jednej chwili na powrót traci orientację.

– Poszukam jej – mówię.

– Nie, ja pójdę – protestuje Sara urażonym tonem.

– Kogo chcecie szukać? – Julia przypatruje się nam zdziwiona.

– Chwilowo nie wiemy, gdzie jest Anna – wyjaśniam jej.

– Nie wiecie? – pyta Julia. – Zniknęła wam?

– Skądże znowu – odpowiadam całkiem zgodnie z prawdą, bo przecież żeby zniknąć, Anna najpierw musiałaby się tutaj pojawić.

Nawet ja domyśliłem się już, gdzie należy jej szukać – w tym samym momencie, kiedy zrozumienie zaświtało na twarzy Sary. Matka Anny puszcza mnie przodem. W drodze do wyjścia Julia łapie mnie pod ramię i wsuwa w dłoń kluczyki, które jej zostawiłem.

– Teraz zrozumiałeś, dlaczego to nie ma szans powodzenia? – pyta.

– Posłuchaj – odwracam się do niej. – Bardzo chcę, żebyśmy porozmawiali o tym, co się dzieje między nami, ale to naprawdę nie jest odpowiedni moment.

– Ja mówię o Annie. Ona się miota, Campbell. Nie potrafi nawet stawić się w sądzie o ustalonej porze. Mówi ci to coś?

– Tak. Że każde z nas się boi – odpowiadam po chwili milczenia. Brzmi to jak ostrzeżenie. Dla nas wszystkich.

Rolety w oknach są szczelnie zasłonięte, ale w pokoju szpitalnym i tak nie jest na tyle ciemno, żeby nie można było dostrzec anielskiej bladości twarzy Kate Fitzgerald, na której sine żyłki rysują mapę drogi ucieczki przed chorobą, drogi, którą przemierzają w tej chwili leki ostatniej szansy. Anna, skulona, siedzi w nogach łóżka.

Sędzia na moje polecenie zostaje za drzwiami. Pochylam się nad łóżkiem.

– Anno, musimy już iść.

Drzwi za mną otwierają się ponownie, ale zamiast Sary Fitzgerald lub lekarza z zestawem do reanimacji staje w nich Jesse. Jestem w szoku.

– Cześć – wita się syn Fitzgeraldów, jakbym był jego kolegą.

Już mam na końcu języka pytanie: „Skąd się tu wziąłeś?", ale uświadamiam sobie nagle, że przecież wcale nie chcę usłyszeć odpowiedzi.

– Jedziemy do sądu. Podwieźć cię? – pytam oschle.

– Nie, dzięki. Skoro wszyscy są tam, to ja lepiej posiedzę tutaj. – Jesse nie spuszcza oczu z siostry. – Kiepsko to wygląda.

– A co byś chciał? – odzywa się rozbudzona Anna. – Przecież ona umiera.

Znów nie mogę oderwać wzroku od mojej małej klientki. Powinienem wiedzieć najlepiej, że motywy ludzkich działań nigdy nie są takie, jakie się wydają, ale pomimo to nadal nie potrafię jej rozgryźć.

– Trzeba już iść – mówię.

W samochodzie Sędzia znów musi jechać z tyłu. Anna siedzi jak na szpilkach. Zaczyna opowiadać mi o jakimś zwariowanym precedensie, który znalazła w Internecie. W 1876 roku w Montanie wyrokiem sądu zabroniono pewnemu człowiekowi czerpać wodę z rzeki, która miała źródło na ziemi należącej do jego brata. Nie wzięto pod uwagę, że wskutek tego całe zboże pozwanego uschnie i zmarnieje.

– Co ty robisz? – pyta nagle Anna, zauważywszy, że celowo minąłem ulicę prowadzącą do sądu.

Zamiast odpowiedzieć, zatrzymuję samochód niedaleko parku. Chodnikiem przebiega dziewczyna o idealnie kształtnym tyłku, uczepiona smyczy, na której prowadzi fikuśnego pieseczka, przypominającego raczej kota.

– Spóźnimy się – Anna po chwili przerywa milczenie.

– Już się spóźniliśmy. Powiedz mi jedną rzecz: co my tutaj robimy?

– Jedziemy do sądu. – Anna obrzuca mnie typowym dla nastolatek spojrzeniem, które mówi dobitnie, że nasi przodkowie w żadnym wypadku nie mogli zejść z tego samego drzewa.

– Nie o to pytam. Powiedz mi, dlaczego tam jedziemy.

– Coś mi się zdaje, że przysypiałeś na wykładach. Do sądu jedzie się wtedy, kiedy ktoś wytoczy komuś sprawę.

Mierzę ją spokojnym wzrokiem. Nie dam się wymanewrować.

– Powiedz mi, po co jedziemy do sądu.

Anna wytrzymuje spojrzenie.

– A po co ci pies przewodnik?

Wyglądam przez okno na drzewa w parku, bębniąc palcami w kierownicę. Tam gdzie przed chwilą przebiegła zgrabna dziewczyna, teraz widać kobietę z wózkiem. Dziecko robi, co może, żeby wypaść na zewnątrz, ale mama jakoś tego nie zauważa. W koronie pobliskiego drzewa nagle wybucha wielka wrzawa ptasiej hałastry.

– Nie rozpowiadam tego, komu popadnie – cedzę przez zęby.

– Ja nie jestem pierwszą lepszą – pada odpowiedź.

Biorę głęboki wdech.

– Wiele lat temu zachorowałem. Ciężko. Wywiązała się infekcja ucha. Lekarstwo, które mi podano, z nie do końca jasnych powodów nie podziałało. Doszło do uszkodzenia nerwu. Jestem całkowicie głuchy na jedno ucho. Na dłuższą metę to żaden wielki problem, ale w pewnych sytuacjach życiowych nie poradzę sobie sam. Na przykład może zdarzyć się tak, że będę słyszał zbliżający się samochód, ale nie zdołam określić kierunku, z którego nadjeżdża, albo nie usłyszę, jak ktoś mnie przeprasza, bo zagradzam mu drogę w wąskim przejściu między sklepowymi regałami. Sędzia jest specjalnie tresowany, żeby w takich sytuacjach służyć mi jako uszy. – Przerywam, wahając się przez moment. – Robię z tego wielki sekret, bo nie lubię, kiedy ktoś się nade mną użala.

Anna przypatruje mi się uważnie.

– Poprosiłam cię o pomoc, bo chciałam, żeby choć raz Kate nie była na pierwszym miejscu.

Ale to oburzająco egoistyczne wyznanie kompletnie nie pasuje mi ani do niej, ani do całej tej sytuacji. Anna nie chce, żeby jej siostra umarła, tylko żeby ona sama mogła normalnie żyć; o to chodzi w całym tym procesie.

– Kłamiesz – mówię.

Anna zakłada ręce na piersi.

– Ty pierwszy skłamałeś. Słyszysz normalnie.

– Ależ z ciebie nieznośna smarkula. – Parskam śmiechem. – Jesteś taka sama jak ja w twoim wieku.

– To dobrze czy źle? – pyta Anna, ale widzę, że się uśmiecha.

Park powoli zapełnia się ludźmi. Ścieżką maszeruje szkolna wycieczka; najmłodsze dzieci idą zbite w ciasną gromadkę niczym stado psów zaprzęgowych, ciągnąc za sobą dwójkę nauczycieli. Obok na rowerze wyścigowym śmiga kurier w stroju US Postal Service.

– Chodź, postawię ci śniadanie – proponuję Annie.

– Przecież i tak jesteśmy spóźnieni.

Wzruszam ramionami.

– Kilka minut wcześniej czy później, wszystko jedno.

Sędzia DeSalvo nie jest zadowolony; poranna ucieczka Anny kosztowała nas półtorej godziny cennego czasu. Kiedy stajemy z Sędzią w progu jego gabinetu, gotowi do narady przed rozpoczęciem sprawy, podchwytuję wzrokiem jego gniewne spojrzenie.

– Najmocniej przepraszam, wysoki sądzie. Zdarzył się nagły wypadek i musiałem zawieźć psa do weterynarza.

Sara Fitzgerald wpatruje się we mnie z otwartymi ustami; nie widzę tego, ale wyraźnie to czuję.

– Obrońca strony pozwanej sugerował co innego – mówi sędzia.

Patrzę DeSalvo prosto w oczy.

– Było tak, jak powiedziałem. Anna była tak miła, że pojechała ze mną i pomogła mi uspokoić psa, któremu trzeba było wyciągnąć z łapy ostry kawałek szkła.

Sędzia wciąż jeszcze mi nie dowierza, nie może jednak dalej indagować, ponieważ prawo chroni niepełnosprawnych. Ja ze swojej strony wykorzystuję w tej chwili moje przywileje do granic możliwości; nie mogę dopuścić, aby sędzia pomyślał, że to Anna jest winna tej zwłoce. Zdecydowawszy się porzucić tę kwestię, DeSalvo pyta nas:

– Czy możliwe jest rozstrzygnięcie polubowne, bez konieczności rozpatrywania sprawy?

– Obawiam się, że nie – odpowiadam. Anna nie chce wyjawiać swoich sekretów, co muszę uszanować, ale jest zdecydowana doprowadzić to do końca.

Sędzia przyjmuje moją odpowiedź.

– Pani Fitzgerald, wnoszę, że w dalszym ciągu reprezentuje pani stronę pozwaną, czyli siebie?

– Zgadza się, wysoki sądzie.

– Dobrze więc. – Sędzia DeSalvo przygląda się nam wszystkim po kolei. – To jest sąd rodzinny, państwo adwokaci. W sądzie rodzinnym, a zwłaszcza podczas takich rozpraw jak dzisiejsza, osobiście wprowadzam odstępstwa od regulaminu przesłuchań świadków, ponieważ nie życzę sobie kłótni na sali sądowej. Sam potrafię orzec, co jest dopuszczalne, a co nie jest, więc jeśli jakaś kwestia naprawdę może budzić sprzeciw którejś ze stron, podtrzymam ten sprzeciw, ale raczej bym wolał, żeby dzisiejsze rozpatrzenie sprawy przebiegło bez zakłóceń, choćby nawet kosztem regulaminu. – Patrzy mi prosto w oczy. – Chciałbym, żeby ten proces był możliwie jak najmniej bolesny dla obu stron.

Przechodzimy do sali sądowej. Jest ona mniejsza niż w sądach karnych, lecz panuje tutaj równie deprymująca atmosfera. Po drodze zabieram Annę z korytarza. Na progu sali sądowej moja mała klientka staje jak wryta, wodząc wzrokiem po wysokich, wyłożonych drewnem ścianach, po rzędach krzeseł i górującym nad nimi stole sędziowskim, przytłaczającym swoim ogromem.

– Campbell – odzywa się szeptem – nie będę musiała tam stanąć i zeznawać, prawda?

Szczerze powiedziawszy, sędzia najprawdopodobniej zażyczy sobie wysłuchać zeznań Anny. Nawet jeśli Julia poprze jej wniosek, nawet jeśli Brian weźmie jej stronę, sędzia DeSalvo może chcieć osobiście poznać stanowisko powódki. Ale gdybym powiedział jej to w tym momencie, to zyskałbym tyle, że Anna zaczęłaby wariować z nerwów, co jest niezbyt wskazane na początku procesu.

Przypominam sobie naszą rozmowę w samochodzie, kiedy to Anna zarzuciła mi kłamstwo. Znam dwa powody, żeby nie mówić prawdy. Pierwszy jest taki, że kłamstwem można zdobyć to, czego się pragnie, a drugi – że kłamiąc, można oszczędzić komuś cierpienia. Z tych dwóch powodów daję Annie taką, a nie inną odpowiedź.

– Nie wydaje mi się – mówię.

– Wysoki sądzie – zaczynam. – Choć stanowi to odstępstwo od ogólnie przyjętych zasad, to zanim zaczniemy wzywać świadków, chciałbym coś powiedzieć.

Sędzia DeSalvo wzdycha.

– Panie Alexander, przecież wyraźnie prosiłem, aby zechcieli państwo traktować regulamin przesłuchań z nieco większą elastycznością.

– Nie nalegałbym, gdybym nie uważał, że to ważne, wysoki sądzie.

– Proszę się streszczać – mówi sędzia.

Podchodzę do stołu sędziowskiego.

– Wysoki sądzie, przez całe życie Anna Fitzgerald poddawała się zabiegom, które były konieczne do utrzymania zdrowia jej siostry Kate, lecz jej nic dobrego nie przyniosły. Nikt nie wątpi, że pani Sara Fitzgerald kocha wszystkie swoje dzieci, nikt też nie śmie podważać słuszności decyzji podejmowanych przez nią w celu podtrzymania życia starszej córki. Dziś jednak musimy podać w wątpliwość decyzje, które podjęła w imieniu młodszej córki.

Odwracam głowę i widzę baczne spojrzenie Julii. Nagle przypominam sobie to stare szkolne zadanie z etyki. Wiem już, co powiedzieć.

– Wysoki sąd być może przypomina sobie niedawny proces toczony w sądzie miasta Worcester w stanie Massachusetts. Bezdomna kobieta wywołała pożar, lecz zamiast wezwać straż ogniową, uciekła z budynku w obawie, że narobi sobie kłopotów. Z powodu jej lekkomyślności tamtej nocy w ogniu zginęło sześciu strażaków. Niemniej jednak Sąd Najwyższy nie mógł obarczyć tej kobiety odpowiedzialnością za śmierć tych ludzi, ponieważ amerykańskie prawo stanowi, że żaden człowiek nie ponosi odpowiedzialności za bezpieczeństwo innego człowieka – nawet w obliczu tragicznych konsekwencji. Nie ponosi takiej odpowiedzialności ten, kto wywołał pożar, nie ponosi jej przypadkowy przechodzień, który jest świadkiem wypadku samochodowego, ani też ktoś, kto dla drugiej osoby jest idealnie zgodnym dawcą narządów.

Spoglądam na Julię jeszcze raz.

– Zebraliśmy się na tej sali, ponieważ nasz wymiar sprawiedliwości nie precyzuje różnicy pomiędzy prawem a moralnością. Czasami bardzo łatwo je rozróżnić, ale zdarzają się takie sytuacje – na granicy prawa i moralności – kiedy to, co słuszne, wydaje się niesłuszne i na odwrót.

Wracam do mojego stolika i staję obok niego.

– Dziś na tej sali – kończę mowę – sąd pomoże nam rozstrzygnąć te niejasności.

Mój pierwszy świadek to adwokat strony pozwanej. Przyglądam się, jak Sara podchodzi do krzesła dla świadka. Idzie chwiejnym krokiem, jak marynarz łapiący równowagę na chybotliwym pokładzie. Udaje jej się zająć miejsce i wyrecytować formułkę przysięgi, ale nawet na jedną chwilę nie spuszcza oka z Anny.

– Panie sędzio, proszę o pozwolenie, abym mógł traktować panią Fitzgerald jako świadka wrogo nastawionego do powoda.

Sędzia marszczy brwi.

– Panie Alexander, jestem głęboko przekonany, że oboje państwo potrafią zachować się kulturalnie podczas przesłuchania.

– Zrozumiałem, wysoki sądzie. – Podchodzę do Sary.
– Proszę podać imię i nazwisko.

Matka Anny unosi lekko podbródek.

– Sara Crofton Fitzgerald.

– Czy jest pani matką nieletniej Anny Fitzgerald?

– Tak. Anny, Kate i Jessego Fitzgeraldów.

– Czy to prawda, że pani córka Kate w wieku dwóch

lat zachorowała na ostrą odmianę białaczki, ostrą białaczkę promielocytową?

– Tak.

– Czy to prawda, że podjęła pani wtedy wraz z mężem decyzję, aby począć i urodzić kolejne dziecko, które w następstwie manipulacji genetycznej byłoby dawcą narządów dla chorej siostry?

Twarz Sary ciemnieje.

– Co prawda użyłabym innych sformułowań, ale faktycznie to mieliśmy na myśli, decydując się na trzecie
dziecko. Chcieliśmy przetoczyć Kate krew pępowinową
Anny.

– Dlaczego nie poszukiwali państwo dawcy niespokrewnionego?

– Ponieważ jest to o wiele bardziej ryzykowne. Gdyby dawca nie był spokrewniony z Kate, niebezpieczeństwo zgonu wydatnie by wzrosło.

– A zatem w jakim wieku była Anna, kiedy po raz
pierwszy oddała narząd, czy też w tym wypadku tkankę, aby pomóc siostrze?

– Kiedy Kate przetoczono krew pępowinową, Anna
miała miesiąc.

Potrząsam głową.

– Nie pytam o to, kiedy przeprowadzono przeszczep.
Proszę powiedzieć, kiedy Anna oddała tę krew. Nastąpiło to natychmiast po urodzeniu, prawda?

– Tak – odpowiada Sara – ale Anna nie była wtedy
tego świadoma.

– A ile miała lat, kiedy ponownie wystąpiła konieczność oddania jakiegoś narządu Kate?

Sara krzywi się z niesmakiem, dokładnie tak, jak się
spodziewałem.

– W wieku pięciu lat oddała siostrze limfocyty do
operacji wlewu limfocytów dawcy.

– Na czym to polegało?

– Na pobraniu krwi z żyły w zgięciu łokcia.

– Czy Anna wyraziła zgodę na wbicie igły w żyłę?

– Miała dopiero pięć lat – odpowiada Sara.

– Czy poprosiła ją pani o zgodę na wbicie igły w żyłę?

– Poprosiłam ją, żeby pomogła siostrze.

– Czy to prawda, że Annę trzeba było przytrzymywać na stole zabiegowym, aby można było wprowadzić igłę do żyły?

Sara spogląda na Annę, a potem zamyka oczy.

– Tak.

– I tak pani zdaniem wygląda dobrowolny udział w zabiegu? – Kątem oka widzę, jak brwi sędziego De-Salvo ściągają się w jedną grubą linię. – Czy po pierwszym pobraniu limfocytów wystąpiły skutki uboczne?

– Anna miała kilka siniaków i była obolała.

– Ile czasu upłynęło pomiędzy pierwszym a drugim pobraniem krwi?

– Miesiąc.

– Czy przy drugim zabiegu także trzeba było ją przytrzymać?

– Tak, ale...

– Jakie były skutki uboczne?

– Takie same. – Sara potrząsa głową. – Pan nic nie rozumie. Sądzi pan, że przymykałam oczy na to, co Anna musi przechodzić podczas każdego z tych zabiegów? Przecież ona też jest moją córką. To nieistotne, które ze swoich dzieci widzi się w takiej sytuacji. Za każdym razem serce rodzica pęka na taki widok.

– A jednak zdołała pani zwalczyć w sobie to uczucie – zauważam – bo zaprowadziła pani Annę na pobranie krwi po raz trzeci.

– To było konieczne, żeby uzyskać dostatecznie dużo limfocytów – tłumaczy Sara. – Nie jest to standard przy zabiegach tego typu.

377

– Ile lat miała Anna, kiedy po raz kolejny musiała poddać się zabiegowi w celu ratowania chorej siostry?

– Kiedy Kate miała dziewięć lat, wywiązało się u niej ostre zakażenie i...

– Znowu nie odpowiedziała pani na moje pytanie. Chcę wiedzieć, co przeszła Anna w wieku sześciu lat.

– Oddała granulocyty, które miały przeciwdziałać infekcji u Kate. Zabieg jest bardzo podobny do pobrania limfocytów.

– Czyli kłucie igłą?

– Zgadza się.

– Czy zapytała pani Annę o zgodę na oddanie granulocytów?

Sara milczy.

– Pani Fitzgerald... – upomina ją sędzia.

Sara zwraca się błagalnym tonem wprost do córki:

– Anno, przecież wiesz, że nigdy nie chcieliśmy, żebyś cierpiała. Wszyscy cierpieliśmy. Każdy siniec, który ty nosiłaś na rękach, my nosiliśmy głęboko w sercu.

– Proszę odpowiedzieć. – Staję pomiędzy Anną a jej matką. – Czy zapytała ją pani o zgodę?

– Niech pan przestanie – prosi Sara. – Wszyscy wiemy, jak było. Usiłuje mnie pan pogrążyć; przyznaję się do wszystkiego, co chce mi pan zarzucić. Wolałabym mieć tę część już za sobą.

– Bo ciężko pani znieść rozgrzebywanie przeszłości, tak? – Wiem, że balansuję na cienkiej linie, ale przecież robię to dla Anny i w jej imieniu, bo chcę, by zobaczyła, że może na kogoś liczyć. – W sumie wszystkie te zabiegi nie były aż tak niewinne, jak pani sądzi?

– Panie Alexander, do czego pan zmierza? – pyta sędzia DeSalvo. – Znana mi jest liczba zabiegów, które przeszła Anna.

– Chcę to ustalić, ponieważ dysponujemy tylko historią choroby Kate, a brak nam dokumentów dotyczących jej siostry.

Sędzia DeSalvo kiwa głową, nie patrząc na żadne z nas.

– Proszę się streszczać.

Ponownie zwracam się w stronę matki Anny.

– Szpik kostny – mówi głucho Sara, uprzedzając moje pytanie. – Ponieważ Anna była bardzo młoda, trzeba było zastosować znieczulenie ogólne. Szpik pobrano igłami wprowadzonymi do grzebienia kości biodrowej.

– Czy to było pojedyncze nakłucie, tak jak podczas poprzednich zabiegów?

– Nie – odpowiada Sara cicho. – Nakłuć było około piętnastu.

– Do wnętrza kości?

– Tak.

– Jakie tym razem wystąpiły skutki uboczne?

– Ból kości. Podano Annie środki przeciwbólowe.

– Czyli tym razem Anna została w szpitalu pełną dobę... i, jak słyszę, potrzebna jej była kuracja pozabiegowa?

Sara milczy przez chwilę, żeby zapanować nad sobą.

– Powiedziano mi, że pobranie szpiku kostnego nie jest złożonym zabiegiem chirurgicznym i nie zagraża dawcy. Przyznaję, że być może chciałam to usłyszeć; być może w tym momencie potrzebowałam usłyszeć takie zapewnienie. Możliwe, że nie myślałam o Annie, że zaniedbałam ją, ponieważ byłam bardzo skoncentrowana na tym, co się dzieje z Kate. Ale wiem ponad wszelką wątpliwość, że Anna, tak jak wszyscy w naszej rodzinie, pragnęła jednego: żeby Kate wyzdrowiała.

– Oczywiście – dopowiadam. – Przecież to oznaczało dla niej koniec kłucia igłami.

– Dość tego, panie Alexander – przerywa mi sędzia DeSalvo.

– Proszę zaczekać – powstrzymuje go Sara. – Chciałabym coś powiedzieć. – Zwraca się wprost do mnie. – Sądzi pan, że tę sytuację łatwo będzie przeanalizować, opisać w prosty, przejrzysty sposób, tutaj białe, a tam czarne? Myli się pan. Broni pan mojej córki, ale tylko dziś, tylko na tej sali. A ja mam dwie córki i bronię każdej z nich jednakowo, codziennie, zawsze i wszędzie. I kocham każdą z nich jednakowo, zawsze i wszędzie.

– Przyznała pani jednak, że podejmując wspomniane decyzje, kierowała się troską o zdrowie Kate, nie Anny – zauważam. – Jak zatem może pani twierdzić, że kocha obie córki jednakowo? Że nie faworyzowała pani jednej z nich?

– A czy nie tego teraz pan ode mnie oczekuje? – pyta Sara. – Żebym tym razem okazała specjalne względy drugiej córce?

ANNA

Dzieci mają własny język. W odróżnieniu od francuskiego, hiszpańskiego czy innych języków obcych, które dochodzą do szkolnego programu w czwartej klasie, z tym językiem dziecko się rodzi, a w pewnym wieku zapomina go na zawsze. Każdy dzieciak, który nie skończył jeszcze siedmiu lat, jest mistrzem gdybania. Żeby się o tym przekonać, wystarczy spędzić trochę czasu w towarzystwie osobnika niższego niż metr. Co by było, gdyby z tej dziury w suficie wyskoczył ogromny pająk i ugryzł cię w szyję? A co by było, gdyby się okazało, że odtrutka na jad pajęczy jest ukryta w najgłębszej piwnicy zamku na szczycie wysokiej góry? Co by było, gdyby trucizna cię nie zabiła, ale tylko sparaliżowała i mógłbyś co najwyżej poruszyć jedną powieką i wymrugać alfabet? Takie łańcuszki myślowe można ciągnąć dowolnie długo, ale nie to jest ich celem; chodzi o to, żeby mnożyć różne możliwości. Dzieci myślą z mózgiem szeroko otwartym; dorastanie, jak zdążyłam zaobserwować, polega tylko na stopniowym zamykaniu go.

Podczas pierwszej przerwy Campbell zabiera mnie do sali konferencyjnej, żeby nikt mi nie przeszkadzał, i przynosi mi colę, która wcale nie jest zimna.

– No i co? – pyta. – Jak to wszystko widzisz?

Siedząc tam, na sali sądowej, mam dziwne uczucie, że jestem duchem: widzę i słyszę wszystko, co się dzieje, ale nawet gdybym chciała coś powiedzieć, to i tak nikt mnie nie usłyszy. Groteskowego wrażenia dopełnia to, że muszę słuchać, jak wszyscy omawiają moje własne życie takim tonem, jakby wcale nie widzieli, że siedzę tuż obok.

Campbell otwiera puszkę 7 UP i siada przy stole naprzeciwko mnie. Odlewa odrobinę napoju do papierowego kubeczka, który stawia na podłodze dla Sędziego.

– Nie skomentujesz? – Pociąga długi łyk prosto z puszki. – O nic nie zapytasz? Nie rozpłyniesz się w zachwytach nad moją prawniczą maestrią?

Wzruszam ramionami.

– Inaczej to sobie wyobrażałam.

– Jak to?

– Kiedy zdecydowałam się to zrobić, miałam całkowitą pewność, że postępuję słusznie. Ale kiedy zobaczyłam, jak przesłuchujesz moją mamę, jak zasypujesz ją pytaniami... – Podnoszę wzrok na Campbella. – Ona miała rację, mówiąc ci, że to wszystko nie jest takie proste, jak myślisz.

A co by było, gdybym to ja była chora? Gdyby to Kate poproszono o to samo, co ja robiłam dla niej? Co by było, gdyby pewnego dnia okazało się, że krew, szpik czy coś innego wyleczyły Kate na dobre i że już jest po wszystkim? Co by było, gdybym kiedyś w przyszłości spojrzała wstecz i mogła myśleć o tym, co zrobiłam, z dumą, a bez wyrzutów sumienia? A jeśli sędzia uważa, że nie mam racji?

A jeśli uważa, że mam?

Nie znam odpowiedzi na żadne z tych pytań. Po tym poznaję, że dorastam, choć być może wcale jeszcze nie jestem gotowa, żeby dorosnąć.

– Anno. – Campbell wstaje i podchodzi do mnie. – Nie możesz teraz się rozmyślić.

– Ja się nie rozmyśliłam – odpowiadam, obracając puszkę w dłoniach. – Tak mi się tylko wydaje, że nawet jeśli wygramy, to przegramy.

Kiedy miałam dwanaście lat, zaczęłam pracować jako opiekunka do dzieci. Zajmowałam się dwoma bliźniakami, synami sąsiadów z naszej ulicy. Mieli tylko po sześć lat i nie lubili ciemności, więc wieczorem, kiedy już leżeli, zazwyczaj siadywałam pomiędzy ich łóżkami na stołku w kształcie słoniowej nogi, z palcami, ze wszystkim. Nigdy nie przestanie mnie zadziwiać dziecięca zdolność do całkowitego zużywania energii: dopiero co wieszali się na zasłonach, a pięć minut później proszę – leżą jak nieżywi. Czy ja też kiedyś byłam taka? Nie pamiętam i czuję się z tego powodu bardzo staro.

Chłopcy z reguły zasypiali razem, ale co jakiś czas, kiedy jeden już spał, jego brat miał jeszcze oczy otwarte.

– Ania – słyszałam wtedy pytanie – za ile lat będę mógł jeździć samochodem?

– Za dziesięć – odpowiadałam mu.

– A ty za ile?

– Za trzy.

Potem wątki rozmowy zaczynały się rozgałęziać jak nitki w pajęczynie: jaki samochód chciałabym mieć; kim będę, kiedy dorosnę; czy bardzo ciężko jest w podstawówce, gdzie codziennie zadają coś do domu. Zwykle to była tylko taka sztuczka, żeby zyskać na czasie i nie spać jeszcze przez kilka minut. Czasem dawałam się w to wciągnąć, ale najczęściej usypiałam małego ciekawskiego. Dlaczego? Bo coś się we mnie skręca, kiedy myślę, że mogłabym mu powiedzieć, co go czeka, ale nie potrafiłabym sprawić, żeby nie zabrzmiało to jak ostrzeżenie.

Drugi świadek powołany przez Campbella to doktor Bergen, przewodniczący komisji do spraw etyki lekarskiej zbierającej się w szpitalu miejskim w Providence. Doktor Bergen ma szpakowate włosy i twarz powgniataną jak kartofel. Jest niewysoki, choć sądząc po wszystkich tytułach naukowych, które skrupulatnie wymienia, przedstawiając się, to głową powinien sięgać co najmniej chmur.

– Panie doktorze – zaczyna Campbell – czym jest komisja do spraw etyki lekarskiej?

– Jest to grupa złożona z przedstawicieli różnych zawodów: lekarzy, dyplomowanych pielęgniarek, a także osób duchownych, etyków i naukowców. Ich zadaniem jest orzekanie o tym, czy w indywidualnych przypadkach nie doszło do pogwałcenia praw pacjenta. Zachodnia bioetyka kieruje się sześcioma naczelnymi zasadami. – Wylicza je, zaginając kolejno palce. – Zasada niezależności stanowi, że każdy pacjent, który skończył osiemnaście lat, ma prawo odmówić leczenia. Zasada wiarygodności oznacza w skrócie świadomą zgodę na leczenie. Zasada lojalności określa zakres obowiązków wykonawcy usług medycznych. Zasada dbałości o dobro pacjenta nakazuje czynić wyłącznie to, co leży w jego najlepiej pojętym interesie, a zasada nieczynienia szkody stanowi, że kiedy nie można już pomóc, należy przynajmniej nie szkodzić, przykładowo nie wolno poddawać ciężkiej operacji studwuletniego pacjenta w ostatnim stadium śmiertelnej choroby. Ostatnią zasadą jest zasada sprawiedliwości, która zakazuje dyskryminowania leczonych osób.

– Jak wygląda praca komisji do spraw etyki?

– Zbieramy się zwykle wtedy, gdy zaistnieje różnica poglądów na temat zalecanej kuracji. Przykładem może być sytuacja, kiedy lekarz w trosce o dobro pacjenta chce zastosować niestandardową procedurę leczenia, a rodzina nie zgadza się na to i *vice versa*.

– Zatem komisja nie rozpatruje wszystkich przypadków, które trafiają do szpitala?

– Nie. Zajmujemy się tylko zgłoszonymi skargami bądź udzielamy konsultacji na prośbę lekarza prowadzącego konkretnego pacjenta. Badamy zaistniałą sytuację i ogłaszamy nasze stanowisko w formie wskazówek.

– Nie rozstrzygacie państwo o niczym?

– Nie – odpowiada doktor Bergen.

– A jeśli pacjent zgłaszający skargę jest nieletni? – pyta Campbell.

– Poniżej trzynastego roku życia zgoda pacjenta nie jest wymagana. Polegamy na rodzicach i wierzymy w ich zdolność do świadomego wybrania tego, co jest dla dziecka najlepsze.

– A jeśli taki wybór nie jest możliwy?

Doktor Bergen mruga, nie rozumiejąc mojego pytania.

– Ma pan na myśli sytuację, kiedy dziecko nie ma rodziców?

– Nie. Mam na myśli sytuację, kiedy rodzice kierują się innymi pobudkami, które powstrzymują ich od podjęcia decyzji leżących w najlepiej pojętym interesie dziecka.

Mama zrywa się z krzesła.

– Zgłaszam sprzeciw – mówi. – To jest spekulacja.

– Sprzeciw podtrzymany – zgadza się sędzia DeSalvo.

Campbell nie daje świadkowi ani chwili wytchnienia.

– Czy rodzice decydują o sposobie leczenia swoich dzieci, dopóki nie skończą one osiemnastu lat?

Na to pytanie nawet ja mogłabym odpowiedzieć. Rodzice decydują o wszystkim, chyba że jest się takim jak Jesse i robi się wszystko, żeby mieli cię dość i woleli udawać, że w ogóle cię nie ma.

– Z prawnego punktu widzenia tak – odpowiada doktor Bergen. – Niemniej kiedy dziecko wkroczy w wiek dojrzewania, musi wyrazić zgodę na każdy zabieg, choć nie jest to zgoda formalna. Dotyczy to również sytuacji, kiedy rodzice już wcześniej zdążyli udzielić zgody na wykonanie zabiegu.

Ta zasada, gdyby mnie ktoś pytał, jest jak reguły bezpiecznego przechodzenia przez jezdnię. Wszyscy wiedzą, jak należy postępować, ale mimo to i tak chodzą, jak chcą.

Doktor Bergen ciągnie dalej swój wywód.

– Rzadko dochodzi do różnicy zdań pomiędzy rodzicami a niepełnoletnim pacjentem. W takim wypadku komisja do spraw etyki lekarskiej zbiera się i zanim zajmie stanowisko, bierze pod uwagę kilka czynników: wiek i dojrzałość fizyczną niepełnoletniego pacjenta, stosunek ryzyka do spodziewanych korzyści wypływających z zabiegu, argumentację, którą przedłożył pacjent, oraz to, czy zabieg leży w jego najlepiej pojętym interesie.

– Czy komisja do spraw etyki lekarskiej rozważała przypadek choroby Kate Fitzgerald? – chce wiedzieć Campbell.

– Dwukrotnie nas o to poproszono – odpowiada doktor Bergen. – Za pierwszym razem mieliśmy zająć stanowisko w sprawie próby przeszczepu komórek macierzystych pobranych z krwi obwodowej. Było to w roku dwa tysiące drugim, kiedy okazało się, że kilka terapii, w tym przeszczep szpiku kostnego, nie przyniosło rezultatów. Po raz drugi obradowaliśmy nad przypadkiem Kate całkiem niedawno. Mieliśmy stwierdzić, czy w jej najlepiej pojętym interesie leży przeszczep nerki.

– Jakie stanowisko zajęła komisja?

– Co do przeszczepu komórek macierzystych pobranych z krwi obwodowej opowiedzieliśmy się za. W sprawie przeszczepu nerki wystąpiła pomiędzy nami różnica poglądów.

– Proszę nam to wyjaśnić.

– Kilkoro z nas było zdania, że w tym stadium choroby stan pacjentki pogorszył się już tak znacznie, że ciężka, skomplikowana operacja chirurgiczna przyniesie jej więcej szkody niż pożytku. Reszta uznała, że bez tej operacji Kate z całą pewnością musi umrzeć, zatem spodziewane korzyści przeważają nad ryzykiem.

– Skoro w obrębie komisji wystąpiła różnica zdań, kto miał podjąć ostateczną decyzję w sprawie przeszczepu nerki?

– Rodzice, ponieważ Kate jest jeszcze niepełnoletnia.

– Czy komisja do spraw etyki lekarskiej – podczas ostatnich obrad bądź też tych w dwa tysiące drugim roku – brała pod uwagę ryzyko i spodziewane korzyści, które zabieg przyniesie dawcy?

– Nie to było sednem sprawy...

– A zainteresowali się państwo tym, czy dawca, Anna Fitzgerald, wyraziła zgodę na zabieg?

Doktor Bergen spogląda prosto na mnie. W jego oczach widzę współczucie, co jest jeszcze okropniejsze, niż gdyby wyzywał mnie od najgorszych za to, że w ogóle przyszło mi do głowy złożyć pozew. Potrząsa głową.

– To jasne, że żaden szpital w tym kraju nie wziąłby nerki od dziecka, które nie zgadza się jej oddać.

– A zatem, czysto teoretycznie, gdyby Anna odmówiła zgody na zabieg, to wtedy jej sprawa wylądowałaby na pańskim biurku, czy tak?

– Cóż...

– Czy sprawa Anny trafiła na pańskie biurko, panie doktorze?

– Nie.

Campbell podchodzi do niego.

– Czy może nam pan wyjaśnić, dlaczego tak się nie stało?

– Ponieważ Anna Fitzgerald nie była pacjentką naszego szpitala.

– Czyżby? – Campbell wyjmuje z teczki plik papierów i podaje je sędziemu, a potem doktorowi Bergenowi. – Proszę. Oto karty chorobowe Anny Fitzgerald pochodzące z kartoteki szpitala miejskiego w Providence. Pierwsza z nich została założona trzynaście lat temu. Skąd w kartotece takie dokumenty, skoro, jak pan twierdzi, Anna nie była pacjentką waszego szpitala?

Doktor Bergen przerzuca podane mu papiery.

– Faktycznie, Anna przeszła u nas kilka operacji chirurgicznych.

Nie popuszczaj, Campbell, krzyczę w myślach. Nie jestem z tych, które wierzą w szlachetnych rycerzy ratujących damy w opałach, niemniej coś w tym jest.

– Czy nie zastanawia pana, że przez trzynaście lat komisja ani razu nie zebrała się, aby rozpatrzyć zabiegi, którym poddawano Annę Fitzgerald, wszelako pacjentkę pańskiego szpitala, co wnioskuję po grubości tego pliku dokumentów, a przede wszystkim z samego faktu jego istnienia?

– Byliśmy przekonani, że Anna oddaje narządy z własnej, nieprzymuszonej woli.

– Czy chce pan przez to powiedzieć, że gdyby Anna uprzednio zaznaczyła, że nie życzy sobie oddawać siostrze limfocytów, granulocytów, krwi pępowinowej, a choćby nawet zestawu pierwszej pomocy przy ukąszeniu przez pszczołę, który nosi w plecaku, to komisja zajęłaby inne stanowisko?

– Wiem, do czego pan zmierza, panie Alexander – mówi zimnym głosem psychiatra. – Cały kłopot w tym, że taka sytuacja nie zaistniała nigdy wcześniej i nie ma żadnego precedensu. Podążamy nieprzetartym szlakiem i staramy się nie popełniać błędów.

– Czy jednak praca komisji do spraw etyki lekarskiej nie polega właśnie na tym, aby rozpatrywać sytuacje, które nigdy wcześniej nie zaistniały?

– W zasadzie... tak.

– Panie doktorze, poproszę pana teraz o opinię jako biegłego. Czy wymaganie od Anny Fitzgerald, aby przez trzynaście lat swojego życia była dawcą narządów i tkanek, jest zgodne z etyką lekarską?

– Sprzeciw! – woła mama.

Sędzia pociera podbródek.

– Proszę odpowiedzieć. Chcę to usłyszeć.

Doktor Bergen znów rzuca mi spojrzenie.

– Szczerze mówiąc, byłem przeciwny pobraniu nerki od Anny, zanim jeszcze usłyszałem, że ona sama nie zgadza się na zabieg. Nie wierzę w to, że Kate może przeżyć przeszczep, zatem moim zdaniem Anna zupełnie niepotrzebnie zostałaby poddana poważnej operacji chirurgicznej. Jednakże podczas zabiegów, które przeszła do tej pory, ryzyko było niewielkie w porównaniu z korzyściami, które odniosła cała jej rodzina. Pochwalam działania państwa Fitzgerald oraz ich decyzje, które dotyczyły Anny.

Campbell udaje, że rozważa te słowa.

– Panie doktorze, proszę mi powiedzieć, jakim samochodem pan jeździ?

– Porsche.

– Na pewno lubi pan swój samochód.

– Lubię – pada ostrożna odpowiedź.

– A gdybym w tej chwili panu oznajmił, że przed wyjściem z tej sali musi pan oddać kluczyki i dowód rejestracyjny, ponieważ w ten sposób można ocalić życie sędziego DeSalvo?

– To śmieszne. Pan...

Campbell pochyla się nad nim.

– A gdyby nie dano panu wyboru? Gdyby od dziś psychiatrzy musieli wykonywać wszelkie polecenia prawników, bo to prawnicy decydowaliby o tym, co jest dobre dla innych?

Doktor Bergen przewraca oczami.

– Widzę, że próbuje pan wprowadzić do akcji wątek dramatyczny, panie Alexander. Nic z tego. Etyka medyczna zna pojęcie podstawowych praw dawcy. Są to zabezpieczenia ustanowione w jednym celu: aby pionierzy medycyny nie ulegli zaślepieniu własnymi osiągnięciami. W Stanach Zjednoczonych nieraz już dochodziło do drastycznych naruszeń tak zwanej świadomej zgody pacjenta; skutkiem tego prowadzenie badań z udziałem ludzi jest teraz regulowane przepisami, które mają chronić człowieka przed wykorzystaniem w charakterze szczura doświadczalnego.

– Proszę nam zatem powiedzieć – ripostuje Campbell – jakim cudem, do cholery, etyka medyczna mogła przeoczyć przypadek Anny Fitzgerald?

Kiedy miałam zaledwie siedem miesięcy, w sąsiedztwie ktoś urządził imprezę. Łatwo sobie wyobrazicie ten koszmar: tony galaretki owocowej, piramidki z kostek żółtego sera, ludzie tańczący na ulicy w rytm muzyki puszczonej przez okno z pokoju. Ja, rzecz jasna, nie pamiętam z tego absolutnie nic. Wiem tylko, że wsadzono mnie w chodzik. Takie urządzenia były całkiem popularne, zanim dzieci zaczęły się masowo w nich wywracać i rozbijać sobie głowy.

No więc dreptałam w tym moim chodziku, krążąc pomiędzy stołami i obserwując inne dzieci. W pewnym momencie, jak mi opowiadano, potknęłam się o coś. Nasza ulica zbiega z pochyłości; nagle kółka zaczęły kręcić się odrobinę za szybko, żebym mogła się sama zatrzymać. Przemknęłam obok grupki dorosłych i śmignęłam pod barierą, którą policja ustawiła na końcu naszej ulicy, żeby zamknąć ruch. Toczyłam się pełnym gazem prosto na główną szosę, pomiędzy samochody.

Kate wyrosła na chodniku jak spod ziemi i pobiegła za mną. Niewiadomym sposobem udało jej się złapać mnie za bluzeczkę. Sekundę później wpadłabym pod koła przejeżdżającej toyoty.

Co jakiś czas ktoś z sąsiedztwa wspomina tę historię. Ja zapamiętałam ją jako ten jeden raz, kiedy to Kate uratowała mi życie. Nie na odwrót.

Mama dostaje pierwszą szansę, żeby zabawić się w adwokata.

– Panie doktorze – zwraca się do doktora Bergena – od jak dawna zna pan moją rodzinę?

– Pracuję w szpitalu miejskim od dziesięciu lat.

– Przez ten czas kilkakrotnie proszono pana o konsultacje dotyczące terapii mojej córki Kate. Co pan wtedy robił?

– Opracowywałem zalecaną metodę leczenia – odpowiada doktor Bergen – bądź też kurację alternatywną, jeśli takowa była możliwa.

– Czy w sprawozdaniach, które pan pisał, zaznaczył pan kiedykolwiek, że Anna nie powinna brać udziału w którymś z planowanych zabiegów?

– Nie.

– Czy był pan zdania, że te zabiegi mogą wyrządzić Annie krzywdę?

– Nie.

– A może uważał pan, że stanowią one zagrożenie dla jej zdrowia?

– Nie.

A jeśli to nie Campbell okaże się moim rycerzem-wybawcą, tylko moja mama?

391

– Panie doktorze – pada kolejne jej pytanie – czy ma pan dzieci?

Doktor Bergen unosi wzrok.

– Mam syna. Skończył trzynaście lat.

– Czy zapoznając się z przypadkami, które trafiały do rozpatrzenia przez komisję do spraw etyki lekarskiej, próbował pan kiedyś postawić się na miejscu pacjenta? A może, jeszcze lepiej, rodzica?

– Próbowałem – przyznaje doktor Bergen.

– Co by pan zrobił na moim miejscu – pyta moja matka – gdyby komisja do spraw etyki lekarskiej wręczyła panu kartkę z opisem zalecanej metody leczenia, terapii, która może uratować życie pańskiego syna? Czy miałby pan jeszcze jakieś wątpliwości... czy też uchwyciłby się rękami i nogami tej jednej szansy?

Doktor Bergen nie odpowiada. Słowa nie są potrzebne.

Po przesłuchaniu doktora Bergena sędzia DeSalvo zarządza drugą przerwę. Campbell mówi coś o przejściu się i rozprostowaniu nóg, wstaję więc i posłusznie idę za nim do wyjścia. Kiedy po drodze do drzwi mijam mamę, czuję jej rękę w talii. Koszulka podjechała mi do góry, a ona musi ją poprawić. Wiem, że serdecznie nie znosi dzisiejszej młodzieżowej mody, która każe nastolatkom przychodzić do szkoły w wyciętych bluzkach bez pleców i w dżinsach biodrówkach, jakby nie wybierały się na lekcję matematyki, tylko na casting do teledysku Britney Spears. Słyszę, co myśli mama: błagam, powiedz mi, że to się tylko zbiegło w praniu.

Nagle chyba przychodzi jej do głowy, że to nie jest najlepszy moment na tego typu czynności. Wypuszcza z palców rąbek mojej koszulki. Zatrzymuję się, a wraz ze mną Campbell. Na twarzy mamy pojawia się głęboki rumieniec.

– Przepraszam – mówi.

Kładę rękę na jej dłoni, po czym wkładam koszulkę z powrotem na miejsce, do spodni. Spoglądam na Campbella.

– Zaraz do ciebie przyjdę.

Jego spojrzenie mówi samo za siebie: to nie jest dobry pomysł. Co ma jednak zrobić w tej sytuacji? Kiwa głową i rusza w stronę drzwi. W sali sądowej pozostaję tylko ja i moja mama. Pochylam się i całuję ją w policzek.

– Świetnie ci poszło – mówię, bo nie mam pojęcia, jak wyrzucić z siebie to, co naprawdę chcę powiedzieć: że ludzie, których kochamy, każdego dnia, w każdym momencie potrafią nas zadziwić. Że o naszej wartości nie stanowią być może nasze uczynki, ale nasz potencjał: to, do czego jesteśmy zdolni w najbardziej nieoczekiwanych sytuacjach.

SARA

2002

Kate i Taylor Ambrose poznają się w szpitalu na zabiegu. Siedzą na sąsiadujących fotelach, oboje podłączeni do kroplówek.

– Co dostajesz? – pyta Kate. Na dźwięk jej głosu momentalnie podnoszę wzrok znad książki; przychodzimy tutaj na zabiegi od lat, a Kate jeszcze ani razu nie odezwała się do kogoś pierwsza.

Chłopak, którego zagadnęła, nie może być o wiele starszy od niej, co najwyżej dwa lata. Czyli szesnastolatek. Ma brązowe oczy, które wydają się tańczyć, a jego łysą głowę przykrywa czapka z emblematem drużyny hokejowej Bruins.

– Mieszankę firmową. Na koszt firmy – odpowiada, a dołeczki w jego policzkach robią się głębsze.

Kate szczerzy zęby w uśmiechu.

– Widzę, że znasz szefa tego baru – mówi, spoglądając na własną kroplówkę, przez którą do jej żył sączą się płytki krwi.

– Jestem Taylor – chłopak wyciąga rękę. – Ostra białaczka mieloblastyczna.

– Kate. Ostra białaczka promielocytowa.

Taylor gwiżdże z cicha, unosząc brwi.

– No, no... – mówi. – Prawdziwa rzadkość.

Kate potrząsa krótko przyciętą grzywką.

– Tutaj wszyscy to rzadkie przypadki.

Przypatruję się temu, kompletnie oszołomiona. Gdzie się podziała moja dziewczynka? I kim jest ta flirciara?

– Płytki krwi – Taylor odczytuje oznaczenia na torebce z kroplówką Kate. – Objawy ustąpiły? Remisja?

– Jak na razie. – Kate rzuca okiem na jego stojak, na wszystko mówiący czarny pokrowiec osłaniający torebkę z cytoksanem. – Chemia?

– Jak na razie. Powiedz mi, Kate... – zaczyna Taylor. Zauważam, że jest zbudowany jak typowy szesnastoletni wyrostek: szczupły, z wystającymi kolanami, ma grube palce u rąk i ostro zarysowane kości policzkowe, które nie zdążyły jeszcze wrosnąć. Mięśnie na jego ramionach grają mocno, kiedy krzyżuje ręce na piersi. Łatwo się domyślić, że robi to celowo; pochylam głowę, żeby nie dostrzegł, że się uśmiecham. – Powiedz mi, co porabiasz, kiedy nie siedzisz tutaj, w tym zacnym szpitalu miejskim?

Kate namyśla się, a po chwili jej twarz rozjaśnia uśmiech.

– Czekam, aż coś zapędzi mnie tutaj z powrotem.

Taylor parska głośnym śmiechem.

– To może poczekamy kiedyś razem? – Podaje Kate papierowe opakowanie jałowego opatrunku. – Zapiszesz mi swój numer telefonu?

Kiedy Kate stawia cyfry na papierze, odzywa się sygnał kroplówki Taylora. Do pokoju zagląda pielęgniarka i odłącza chłopca.

– Uciekaj, Taylor. – Uśmiecha się. – Gdzie rodzice?

– Czekają na dole. Mogę już iść. – Taylor schodzi z miękkiego fotela powoli, nieledwie z trudem; po raz pierwszy przypominam sobie, że to nie była pogawędka zwykłych nastolatków. Wsuwa świstek z naszym numerem do kieszeni. – Zadzwonię – obiecuje.

Po jego wyjściu Kate wydaje z siebie głębokie, dramatyczne westchnienie, mające zakończyć tę scenę.

– O rany – szepcze, wskazując głową drzwi, za którymi zniknął Taylor. – Boski facet...

– Nic dodać, nic ująć, skarbie. – Pielęgniarka, która sprawdza jej puls, uśmiecha się. – Chciałabym mieć trzydzieści lat mniej.

Kate odwraca do mnie promienną twarz.

– Jak myślisz, zadzwoni?

– Może – odpowiadam.

– A dokąd mnie zabierze, jak myślisz?

Przypominam sobie słowa Briana, który zawsze powtarzał, że Kate będzie mogła umawiać się z chłopakami... kiedy skończy czterdzieści lat.

– Nie wszystko naraz – mityguję córkę, ale w środku cała śpiewam z wielkiej radości.

Kuracja arszenikiem doprowadziła do upragnionej remisji, ale dla organizmu Kate był to silny wstrząs. Taylor Ambrose to lek zupełnie innej generacji; choć zafundował mojej córce równie mocny wstrząs, nie osłabił jej – wręcz przeciwnie. Codzienne telefony weszły im już w nawyk: o siódmej wieczorem słychać dzwonek, Kate zrywa się od kuchennego stołu, chwyta w biegu bezprzewodową słuchawkę i zamyka się z nią w łazience. My zostajemy w kuchni, zmywamy naczynia, siedzimy w dużym pokoju, rozmawiamy, oglądamy telewizję, szukujemy się do snu – a przez cały ten czas dobiegają nas stłumione chichoty i szepty. W końcu Kate wyłania się ze swojego kokonu, promieniejąca i oblana rumieńcem; pierwsza miłość zapiera jej dech w piersiach, pulsuje w gardle tętnem szybkim jak łopot skrzydełek kolibra. Nie mogę się na nią napatrzeć. Nie chodzi o to, że moja córka to jakaś wyjątkowa piękność, chociaż skoro już o tym mowa, to faktycznie tak jest; po prostu nigdy się nie łudziłam, że kiedykolwiek zobaczę ją aż tak dojrzałą.

Któregoś wieczoru wchodzę za nią do łazienki. Kate właśnie skończyła rozmawiać z Taylorem i teraz stoi przed lustrem, wydymając usta i ćwicząc zalotne unoszenie brwi. Jej dłoń wędruje do króciutkiej fryzury; po chemioterapii włosy nie odrosły w falujących puklach, tylko w nieregularnych, gęstych kępkach. Kate zazwyczaj układa je za pomocą pianki, tak że wyglądają jak futrzasta poduszka. Teraz unosi dłoń do oczu, jakby bała się, że znów zaczęły jej wypadać.

– Powiedz mi, co on myśli, kiedy na mnie patrzy? – pyta.

Staję tuż za nią. Kate jest podobna do Briana – to Jesse wdał się we mnie – ale kiedy stoimy obok siebie, nie można nie zauważyć podobieństw. Na przykład usta: choć różnią się kształtem, to są jednakowo zaciętе, w ich ułożeniu znać tę samą determinację, która prześwieca w naszych oczach.

– Moim zdaniem on widzi dziewczynę, która dobrze rozumie, przez co on sam musiał przejść – odpowiadam szczerze.

– Znalazłam w Internecie stronę na temat ostrej białaczki mieloblastycznej – informuje mnie Kate. – Chorzy na tę odmianę mają niezłą statystykę wyleczeń. – Odwraca się do mnie. – Czy kiedy czyjeś zdrowie i życie obchodzi cię bardziej niż własne... Czy tak wygląda miłość?

Nagle słowa zamierają mi w gardle.

– Tak – zdobywam się na odpowiedź dopiero po chwili.

Kate odkręca kran, mydli twarz, spłukuje pianę. Podaję jej ręcznik.

– Czuję, że wydarzy się coś złego. – Słyszę, kiedy wyłania się z frotowych zawojów. Te kilka słów natychmiast stawia mnie w stan najwyższego pogotowia.

– Coś się stało? – wypytuję ją.

– Nie, ale tak musi być. Taylor i to wszystko... Jest za dobrze. Będę musiała za to zapłacić.

– To najgłupsza rzecz, jaką słyszałam w życiu – oznajmiam z przyzwyczajenia, ale nie mogę zaprzeczyć, że dostrzegam w tym ziarenko prawdy. Temu, kto wierzy, że człowiek jest zdolny zapanować nad wszystkim, co życie przyniesie, należy poradzić, żeby spędził jeden dzień w towarzystwie dziewczynki chorej na białaczkę. Albo jej matki. – Może to znak, że w końcu idzie ku lepszemu – przekonuję Kate.

Trzy dni później, po rutynowej morfologii krwi, hematolog informuje nas, że organizm Kate znów produkuje promielocyty. Jest to pierwszy objaw zwiastujący nawrót choroby.

Nie mam w zwyczaju podsłuchiwać, a w każdym razie nigdy nie pozwalam sobie na to umyślnie. Ale zdarza mi się tego wieczoru, gdy Kate wraca ze swojej pierwszej randki z Talyorem. Byli w kinie. Kate wchodzi na palcach do pokoju i siada na łóżku Anny.

– Śpisz? – pyta.

Anna przewraca się na bok z głośnym jękiem.

– Teraz już nie. – Sen opada z niej jak jedwabny szal spływający z szyi na podłogę. – Jak było?

– Kurczę... – Kate nie potrafi powiedzieć nic więcej.

– Co kurczę? Było tak fajnie jak na meczu?

– Obrzydliwa jesteś – szepcze Kate, ale w jej głosie słychać uśmiech. – Taylor świetnie całuje. – Napawa się tym słowem.

– Nie gadaj! – Głos Anny staje się ożywiony. – Jak to jest?

– Jak lot w chmurach – odpowiada Kate. – Założę się, że to musi wyglądać podobnie.

– Co ma wspólnego latanie ze ślinieniem się po twarzy?

– O rany, przecież nie chodzi o to, żeby chłopak cię opluł.

– A jak to smakuje? Jak smakował Taylor?

– Popcornem. – Kate śmieje się. – I chłopakiem.

– A skąd wiedziałaś, co trzeba robić?

– Wcale nie wiedziałam. Po prostu to zrobiliśmy. Przypomnij sobie, jak pierwszy raz wyszłaś na lód.

Ten argument w końcu trafia Annie do przekonania.

– No tak – mówi. – Kiedy gram w hokeja, to też czuję się super.

– Żebyś wiedziała. – Kate wzdycha. Zza drzwi dobiegają jakieś szelesty; wyobrażam sobie moją córkę rozbierającą się do snu. Ciekawe, czy Taylor myśli teraz o tym samym. Słychać ubijanie poduszki, szarpnięcie kołdrą, skrzypnięcie materaca, kiedy Kate kładzie się do łóżka.

– Anna?

– Co?

– Wiesz, on ma na dłoniach blizny po chorobie Grafta – mruczy Kate. – Czułam je, kiedy trzymaliśmy się za ręce.

– I co? To było takie ohydne?

– Nie – pada odpowiedź. – Pasowaliśmy do siebie.

Z początku Kate absolutnie nie chce się zgodzić na przeszczep komórek macierzystych pobranych z krwi obwodowej. Nie uśmiecha jej się szpital, chemioterapia, a po niej sześć tygodni izolacji, skoro przez cały ten czas mogłaby spotykać się do woli z Taylorem.

– Chodzi o twoje życie – tłumaczę jej. Kate patrzy na mnie jak na wariatkę.

– No właśnie – odpowiada.

Ostatecznie każda z nas nieco ustępuje i umawiamy się tak: Kate zacznie chemioterapię, ale bez stałej hospitalizacji. Będzie przychodzić do szpitala na zabiegi, które przygotują ją do przyjęcia przeszczepu od Anny. Kiedy tylko pogorszą się wyniki badań, natychmiast położy się do szpitala. Onkolodzy zgodzili się na to, chociaż bez wielkiego entuzjazmu. Obawiają się, że będzie to miało wpływ na terapię, ale na równi ze mną rozumieją, że Kate osiągnęła już wiek, w którym może wybierać bardziej ryzykowne rozwiązania.

Szybko jednak okazuje się, że zupełnie niepotrzebnie martwiła się rozstaniem ze swoją sympatią. Podczas pierwszego zabiegu chemioterapii Taylor wkracza do sali.

– Co ty tu robisz?

– Coś mnie tu ciągnie – żartuje chłopak. – Dzień dobry pani – wita się ze mną i siada na pustym krześle obok Kate. – Ale to fajne nie mieć igły w ręce.

– Mów do mnie jeszcze – mamrocze Kate.

Taylor dotyka jej ręki.

– Który zabieg?

– Właśnie zaczynam.

Taylor wstaje, podchodzi bliżej i przysiada na szerokiej poręczy fotela Kate. Podnosi z jej kolan miskę w kształcie nerki.

– Założę się o stówę, że zwrócisz śniadanie, zanim zegar pokaże trzecią.

Kate rzuca okiem na tarczę zegara. Jest druga pięćdziesiąt.

– Stoi.

– Powiesz mi sama, co jadłaś na obiad – Taylor szczerzy zęby w łobuzerskim uśmiechu – czy mam się domyślić po kolorze?

– Jesteś obrzydliwy – prycha Kate, ale śmieje się od

ucha do ucha. Taylor kładzie jej rękę na ramieniu, a ona przysuwa się bliżej niego.

Przypominam sobie ten dzień, kiedy Brian dotknął mnie po raz pierwszy. Uratował mi wtedy życie. Miasto Providence nawiedziła katastroficznych rozmiarów ulewa przygnana północno-wschodnim wiatrem. Wody zatoki wezbrały i zalały miasto. Pracowałam wtedy jako sekretarka w sądzie miejskim. Cały personel został ewakuowany. Wyszłam na schody przed budynkiem i zobaczyłam, że parking jest już pod wodą. Na moich oczach fale unosiły samochody, damskie torebki zgubione przez właścicielki, zauważyłam nawet przerażonego psa, który rozpaczliwie przebierał łapami. Okazało się, że podczas gdy ja siedziałam w pracy i wypełniałam akta, świat, który znałam, pogrążył się w odmętach.

– Pomóc ci? – zapytał Brian, stając przede mną w pełnym strażackim rynsztunku i wyciągając ręce. Zaholował mnie do wyżej położonego miejsca. Byłam cała mokra, deszcz siekł mnie w twarz i bębnił po plecach. Nie mogłam zrozumieć, jakim cudem – skoro właśnie przeżywam potop – czuję taki żar, jakbym płonęła na stosie.

– Ile najdłużej wytrzymałeś bez rzygania? – pyta Kate Taylora.

– Dwa dni.

– Bujasz.

Pielęgniarka unosi głowę znad papierów.

– Święta prawda – potwierdza. – Widziałam na własne oczy.

Taylor ponownie szczerzy się do Kate.

– Mówiłem ci, że jestem w tym dobry. – Zerka na zegar. Jest druga pięćdziesiąt siedem.

– Nie masz nic ciekawszego do roboty? – mówi Kate.

– Chcesz wykręcić się od zakładu?

– Chcę oszczędzić ci smaku porażki. Chociaż w su-

401

mie, z drugiej strony... – Kate nie kończy zdania. Jej twarz raptownie zielenieje. Ja i pielęgniarka zrywamy się w jednym momencie, ale Taylor jest szybszy. Podsuwa nerkę pod brodę Kate, a kiedy zaczynają się torsje, masuje ją delikatnie pomiędzy łopatkami.

– To nic – szepcze z czołem przy jej skroni.

Patrzę na pielęgniarkę, a ona na mnie.

– Wygląda na to, że mała jest w dobrych rękach – mówi i wychodzi do innego pacjenta.

Kiedy już jest po wszystkim, Taylor odstawia miskę i ociera usta Kate chusteczką higieniczną. Ona patrzy na niego błyszczącymi oczami; jest czerwona na twarzy i cieknie jej z nosa.

– Przepraszam – mamrocze.

– Za co? – pyta Taylor. – Ja mogę być następny.

Patrząc na nich, zastanawiam się, czy wszystkie matki czują to samo co ja w tym momencie. Bo właśnie uświadamiam sobie, że moja córka dorasta. Wydaje mi się niemożliwe, że kiedyś nosiła ubranka malutkie jak dla lalki. Wydaje mi się, że wciąż widzę, jak kręci leniwe piruety na brzegu piaskownicy. Przecież nie dalej jak wczoraj jej rączka była tak mała jak rozgwiazda, którą znalazła na plaży. Ta sama dłoń ściska teraz dłoń chłopca, a przecież niedawno spoczywała w mojej. Ileż to razy Kate ciągnęła mnie za rękę, żebym natychmiast przystanęła i obejrzała pajęczą sieć, sadzawkę zarośniętą trojeścią czy coś innego, co akurat ją zainteresowało... Czas to fatamorgana, bo tak łatwo daje się nagiąć, przełamać. Można by pomyśleć, że miałam go dość, aby się przygotować na to, co się właśnie dzieje, ale teraz, gdy obserwuję, jak Kate chłonie wzrokiem tego chłopca, rozumiem, jak wiele jeszcze muszę się nauczyć.

– Rozrywkowa ze mnie dziewczyna, nie ma co – mamrocze Kate.

Taylor uśmiecha się do niej.

– Frytki – odpowiada. – Na obiad.

Kate trzepie go dłonią po ramieniu.

– Paskuda!

– Wiesz, że przegrałaś zakład? – Taylor unosi brew.

– Zostawiłam książeczkę czekową w domu.

Taylor udaje, że rozważa jej słowa.

– Dobra. Już wiem, jak mi się wypłacisz.

– W łóżku? – rzuca Kate, zapomniawszy o mojej obecności.

– Bo ja wiem? – Taylor śmieje się. – A nie powinniśmy zapytać twojej mamy?

– Oj. – Kate czerwieni się jak burak.

– Tylko tak dalej – wtrącam ostrzegawczym tonem – a na następną randkę umówicie się na badaniu szpiku.

– Pamiętasz, że tutaj, w szpitalu, organizują bal? – kontynuuje Taylor, nagle tracąc całą pewność siebie. Kolano zaczyna mu podskakiwać nerwowo. – Wiesz, dla chorych dzieciaków. Urządzają go w jednej z sal konferencyjnych, są na nim lekarze i pielęgniarki, tak na wszelki wypadek, ale poza tym wszystko jest jak na normalnym balu szkolnym. Wiesz, kiepska kapela, koszmarne smokingi, poncz z płytkami krwi. – Przełyka ślinę. – No dobrze, z tym ostatnim to żartowałem. W zeszłym roku poszedłem sam z chłopakami i było dennie, więc pomyślałem, że skoro teraz oboje jesteśmy w tym szpitalu, to może wybierzemy się razem?

Kate namyśla się, a na jej twarzy maluje się pewność siebie, o jaką nigdy bym jej nie posądzała.

– Kiedy to będzie?

– W sobotę.

– Zdaje mi się, że nie planowałam wykitować do końca tygodnia. – Kate uśmiecha się do niego promiennie. – Z przyjemnością.

– To fajowo. – Taylor też się uśmiecha. – Nawet bardzo. – Sięga po czystą miskę, ostrożnie, żeby nie potrącić przewodu od kroplówki, wijącego się pomiędzy nim a Kate. A ja zastanawiam się, czy jej serce bije teraz mocniej i czy będzie to miało wpływ na przyjęcie leku. Czy pogorszenie nadejdzie przez to szybciej czy nie.

Taylor obejmuje Kate ramieniem. Razem czekają na to, co ma się wydarzyć.

– Za głęboko wycięta – mówię. Jesteśmy w butiku. Kate stoi przed lustrem, trzymając pod szyją sukienkę z bladożółtego materiału.

– I będziesz w tym wyglądać jak banan. – Z podłogi dobiega głos Anny, która też ma coś do powiedzenia na ten temat.

Polowanie na sukienkę balową trwa już od kilku godzin. Kate ma tylko dwa dni, żeby się przygotować, i powoli zaczyna dostawać obsesji na tym punkcie: co włożę, jak się umaluję, czy kapela zagra jakiś znany kawałek. Włosy, rzecz jasna, nie stanowią żadnego problemu; po rozpoczęciu chemioterapii wypadły co do jednego. Kate nie chce nawet słyszeć o peruce. Nie znosi peruk, mówi, że czuje się w nich tak, jakby oblazły ją robaki. Jest jednak zbyt samokrytyczna, żeby iść na bal z głową jak rezerwista. Dziś owinęła głowę chustą z batiku; przypomina w niej dumną białą królową z Afryki.

Rytuał kupowania sukienki na bal chyba nie odpowiada wyobrażeniom Kate. Normalne dziewczyny stroją się w kreacje, które obnażają brzuch albo ramiona – czyli akurat te miejsca, gdzie u niej skóra jest zniszczona, pogrubiała, poznaczona bliznami. Opinają dziewczęce kształty we wszystkich najbardziej niebezpiecznych miejscach. Są tak skrojone, żeby pokazywać zdrowe, jędrne ciało, a nie ukrywać jego brak.

Sprzedawczyni, która krąży wokół nas jak koliber wokół kwiatu, zabiera sukienkę z rąk Kate.

– To bardzo skromna rzecz – namawia nas. – Dekolt wcale nie jest głęboki, wiele zakrywa...

– A coś takiego też zakryje? – wybucha nagle Kate, szarpiąc guziki koszuli i pokazując kobiecie swój nowy, niedawno wymieniony cewnik Hickmana tkwiący w samym środku jej klatki piersiowej.

Sprzedawczyni wzdycha głośno, zanim zdąży się opamiętać.

– Och... – jęczy słabym głosem.

– Kate! – upominam ją ostrym tonem.

Kate potrząsa głową.

– Zabierajmy się stąd.

Wychodzimy na ulicę. Zatrzymuję dziewczyny przed drzwiami sklepu.

– To, że jesteś zdenerwowana, nie znaczy, że musisz się wyżywać na wszystkich dookoła – zwracam uwagę mojej starszej córce.

– Głupi pieprzony babus. – Kate zaciska zęby. – Widziałaś, jak się gapiła na moją chustę?

– Może wpadł jej w oko wzór.

– Jasne. A może ja się jutro nie porzygam zaraz po obudzeniu. – Słowa pełne wściekłości sypią się z trzaskiem pomiędzy nami, krusząc płyty chodnika. – Nigdy nie znajdę dobrej sukienki. I po co ja się w ogóle zgodziłam iść z Taylorem na ten bal?

– Nie wydaje ci się, że każda dziewczyna, która się tam wybiera, ma ten sam problem co ty? Wszystkie musicie zakryć różne rurki, siniaki, przewody, worki kolostomijne i Bóg wie co jeszcze.

– Co mnie obchodzą inne dziewczyny. – Kate wzrusza ramionami. – Chciałam wyglądać dobrze. Naprawdę dobrze. Chociaż w ten jeden jedyny wieczór.

– W oczach Taylora i tak jesteś piękna.

– Ale w moich nie! – krzyczy Kate. – A chciałam choć raz się sobie podobać. Rozumiesz to, mamo?

Dzień jest ciepły, a ziemia pod naszymi stopami paruje i oddycha. Słońce praży moją głowę, szyję, kark. A ja nie wiem, co mam odpowiedzieć córce. Nie potrafię postawić się w jej sytuacji. Nie jestem nią i nigdy nie byłam, chociaż modliłam się, choć błagałam, żeby ta choroba przeszła na mnie, choć jak Faust byłam gotowa zawrzeć pakt z samym diabłem, żeby tylko Kate wyzdrowiała. Ale tak się nie stało.

– Uszyjemy ci sukienkę – rzucam pomysł. – Sama ją zaprojektujesz.

– Przecież ty nie umiesz szyć. – Kate wzdycha.

– To się nauczę.

– W jeden dzień? – Kate kręci głową. – Mamo, nie poradzisz sobie ze wszystkim. Jak to się dzieje, że ja to rozumiem, a do ciebie nic nie dociera?

Rzuca się pędem przed siebie, zostawiając mnie na środku chodnika. Anna biegnie za siostrą, łapie ją za łokieć i ciągnie siłą w stronę witryny zaraz za butikiem, z którego dopiero co wyszłyśmy. Idę za nimi szybkim krokiem.

Dziewczyny weszły do salonu fryzjerskiego. W środku uwijają się fryzjerzy, a każdy z nich żuje gumę. Kate szarpie się z Anną, chce się jej wyrwać, ale Anna, kiedy chce, potrafi być bardzo silna.

– Hej – zwraca na siebie uwagę dziewczyny witającej klientów. – Pracuje pani tutaj?

– Tylko kiedy muszę.

– Robicie fryzury na szkolne bale?

– Jasne – odpowiada fryzjerka. – Strzyżenie czy ułożenie?

– Moja siostra chce się ostrzyc. – Anna spogląda na Kate, która przestała już się wyrywać i teraz stoi w miejscu, a na jej twarz powoli wypełza uśmiech, jaśniejąc jak robaczek świętojański złapany w słoik.

– No właśnie, chcę się ostrzyc – mówi łobuzerskim tonem, odwijając chustę ze swojej łysej głowy.

W salonie milkną wszystkie rozmowy. Kate stoi wyprostowana, w królewskiej pozie.

– Podobają nam się francuskie warkoczyki – kontynuuje Anna.

– Do tego trwała – dodaje Kate.

Anna chichocze.

– I może gustowny koczek.

Fryzjerka przełyka ślinę. Widać, że jest lekko zszokowana i rozdarta pomiędzy współczuciem a uprzejmością.

– Na pewno... coś wymyślimy – zapewnia, ponownie odchrząknąwszy. – Zawsze można... przedłużyć... Są treski...

– Treski – powtarza Anna. Kate wybucha szaleńczym śmiechem.

Fryzjerka odrywa wzrok od dziewczyn, rozgląda się, patrzy nad ich głowami, w stronę sufitu.

– Czy to może jakaś ukryta kamera?

Słysząc to, moje córki padają sobie w ramiona, śmiejąc się do rozpuku. Śmieją się tak, że nie mogą złapać oddechu. Śmieją się do łez.

Na szpitalnym balu przypadła mi w udziale opieka nad wazą z ponczem. Tak jak wszystkie napoje i potrawy przygotowane dla uczestników balu, poncz ma działanie neutropeniczne. Pielęgniarki, dzisiejszego wieczoru grające rolę dobrych wróżek, zamieniły salę konferencyjną w baśniowe pomieszczenie, nastrojowo oświetlone, udekorowane pękami serpentyn i lustrzaną kulą zawieszoną pod sufitem.

Kate jak winorośl owija się wokół Taylora. Ich ciała poruszają się w takt zupełnie innej muzyki niż te piosenki, które gra zespół. Na twarzy Kate ma obowiązkową niebieską maskę. Taylor przypiął jej do sukienki bukiecik kwiatów o płatkach z jedwabiu; sztuczne kwiaty to konieczność, ponieważ prawdziwe przenoszą zarazki, które są potencjalnie zabójcze dla pacjentów o obniżonej odporności. Ostatecznie nie uszyłam Kate sukienki. Znalazłam coś odpowiedniego na Bluefly.com – prostą kreację w kolorze złota, z dekoltem w szpic. W rozcięciu widać cewnik, ale poradziłam Kate nałożyć na wierzch przejrzystą koszulę z długimi rękawami, marszczącą się wokół talii. Uszyto ją z połyskliwej tkaniny; nawet gdyby ktoś zauważył trzy dziwaczne rurki sterczące tuż obok mostka Kate, pomyślałby, że to tylko gra świateł.

Przed wyjściem z domu zrobiliśmy setki zdjęć. Kiedy Kate i Taylor wymknęli się już do samochodu, wróciłam do kuchni, żeby odłożyć aparat. Zastałam tam Briana. Stał tyłem do mnie.

– Hej – zagadnęłam – pomachasz nam na do widzenia? A może obrzucisz naszą parę ryżem?

Dopiero kiedy mój mąż się odwrócił, zrozumiałam, że schował się w kuchni, żeby sobie popłakać.

– Nie chciałem wierzyć, że kiedyś to zobaczę – powiedział. – Nie sądziłem, że dane mi będzie mieć to wspomnienie.

Przywarłam do niego blisko, tak mocno, że nasze ciała stopiły się w jedną bryłę, w gładką kamienną rzeźbę.

– Czekaj na nas – szepnęłam mu do ucha i wyszłam z kuchni.

Podaję kubeczek ponczu chłopcu, który widocznie dopiero co rozpoczął chemioterapię, bo zaczynają wypadać mu włosy; małe kłaczki czepiają się klap jego marynarki. Kiedy mi dziękuje, zauważam, że ma przepiękne oczy, ciemne i nieruchome jak u pantery. Odrywam od nich wzrok. Kate i Taylora nie ma na sali.

Źle się poczuła? A może jemu jest niedobrze? Obiecywałam sobie, że w żadnym razie nie będę nadopiekuńcza, ale przecież zbyt wiele tutaj dzieci, żeby personel mógł wszystkich upilnować. Poprosiwszy jednego z rodziców, żeby rzucił okiem na mój stolik z ponczem, wychodzę z sali, kierując się do damskiej toalety. Potem sprawdzam w schowku. Nic. Błąkam się po ciemnych, wyludnionych korytarzach, zaglądam nawet do kaplicy.

Wreszcie przez szparę w niedomkniętych drzwiach dociera do mnie głos Kate. Drzwi prowadzą na mały dziedziniec, zalany blaskiem księżyca. Za dnia jest to ulubione miejsce lekarzy pracujących w szpitalu; wielu z nich, gdyby nie przychodzili tutaj na lunch, przez cały dzień nie widziałoby naturalnego światła. Kate i Taylor stoją, trzymając się za ręce, a księżyc bije na nich światłem niby reflektor punktowy.

Już mam się odezwać, zapytać, czy wszystko w porządku, ale Kate przerywa ciszę pierwsza.

– Boisz się śmierci?

Taylor potrząsa głową.

– Nie bardzo. Czasem tylko myślę, jak będzie wyglądał mój pogrzeb. Czy będą o mnie dobrze mówić. Czy ktoś się rozpłacze. – Milknie na chwilę, wahając się. – Czy ktoś w ogóle przyjdzie.

– Ja przyjdę – obiecuje Kate.

Taylor pochyla głowę, a ona kołyszącym ruchem przybliża się do niego. W tym momencie uświadamiam sobie, że właśnie po to tutaj przyszłam. Wiedziałam, co zobaczę, i tak jak Brian chciałam zachować w pamięci jeszcze jedno wspomnienie o naszej córce, jeszcze jeden obrazek, kolorowy jak okruch szkła pozostawiony w dłoni przez ustępującą morską falę. Taylor zsuwa maskę z twarzy Kate i choć wiem, że powinnam go powstrzymać, nie robię tego. Chcę, żeby moja córka przeżyła chociaż tyle.

Ich pocałunek jest piękny; głowy jakby wykute z alabastru, jedna obok drugiej, gładkie niczym u posągów. Twarze profilem, jak odbite w lustrze, jak ten dobrze znany przykład złudzenia optycznego.

Kiedy Kate wreszcie idzie do szpitala na operację przeszczepu komórek macierzystych, jest w fatalnym stanie psychicznym. Mało ją obchodzi rzadki płyn, który sączy się przez rurki do cewnika. Jej głowę zaprząta tylko jedno: Taylor nie dzwoni ani nie oddzwania już od trzech dni.

– Pokłóciliście się? – pytam, a Kate potrząsa głową.
– A nie wspominał, że dokądś się wybiera? Może musiał wyjechać. To pewnie w ogóle nie ma związku z tobą.
– Nie ma albo ma – upiera się Kate.
– Skoro ma, najlepiej się na nim odegrasz w ten sposób, że wyzdrowiejesz. Inaczej nie będziesz miała siły, żeby powiedzieć mu kilka słów prawdy – tłumaczę jej rozsądnie. – Poczekaj, zaraz wrócę.

Na korytarzu zatrzymuję naszą znajomą pielęgniarkę Steph, która właśnie zaczęła dyżur. Steph zna Kate od lat. Prawdę powiedziawszy, mnie samą też dziwi milczenie Taylora. Wiedział przecież, że Kate idzie do szpitala.

– Powiedz mi – pytam Steph – czy był tu dziś Taylor Ambrose?

Zdziwienie w zmrużonych oczach.

– Wysoki, miły chłopiec. Zaleca się do mojej córki – mówię żartobliwym tonem.

– Och, Saro... – wzdycha Steph. – Byłam pewna, że już o tym słyszałaś. Taylor umarł dziś rano.

Nie wspominam o tym Kate ani słowem. Przez cały miesiąc. Dopóki doktor Chance nie powie, że jej stan poprawił się już na tyle, że można zabrać ją do domu. Dopóki Kate sama nie wmówi sobie, że bez niego jest jej lepiej niż z nim. Nie mam pojęcia, jakich słów powinnam użyć; żadne z nich nie uniesie tak wielkiego ciężaru, tak przytłaczającej treści. Opowiadam Kate, jak wybrałam się do domu Taylora i rozmawiałam z jego matką. Jak zalana łzami, przyznała mi się, że chciała do mnie zadzwonić, ale w głębi duszy czuła tak wielką zazdrość, że słowa, które mogłaby powiedzieć przez telefon, więzły jej w gardle. Dowiedziałam się od niej, że Taylor wrócił z balu rozanielony, z głową w chmurach, a potem w środku nocy obudził ją, bo poczuł się bardzo źle. Miał ponad czterdzieści stopni gorączki. Może to był wirus, może grzyb; w każdym razie doszło do zaburzenia pracy płuc, a potem do zatrzymania akcji serca. Po trzydziestu minutach reanimacji lekarze musieli dać za wygraną.

Nie zwierzam się Kate ze wszystkiego, co powiedziała mi Jenna Ambrose. Nie mówię jej o tym, że kiedy już było po wszystkim, matka Taylora usiadła w pokoju szpitalnym i patrzyła na tego młodego człowieka, który nie był już jej synem. Że siedziała tam przez pięć godzin pewna, że Taylor w końcu się obudzi. Że do tej pory, słysząc hałas na piętrze, myśli, że to on coś robi w swoim pokoju. I że tylko dlatego znajduje w sobie siłę, aby wstać co rano z łóżka, że liczy na te ulotne złudzenia, na te pół sekundy zapomnienia się.

– Kate – mówię. – Bardzo ci współczuję.

Twarz Kate marszczy się jak gnieciony papier.

– Ale ja go kochałam – odpowiada, jakby to mogło wystarczyć, żeby zachować Taylora przy życiu.

– Wiem.

– A ty nic mi nie powiedziałaś.

– Nie mogłam się na to zdobyć. Bałam się, że się załamiesz i przestaniesz walczyć.

Kate zamyka oczy i odwraca głowę, chowając twarz w poduszce. Płacze tak mocno, że uruchamia się aparatura monitorująca, do której wciąż jest podłączona. Alarm sprowadza do pokoju pielęgniarki.

Wyciągam do niej rękę.

– Kochanie, zrobiłam to, co było dla ciebie najlepsze.

Kate nawet na mnie nie patrzy.

– Nie odzywaj się do mnie – mówi cicho. – Świetnie ci to wychodzi.

Przez siedem dni i jedenaście godzin Kate nie chce ze mną rozmawiać. Przywożę ją ze szpitala do domu, razem przestrzegamy zasad izolacji, powtarzamy wszystkie konieczne czynności, bo znamy je już na pamięć. A w nocy leżę w łóżku obok Briana i nie mogę zrozumieć, jak on w ogóle może spać. Wpatruję się w sufit w gorzkim przekonaniu, że choć moja córka jeszcze nie umarła, to już ją straciłam.

Aż wreszcie któregoś dnia przechodzę obok jej pokoju i przez otwarte drzwi widzę, że Kate siedzi na podłodze obłożona fotografiami. Są tam oczywiście, tak jak się spodziewałam, jej zdjęcia z Taylorem, które zrobiliśmy przed wyjściem na bal. Widać na nich Kate odszykowaną jak spod igły, z twarzą zasłoniętą sanitarną maską. Taylor namalował na niej szminką uśmiech; mówił, że to specjalnie do zdjęcia.

A Kate, pamiętam, śmiała się z tego. Wydaje się to zupełnie niemożliwe: ten chłopak z krwi i kości, który zaledwie kilka tygodni temu zawrócił w głowie mojej córce, teraz po prostu odszedł, zniknął. Łapie mnie nagły ból, ale zaraz w mojej głowie rozbrzmiewa ostrzegawcze: przyzwyczajaj się.

Kate rozłożyła też inne zdjęcia. Zdjęcia ze swojego dzieciństwa. Na jednym z nich widać ją i Annę na plaży, kucają nad skorupą, w której mieszka krab pustelnik. Na innym jest Kate w przebraniu na Halloween. Na jeszcze innym umazana serkiem śmietankowym przykłada połówki kajzerki do oczu jak okulary.

Na osobnym miejscu leżą jej najwcześniejsze zdjęcia, zrobione, zanim skończyła trzy latka. Jawi się na nich Kate uśmiechnięta od ucha do ucha, demonstrująca wszystkie szczerby, podświetlona przyćmionym światłem słońca. Nieświadoma tego, co ma nadejść.

– Nie pamiętam siebie jako kogoś takiego – mówi Kate. Te pierwsze słowa po tak długiej przerwie z powrotem kładą pomiędzy nami most, chybotliwą szklaną kładkę, po której wchodzę do pokoju mojej córki.

Kładę dłoń na jej dłoni, która spoczywa na fotografii z zagiętym rogiem. Zdjęcie pokazuje malutką Kate z Brianem. Ojciec podrzuca ją, mała wisi w powietrzu rozpłaszczona jak czterołapa rozgwiazda, z rozwianymi włosami, absolutnie pewna, że kiedy zacznie spadać, czeka ją bezpieczne lądowanie. Całkowicie przekonana, że to właśnie się jej należy.

– Jaka ona była piękna – mówi Kate, przesuwając palcem po lśniącym, rumianym policzku tej dziewczynki, której żadna z nas nigdy nie miała okazji poznać.

JESSE

Kiedy miałem czternaście lat, rodzice wysłali mnie na letnie kolonie zorganizowane na farmie. Był to taki obóz dla trudnej młodzieży. Wiecie, jak to wygląda: wstaje się o czwartej rano, idzie doić krowy i szuka się atrakcji. Ciekawi was jakich? Mogę powiedzieć: od pomocników gospodarzy kupuje się dragi, a potem wystarczy się uwalić i dla zabawy można na przykład przewracać krowy. Nieważne. Pewnego dnia miałem pecha: wylosowałem pasienie owiec, czyli, jak to się u nas mówiło: „Idź, Mojżeszu". Była to nieszczególna fucha, bo trzeba było zapieprzać i ganiać ze sto sztuk zwierzaków po pastwisku, na którym nie rosło nawet jedno drzewo, gdzie można by się schować przed słońcem.

To mało powiedziane, że nie ma głupszego zwierzęcia niż owca. Wiecie, co robią owce? Wpadają na płoty. Potrafią się zgubić w kojcu o rozmiarach dwa metry na dwa. Nie pamiętają, gdzie szukać żarcia, chociaż kładzie się im je w tym samym miejscu codziennie od trzech lat. No, a poza tym owce to wcale nie są puszyste futrzaczki, które się liczy przed zaśnięciem. Owce śmierdzą, beczą, aż uszy puchną, i w ogóle są na maksa wkurzające.

W każdym razie tego dnia, kiedy musiałem ganiać te owce, podwędziłem komuś numer takiego pisemka, miało tytuł „Zwrotnik Raka". Przeglądałem je sobie, zaginając strony, na których było widać kawałek niezłego ciała. Nagle usłyszałem wrzask. Zaznaczam, że w tamtym momencie byłem na sto procent pewien, że to nie było zwierzę. Dlaczego? Bo jeszcze nigdy w życiu nie słyszałem takiego głosu. Pobiegłem tam, skąd dochodził, spodziewając się znaleźć jakiegoś biedaka zrzuconego przez konia, z nogą zawiniętą jak precel, albo frajera, co przypadkiem podziurawił sobie flaki własną spluwą. Zamiast tego na brzegu strumienia, otoczona wianuszkiem przypatrujących się jagniątek, leżała rodząca owca.

Nie trzeba było być weterynarzem, żeby domyślić się, że zwierzę nie robi takiego harmidru, kiedy wszystko idzie zgodnie z planem. I faktycznie: spomiędzy nóg biedaczki sterczały dwa malutkie kopytka. Owca leżała na boku, dysząc ciężko. Zwróciła na mnie jedno czarne oko, przyćmione bólem, a potem jakby oklapła. Zrozumiałem, że się poddała.

A ja nie mogłem pozwolić, żeby coś mi zdechło na dyżurze, choćby tylko dlatego, że ci hitlerowcy, nasi niby to opiekunowie, kazaliby mi wtedy zakopać padłe zwierzę. Przegoniłem resztę owiec, przykląkłem, złapałem za patykowate, śliskie nóżki małego i zacząłem szarpać. Rodząca owca darła się przy tym jak każda matka, z której na siłę wyrywa się dziecko.

Jagnię wyszło wreszcie na zewnątrz, a nogi miało poskładane jak ostrza w szwajcarskim scyzoryku. Na głowie miało srebrzysty woreczek, podobny w dotyku do wnętrza policzka dotykanego językiem. Nie oddychało.

Prędzej szlag by mnie trafił, niżbym zrobił owcy sztuczne oddychanie usta-usta, ale rozerwałem paznokciami tę błonę i zerwałem ją jak szmatę z szyi jagnięcia. I to wystarczyło. Po minucie mały rozprostował te swoje chude patyki i zaczął cicho beczeć za mamą.

Tego lata urodziło nam się chyba ze dwadzieścia jagniąt. A jednak za każdym razem, kiedy przechodziłem obok zagrody dla owiec, bez trudu rozpoznawałem mojego baranka w tłumie innych. Był do nich bardzo podobny, ale z jednym wyjątkiem: poruszał się nieco bardziej sprężyście. Jego runo zawsze było lśniące, jakby w każdej chwili od jego tłustych splotów odbijało się światło słońca. A jeśli trafiło się na moment, kiedy przestał hasać i można było spojrzeć mu w oczy, widziało się, że jego źrenice są mlecznobiałe – nieomylny znak, że ten zwierzak widział już tamten świat, i to wystarczająco długo, żeby zapamiętać to, czego brak tutaj.

Dlaczego teraz wam o tym mówię? Bo kiedy doczekałem się wreszcie, że Kate poruszyła się na tym szpitalnym łóżku i otworzyła oczy, zrozumiałem, że ona też jest już jedną nogą po tamtej stronie.

– O, Boże – jęczy Kate słabym głosem na mój widok. – A jednak trafiłam do piekła.

Pochylam się w jej stronę, zakładając ręce na piersi.

– Nie tak łatwo mnie wykończyć, siostrzyczko, wiesz coś o tym.

Wstaję i całuję ją w czoło, o sekundę dłużej niż zazwyczaj. Jak to się dzieje, że matki potrafią w ten sposób określić, czy dziecko ma gorączkę? Ja nie czuję nic, tylko nadchodzącą chwilę rozstania.

– Jak ci leci? – pytam.

Kate uśmiecha się do mnie, ale jest to tylko blady cień uśmiechu, jak obrazek w gazecie w porównaniu z malowidłem wiszącym w Luwrze.

– Jak nigdy w życiu – odpowiada. – Czemu zawdzięczam twoje odwiedziny?

Temu, że niedługo nie będzie można już cię odwiedzić, myślę, ale nie mówię tego.

– Byłem niedaleko i pomyślałem, że wpadnę. No

a poza tym na tej zmianie pracuje taka jedna laska, pielęgniarka.

Kate wybucha głośnym śmiechem.

– O rany, Jess. Będzie mi ciebie brakować.

Zaskakuje mnie łatwość, z jaką te słowa przechodzą jej przez gardło. Ją chyba też trochę to dziwi. Przysiadam na skraju łóżka, przypatrując się drobnym fałdom na kocu.

– A wiesz... – zaczynam, ale Kate ucisza mnie, kładąc dłoń na moim ramieniu.

– Daj spokój. – Jej oczy na jedną krótką chwilę rozjaśnia błysk. – A może odrodzę się w innym wcieleniu?

– Jako kto? Maria Antonina?

– Nie, nie w przeszłości, tylko gdzieś w przyszłości. Myślisz, że to głupie, co?

– Wcale nie – zaprzeczam. – I tak pewnie wszyscy kręcimy się w kółko.

– W takim razie czym ty zostaniesz?

– Padliną. – Kate krzywi się z bólu. Słychać jakiś brzęczyk. Wpadam w panikę. – Mam kogoś wezwać?

– Nie, nie trzeba. – Jestem przekonany, że właśnie trzeba, ale nagle czuję, że gardło wyschło mi na wiór i pali, jakbym połknął piorun.

Przypominam sobie starą grę, w którą grywałem sam ze sobą, kiedy miałem dziewięć albo dziesięć lat i rodzice pozwalali mi już jeździć na rowerze aż do zmroku. Obserwując słońce zbliżające się do horyzontu, mówiłem sobie tak: jeśli wstrzymam oddech przez całe dwadzieścia sekund, to nie zrobi się ciemno. Albo jeśli uda mi się nie mrugać oczami. Albo jeśli będę stał bez ruchu, tak spokojnie, że mucha usiądzie mi na policzku. Teraz to powraca: chcę zatrzymać Kate tym samym sposobem, którym chciałem powstrzymać zachód słońca, chociaż dobrze wiem, że takie rzeczy się nie zdarzają.

– Boisz się śmierci? – wyrywa mi się pytanie.

Kate odwraca się do mnie. Po jej wargach błądzi uśmiech.

– Jak się przestraszę, to ci powiem.

Po tych słowach zamyka oczy. Udaje jej się jeszcze wydusić z siebie, że musi chwileczkę odpocząć i już śpi twardo z powrotem.

To nieuczciwe, ale przecież ona dobrze o tym wie. Żeby się nauczyć, że człowiek rzadko kiedy otrzymuje to, na co zasługuje, nie trzeba żyć bardzo długo. Wstaję z krzesła, a piorun w moim gardle płonie, smażąc żywą tkankę, przez co nie mogę już go przełknąć. Mój przełyk wzbiera śliną jak rzeka przegrodzona tamą. Wybiegam z pokoju, w którym leży Kate, i w bezpiecznej odległości, tak aby jej nie przeszkadzać, walę pięścią w ścianę. Na jej białej powierzchni zostaje dziura, ale to za mało, wciąż za mało.

BRIAN

Podaję przepis na materiał wybuchowy. Potrzebne będzie naczynie ze szkła żaroodpornego oraz chlorek potasu, który można kupić w sklepach ze zdrową żywnością jako substytut soli spożywczej. Do tego gęstościomierz i wybielacz do tkanin. Wybielacz wlewamy do naczynia i podgrzewamy na gazie, dosypując miarką chlorku potasu do momentu, kiedy gęstościomierz wskaże 1,3. Wtedy wyłączamy gaz i pozwalamy roztworowi ostygnąć do temperatury pokojowej. Odsączamy kryształki, które się wytrącają. To właśnie o te kryształki nam chodziło.

Ciężki jest los tego, kto zawsze czeka na swoją kolej. Wszyscy widzą bohatera, który szarżuje w pierwszej linii, ale tak naprawdę żołnierz osłaniający jego tyły też mógłby niejedno opowiedzieć.

Pomieszczenie, w którym siedzimy, to chyba najbrzydsza sala sądowa na całym Wschodnim Wybrzeżu. Wciśnięty w krzesło czekam, aż zostanę wezwany do złożenia zeznań. Nagle odzywa się brzęczyk mojego pagera. Sprawdzam numer i jęczę w duchu. Nie wiem, co zrobić. Zeznania mam złożyć dopiero za jakiś czas, a do pracy wzywają mnie natychmiast, w tej chwili.

Po skonsultowaniu się z kilkoma urzędnikami dostaję wreszcie pozwolenie opuszczenia budynku sądu od samego sędziego. Wychodzę głównym wejściem; momentalnie opadają mnie dziennikarze, zasypując pytaniami, oślepiając światłami kamer. Z całej siły staram się panować nad sobą, żeby nie przyłożyć któremuś z tych sępów, pastwiących się nad zbielałymi już kośćmi, które są wszystkim, co pozostało z żywego niegdyś ciała mojej rodziny.

Rano, kiedy nie mogłem znaleźć Anny, pojechałem szukać jej w domu. Sprawdziłem wszystkie jej ulubione miejsca: kuchnię, sypialnię, hamak rozpięty na tyłach. Nie było jej nigdzie. Ostatnim miejscem, gdzie teoretycznie mógłbym ją zastać, był pokój Jessego nad garażem. Wszedłem po schodkach na górę.

Jessego też tam nie było, co już dawno przestało mnie dziwić. Kiedyś przeżywałem przez niego co chwila zawód, aż wreszcie postanowiłem niczego nie oczekiwać od mojego syna; odtąd łatwiej przychodziło mi godzić się z tym, co przynosi życie. Zastukałem do drzwi, wołając Annę, potem wołałem Jessego, ale nikt nie odpowiedział. Miałem klucz do tych drzwi, ale powstrzymałem się przed wejściem do środka. Obróciłem się na pięcie i ruszyłem schodami w dół, potrącając po drodze czerwony kubeł na segregowane odpadki, który osobiście opróżniam co wtorek, bo to przecież byłby chyba koniec świata, gdyby Jesse choć raz sam przypomniał sobie o wyrzuceniu śmieci. Na podłogę wypada dziesięciopak pustych jasnozielonych butelek po piwie, pojemnik po płynie do prania, słoik po oliwie i galonowy karton po soku pomarańczowym.

Wkładam wszystko z powrotem do kubła, zostawiając tylko karton po soku. Mówiłem Jessemu sto razy, że to się nie nadaje do przetworzenia, a mimo to i tak co tydzień znajduję ten karton w kuble.

Czym ten ostatni pożar różnił się od poprzednich? Tym razem stawka była wysoka. To już nie stary, opuszczony magazyn ani jakaś buda nad samą wodą. Tym razem celem stał się budynek szkoły podstawowej. Jest lato, kiedy więc wybuchł ogień, nikt tam nie przebywał, ale dla mnie jest absolutnie oczywiste, że pożar nie nastąpił z przyczyn naturalnych.

Kiedy dojeżdżam na miejsce, załogi już się zbierają. Zdążyli przejrzeć cały budynek i uratować, co się dało. Paulie podchodzi od razu, kiedy tylko mnie dostrzega.

– Co tam u Kate?

– W porządku – odpowiadam, wskazując głową pogorzelisko. – Jak to wygląda?

– Spalił całe północne skrzydło budynku – mówi Paulie. – Chcesz zrobić obchód?

– Tak.

Pożar zaczął się w pokoju nauczycielskim. Ślady płomieni są jak strzałki wskazujące właśnie to miejsce. Widać też odrobinę syntetycznej gąbki z siedzeń, która nie zwęgliła się do końca. Ten, kto to zrobił, miał dość pomyślunku, żeby podpalić najpierw stos ułożony z biurowych papierów i poduszek z kanapy. W powietrzu wciąż jeszcze unosi się zapach podpałki; tym razem była to zwykła benzyna. Wśród spopielonych szczątków widać odłamki szkła – tam pękła butelka z koktajlem Mołotowa.

Przechodzę na koniec korytarza, wyglądam przez wybite okno. To pewnie dzieło naszych chłopców; stłukli szybę, żeby zrobić otwór wentylacyjny.

– Jak pan myśli, kapitanie, złapiemy tego fiuta? – pyta Cezar, wchodząc do pokoju. Nie zdjął jeszcze kombinezonu, a na policzku ma plamę sadzy. Przypatruje się zwęglonym szczątkom leżącym na linii ognia. Pochyla się i dłonią w ciężkiej rękawicy podnosi z podłogi niedopałek. – Wierzyć się nie chce – mówi. – Z biurka sekretarki została kałuża, a kiep się uchował.

421

Biorę niedopałek z jego dłoni, obracam w palcach.

– Wiesz, dlaczego tak się stało? Kiedy wybuchł ogień, tego papierosa tutaj nie było. Ktoś popatrzył sobie, jak ładnie się pali, zaciągnął się parę razy i poszedł. – Przyglądam się niedopałkowi przy samym filtrze, tam gdzie widnieje nazwa marki.

Paulie, który szukał Cezara, zagląda przez wybite okno.

– Jedziemy – mówi. – Chodź do samochodu. Aha, za pamięci – zwraca się do mnie – to nie my wybiliśmy to okno.

– Przecież nie zamierzałem obciążyć was kosztami.

– Chodzi mi o to, że otwór wentylacyjny zrobiliśmy w dachu. Okno było już wybite, kiedy przyjechaliśmy. – Paulie cofa głowę, Cezar wychodzi, a po kilku chwilach dobiega mnie dudniący warkot silnika naszego wozu.

Szybę mogła wybić zabłąkana piłka baseballowa albo frisbee, ale przecież nawet latem szkoła, budynek użyteczności publicznej, jest pod opieką woźnych. Wybite okno stwarza zbyt duże ryzyko – ktoś na pewno zakleiłby je grubą folią albo zabił deskami.

Chyba że ten sam człowiek, który podłożył ogień, wiedział, którędy należy doprowadzić tlen, tak żeby wytworzyła się próżnia, a ciśnienie wessało płomienie i przeciągnęło je po całym budynku.

Spoglądam jeszcze raz na niedopałek, a potem kruszę go w dłoni.

Teraz trzeba odmierzyć pięćdziesiąt sześć gramów tych kryształów i rozpuścić je w wodzie destylowanej. Po podgrzaniu ponownie schłodzić. Kryształy wytrącone z tego roztworu to czysty chloran potasu. Ucieramy je na puder i delikatnie przesuszamy nad ogniem. Następnie należy przygotować mieszankę: pięć procent stanowi wazelina, a pięć procent wosk. Zmieszać i rozpuścić w benzynie. Roztworem zalać pozostałe dziewięćdziesiąt procent, które stanowią uzyskane kryształy chloranu potasu. Trzeba do tego użyć plastikowego naczynia. Ugnieść. Odstawić, żeby benzyna odparowała.

Z powstałej masy uformować kostki i zanurzyć w roztopionym wosku, żeby uchronić je przed wilgocią. Tak przygotowany materiał wybuchowy wymaga zapalnika co najmniej klasy A3.

Jesse otwiera drzwi do swojego pokoju. Czekam na niego, siedząc na kanapie.

– Co ty tu robisz? – dziwi się.

– A ty? Może mi wyjaśnisz, co ty tutaj robisz?

– Mieszkam – mówi Jesse. – Zapomniałeś już o tym?

– Mieszkasz. A może wcale nie mieszkasz, tylko się ukrywasz?

Jesse wyjmuje papierosa z paczki tkwiącej w kieszeni na piersi, wtyka go do ust i zapala. Rozpoznaję markę. Merits.

– Co ty gadasz? Dlaczego nie jesteś w sądzie?

– Skąd wziął się pod twoim zlewem kwas solny? – pytam. – Nie mamy przecież basenu.

– Co to ma być, święta inkwizycja? – Jesse się krzywi. – W zeszłym roku układałem dachówki. Dobrze się tym czyści plamy po fugowaniu. Nie wiedziałem nawet, że to tutaj jeszcze jest.

– Nie wiesz też zapewne, że kiedy wleje się to do butelki, do środka włoży pasek z folii aluminiowej, a całość zatka szmatą, to taka buteleczka bardzo ładnie wybucha.

Zapada martwa cisza.

– Chcesz mnie o coś oskarżyć? – pyta w końcu Jesse. – Bo jeśli tak, to słucham.

Wstaję z kanapy.

– Niech ci będzie. Chcę się dowiedzieć, czy nacinałeś

butelki z koktajlem Mołotowa, żeby łatwiej pękały. Chcę wiedzieć, czy jesteś świadomy tego, że tamten bezdomny człowiek w ruderze, którą podpaliłeś dla zabawy, był o włos od śmierci. – Wyjmuję zza pleców pusty pojemnik po cloroksie, chlorowym wybielaczu do prania. – Chcę wiedzieć, skąd to się wzięło w twoim kuble na śmieci, skoro nigdy nie pierzesz sam swoich brudów i nie sprzątasz tutaj, co widać i czuć na odległość, a z drugiej strony nie dalej niż dziesięć kilometrów stąd ktoś podpalił szkołę podstawową, używając materiałów wybuchowych zrobionych domowym sposobem z wybielacza do tkanin i płynu hamulcowego? – Stoję tuż przy synu i potrząsam nim za ramiona, a on, choć mógłby mi się wyrwać, gdyby tylko chciał, pozwala się szarpać, aż głowa mu podskakuje. – Na miłość boską, co ty wyrabiasz?!

Jesse podnosi na mnie wzrok.

– Skończyłeś?

Puszczam jego ramiona. Jesse cofa się z wyszczerzonymi zębami.

– Spróbuj mi zaprzeczyć – rzucam wyzywająco.

– Zaprzeczyć? – krzyczy mój syn. – Pogódź się z prostym faktem, tatku, że choć przez całe życie przywykłeś winić mnie za zbrodnie tego świata, to tym razem pudło! Jak mi nie wierzysz, obejrzyj wiadomości.

Powoli wsuwam rękę do kieszeni i kładę na dłoni Jessego niedopałek papierosa marki Merits.

– Skoro tak, to po co zostawiłeś wizytówkę?

Kiedy płonie budynek, a ogień wymyka się spod kontroli, jedynym wyjściem jest po prostu dać mu się wypalić. Trzeba wycofać się, najlepiej na jakieś wzniesienie osłonięte od wiatru, skąd można obserwować, jak budynek pożera sam siebie.

Jesse podnosi rękę do ust. Jego dłoń drży, papieros spada na podłogę, toczy się u naszych stóp. Mój syn zakrywa twarz, wpycha kciuki w kąciki oczu.

– Nie mogłem jej pomóc – szepcze.

To są słowa z głębi serca. Jesse garbi się, kurczy, jakby na powrót stawał się małym chłopcem.

– Kto... Kto o tym wie?

Uderzają mnie te słowa. On pyta o to, czy aresztuje go policja. Chce wiedzieć, czy powiedziałem o wszystkim jego matce.

On domaga się kary.

Robię więc coś, co z całą pewnością go złamie: przyciągam go do siebie i tulę w ramionach. Jesse płacze. W barach jest szerszy niż ja, a do tego przewyższa mnie o pół głowy. Tamten pięciolatek, który nie nadawał się na dawcę, przeszedł długą drogę, żeby stać się tym mężczyzną. A ja nic z tego nie pamiętam. W tym, jak sądzę, leży cały problem. W jaki sposób człowiek dochodzi do wniosku, że skoro nie można ratować, trzeba niszczyć? I czy winę za to ponosi on sam, czy ci, którzy nie powiedzieli mu, że to błędne myślenie, chociaż powinni to zrobić?

Zrobię wszystko, co tylko będzie trzeba, żeby piromania mojego syna zakończyła się raz na zawsze, tutaj i teraz. Ale nie powiem o niczym ani policji, ani komendantowi straży pożarnej. Pewnie dlatego, że Jesse jest moim synem, albo z czystej głupoty. Być może postąpię tak dlatego, że Jesse zbyt przypomina mnie samego: aby osiągnąć swój cel, musiał wybrać ogień, musiał dowieść sobie samemu, że potrafi zapanować nad czymś, co jest nie do opanowania.

Oddech Jessego powoli się uspokaja, tak samo jak kiedyś, przed laty, kiedy usypiał mi na kolanach, a ja niosłem go na rękach do pokoju na piętrze. Zasypywał mnie setkami pytań: a do czego jest dwucalowy wąż? A calowy? A dlaczego ty też musisz myć swój wóz? A czy szeregowy ratownik może prowadzić wóz strażacki? Nagle dociera do mnie, że nie mogę sobie przypomnieć, kiedy Jesse przestał pytać mnie o cokolwiek. Pamiętam jednak dobrze to wrażenie, że czegoś zabrakło w moim życiu. Utratę synowskiego uwielbienia czuje się dokładnie tak samo jak ból fantomowy w amputowanej kończynie.

CAMPBELL

Wszyscy lekarze na przesłuchaniach zachowują się podobnie: każdym słowem, każdą sylabą swojego zeznania przypominają prawnikowi, że choć sprawiedliwości być może stanie się zadość, to i tak nie będzie to żadną rekompensatą dla tych, którzy czekają, którzy umierają, podczas gdy lekarz siedzi pod przymusem na sali sądowej, zamiast być przy nich w szpitalu. Będę szczery – zawsze mnie to wkurzało. Za każdym razem, kiedy przesłuchuję lekarza, to zanim się obejrzę, zaczynam robić mu na złość – proszę o krótką przerwę na wyjście do toalety, zawiązuję sznurowadło, wtrącam do swoich wypowiedzi wymowne pauzy, żeby tylko przytrzymać go na krześle dla świadka choć jedną chwilę dłużej. Nic nie mogę na to poradzić.

Doktor Chance nie jest wyjątkiem. Od samego początku przesłuchania widać, że spieszy mu się do wyjścia. Sprawdza godzinę na zegarku tak często, że można by pomyśleć, że zaraz ucieknie mu pociąg. Tym razem jednak różnica polega na tym, że Sarze Fitzgerald w równym stopniu zależy na tym, żeby Chance skończył jak najszybciej i wyszedł. Bo pacjentka, która czeka, która umiera, to jej własna córka, Kate.

Ale tuż obok siebie czuję ciepło ramienia Anny. Wstaję i zadaję lekarzowi kolejne pytanie. Powoli, bez pośpiechu.

– Panie doktorze, czy terapie, podczas których stosowano tkanki pobrane z ciała Anny, można było nazwać „pewnymi"?

– Choroby nowotworowe nie znają kryterium „pewności", panie Alexander.

– Czy państwo Fitzgerald mieli tę świadomość?

– Zawsze szczegółowo objaśniamy ryzyko planowanego zabiegu z tego powodu, że po rozpoczęciu leczenia wszystkie układy wewnętrzne są zagrożone. Procedura, która w poprzedniej kuracji przyniosła pełen sukces, przy następnej może zaszkodzić pacjentowi. – Doktor Chance uśmiecha się do Sary. – Muszę powiedzieć, że Kate to naprawdę zadziwiająca młoda kobieta. Nikt z nas się nie spodziewał, że dożyje pięciu lat, a w tej chwili ma szesnaście.

– Dzięki swojej siostrze – zauważam.

Doktor Chance przytakuje.

– Zgadza się. Silny organizm to jedno, ale też niewielu pacjentów ma to szczęście, że może skorzystać z usług idealnie zgodnego dawcy.

Wstaję, trzymając ręce w kieszeniach.

– Czy może pan przybliżyć sądowi, w jaki sposób doszło do tego, że państwo Fitzgerald przy poczęciu Anny skorzystali z pomocy oddziału genetyki szpitala miejskiego w Providence?

– Testy wykazały, że ich syn nie wykazuje zgodności tkankowej i nie może być dawcą dla Kate. Wtedy opowiedziałem państwu Fitzgerald o pewnej rodzinie, z którą zetknęła mnie praktyka lekarska. Żadne z ich dzieci nie wykazało zgodności z bratem chorym na białaczkę, ale kiedy trwało jego leczenie, matka ponownie zaszła w ciążę. Okazało się, że to ostatnie dziecko jest idealnym dawcą.

– Czy doradzał pan państwu Fitzgerald, aby poczęli genetycznie zaprogramowanego potomka, który miałby służyć jako dawca narządów dla Kate?

– Ależ oczywiście, że nie. – Doktor Chance jest oburzony. – Powiedziałem im tylko, że nawet jeśli pierwsze dziecko nie ma zgodności z drugim, nie oznacza to, że kolejne dzieci także takie będą.

– Czy powiedział pan państwu Fitzgerald, że to dziecko, ten genetycznie zaprogramowany dawca idealny, będzie musiało przez całe życie służyć Kate jako dawca?

– Wtedy była mowa o jednorazowym przetoczeniu krwi pępowinowej – odpowiada doktor Chance. – Niestety, nastąpiła wznowa, wskutek czego należało zastosować kolejne terapie z wykorzystaniem dawcy. Gwarantowały one także większe szanse powodzenia.

– A zatem mam rozumieć, że jeżeli jutro naukowcy ogłoszą opracowanie nowej metody leczenia, która zagwarantuje pełne wyleczenie Kate, pod warunkiem że Anna obetnie sobie głowę i odda siostrze, to pan zaleci jej zastosowanie?

– Rzecz jasna nie. Nigdy nie namawiałbym nikogo, aby leczył swoje dziecko za pomocą terapii, która zagraża życiu innego dziecka.

– A czy nie to właśnie pan robił przez trzynaście lat?

Twarz doktora Chance'a tężeje, pojawiają się na niej zmarszczki.

– Żadna z terapii nie wywołała u Anny długotrwałych ujemnych skutków ubocznych.

Wyjmuję z teczki kartkę i wręczam ją sędziemu, a potem podaję doktorowi Chance'owi.

– Czy zechce pan przeczytać zaznaczony fragment?

Lekarz zakłada okulary i odchrząknąwszy, zaczyna:

– „Zostałam powiadomiona, że znieczulenie może powodować pewne komplikacje, między innymi niewłaściwe reakcje na leki, ból gardła, ubytki w uzębieniu oraz uszkodzenie wypełnień dentystycznych, niesprawność strun głosowych, zaburzenia oddychania, łagodne

bóle i pomniejsze dolegliwości, utratę czucia, bóle głowy, infekcje, reakcje alergiczne, żółtaczkę, krwawienie,
uszkodzenie nerwów, skrzepy krwi, atak serca, uszkodzenie mózgu, a w krytycznych sytuacjach ustanie pracy narządów wewnętrznych albo utratę życia".

– Czy zna pan tę formułkę, panie doktorze?

– Tak. Jest to wyjątek ze standardowego formularza,
w którym pacjent wyraża zgodę na operację chirurgiczną.

– Proszę przeczytać nazwisko pacjenta, który miał
przejść tę operację.

– Anna Fitzgerald.

– A kto podpisał zgodę na zabieg?

– Sara Fitzgerald.

Nie wyjmując rąk z kieszeni, kontynuuję:

– A zatem znieczulenie niesie ze sobą ryzyko upośle-
dzenia fizycznego bądź śmierci. Zgodzi się pan, że są to
całkiem poważne długotrwałe ujemne skutki uboczne.

– Właśnie po to wymagamy podpisania zgody na zabieg. Ma to nas chronić przed ludźmi takimi jak pan –
odpowiada doktor Chance. – W rzeczywistości ryzyko
jest znikome, a sam zabieg pobrania szpiku kostnego
zupełnie prosty.

– Dlaczego Anna musiała zostać znieczulona do tak
prostego zabiegu?

– Dzięki znieczuleniu zabieg będzie mniej trauma-
tyczny dla dziecka, a także przebiegnie spokojniej.

– Czy po zabiegu Anna skarżyła się na bóle?

– Raz lub dwa – odpowiada doktor Chance.

– Nie pamięta pan?

– To było dawno temu. Jestem pewien, że Anna do
tej pory też już o tym zapomniała.

– Tak pan uważa? – Odwracam się do Anny. – Czy
mam ją zapytać?

Sędzia DeSalvo krzyżuje ręce na piersi.

– Skoro mowa o ryzyku – zmieniam gładko temat –

to czy może pan nam przybliżyć szczegóły badań nad długoterminowymi skutkami ubocznymi zastrzyków z czynnikiem wzrostu, które Anna otrzymała już dwukrotnie przed każdorazowym pobraniem tkanek do przeszczepu?

– Teoretycznie czynnik wzrostu nie powinien powodować żadnych następstw.

– Teoretycznie – powtarzam jak echo. – Dlaczego teoretycznie?

– Ponieważ badania przeprowadzano na zwierzętach laboratoryjnych – mówi doktor Chance. – Działanie tych preparatów na ludzi nie jest jeszcze do końca ustalone.

– Wielce pocieszająca wiadomość.

Chance wzrusza ramionami.

– Lekarze nie mają w zwyczaju przepisywać środków, które mogą zaszkodzić zdrowiu pacjenta.

– Czy słyszał pan o talidomidzie, panie doktorze?

– Oczywiście. Ostatnio wznowiono badania nad metodami leczenia raka za pomocą tego leku.

– A w przeszłości uznano go za kamień milowy w tej dziedzinie – przypominam mu. – Skutki były przerażające. A propos skutków... Czy zabieg usunięcia nerki jest ryzykowny?

– Nie bardziej niż zwykła operacja – odpowiada doktor Chance.

– Czy w wyniku komplikacji podczas zabiegu Anna może stracić życie?

– Jest to wyjątkowo mało prawdopodobne, panie Alexander.

– Przypuśćmy zatem, że Anna przeszła operację bez najmniejszego szwanku. Czy fakt posiadania tylko jednej nerki utrudni jej życie?

– Otóż nie – mówi lekarz. – I to jest najlepsze w tym wszystkim.

Wręczam mu ulotkę, którą otrzymałem na oddziale nefrologii jego szpitala.

– Czy może pan przeczytać podkreślony fragment?

Doktor Chance ponownie nasuwa okulary na nos.

– „Zwiększone ryzyko zachorowania na nadciśnienie. Niebezpieczeństwo wystąpienia komplikacji podczas ciąży". – Unosi na chwilę wzrok, po czym czyta dalej: – „Dawcom odradza się uprawianie sportów kontaktowych, które grożą uszkodzeniem pozostałej nerki".

Zakładam ręce za plecy.

– Czy wiedział pan, że Anna gra w hokeja?

Doktor Chance spogląda w stronę Anny.

– Nie. Nie wiedziałem.

– Jest bramkarzem. I to już od kilku lat. – Odczekuję kilka chwil, żeby wszyscy zdali sobie sprawę ze znaczenia tej informacji. – Ale skoro oddanie nerki stoi pod znakiem zapytania, porozmawiajmy o operacjach, które się odbyły. Czynnik wzrostu, wlew limfocytów dawcy, komórki macierzyste, pobranie limfocytów i szpiku kostnego – czy w pana opinii jako fachowca taka liczba zabiegów mogła wyrządzić Annie poważne szkody?

– Poważne? – Moment zawahania. – Nie. Jej zdrowie nie ucierpiało w żaden poważniejszy sposób.

– Więc może te operacje przyniosły jej jakąś korzyść?

Doktor Chance przypatruje mi się przez dłuższą chwilę.

– Oczywiście – odpowiada w końcu. – Za każdym razem ratowała życie siostrze.

Siedzę wraz z Anną w sali konferencyjnej na piętrze budynku sądu. Jemy obiad. W progu sali staje Julia.

– Czy to jest prywatne przyjęcie?

Anna skinieniem ręki zaprasza ją do środka. Julia przysiada się, zaszczyciwszy mnie tylko przelotnym spojrzeniem.

– Jak się trzymasz? – pyta Anny.

– Ujdzie – pada odpowiedź. – Byle to się już skończyło.

Julia otwiera torebkę sosu do sałatek i skrapia nią obiad, który sobie przyniosła.

– Nawet się nie obejrzysz, jak będzie po wszystkim.

Mówiąc to, rzuca mi jedno szybkie spojrzenie.

Wystarczy. Momentalnie przed oczy napływają mi wspomnienia: zapach jej skóry, mały pieprzyk poniżej piersi, znamię w kształcie półksiężyca...

Niespodziewanie Anna wstaje od stolika.

– Zabieram Sędziego na spacer – oznajmia.

– Ani mi się waż. Na zewnątrz wciąż roi się od dziennikarzy.

– To przejdę się z nim po korytarzu.

– Nie ma mowy. To mój pies przewodnik i ja go muszę wyprowadzać. Tak jest ułożony.

– W takim razie idę do ubikacji – mówi Anna. – Tam chyba jeszcze mogę pójść sama?

Wychodzi z sali, zostawiając nas z sobą i tym wszystkim, co nie powinno się wydarzyć, a jednak się wydarzyło.

– Zrobiła to celowo – odzywam się.

Julia kiwa głową potakująco.

– Inteligentny dzieciak. Czyta w ludziach jak w książce. – Odkłada plastikowy widelec na talerz. – W twoim samochodzie jest pełno psiej sierści.

– Wiem. Nie mogę uprosić Sędziego, żeby związywał włosy gumką.

– Dlaczego mnie nie obudziłeś?

Szczerzę zęby w uśmiechu.

– Bo rzuciliśmy kotwicę w strefie, gdzie zakazano używania budzików.

Julii to jakoś nie bawi.

– Czy ta wczorajsza noc to był dla ciebie żart?

433

W mojej głowie odzywa się stare porzekadło: Z czego śmieje się Bóg? Odpowiedź: z ludzkich planów. A ponieważ jestem tchórzem, wstaję od stołu, chwytając obrożę psa.

– Muszę go wyprowadzić, zanim wrócimy na salę sądową.

Przy drzwiach słyszę głos Julii:

– Nie odpowiedziałeś mi.

– Nie chcesz usłyszeć mojej odpowiedzi. – Nie odwracam się, bo wtedy musiałbym spojrzeć jej w twarz.

Sędzia DeSalvo odkłada dalsze przesłuchania na następny dzień, na godzinę trzecią, z powodu swojej cotygodniowej wizyty u kręgarza. Odprowadzam Annę do wyjścia, gdzie spodziewam się zastać jej ojca, ale Briana nigdzie nie widać. Sara rozgląda się dookoła zdziwiona.

– Pewnie przyszło wezwanie – tłumaczy męża. – Możemy... – mówi do Anny.

Szybko kładę dłoń na ramieniu dziewczynki.

– Odwiozę cię do remizy.

W samochodzie Anna siedzi cicho. Zatrzymuję wóz na parkingu przed remizą, ale nie wyłączam silnika.

– Wiesz – zagaduję – może tego nie zauważyłaś, ale ten pierwszy dzień był naprawdę obiecujący.

– Wszystko jedno.

Anna wysiada bez słowa, a Sędzia wskakuje na puste przednie siedzenie. Odprowadzam ją wzrokiem i widzę, że zamiast iść prosto do wejścia, skręciła w lewo. Wycofuję samochód na ulicę, ale po chwili zatrzymuję go i wbrew zdrowemu rozsądkowi wyłączam silnik. Zamknąwszy Sędziego w środku, idę śladem Anny na tyły budynku remizy.

Dziewczyna stoi nieruchomo jak posąg, unosząc twarz do nieba. Co mam teraz zrobić, co jej powiedzieć?

Nigdy nie miałem dzieci; ledwo udaje mi się zadbać o siebie.

Ale to Anna pierwsza przerywa ciszę.

– Czy miałeś kiedyś pewność, że robisz coś złego, chociaż wydawało się, że wszystko jest w porządku?

– Tak. – Myślę o Julii.

– Czasami mam już siebie dosyć – mamrocze Anna pod nosem.

– Czasami – przyznaję – ja też mam się dość.

Tym wyznaniem ją zaskakuję. Patrzy na mnie, a po chwili z powrotem odwraca wzrok ku niebu.

– Tam są gwiazdy. Nie widać ich, ale są.

Wkładam ręce do kieszeni.

– Kiedyś każdej nocy szeptałem życzenia gwiazdom, żeby się spełniły.

– Czego sobie życzyłeś?

– Żebym trafił jakieś rzadkie karty z baseballistami do kolekcji. Żeby rodzice kupili mi golden retrievera. Żeby do naszej klasy przyszła nowa, młoda, seksowna nauczycielka.

– Tata powiedział mi, że astronomowie odkryli we wszechświecie nowe miejsce, gdzie rodzą się gwiazdy. Upłynęło dwa tysiące pięćset lat, zanim udało się nam je zobaczyć. – Patrzy mi w oczy. – Dobrze ci się układa z rodzicami?

Przez chwilę chcę jej skłamać, ale potem potrząsam głową.

– Kiedyś myślałem, że jak dorosnę, będę taki jak oni, ale okazało się, że nic z tego. Kiedy dorosłem, okazało się, że wcale nie chcę być do nich podobny.

Promienie słońca gładzą mleczną skórę Anny, rozświetlają kontur jej szyi.

– Rozumiem – mówi dziewczynka. – Ty też byłeś niewidzialny.

CAMPBELL

Brian Fitzgerald to mój wytrych. W momencie kiedy sędzia zorientuje się, że przynajmniej jedno z rodziców popiera wniosek córki i optuje za tym, żeby przestała oddawać narządy siostrze, nie będzie już wcale tak trudno doprowadzić do usamowolnienia Anny. Jeżeli Brian zrobi to, czego od niego oczekuję, czyli powie sędziemu DeSalvo, że rozumie prawa swojej córki i postanawia ją poprzeć, to zeznanie Julii, jakiekolwiek będzie, nie zmieni już wiele. A co ważniejsze, zeznanie Anny będzie już tylko zwykłą formalnością.

Brian zjawia się w sądzie wcześnie rano, razem z Anną. Ma na sobie mundur kapitana straży pożarnej. Przyklejam do ust uśmiech i wstaję z ławki. Sędzia idzie za mną.

– Dzień dobry – witam się z nimi. – Wszyscy gotowi? Można zaczynać?

Brian spogląda na Annę. Potem wbija wzrok we mnie. Widzę, że ma na końcu języka jakieś pytanie, którego ze wszystkich sił stara się nie zadać. Mój mózg pracuje szybko w poszukiwaniu wyjścia z tej sytuacji.

– Hej – zagaduję Annę, znalazłszy rozwiązanie. – Zrobisz coś dla mnie? Przebiegnij się z Sędzią kilka razy po schodach. Jak się nie zmęczy, to będzie potem hałasował na sali.

– Wczoraj nie pozwoliłeś mi go wyprowadzić.

– Wczoraj było wczoraj. Dzisiaj ci pozwalam.

Anna potrząsa głową.

– Nigdzie się stąd nie ruszę. Wystarczy, że sobie pójdę, a wy zaczniecie gadać na mój temat.

Zwracam się więc ponownie do Briana.

– Wszystko w porządku? – pytam.

W tym momencie w drzwiach pojawia się Sara Fitzgerald. Rusza prosto w kierunku sali przesłuchań, ale gdy widzi męża rozmawiającego ze mną, przystaje. Po chwili wahania powoli odwraca się od niego i znika za drzwiami.

Brian Fitzgerald odprowadza żonę wzrokiem, nie przestając patrzeć za nią nawet wtedy, gdy drzwi się zamykają.

– Trzymamy się – mówi, ale nie jest to odpowiedź na moje pytanie.

– Panie Fitzgerald, czy zdarzyło się, że między panem a pańską żoną wystąpiły różnice zdań dotyczące udziału Anny w terapiach mających na celu ratowanie życia jej siostry?

– Tak. Na początku lekarze twierdzili, że potrzebna będzie tylko krew pępowinowa. Pobiera się ją z fragmentu pępowiny, który po porodzie zwykle wyrzuca się do kosza. Nie jest on zatem potrzebny dziecku, a taki zabieg z całą pewnością nie mógł wyrządzić Annie krzywdy. – Brian szuka wzrokiem córki, uśmiecha się do niej. – Przez jakiś czas wszystko było w porządku. Transfuzja krwi pępowinowej doprowadziła do remisji. Jednakże w roku tysiąc dziewięćset dziewięćdziesiątym szóstym nastąpił nawrót choroby. Lekarze postanowili pobrać od Anny limfocyty. Ta terapia nie miała na celu wyleczenia Kate, ale utrzymanie jej przy życiu jeszcze przez pewien czas.

Staram się wyciągnąć od niego coś więcej.

– Rozumiem, że pan i pańska żona nie zgadzaliście się w kwestii tej metody leczenia?

- Nie byłem przekonany, że to jest dobre rozwiązanie. Tym razem Anna miałaby pełną świadomość tego,
co się dzieje, a sam zabieg nie należy do przyjemnych.

- W jaki sposób żona przekonała pana do zmiany
zdania?

- Powiedziała mi, że jeżeli teraz Anna nie odda trochę krwi, to i tak wkrótce będzie trzeba pobrać od niej
szpik kostny.

- Jakie były wtedy pańskie odczucia?

Brian potrząsa głową. Minę ma mocno niewyraźną.

- Nie można przewidzieć, co się uczyni w sytuacji,
kiedy widzi się własne dziecko o krok od śmierci – mówi cicho. – Nagle człowiek zaczyna mówić i robić rzeczy, o których nie chce nawet myśleć. Wydaje się, że zawsze jest wybór, trudny, ale jest. Tymczasem dopiero
w takiej sytuacji wyraźnie widać, jak bardzo złudne
jest takie myślenie. – Brian podnosi wzrok na Annę,
która siedzi tuż obok mnie tak cicho, jakby zapomniała o oddychaniu. – Nie chciałem, żeby Anna przez to
przechodziła, ale nie mogłem stracić Kate.

- Czy Anna ostatecznie oddała szpik kostny?

- Tak.

- Panie Fitzgerald, czy jako dyplomowany ratownik
paramedyczny poddałby pan operacji pacjenta, który
cieszy się dobrym zdrowiem?

- Oczywiście, że nie.

- Zatem w jaki sposób doszedł pan do wniosku, że
dla dobra Anny należy poddać ją operacji chirurgicznej, która zagrażała jej zdrowiu, a jednocześnie nie
miała jej przynieść absolutnie żadnych korzyści?

- Nie mogłem pozwolić, żeby Kate umarła – odpowiada Brian.

- Czy przy jakiejś innej okazji między panem a pańską żoną wystąpiły różnice zdań co do wykorzystania
tkanek Anny w leczeniu państwa starszej córki?

– Kilka lat temu Kate znów trafiła do szpitala. Straciła tyle krwi, że nikt już nie wierzył, że przeżyje. Byłem zdania, że może tym razem należy pozwolić jej odejść. Sara sądziła inaczej.

– Co się wtedy stało?

– Lekarze podali Kate arszenik i to podziałało. Objawy białaczki ustąpiły na cały rok.

– Czy mam rozumieć, że istniała terapia, która uratowała życie Kate bez konieczności wykorzystania tkanek Anny?

Brian potrząsa głową.

– Chcę tylko powiedzieć... Chcę powiedzieć, że byłem wtedy pewien, że Kate musi umrzeć. Sara walczyła ze wszystkich sił i Kate powróciła między nas. – Rzuca spojrzenie żonie. – Ale jej nerki tego nie zniosły. Przestają już funkcjonować. Nie chcę, żeby Kate cierpiała, ale nie chcę również popełnić dwa razy tego samego błędu. Nie poddam się i nie powiem, że to koniec, kiedy jeszcze można coś zrobić.

Brian jest rozemocjonowany. Przypomina lawinę. Muszę go przeciągnąć na moją stronę, zanim osunie się prosto na ten domek z kart, który z takim trudem i pieczołowitością wzniosłem.

– Panie Fitzgerald, czy wiedział pan, że Anna ma zamiar pozwać pana i pańską żonę do sądu?

– Nie.

– Czy po otrzymaniu pozwu rozmawiał pan z córką o tym?

– Tak.

– Jakie były konsekwencje tej rozmowy?

– Wyprowadziłem się razem z Anną na jakiś czas z domu.

– Dlaczego?

– Ponieważ uznałem, że ma ona pełne prawo przemyśleć swoją decyzję, a w domu nie miała warunków, żeby spokojnie się nad tym zastanowić.

– Podsumowując: wyprowadził się pan wraz z córką z domu. Dyskutował pan z nią długo i szczegółowo, starając się zrozumieć, dlaczego postanowiła rozstrzygnąć tę sprawę na drodze sądowej. Czy zatem teraz popiera pan wniosek pańskiej żony, aby Anna w dalszym ciągu pozostała dawcą tkanek i narządów dla Kate?

Odpowiedź mamy przećwiczoną. Brzmi ona: nie. Na tym jednym słowie opiera się cała moja taktyka. Brian garbi się lekko i odpowiada:

– Tak, popieram wniosek mojej żony.

– Panie Fitzgerald, czy pańskim zdaniem... – zaczynam i dopiero po chwili dociera do mnie, co ten człowiek powiedział. – Słucham? – Nie dowierzam własnym uszom.

– Chciałbym, żeby Anna oddała siostrze nerkę – mówi Brian.

Gapię się na niego jak cielę na malowane wrota; świadek zrobił mnie w jajo! Czuję, że tracę grunt pod nogami. Jeśli Brian nie poprze Anny i jej decyzji o uwolnieniu od obowiązku bycia dawczynią dla siostry, o wiele trudniej będzie skłonić sędziego, aby orzekł o usamowolnieniu.

Jednocześnie z niespotykaną wyrazistością dociera do mnie cichutkie westchnienie, które wyrywa się z piersi Anny, krótki krzyk pękającego serca. Ten dźwięk zna każdy, kto choć raz zobaczył tęczę, która przy drugim spojrzeniu okazała się zwykłą grą świateł.

– Panie Fitzgerald, czy mam rozumieć, że życzy pan sobie tego, aby Anna, w celu udzielenia pomocy Kate, poddała się skomplikowanej operacji chirurgicznej i straciła jeden z narządów wewnętrznych?

To naprawdę przedziwny widok, kiedy wielki, silny mężczyzna załamuje się na twoich oczach.

– A czy pan sam zna właściwą odpowiedź na to pytanie? – Głos Briana jest ochrypły, gardłowy. – Bo ja nie wiem, gdzie jej szukać. Wiem, co jest dobre, i wiem, co jest uczciwe, ale w tej sytuacji kategorie dobra i uczciwości nie mają zastosowania. Mogę siedzieć i rozmyślać nad tym dowolnie długo, mogę potem panu powiedzieć, co powinno było się wydarzyć i jak to wszystko powinno teraz wyglądać. Mogę nawet dojść do wniosku, że istnieje lepsze wyjście z tej sytuacji. Ale szukam go już trzynaście lat, panie Alexander, i do tej pory nie znalazłem.

Powoli, bardzo powoli Brian Fitzgerald zgina się wpół. Jego wielka sylwetka ledwo mieści się w ciasnym ogrodzeniu, gdzie stoi krzesło dla świadka. Jasnowłosa głowa opada coraz niżej, aż w końcu czoło opiera się o chłodną drewnianą poręcz.

Zanim Sara Fitzgerald rozpocznie swoje przesłuchanie jako adwokat strony przeciwnej, sędzia DeSalvo ogłasza dziesięciominutową przerwę, aby świadek mógł pobyć przez chwilę sam. Anna i ja schodzimy na parter, gdzie stoją automaty, w których za dolara można kupić słabą herbatę albo jeszcze bardziej rozwodnioną zupę. Dziewczyna przysiada na stołku, kolana wysoko, pięty oparte na szczebelku. Przynoszę jej kubek gorącej czekolady, ale ona odstawia go na podłogę, nie umoczywszy nawet ust.

– Nigdy nie widziałam, żeby tata płakał – mówi. – Mama, owszem co jakiś czas ją brało, kiedy Kate chorowała, ale on... Jeśli zdarzało mu się rozkleić, robił to tak, żeby nikt nie widział.

– Posłuchaj...

– Uważasz, że to moja wina? – Anna podnosi wzrok na mnie. – Że źle zrobiłam, prosząc go, żeby przyszedł dziś do sądu?

– Sędzia tak czy inaczej wezwałby go na świadka. – Kręcę głową w zakłopotaniu. – Muszę ci coś powiedzieć. Będziesz musiała zrobić to co on.

Anna patrzy na mnie z niedowierzaniem.

– Co będę musiała zrobić?

– Złożyć zeznanie.

Anna mruga oczami, wciąż nie mogąc uwierzyć.

– Kpisz sobie?

– Byłem przekonany, że jeśli sędzia zobaczy, że ojciec popiera twoją decyzję, wtedy bez dłuższych ceregieli orzeknie na twoją korzyść. Niestety stało się inaczej. W dodatku nie mam zielonego pojęcia, co powie Julia, ale nawet jeśli stanie po twojej stronie, sąd będzie chciał się przekonać, że jesteś na tyle dojrzała, żeby sama decydować o sobie, bez wsparcia ze strony rodziców.

– Chcesz powiedzieć, że mam zeznawać jak normalny świadek?

Wiedziałem od samego początku, że nadejdzie taki moment, kiedy Anna będzie musiała złożyć zeznanie. Kiedy sprawa toczy się o usamowolnienie osoby nieletniej, wydaje się logiczne, że sędzia zechce wysłuchać, co nieletnia osoba ubiegająca się o to ma do powiedzenia. Zresztą moim zdaniem Anna, choć tak się płoszy na myśl o składaniu zeznań przed sądem, w głębi duszy chce to zrobić. Bo po co zadawałaby sobie tyle trudu ze złożeniem pozwu, z procesem, gdyby nie chciała dostać szansy wypowiedzenia na głos tego, co myśli?

– Wczoraj mówiłeś, że nie będę musiała zeznawać. – Anna jest wyraźnie wzburzona.

– Pomyliłem się.

– Wynajęłam cię, żebyś to ty powiedział wszystkim, czego chcę.

– Tak się nie da. – Wzdycham. – To ty złożyłaś skargę. Ty chciałaś uwolnić się od roli, którą rodzina narzuciła ci trzynaście lat temu. A to oznacza, że sama będziesz musiała uchylić kurtyny i pokazać nam, kim naprawdę chcesz być.

– Połowa dorosłych ludzi na tej planecie nie wie, kim jest, a mimo to codziennie mogą decydować o sobie – ripostuje Anna.

– Żaden z tych dorosłych nie ma trzynastu lat. Posłuchaj mnie – kieruję rozmowę na kwestię, która wydaje mi się w tej sprawie kluczowa. – Wiem, że do tej pory głośne wyrażanie swoich opinii nigdy nic ci nie dało. Tym razem obiecuję, że kiedy otworzysz usta, nie będzie nikogo, kto by cię nie słuchał.

Ten argument przechodzi jednak bez echa. A właściwie odnosi wręcz przeciwny skutek. Anna splata ramiona na piersi.

– Nie wracam na górę – oświadcza.

– Składanie zeznań to pryszcz, naprawdę...

– To nie jest pryszcz, Campbell. To ponad moje siły. Nie zrobię tego za nic w świecie.

– Jeżeli odmówisz złożenia zeznań, przegramy – tłumaczę jej.

– To wymyśl jakiś inny sposób, żebyśmy wygrali. Kto tu jest prawnikiem, ty czy ja?

Na to złapać się nie dam. Bębnię palcami po blacie stołu, siląc się na cierpliwość.

– Wyjaśnisz mi, z jakiego powodu tak się zapierasz?

Patrzy na mnie.

– Nie.

– Co to znaczy nie? Nie złożysz zeznań czy nie powiesz mi dlaczego?

– Są rzeczy, o których nie mam ochoty rozmawiać. – Rysy Anny twardnieją. – Wydawało mi się, że kto jak kto, ale ty powinieneś mnie zrozumieć.

Spryciara. Wie, jak podejść człowieka.

– Prześpij się z tym – radzę jej krótko.

– Nie zmienię zdania.

Wstaję z krzesła i wrzucam nietknięty kubek z kawą prosto do kosza na śmieci.

– A więc proszę bardzo – odpowiadam. – Ale nie oczekuj ode mnie, że odmienię twoje życie.

SARA
Dziś

Z biegiem lat można zaobserwować ciekawe zjawisko – skostnienie, utrwalenie cech charakteru. Co przez to rozumiem? Otóż jeśli światło padnie na twarz Briana pod odpowiednim kątem, wciąż mogę jeszcze dostrzec bladoniebieski odcień jego oczu, który zawsze przywodził mi na myśl wyspę na dalekim oceanie, wyspę, która jest jeszcze przede mną, do której kiedyś dopłynę. Poniżej ust, rysujących się pięknymi liniami, kiedy Brian się uśmiecha, widnieje dołeczek w brodzie, pierwsza cecha, której szukałam w twarzach moich nowo narodzonych dzieci. Od Briana bije aura zdecydowania, silnej woli oraz spokoju, płynącego z pełnego pogodzenia się z samym sobą. Zawsze miałam nadzieję, że w jakiś sposób mi się to udzieli. Te cechy charakteru sprawiły, że pokochałam mojego męża; tak sobie myślę, że jeżeli teraz czasem nie potrafię go rozpoznać, to może to wcale nie jest tak źle, jak mi się wydaje. Nie wszystkie zmiany są na gorsze; skorupa, która nawarstwiła się wokół ziarenka piasku, dla jednych wygląda jak podrażnienie delikatnej tkanki, a dla innych jest perłą.

Brian spogląda to na mnie, to na Annę i z powrotem. Anna skubie strup na kciuku; Brian patrzy na mnie tak, jak mysz na jastrzębia. Wyraz jego oczu w jakiś sposób sprawia mi ból. Czy on tak właśnie o mnie myśli?

A wszyscy inni?

Żałuję, że dzieli nas sala sądowa. Żałuję, że nie mogę podejść do niego. Posłuchaj, powiedziałabym, nie tak wyobrażałam sobie nasze życie. Możliwe, że zbłądziliśmy, ale wolę zabłądzić z tobą, niż z innym dojść do celu.

Posłuchaj, powiedziałabym, być może popełniłam błąd.

– Pani Fitzgerald – pyta sędzia DeSalvo – czy chce pani zadać świadkowi jakieś pytania?

Świadek. Dobre określenie małżonka. Bo na czym polegają role męża i żony, jak nie na wystawianiu świadectwa sobie nawzajem, na wzajemnym rozliczaniu się z pomyłek?

Powoli wstaję z krzesła.

– Witaj, Brian. – Mój głos wcale nie jest taki spokojny, jak na to liczyłam.

– Cześć, Saro – odpowiada.

Na tym kończą się moje pomysły na rozmowę ze świadkiem.

Nagle przypomina mi się, jak kiedyś chcieliśmy dokądś wyjechać, ale nie mogliśmy się zdecydować dokąd. Wsiedliśmy więc do samochodu i ruszyliśmy przed siebie, co pół godziny prosiliśmy jedno z dzieci, żeby wybrało, w którą stronę mamy skręcić albo którą drogą pojechać. Tak dotarliśmy do miejscowości Seal Cove w stanie Maine i nie mogliśmy jechać dalej, bo Jesse, który miał wybierać, chciał, żebyśmy skręcili prosto do Atlantyku. Wynajęliśmy chatę bez prądu i ogrzewania, wiedząc, że cała nasza czwórka boi się ciemności.

Dopiero kiedy Brian mi odpowiada, uświadamiam sobie, że przez cały ten czas mówiłam na głos.

– Pamiętam. – Uśmiecha się. – Nastawialiśmy na podłodze tyle świec, że byłem absolutnie pewien, że puścimy tę chałupę z dymem. Przez pięć dni lało jak z cebra.

– A kiedy szóstego dnia wyszło słońce, przyleciało tyle kaczek, że nie można było wyjść na dwór.

– A potem Jesse poparzył się sumakiem i tak mu spuchła twarz, że nie mógł otworzyć oczu.

– Bardzo państwa przepraszam – wtrąca się Campbell Alexander.

– Podtrzymuję sprzeciw – mówi sędzia DeSalvo. – Czemu mają służyć te pytania?

Wyruszyliśmy w podróż bez żadnego konkretnego celu, zatrzymaliśmy się w jakiejś zapadłej dziurze, a mimo to nie oddałabym tego jednego tygodnia za żadne skarby świata. Kiedy nie wiadomo, dokąd się jedzie, z reguły odkrywa się miejsca, o których nikt nawet nie wie, że istnieją.

– Kiedy Kate nie chorowała – odzywa się Brian, powoli ważąc słowa – zdarzały nam się wspaniałe chwile.

– Nie sądzisz, że Annie by ich brakowało, gdyby Kate odeszła?

Campbell zrywa się na równe nogi, dokładnie tak jak się spodziewałam.

– Sprzeciw!

Sędzia unosi dłoń i skinięciem głowy daje znać, że chce usłyszeć odpowiedź Briana.

– Nam wszystkim będzie ich brakowało – mówi mój mąż.

I w tym samym momencie dzieje się najdziwniejsza rzecz pod słońcem: Brian i ja, choć dzieli nas pręty ogrodzenia, nagle jesteśmy po tej samej stronie, przyciągamy się jak dwa magnesy. Jesteśmy młodzi i po raz pierwszy nasłuchujemy jednoczesnego bicia naszych serc, jesteśmy starzy i nie wiemy, jakim sposobem udało nam się pokonać tak niewiarygodnie długą drogę w tak krótkim czasie. Oglądamy w telewizji noworoczne fajerwerki, rok po roku, a pomiędzy nami śpi trójka dzieci, wtulonych jedno w drugie tak ciasno, że wyraźnie czuję, jak Brian pęcznieje z dumy.

I nagle nie ma już znaczenia, że mój mąż wyprowadził się z Anną z domu, że w niektórych kwestiach dotyczących Kate miał inne zdanie niż ja. Według siebie postąpił słusznie; ja robiłam to samo, więc nie mogę go za nic winić. Człowiek czasami do tego stopnia grzęźnie w roztrząsaniu szczegółów, że zapomina o tym, że żyje. Zawsze trzeba zdążyć na jakieś spotkanie, zapłacić kolejny rachunek, poradzić sobie z następnym objawem choroby, który właśnie dał o sobie znać, albo tylko odfajkować kreską na ścianie jeszcze jeden zwykły dzień. Zsynchronizowaliśmy zegarki, wkuliśmy na pamięć swoje rozkłady dnia, tygodnia, miesiąca, żyliśmy z minuty na minutę – i zupełnie zapomnieliśmy o tym, że trzeba spoglądać za siebie i patrzeć na to, co się osiągnęło.

Jeżeli dziś, zaraz, za chwilę stracimy Kate, to i tak nikt nie odbierze nam tego, że była z nami przez szesnaście lat. A po latach, po stuleciach spędzonych bez niej, kiedy już nie będziemy mogli sobie przypomnieć jej uśmiechu, dotyku dłoni ani najpiękniejszej melodii jej głosu, Brian wciąż będzie przy mnie i zawsze powie: Nie pamiętasz? Przecież to wyglądało tak...

Głos sędziego wyrywa mnie z zadumy.

– Pani Fitzgerald, czy skończyła już pani przesłuchiwać świadka?

Ani przez chwilę nie było potrzeby, żebym przesłuchiwała Briana. Jego odpowiedzi znam od zawsze. Nie pamiętam tylko pytań.

– Jeszcze jedna rzecz – odpowiadam sędziemu i zwracam się do męża: – Kiedy wrócicie do domu?

W czeluściach gmachu sądu stoi długi rząd automatów spożywczych. Można w nich kupić rzeczy, na które wcale nie ma się ochoty. W czasie przerwy zarządzonej przez sędziego DeSalvo schodzę tam, staję przed tymi zimnymi szybami i wpatruję się w paczki cukierków, ciastek i chipsów uwięzionych w rurowatych pojemnikach.

– Markizy – zza pleców dobiega mnie głos Briana. Odwracam się. Mój mąż właśnie wsunął do szczeliny monety, siedemdziesiąt pięć centów. – Najlepsze. Prosty, tradycyjny smak. – Dotyka dwóch przycisków i ciastka rozpoczynają samobójczy zjazd na dno maszyny.

Bierze mnie za rękę i prowadzi do stolika. Blat jest porysowany i zaplamiony, nosi na sobie pamiątki po ludziach, którzy siedzieli tutaj, uwieczniając swoje inicjały i głęboko skrywane sekrety długopisem na plastiku.

– Nie wiedziałam, o co mam cię pytać – wyznaję Brianowi. Milczę przez chwilę, wahając się, a potem się odzywam: – Uważasz, że byliśmy dobrymi rodzicami? – Myślę o Jessem, którego przestałam zauważać już tak dawno temu. O Kate, której nie mogłam pomóc. O Annie.

– Nie wiem – odpowiada Brian. – Tego nikt nigdy nie wie.

Podaje mi paczkę czekoladowych markiz. Chcę podziękować, powiedzieć, że nie jestem głodna, ale kiedy tylko otwieram usta, Brian wsuwa w nie ciasteczko, smaczne i szorstkie, ocierające język. W jednej chwili robię się głodna jak wilk. Brian ociera okruszki z moich ust, jakbym była kruchą lalką z porcelany. Nie odsuwam się, nie odpycham jego ręki. Mam wrażenie, że nigdy w życiu nie miałam w ustach nic równie słodkiego.

Tego samego wieczoru Brian i Anna wracają do domu. Oboje przychodzimy powiedzieć jej dobranoc;

oboje całujemy ją w czoło. Brian idzie do łazienki pod prysznic. Ja zaraz pojadę do szpitala, ale przysiadam jeszcze na moment na łóżku Kate, naprzeciwko Anny.

– Będziesz mi prawić kazanie? – pyta ona.

– Nie takie, jak myślisz. – Przesuwam palcem po szwie poduszki Kate. – To, że chcesz być sobą, nie oznacza, że jesteś złym człowiekiem.

– Ale ja nie...

Unoszę dłoń, uciszając ją.

– Chcę powiedzieć, że twoje pragnienia są głęboko ludzkie, a to, że wyrosłaś na kogoś zupełnie innego, niż wszyscy się spodziewali, to jeszcze nie powód, żeby myśleć, że sprawiłaś komuś zawód. Dziewczynka, której w jednej szkole dokuczają, może przenieść się do innej i tam mieć samych przyjaciół. Dlaczego? Bo w nowym miejscu nikt od niej niczego nie oczekuje. A ktoś, kto zdał na akademię medyczną tylko z tego powodu, że w rodzinie są sami lekarze, może pewnego dnia uświadomić sobie, że w głębi serca pragnie być artystą. – Potrząsam głową, biorąc głęboki oddech. – Rozumiesz, o co mi chodzi?

– Nie za bardzo.

Na te słowa muszę się uśmiechnąć.

– Chcę ci przez to powiedzieć, że kogoś mi przypominasz.

Anna unosi się na łokciu.

– Kogo?

– Mnie – odpowiadam.

Człowiek, z którym spędziło się tyle długich lat, jest jak mapa samochodowa, podarta na rogach i wytarta na zgięciach od ciągłego używania; na tej mapie widnieje szlak tak dobrze znany, że można go z łatwością wyrysować z pamięci. Dlatego właśnie trzyma się tę mapę w schowku i wozi ze sobą w każdą podróż. A jednak w najmniej oczekiwanym momencie na tej dobrze znanej mapie potrafi się pojawić niespodziewany zjazd z autostrady i punkt widokowy, którego wcześniej tam nie było; w takich chwilach nigdy nie wiadomo, czy to jest nowy element krajobrazu, czy może coś, na co ani razu nie zwróciło się uwagi.

Brian leży obok mnie. Nic nie mówi, tylko kładzie dłoń na mojej szyi, w głębokiej dolinie tuż nad obojczykiem. Całuje mnie, a jego usta mają słodko-gorzki smak. Tego się spodziewałam, ale następna rzecz zaskakuje mnie całkowicie: Brian przygryza moją wargę tak mocno, aż czuję w ustach smak krwi. Jęcząc z bólu, próbuję jednocześnie się roześmiać, obrócić to w żart, ale Brian się nie śmieje ani nie przeprasza. Pochyla się niżej i zlizuje krew z moich ust.

W środku aż podskakuję z zaskoczenia. To mój Brian, a zarazem nie on; i jedno, i drugie jest zadziwiające. Za jego przykładem dotykam językiem krwawiącej wargi, czując śliski naskórek i miedziany posmak. Otwieram się jak storczyk, moje ciało staje się kołyską, oddech Briana wędruje po szyi, gardle, w dół, pomiędzy piersiami. Przez krótką chwilę czuję jego głowę na brzuchu i jak poprzednio nie spodziewałam się, że może mnie ugryźć, tak teraz nagle ze ściśniętym sercem przypominam sobie, że kiedy byłam w ciąży, mój mąż odprawiał ten rytuał co noc.

Budząc się z bezruchu, Brian wznosi się nade mną niczym drugie słońce, wypełniając mnie blaskiem i żarem. Jesteśmy jak studium kontrastów: twardość i miękkość, blond i czerń, szaleństwo i spokój – a jednak tak dopasowani, że kiedy jednego zabraknie, drugie nie będzie już do końca sobą. Jesteśmy jak wstęga Möbiusa, dwa ciała przechodzące w siebie, węzeł nie do rozwikłania.

– Stracimy córkę – szepczę, choć nawet ja nie potrafię powiedzieć, czy mam na myśli Kate czy Annę.

Brian całuje mnie w usta.

– Przestań – mówi.

Po tych słowach nie odzywamy się już ani razu. Tak jest najbezpieczniej.

Jednak nie pada blask z owych płomieni,
Lecz raczej ciemność widoma (...)

John Milton,
„Raj utracony"

JULIA

Kiedy wracam do domu z porannej przebieżki, Izzy siedzi na kanapie w dużym pokoju.

– Dobrze się czujesz? – pyta.

– Jasne. – Rozwiązuję tenisówki, ocieram pot z czoła. – Czemu pytasz?

– Bo normalni ludzie nie biegają o wpół do piątej rano.

Wzruszam ramionami.

– Musiałam spalić trochę energii.

Idę do kuchni, gdzie dokładnie o tej godzinie powinna na mnie czekać gorąca orzechowa kawa, zaparzona przez ekspres firmy Braun. Ale nie czeka. Urządzenie się nie spisało. Sprawdzam wtyczkę, wciskam kilka klawiszy, ale diody ani mrugną; cały wyświetlacz jest ciemny. – Cholera jasna. – Szarpię za kabel, wyrywam wtyczkę z gniazda. – To jest jeszcze nowe, nie ma prawa się popsuć.

Izzy staje obok i zaczyna majstrować przy urządzeniu.

– Jest na gwarancji?

– Mam to w nosie. Wiem jedno: jak się zapłaciło za sprzęt, który robi kawę, to znaczy, że ma się dostać tę zasraną kawę! – Wrzucam pustą karafkę do zlewu z takim rozmachem, że szkło pęka na kawałki. Osuwam się na podłogę, wybuchając płaczem.

Izzy przyklęka obok.

– Co on ci zrobił?

– Dokładnie to samo co wtedy – szlocham. – Ależ ze mnie cholerna idiotka.

Izzy obejmuje mnie ramionami.

– Ugotujemy go w oleju? – proponuje. – A może otrujemy jadem kiełbasianym albo wykastrujemy? Wybierz, co ci bardziej odpowiada.

Ta lista tortur sprawia, że zdobywam się na lekki uśmiech.

– Ty zrobiłabyś to samo.

– Tylko dlatego, że mogę liczyć na ciebie.

– Myślałam – mówię, opierając czoło na ramieniu siostry – że piorun nie uderza dwa razy w to samo miejsce.

– Uderza, uderza – zapewnia mnie Izzy. – Ale tylko wtedy, kiedy człowiek popisze się głupotą i stoi dalej w tym samym miejscu.

Pierwszą osobą, którą spotykam po wejściu do sądu, nie jest właściwie osoba, ale Sędzia. Pies Campbella wybiega truchcikiem zza rogu, kładąc uszy po sobie, spłoszony podniesionym głosem swojego pana.

– Hej. – Wyciągam rękę, żeby go uspokoić, ale Sędzia widocznie nie tego ode mnie oczekuje. Uczepiwszy się zębami skraju mojej marynarki – Campbell zapłaci za pranie, przysięgam – zaczyna ciągnąć mnie tam, skąd przyszedł, prosto w wir słownej walki.

Głos Campbella słychać już zza rogu.

– Straciłem przez ciebie czas. Ale wiesz, co jest najgorsze? Straciłem też wiarę we własną umiejętność oceny klienta.

– Co ty powiesz? – odgryza się Anna. – Wychodzi więc na to, że nie tylko ty pomyliłeś się w ocenie. Bo ja, wynajmując cię, też sądziłam, że masz charakter. – Kie-

453

dy mnie mija, słyszę, jak mamrocze pod nosem: – Dupek.

W tym momencie przypomina mi się uczucie, którego doznałam, obudziwszy się na łodzi, sama jak palec – uczucie zawodu, zagubienia, złości. Byłam zła na siebie, że dałam się w to wciągnąć.

Ale dlaczego, do diabła, nie byłam zła na niego?

Sędzia skacze swojemu panu przednimi łapami prosto na pierś.

– Siad! – pada komenda. Campbell odwraca się i wtedy dopiero mnie zauważa. – Nie chciałem, żebyś to usłyszała.

– No jasne – odpowiadam z przekąsem.

Campbell wchodzi do otwartej sali konferencyjnej i siada ciężko na krześle.

– Anna nie zgadza się składać zeznań.

– Co w tym dziwnego? Nie potrafi stanąć z matką twarzą w twarz nawet we własnym domu, a ty chciałbyś, żeby poradziła sobie z nią na przesłuchaniu w sądzie? Czego się spodziewałeś?

Campbell spogląda na mnie przeszywającym wzrokiem.

– Co powiesz DeSalvo?

– Pytasz ze względu na Annę czy dlatego, że boisz się przegrać proces?

– Daruj sobie, sumienie oddałem na tacę podczas wielkiego postu.

– To może zadaj sobie proste pytanie: dlaczego trzynastoletnia dziewczynka tak zalazła ci za skórę?

Campbell się krzywi.

– W takim razie spadaj. Idź i popsuj mi cały proces. Od początku planowałaś to zrobić.

– To nie jest twój proces, tylko Anny. Ale dobrze rozumiem, dlaczego wydaje ci się, że jest inaczej.

– Co ty wygadujesz?

– Oboje jesteście tchórzami. Chcecie odmienić swoje życie, uciec przed tym, jacy jesteście i kim jesteście. Czego boi się Anna, wiem. Wiem, czego chce uniknąć. A ty?

– Za cholerę cię nie rozumiem.

– Spodziewałam się, że poczęstujesz mnie jednym ze swoich zgrabnych powiedzonek. Czy może trudno ci się śmiać, kiedy ktoś tak trafnie cię rozszyfrował? Uciekasz od wszystkich ludzi, którzy stają ci się bliscy. Anna odpowiadała ci jako klientka, ale nagle zaczęło cię obchodzić, co się z nią stanie, i już jest niedobrze, już czujesz się zagrożony. Mnie mogłeś szybko przelecieć, ale przywiązać się – nie, wykluczone. Ty nie budujesz związków, masz tylko psa, ale nawet to jest jakaś wielka tajemnica państwowa.

– Za wiele sobie pozwalasz...

– Mylisz się. Wszystko wskazuje na to, że jestem jedyną osobą, która może ci uświadomić, że jesteś żałosnym cymbałem. Widzę jednak, że tobie to wcale nie przeszkadza. Niech sobie wszyscy tak myślą, w porządku, przynajmniej nikomu nie będzie się chciało przebijać przez ten mur, którym się odgrodziłeś od świata. – Znów spoglądam na niego, tym razem trochę dłużej. – Wiem, jak to jest, kiedy ktoś potrafi przejrzeć cię na wylot. Kiepskie uczucie, prawda?

Campbell wstaje. Twarz ma jak z kamienia.

– Spieszę się. Prowadzę dziś sprawę.

– Idź, koniecznie. – Kiwam głową. – Tylko nie mieszaj sprawiedliwości z klientem, który jej oczekuje. Bo jeśli tak się stanie, to może się okazać, Boże uchowaj, że masz normalne serce, tak jak wszyscy.

Wychodzę, bo czuję, że płonę już ze wstydu. Zatrzymuje mnie głos Campbella:

– Julio, zaczekaj. To nie jest tak, jak myślisz.

Zamykam oczy i odwracam się, zupełnie wbrew zdrowemu rozsądkowi. Widzę, że Campbell się waha.

455

– Chodzi o psa. Ja...

Niespodziewany napad szczerości przerywa Vern Stackhouse, który staje w drzwiach.

– Sędzia DeSalvo wstąpił na ścieżkę wojenną – mówi. – Opóźniacie rozpoczęcie przesłuchania, a w bufecie skończyła się śmietanka do kawy.

Spoglądam Campbellowi prosto w oczy, oczekując, że dokończy to, co chciał powiedzieć.

– Jesteś dziś moim świadkiem – mówi. Głos ma zupełnie spokojny. Dobra chwila skończyła się, nie pozostawiwszy po sobie nawet wspomnienia.

CAMPBELL

Coraz gorzej to znoszę. Bycie sukinsynem wcale nie jest takie łatwe.

Dopiero na sali sądowej zauważam, że trzęsą mi się ręce. Z jednej strony wiadomo, co za tym stoi. Z drugiej jednak za ten stan odpowiedzialna jest moja klientka, która siedzi za mną zimna i cicha jak głaz, oraz to, że kobieta, za którą szaleję, za chwilę na moje własne życzenie stanie przed sądem jako świadek. Kiedy do sali wchodzi sędzia, rzucam Julii jedno spojrzenie; udaje, że patrzy w inną stronę.

Pióro wypada mi z ręki, toczy się po stole i ląduje na podłodze.

– Możesz mi je podać? – zwracam się do Anny.

– Zastanowię się. Przecież to strata cennego czasu i środków – pada odpowiedź. Cholerne pióro zostaje tam, gdzie leży.

– Panie Alexander, czy mogę już prosić o wezwanie następnego świadka? – pyta sędzia DeSalvo. Zanim jednak zdążę wykrztusić nazwisko Julii, wstaje Sara Fitzgerald, prosząc o pozwolenie podejścia do sędziego. Nastawiam się na kolejną kłodę rzuconą pod nogi. Bez pudła. Adwokat strony przeciwnej jest niezawodny.

– Psychiatra, którą poprosiłam o złożenie zeznania, musi dziś po południu być w szpitalu. Chciałam poprosić sąd o zmianę kolejności przesłuchań.

– Panie Alexander?

Wzruszam ramionami. Wszystko mi jedno; to dla mnie i tak tylko odroczenie egzekucji. Siadam obok Anny i patrzę, jak na krześle dla świadka sadowi się niewysoka kobieta o ciemnych włosach zebranych w o wiele za ciasny kok.

– Proszę podać nazwisko i adres do protokołu – zaczyna przesłuchanie Sara.

– Doktor Beata Neaux – odpowiada psychiatra. – Orrick Way tysiąc dwieście pięćdziesiąt, miejscowość Woonsocket.

Doktor Neaux. Czyta się jak Dr No. Rozglądam się po sali, ale chyba oprócz mnie nie ma tutaj fanów Bonda. Wyjmuję z teczki notatnik i piszę liścik do Anny: „Gdyby ta pani wyszła za doktora Chance'a, nazywałaby się doktor Neaux-Chance".

No chance. „Nigdy w życiu". Kąciki ust Anny podskakują ku górze. Dziewczyna podnosi z podłogi moje pióro i dopisuje: „A jakby się z nim rozwiodła i wyszła za pana Bustera, to byłaby doktor Neaux-Chance-Buster".

„Nigdy w życiu, kolego". Zaczynamy chichotać. Sędzia DeSalvo chrząka znacząco, patrząc na nas.

– Przepraszam, wysoki sądzie – mówię.

Anna dopisuje pod spodem: „Tylko sobie nie myśl, że przestałam się gniewać".

Sara podchodzi do świadka.

– Pani doktor, proszę powiedzieć, w czym się pani specjalizuje?

– Jestem psychiatrą dziecięcym.

– W jaki sposób poznała pani moje dzieci?

Doktor Neaux spogląda w stronę Anny.

– Mniej więcej siedem lat temu przyszła pani do

mnie ze swoim synem Jessem, który sprawiał problemy wychowawcze. Od tego czasu przy różnych okazjach zdążyłam poznać całą trójkę. Omawiałam z nimi rozmaite aktualne sprawy.

– W zeszłym tygodniu dzwoniłam do pani z prośbą o przygotowanie ekspertyzy dotyczącej urazu psychicznego, który może odnieść Anna po śmierci siostry.

– Zgadza się. Poszukałam wiadomości na ten temat. Podobna historia zdarzyła się w Marylandzie. Pewną dziewczynkę poproszono o oddanie narządu siostrze bliźniaczce. Psychiatra, który badał obie siostry, stwierdził, że identyfikują się one ze sobą do tego stopnia, że gdyby operacja zakończyła się pełnym sukcesem, dawca odniósłby z tego faktu niezaprzeczalne korzyści. – Doktor Neaux znów spogląda na Annę. – Moim zdaniem w tym wypadku mamy do czynienia z podobnym układem wzajemnych zależności. Anna i Kate są sobie bardzo bliskie, nie tylko pod względem genetycznym. Mieszkają razem. Razem spędzają czas. W sensie dosłownym żyją ze sobą od urodzenia. Jeżeli Anna odda teraz siostrze nerkę, ratując jej tym życie, będzie to ogromny dar, i to nie tylko dla Kate. Sama Anna skorzysta na tym w ten sposób, że rodzina, która przecież określa jej miejsce w świecie, pozostanie nieuszczuplona, nie straci żadnego ze swych członków.

Ciężko mi znieść tę drętwą psychologiczną gadkę, ale ku mojemu bezbrzeżnemu zdumieniu sędzia słucha tego z wielką powagą i chyba bierze serio. Tak samo Julia: głowa przechylona na bok, brwi ściągnięte w skupieniu, a pomiędzy nimi, na czole, cienka kreska. Czyżbym był jedyną osobą na tej sali, której mózg działa bez zakłóceń?

– Ponadto – kontynuuje doktor Neaux – wyniki różnych niezależnych badań dowodzą, że dzieci, które zostały dawcami narządów, mają wyższe poczucie własnej wartości i czują, że stoją wyżej w hierarchii rodzinnej. Uważają się za superbohaterów, ponieważ dokonały czegoś, czego nikt inny nie potrafił.

Mniej trafnej charakterystyki Anny Fitzgerald jak dotąd jeszcze nie słyszałem.

– Czy uważa pani, że Anna jest zdolna sama podejmować decyzje dotyczące własnej opieki zdrowotnej? – pyta Sara.

– W żadnym razie.

Ale się zdziwiłem.

– Każda decyzja, którą podejmie Anna, dotknie swoimi konsekwencjami całą rodzinę – wyjaśnia doktor Neaux. – Podejmując ją, dziewczynka będzie wybiegać myślami do tych konsekwencji. Z tego właśnie powodu jej decyzje nigdy nie będą niezależne. Dodatkowym czynnikiem jest tutaj jej wiek. Mózg trzynastolatki nie ma jeszcze rozwiniętych połączeń, które umożliwiają sięgnięcie myślą tak daleko w przód, zatem to, co ostatecznie postanowi Anna, będzie oparte na przewidywaniach dotyczących najbliższej przyszłości, nie zaś na prognozie długoterminowych skutków jej działań.

– Pani doktor – przerywa jej sędzia – co pani zaleca w tej sytuacji?

– Annie potrzebne są wskazówki osoby bardziej doświadczonej... Osoby, która będzie troszczyć się o jej dobro. Z rodziną państwa Fitzgeraldów bardzo miło się pracuje, ale w tym wypadku rodzice nie mogą zrezygnować z roli rodziców. Dziecko nie potrafi przejąć tej funkcji.

Sara kończy przesłuchanie. Świadek jest mój. Zabieram się do roboty ostro, bez patyczkowania.

– Jak rozumiem, chce nas pani przekonać, że oddanie siostrze nerki przyniesie Annie niesłychane korzyści pod względem psychologicznym?

– Zgadza się – odpowiada doktor Neaux.

– Kontynuując ten sam tok rozumowania, czy nie oznacza to także, że jeśli Kate umrze na stole operacyjnym w trakcie przeszczepu tejże nerki, to Annie grozi bardzo poważny uraz psychiczny?

– Ufam, że rodzice pomogą jej uporać się z tym szokiem.

– A czy nie ma żadnego znaczenia fakt – dopytuję się – że Anna twierdzi, że ma już dość oddawania siostrze narządów?

– Naturalnie, że ma, ale jak już mówiłam, obecny stan umysłu Anny określają krótkoterminowe skutki jej działań. Ona nie rozumie, w jaki sposób ta sytuacja ostatecznie rozwinie się w przyszłości.

– A kto to może zrozumieć? – pytam. – Pani Fitzgerald ma więcej niż trzynaście lat, a żyje z dnia na dzień, bo wciąż musi pamiętać, że zdrowie i życie Kate wiszą na włosku. Zgodzi się pani z tym?

Psychiatra, bardzo niechętnie, kiwa potakująco głową.

– Można by posunąć się do twierdzenia, że w mniemaniu Sary Fitzgerald pozytywna ocena jej starań oraz jej matczynej troski zależy od tego, czy Kate będzie zdrowa czy nie. Ratowanie życia córce przynosi jej korzyści psychologiczne.

– Oczywiście.

– Pani Fitzgerald byłaby o wiele szczęśliwsza w pełnej rodzinie, nieuszczuplonej o jej starszą córkę Kate. Rzekłbym nawet, że podejmowane przez nią decyzje życiowe wcale nie są niezależne, ponieważ ma na nie wpływ stan zdrowia Kate.

– To jest możliwe.

– A zatem, jak wynika z pani toku rozumowania – konkluduję – można powiedzieć, że zachowanie i uczucia Sary Fitzgerald są identyczne z zachowaniem i uczuciami dawcy narządów?

– Cóż...

– Jedyna różnica polega na tym, że pani Fitzgerald nie oddaje Kate własnej krwi ani szpiku kostnego, tylko rozporządza narządami swojej młodszej córki.

– Panie Alexander – słyszę ostrzegawczy głos sędziego.

– A skoro Sara Fitzgerald tak dobrze odpowiada profilowi psychologicznemu blisko spokrewnionego dawcy, który nie potrafi podejmować niezależnych decyzji, to skąd wniosek, że jest ona bardziej upoważniona do dokonania tego wyboru niż Anna?

Katem oka dostrzegam zdumiony wyraz twarzy Sary. Dobiega mnie łomot młotka sędziowskiego.

– Ma pani rację, pani doktor – rzucam ostatnie słowa. – Rodzice nie mogą zrezygnować ze swojej roli. Jednak w niektórych wypadkach są oni tak samo bezradni jak dzieci.

JULIA

Sędzia DeSalvo ogłasza dziesięciominutową przerwę. Idę do toalety. Kładę na podłodze obok umywalki kolorowy plecak, który przywiozłam z Gwatemali, i odkręcam kran. Drzwi jednej z kabin otwierają się i wychodzi stamtąd Anna. Na mój widok waha się, ale tylko przez chwilę, potem podchodzi do sąsiedniej umywalki.

– Hej – odzywam się.

Anna podsuwa ręce pod suszarkę. Fotokomórka z jakiegoś powodu nie reaguje, ciepłe powietrze nie chce lecieć. Dziewczynka jeszcze raz na próbę macha palcami pod dyszą, po czym unosi dłoń do oczu, jakby chciała się upewnić, że nie jest niewidzialna. Na koniec bije pięścią w metalową obudowę maszyny.

Podchodzę z boku i przesuwam rękę pod wylotem suszarki. Moją dłoń owiewa ciepłe powietrze. Anna przyłącza się do mnie; wyglądamy jak para kloszardów nad ogniskiem rozpalonym w beczce.

– Campbell powiedział mi, że nie będziesz zeznawać.

– Nie mam ochoty o tym rozmawiać – odpowiada Anna.

– Wiesz, czasem jest tak, że aby zdobyć to, na czym najbardziej nam zależy, trzeba zrobić coś, czego za wszelką cenę chciałoby się uniknąć.

Anna opiera się o ścianę, krzyżując ręce na piersi.

– Od kiedy to bawisz się w konfucjanizm?

Odwraca się nagle i podnosi z podłogi mój plecak.

– Bardzo ładny – mówi. – Podobają mi się te kolory.

Biorę plecak z jej ręki i przewieszam przez ramię.

– Kiedy byłam w Ameryce Południowej, widziałam stare Indianki tkające ten materiał. Żeby powstał taki wzór, potrzeba dwadzieścia motków przędzy.

– Prawda jest taka sama. Zamotana i kosztowna – mówi Anna, choć nie jestem do końca pewna, czy właśnie to powiedziała. Zanim jednak zdążę o cokolwiek zapytać, już jej nie ma w toalecie.

Obserwuję ręce Campbella. Kiedy zadaje mi pytania albo wygłasza komentarze, mocno gestykuluje. Wygląda to niemal tak, jakby wybijał rytm swoich słów. A jednak jego dłonie drżą nieznacznie; to chyba dlatego, że nie potrafi przewidzieć, co ode mnie usłyszy.

– Jako kurator procesowy – pyta Campbell – jak pani ocenia tę konkretną sytuację?

Spoglądam na Annę, biorąc głęboki oddech.

– Widzę tutaj młodą kobietę, która przez całe życie dźwiga ogromny ciężar odpowiedzialności za zdrowie i życie swojej siostry. Dodatkowo ma ona świadomość, że przyszła na świat po to, aby zostać obarczoną tą odpowiedzialnością. – Rzucam spojrzenie Sarze siedzącej za swoim stołem. – Moim zdaniem, decydując się na trzecie dziecko, jej rodzice działali w najlepszej wierze. Chcieli ratować życie starszej córki, to prawda, jednak jednocześnie wiedzieli, że Anna będzie im bardzo droga, nie tylko jako idealnie zgodny dawca dla Kate, ale także dlatego, że obdarzą ją miłością i będą troszczyć się o nią, jak najlepiej potrafią.

Po tych słowach odwracam się z powrotem do Campbella.

– W pełni rozumiem także, jak doszło do tego, że dla państwa Fitzgerald ratowanie życia Kate stało się sprawą o najwyższym priorytecie. Kiedy się kogoś kocha, jest się gotowym na wszystko, aby tylko zatrzymać tę osobę przy sobie.

Kiedy byłam mała, nieraz budziłam się w środku nocy, mając jeszcze przed oczami najdziwniejsze sny. Śniło mi się, że latam albo że ktoś zamknął mnie na całą noc w fabryce czekolady, albo że jestem królową jakiejś karaibskiej wyspy. Budziłam się z włosami pachnącymi uroczynem czerwonym albo patrząc po sobie, widziałam jeszcze strzępki chmur uczepione rąbków koszuli nocnej – a potem docierało do mnie, że jestem zupełnie gdzie indziej. Próbowałam wrócić do tych cudownych snów, ale nic z tego nie wychodziło; nawet jeśli udało mi się zasnąć ponownie, w mojej głowie tkał się już zupełnie inny sen.

Tej nocy, którą spędziłam z Campbellem, też się obudziłam. Leżałam w jego ramionach, a on jeszcze spał. Przyglądając się mapie jego twarzy, wodziłam wzrokiem od ostrego urwiska podbródka po ciemny krater ucha i z powrotem, ku wąwozom wyżłobionym przez uśmiech wokół ust. A potem zamknęłam oczy i po raz pierwszy w życiu wróciłam do snu, który przed chwilą opuściłam, dokładnie w to samo miejsce, w ten sam moment sennej rzeczywistości.

– Niestety, muszę przyznać – oświadczam przed sądem – że w życiu zdarzają się sytuacje, kiedy trzeba umieć ustąpić, zrezygnować z czegoś.

Kiedy Campbell mnie rzucił, przez cały miesiąc nie wychodziłam z łóżka, chyba że rodzice kazali mi iść do kościoła albo usiąść do wspólnego obiadu. Przestałam myć włosy, a pod oczami porobiły mi się cienie. Teraz każdy mógł odróżnić mnie od Izzy, nawet na pierwszy rzut oka.

W końcu pewnego dnia zebrałam się na odwagę, żeby wstać z łóżka z własnej i nieprzymuszonej woli. Pojechałam do Wheelera. Wałęsałam się w okolicach hangaru dla łodzi, uważając, żeby nie rzucać się w oczy, aż wpadł mi w oko jeden z kolesi z drużyny żeglarskiej. Chłopak został w szkole na letnich kursach. Przyłapałam go, jak wyprowadzał z hangaru lekki sportowy skif. Miał jasne włosy, a Campbell był brunetem. Był krępej budowy, niższy i nie tak szczupły jak on. Oszukałam go, że nie mam jak wrócić do domu, i poprosiłam, żeby mnie podwiózł.

Zanim minęła godzina, pozwoliłam mu się zerżnąć na tylnym siedzeniu jego hondy.

Zrobiłam to dlatego, że pragnęłam, by obcy człowiek starł z mojej skóry zapach Campbella i jego smak z moich warg. Zrobiłam to, ponieważ czułam w sobie przeogromną pustkę i bałam się, że wiatr mnie porwie, jak balon wypełniony helem i uniesie tak wysoko, że nie będzie już można nawet się domyślić, jakiego byłam koloru.

Słyszałam stękanie tego chłopaka, którego imienia nie chciało mi się nawet zapamiętać, czułam w sobie jego pchnięcia i byłam całkowicie pusta, najzupełniej nieobecna. I nagle zrozumiałam, co się dzieje z tymi porwanymi balonami. To są utracone miłości, które wymknęły się z palców; to puste oczy bez wyrazu, które co noc wschodzą na czarnym niebie.

– Kiedy dwa tygodnie temu zlecono mi to zadanie – opowiadam sędziemu – i zaczęłam bliżej poznawać strukturę napięć panujących wewnątrz rodziny państwa Fitzgeraldów, wydawało mi się pewne, że dla dobra Anny usamowolnienie w kwestii zabiegów medycznych jest konieczne. Potem jednak przyłapałam się na tym, że popełniam ten sam błąd co członkowie rodziny: formułuję sądy jedynie na podstawie następstw zdrowotnych, pomijając efekty psychologiczne. Względy medyczne ułatwiają mi zajęcie stanowiska w tej sprawie. Wniosek nasuwa się sam: oddawanie narządów bądź też krwi nie przynosi Annie bezpośredniej korzyści, a jedynie przedłuża życie jej siostry.

Łowię błysk w oku Campbella. Widzę, że jest zaskoczony tą niespodziewaną odsieczą.

– Niestety, podjęcie jednoznacznej decyzji nie jest aż takie proste, z tego powodu, że choć oddanie Kate narządów nie przyniesie korzyści samej Annie i nie leży w jej najlepiej pojętym interesie, to jednak jej rodzina również nie jest zdolna w świadomy sposób zadecydować, czy Anna powinna to zrobić. Gdyby porównać chorobę Kate do pędzącego pociągu bez hamulców, można by powiedzieć, że rodzina państwa Fitzgeraldów żyje od kryzysu do kryzysu, nie starając się znaleźć sposobu, żeby bezpiecznie zatrzymać ten pociąg na stacji. Wykorzystując tę samą analogię, naciski rodziców można porównać do zwrotnicy na torach, co oznacza, że Anna pod żadnym względem nie jest na tyle silna, aby samej decydować o sobie, jeśli wie, czego życzą sobie jej rodzice.

Pies Campbella zrywa się na nogi i zaczyna skamleć. Hałas rozbija tok mojej wypowiedzi; odruchowo odwracam głowę w tamtą stronę. Campbell odpycha od siebie pysk Sędziego, ani na chwilę nie spuszczając ze mnie wzroku.

– Nie widzę w tej rodzinie nikogo, kto byłby zdolny do podjęcia bezstronnej decyzji w kwestiach medycznych dotyczących Anny – szczerze oświadczam sędziemu. – Ani rodzice, ani sama Anna nie sprostają temu zadaniu.

Sędzia DeSalvo spogląda na mnie, marszcząc brwi.

– Pani Romano – pyta – co zatem chce pani doradzić sądowi?

CAMPBELL

Julia nie zawetuje wniosku Anny.

W pierwszej chwili przepełnia mnie niesamowite uczucie: jeszcze nie przegrałem. Nawet zeznanie Julii nie ukręci mojej sprawie łba. Po chwili nachodzi mnie jednak refleksja – Julia szarpie się z tym wszystkim tak samo mocno jak ja i tak samo jak mnie obchodzi ją to, co stanie się z Anną. Różni nas tylko jedna rzecz – ona właśnie obnażyła swoje uczucia przed wszystkimi.

Sędzia jakby czekał na ten moment, żeby zacząć wariować. Chwyta zębami skraj mojej marynarki i zaczyna ciągnąć. Za nic w świecie teraz nie wyjdę. Muszę wysłuchać Julii do końca.

– Pani Romano – pyta DeSalvo – co zatem chce pani doradzić sądowi?

– Nie wiem – odpowiada Julia łagodnie. – Przepraszam. Po raz pierwszy, odkąd pracuję jako kurator procesowy, zdarzyło mi się, że nie potrafię doradzić sędziemu. Wiem, że takie zachowanie jest niedopuszczalne, ale proszę spojrzeć: po jednej stronie tego konfliktu mamy Briana i Sarę Fitzgeraldów, którzy podejmując decyzje dotyczące ich córek, zawsze kierowali się miłością do nich. Nie zmienia tego fakt, że w obecnej chwili te decyzje nie są już dobre dla obu dziewcząt.

Julia spogląda na Annę, która wyprostowała się na krześle i siedzi teraz z dumnie uniesioną głową.

– Z drugiej strony mamy Annę, która po trzynastu latach postanowiła stanąć w obronie swoich praw, chociaż decyzje, które podejmie, dla jej siostry mogą oznaczać śmierć. – Julia potrząsa głową. – Wyrok w tej sprawie musiałby być iście salomonowy, wysoki sądzie. Nie mówimy tutaj jednak o rozcięciu noworodka, ale o rozbiciu całej rodziny.

Czuję, że coś trąca mnie w ramię. Podnoszę rękę, żeby klepnąć psa w pysk, ale w tym momencie dociera do mnie, że to nie Sędzia, tylko Anna.

– Dobra – słyszę jej szept.

Sędzia DeSalvo zwalnia świadka.

– Co dobra? – pytam również szeptem.

– Dobra, złożę zeznanie.

Patrzę na nią z niedowierzaniem. Sędzia piszczy, raz po raz uderzając nosem w moje udo, ale nie wolno mi w tym momencie ryzykować i prosić o przerwę. Anna może zmienić zdanie w ułamku sekundy.

– Jesteś pewna? – pytam, ale Anna, zamiast odpowiedzieć, wstaje. Cała sala zwraca wzrok na nią.

– Panie sędzio – Anna bierze głęboki oddech – chciałabym coś powiedzieć.

ANNA

Opowiem wam o tym, jak pierwszy raz musiałam przygotować samodzielny wykład i wygłosić go przed całą klasą. Byłam wtedy w trzeciej klasie i miałam mówić o kangurach. To są naprawdę ciekawe zwierzaki. Nie chodzi tylko o to, że nie spotyka się ich nigdzie poza Australią, jakby były jakąś ewolucyjną mutacją; kangury mają oczy jeleni i parę bezużytecznych przednich łap, zupełnie jak tyranozaur, ale najbardziej interesująca jest oczywiście torba. Kangurek, kiedy się urodzi, jest malusieńki. Wciska się do maminej torby i mości się w środku, a nieświadoma niczego kangurzyca skacze sobie zadowolona po odludnym australijskim buszu. Sama torba też nie wygląda wcale tak, jak ją rysują w kreskówkach – jest różowa i pomarszczona jak wewnętrzna strona wargi, a do tego pełno w niej różnych ważnych macierzyńskich instalacji. Założę się, że nie wiedzieliście o tym, że kangurzyca może nosić w torbie więcej niż jedno młode. Czasami zdarza się tak, że rodzi się kolejne maleństwo, które siedzi sobie w ciepełku na dnie torby, oblepione śluzem, a jego starsza siostra wchodzi mu swoimi wielkimi stopami na głowę, sadowiąc się powyżej.

Widzicie zatem, że byłam dobrze przygotowana. Za chwilę miałam stanąć przed klasą, już Stephen Scarpinio ustawił na stole nauczycielki swój model lemura z papier mâché, kiedy nagle poczułam, że robi mi się niedobrze. Powiedziałam pani Cuthbert, że jeżeli teraz zacznę moją prezentację, to może być niewesoło.

– Anno – odpowiedziała nauczycielka – powiedz sobie, że czujesz się dobrze. Zobaczysz, że od razu ci ulży.

Więc kiedy Stephen skończył, posłusznie wstałam. Wzięłam głęboki oddech.

– Kangury – zaczęłam – to ssaki z rzędu torbaczy występujące wyłącznie w Australii.

A w następnej chwili trysnęło ze mnie jak z sikawki prosto na czwórkę biednych dzieci, które bardzo pechowo siedziały tego dnia w pierwszym rzędzie.

Do końca roku szkolnego przezywali mnie „kangurzyga". Co jakiś czas któryś z moich rówieśników leciał dokądś z rodzicami samolotem; po jego powrocie zawsze znajdowałam w szafce papierową torebkę przypiętą do mojej kurtki na misiu w taki sposób, żeby wyglądała jak torba u kangura. Wszyscy w całej szkole wytykali mnie palcami. Skończyło się dopiero wtedy, kiedy podczas zawodów na sali gimnastycznej Darren Hong przypadkowo ściągnął spódnicę Orianie Bertheim.

Opowiadam wam o tym po to, żeby było jasne, dlaczego mam ogólną awersję do wygłaszania publicznych przemówień.

Trzeba jednak przyznać, że tutaj, na krześle dla świadka, dopiero jest się czym przejmować. To nie są po prostu nerwy, tak jak uważa Campbell; nie martwi mnie też to, że mogę się zaciąć. Chodzi o to, że boję się powiedzieć za dużo.

Rozglądam się po sali sądowej i widzę mamę za stołem dla obrońcy, widzę tatę, który uśmiecha się do mnie leciuteńko. I nagle tracę wiarę w to, że w ogóle może mi się udać. Przysiadam z powrotem na brzeżku

471

krzesła. Już jestem gotowa przeprosić wszystkich, że zawróciłam im głowę, i uciec stąd jak najdalej, kiedy nagle rzuca mi się w oczy okropny wyraz twarzy Campbella. Mój adwokat jest cały spocony, a źrenice ma wielkości ćwierćdolarówek.

– Anno – pyta – może chcesz napić się wody?

„A ty nie chcesz?" – ciśnie mi się na usta, kiedy na niego patrzę.

Wiem, czego bym chciała. Wrócić do domu. Uciec stąd gdzieś daleko, gdzie nikt by mnie nie znał, i podać się za przybraną córkę potentata rynku pasty do zębów albo za popgwiazdę rodem z Japonii.

Campbell zwraca się do sędziego:

– Czy mogę naradzić się z moją klientką?

– Bardzo proszę – odpowiada sędzia DeSalvo.

Campbell podchodzi więc do płotka ogradzającego krzesło dla świadka i nachyla się do mnie tak nisko, że nikt poza mną nie może go usłyszeć.

– Kiedy byłem mały, kolegowałem się z chłopakiem, który nazywał się Joseph Balz – szepcze. – Wyobraź sobie, co by było, gdyby doktor Neaux wyszła za niego.

No balls. „Nie masz jaj?". Campbell cofa się, zanim jeszcze przestanę się uśmiechać. Może jednak wytrzymam tutaj kilka minut.

Pies Campbella nie może usiedzieć spokojnie; sądząc po jego wyglądzie, to jemu przydałaby się szklanka wody. Nie tylko ja to widzę.

– Panie Alexander – mówi sędzia DeSalvo – proszę uspokoić swojego psa.

– Nie wariuj, Sędzia!

– Co proszę?

Campbell czerwienieje jak burak.

– Mówiłem do psa, wysoki sądzie, zgodnie z pańskim poleceniem.

Po tych słowach zwraca się do mnie:

472

– Powiedz nam, Anno, dlaczego postanowiłaś wnieść pozew do sądu?

Kłamstwo, jak zapewne wiecie, ma własny charakterystyczny smak. Jest gorzkie, staje ością w gardle, a przede wszystkim smakuje niewłaściwie – tak jakby włożyło się do ust nadziewaną czekoladkę, która miała być z toffi, ale okazało się, że jest ze skórką cytrynową.

– Prosiła mnie o to... – wykrztuszam z siebie pierwsze słowa-kamyki, które sprowadzą lawinę.

– Kto cię prosił i o co?

– Mama – odpowiadam, wbijając wzrok w czubki butów Campbella. – O nerkę dla Kate. – Spoglądam w dół, na moją koszulkę, wyciągam z niej nitkę. Myślę o prawdzie, która zaraz się wysnuje z tej plątaniny faktów.

Mniej więcej dwa miesiące temu u Kate stwierdzono niewydolność nerek. Zaczęła się łatwo męczyć, chudła w oczach, zatrzymywała mocz, wymiotowała często i obficie. Przyczyny dopatrywano się w najrozmaitszych rzeczach: w nieprawidłowościach genetycznych, w ubocznym działaniu czynnika pobudzającego kolonizację granulocytów i makrofagów, czyli krótko mówiąc, w zastrzykach z hormonem wzrostu, które Kate dostawała, żeby pobudzić produkcję szpiku kostnego, jak również w urazach po przebytych do tej pory kuracjach. Zaczęto jej robić dializy, żeby oczyścić organizm z toksyn uganiających się po całym krwiobiegu. A potem dializa przestała działać.

Pewnego wieczora, kiedy siedziałyśmy sobie we dwie w naszym pokoju, przyszła do nas mama. Towarzyszył jej tata; na ten widok od razu wiedziałyśmy, że sprawa jest poważna i że nie chodzi o to, kto przypadkiem zostawił odkręcony kran w kuchni.

– Czytałam w Internecie – zaczęła mama – że po typowym przeszczepie organizm dochodzi do siebie o wiele sprawniej niż po przeszczepie szpiku kostnego.

Kate, rzuciwszy mi spojrzenie, włożyła nową płytę do odtwarzacza. Obie dobrze wiedziałyśmy, do czego mama zmierza.

– Nerki nie kupuje się w sklepie – zauważyła.

– Wiem – odpowiedziała mama. – Ale podobno też dawca nerki nie musi mieć zgodności wszystkich sześciu białek układu HLA, wystarczą dwa. Zadzwoniłam do doktora Chance'a z pytaniem, czy ja mogłabym oddać ci nerkę. Powiedział mi, że w normalnym przypadku nie byłoby przeciwwskazań.

Kate bezbłędnie wychwyciła kluczowe słowo.

– W normalnym przypadku?

– Bo twój przypadek nie jest normalny. Doktor Chance uważa, że nerka z banku dawców u ciebie się nie przyjmie, bo twój organizm jest już mocno wyniszczony. – Mama wbiła wzrok w dywan. – Jego zdaniem operacja ma szanse powodzenia tylko wtedy, kiedy dawcą będzie Anna.

Tata potrząsnął głową.

– To oznacza skomplikowaną operację chirurgiczną – powiedział cicho. – Dla obu dziewczynek.

Zaczęłam się nad tym zastanawiać. Czy będę musiała leżeć w szpitalu? Czy będzie bolało? Czy z jedną nerką da się żyć?

A gdybym sama zapadła na niewydolność nerek w wieku, dajmy na to, siedemdziesięciu lat? Czy też mogę wtedy liczyć na narząd do przeszczepu?

Zanim zdążyłam zadać rodzicom którekolwiek z tych pytań, odezwała się Kate:

– Nie chcę o tym nawet słyszeć, rozumiecie? Mam już powyżej uszu szpitala, chemioterapii, naświetlań i w ogóle to wszystko jest do bani. Dajcie mi święty spokój.

Twarz mamy zbielała.

– Proszę bardzo. Chcesz popełnić samobójstwo? Nikt ci tego nie zabrania!

Kate zakryła uszy słuchawkami, ale i tak było słychać muzykę.

– To nie będzie samobójstwo – zwróciła mamie uwagę – bo ja już umieram.

– Czy powiedziałaś komuś, że chcesz skończyć z oddawaniem narządów siostrze? – pyta Campbell. Jego pies wybiega na sam środek sali sądowej.

– Panie Alexander – ostrzega sędzia DeSalvo – za chwilę wezwę woźnego, żeby wyprowadził stąd pańskiego... zwierzaka.

Faktycznie, pies nie daje się opanować. Szczeka, skacze na Campbella przednimi łapami, biega w kółko. Campbell ignoruje wezwania obu sędziów.

– Powiedz nam, czy decyzję o złożeniu pozwu podjęłaś samodzielnie?

Wiem, dlaczego Campbell o to pyta; chce pokazać wszystkim, że jestem zdolna do podejmowania trudnych decyzji. Mam na tę okazję przygotowane kłamstewko, wijące się za zębami jak wąż. Chcę wypuścić węża na wolność, ale wymykają mi się zupełnie inne, niezaplanowane słowa:

– Ktoś mnie do tego tak jakby przekonał.

Nagle czuję na sobie wzrok obojga rodziców; dla nich ta informacja to absolutna nowość. Julia też jest zaskoczona, do tego stopnia, że wyrywa jej się cichy okrzyk. Także Campbell nie spodziewał się takich rewelacji, bo zakrywa dłonią oczy, w bezbronnym geście wyrażającym porażkę. Właśnie dlatego sądzę, że lepiej nic nie mówić; ma się wtedy mniejszą szansę spieprzenia życia sobie i wszystkim dookoła.

– Anno – pyta Campbell – kto cię do tego przekonał?

To krzesło jest dla mnie za duże, tak samo jak cały ten stan i ta samotna planeta. Splatam palce dłoni, tuląc w nich ostatnie uczucie, które udało mi się jeszcze przy sobie zatrzymać – żal.

– Kate – odpowiadam.

W sali sądowej zapada cisza. Zanim zdążę cokolwiek dodać, spada grom z jasnego nieba, który dla mnie wcale nie jest zaskoczeniem; spodziewałam się tego. Kulę się na siedzeniu, ale okazuje się, że łomot, który usłyszałam przed chwilą, to nie była ziemia rozstępująca się pod moimi stopami. To Campbell zwalił się bezwładnie na podłogę. Jego pies stoi tuż obok z zupełnie ludzką, całkiem jednoznaczną miną: „A nie mówiłem?".

BRIAN

Gdyby ktoś wyruszył w podróż kosmiczną i powrócił po trzech latach, okazałoby się, że na Ziemi upłynęło ich czterysta. Choć jestem tylko niedzielnym astronomem, mam jednak przedziwne wrażenie, że powróciłem z podróży na planetę, gdzie wszystko jest całkiem bez sensu. Wydawało mi się, że rozmawiając z Jessem, słuchałem go uważnie, okazuje się jednak, że wcale go nie słuchałem. Anny słuchałem naprawdę, a mimo to coś mi umknęło. Obracam w myślach te kilka zdań, które wypowiedziała moja córka, i szukam w nich sensu, sposobem starożytnych Greków, którzy patrząc w niebo i widząc na nim pięć jasnych kropek, potrafili dostrzec w tym kształcie kontur kobiecego ciała.

I wtedy spływa na mnie olśnienie: szukam sensu nie tam, gdzie trzeba. Na przykład Aborygeni kierowali wzrok pomiędzy konstelacje opisane przez Greków i Rzymian, wprost na czarną powłokę nieba, i potrafili dostrzec emu schowanego pod Krzyżem Południa, tam gdzie nie ma ani jednej gwiazdy. Ciemność kryje równie wiele historii co kręgi światła.

O tym właśnie myślę, patrząc na adwokata mojej córki powalonego na podłogę sali sądowej nagłym atakiem epilepsji.

ABC ratownictwa: udrożnić drogi oddechowe, zapewnić oddech zastępczy, przywrócić krążenie. Kiedy następuje *grand mal*, duży napad padaczkowy, to właśnie drożność dróg oddechowych jest najważniejsza. Przeskakuję przez barierkę i podbiegam do Campbella Alexandra. Psa, który stoi nad wstrząsanym drgawkami ciałem swojego pana jak strażnik, muszę odepchnąć siłą. Chory wchodzi w fazę toniczną ataku: z jego piersi wyrywa się okrzyk, jakby wypchnięty skurczem mięśni, a ciało sztywnieje. Po chwili rozpoczyna się faza kloniczna – mięśnie raz po raz kurczą się i rozkurczają, bez żadnej koordynacji. Odwracam adwokata na bok, na wypadek gdyby miał zwymiotować, i rozglądam się za czymś, co mógłbym mu włożyć między zęby. Jeśli tego nie zrobię, może odgryźć sobie język. I wtedy dzieje się rzecz niezwykła: pies przewraca teczkę swojego pana i wyciąga z niej coś, co wygląda jak gumowa kość. Ale to nie jest zwierzęca zabawka, tylko prawdziwy klocek dla chorych na padaczkę; pies upuszcza go na moją dłoń. Z bardzo daleka dobiega mnie głos sędziego, wydającego polecenie opróżnienia sali sądowej. Wołam Verna i każę mu wezwać pogotowie.

W następnej chwili Julia przyklęka obok mnie.

– Czy to coś poważnego?

– Zwykły napad padaczkowy. Wyjdzie z tego.

Julia wygląda tak, jakby miała się zaraz rozpłakać.

– Nie można nic zrobić?

– Można – odpowiadam. – Przeczekać.

Julia wyciąga rękę, żeby dotknąć Campbella, ale nie pozwalam jej na to.

– Nie wiem, jak mogło do tego dojść – mówi.

A ja nie jestem pewien, czy sam Campbell to wie. Jedno mogę powiedzieć: pewne zjawiska nie wynikają z wyraźnego następstwa zdarzeń.

Dwa tysiące lat temu nocne niebo wyglądało zupełnie inaczej. Wychodzi na to, że w dzisiejszych czasach koncepcje starożytnych Greków dotyczące znaków zodiaku i ich wpływu na losy człowieka są już mocno nieaktualne. Zjawisko to nazywa się recesją: w tamtych czasach Słońce nie wschodziło w znaku Byka, tylko w znaku Bliźniąt, a kto urodził się dwudziestego czwartego września, nie był spod Wagi, tylko spod Panny. Znano też trzynasty gwiazdozbiór zodiaku, Wężownika, widocznego pomiędzy Strzelcem i Skorpionem tylko przez cztery dni w ciągu całego roku.

Dlaczego teraz wszystko się popsuło? Bo oś Ziemi wykazuje precesję. W życiu próżno szukać rzeczy trwałych, niezmiennych.

Campbell Alexander wymiotuje na podłogę sali sądowej. Przychodzi do siebie, kaszląc gwałtownie, w gabinecie sędziego.

– Tylko spokojnie. – Pomagam mu usiąść. – Było ciężko.

Adwokat ściska głowę dłońmi.

– Co się stało?

Amnezja, sprzed napadu i po nim. Zwykła rzecz.

– Straciłeś przytomność. Wyglądało to na duży napad padaczkowy.

Alexander spogląda na kroplówkę, którą mu założyliśmy razem z Cezarem.

– To mi niepotrzebne.

– Nie udawaj głupka – karcę go. – Bez środków przeciwpadaczkowych za chwilę z powrotem wylądujesz na podłodze.

Campbell poddaje się. Opada na kanapę i wbija wzrok w sufit.

– Było bardzo źle?

– Nie najlepiej – przyznaję.

Adwokat klepie po łbie swojego psa, Sędziego, który nie odstąpił go ani na krok.

– Dobrze się spisałeś. Przepraszam, że nie chciałem cię słuchać.

Spogląda w dół, na swoje spodnie, mokre i cuchnące, co także jest naturalne w przypadku silnego ataku epilepsji.

– No to przesrane – zaciska zęby.

– Prawie – zgadzam się z nim, podając mu parę spodni od jednego z moich zapasowych mundurów; poprosiłem chłopaków, żeby przywieźli mi je do sądu. – Pomóc ci?

Alexander potrząsa głową, próbując zsunąć z siebie spodnie jedną ręką. Sięgam bez słowa do zamka błyskawicznego, rozpinam go, pomagam mu się przebrać. Nie myślę o tym, co robię; dokładnie w taki sam sposób rozpinam koszulę kobiety, której trzeba zrobić masaż serca. Ale i tak wiem, że dla Campbella to bardzo ciężki cios. Adwokat dziękuje mi, zapinając rozporek z wielkim wysiłkiem, ale samodzielnie. Przez chwilę siedzimy w milczeniu.

– Sędzia to widział? – pyta w końcu. Milczę. Campbell kryje twarz w dłoniach. – Boże jedyny... Na oczach całej sali?

– Jak długo się z tym ukrywasz?

– Od samego początku. Miałem osiemnaście lat. Wypadek samochodowy. Wtedy się zaczęło.

– Uraz głowy?

Campbell przytakuje.

– Tak powiedzieli lekarze.

Ściskam dłonie pomiędzy kolanami.

– Anna mocno się wystraszyła.

Adwokat pociera czoło.

– Anna... składała zeznanie.

– Tak. – Kiwam głową. – No właśnie.

480

Campbell podnosi na mnie wzrok.

– Muszę tam wrócić.

– Nie w tej chwili – rozlega się głos Julii Romano. Odwracamy się obaj. Julia stoi w progu, wpatrując się w Campbella takim wzrokiem, jakby widziała go po raz pierwszy w życiu. Bogiem a prawdą, coś w tym jest; nie sądzę, żeby miała do tej pory okazję oglądać go w takiej sytuacji.

– To ja pójdę... sprawdzić, czy chłopcy napisali już raport – mamroczę pod nosem i wychodzę, zostawiając ich samych.

Nie zawsze wszystko jest takie, na jakie wygląda. Niektóre gwiazdy, na przykład, wyglądają jak jaśniejące dziury w szacie nocy i dopiero pod mikroskopem widać wyraźnie, że to wcale nie jest pojedyncze ciało niebieskie, ale gromada kulista – milion gwiazd, które w naszych oczach są jednością. Zdarzają się też mniej drastyczne przypadki, jak Alfa Centauri; przy powiększeniu można stwierdzić, że jest to ścisły układ gwiazdy podwójnej i czerwonego karła.

W Afryce żyje szczep tubylców, którzy mają wśród swoich podań opowieść o tym, że życie przyszło na Ziemię z drugiej gwiazdy Alfy Centauri, tej, którą można zobaczyć tylko przez supermocny teleskop w naukowym obserwatorium. Zastanawiający jest również fakt, że zarówno Grecy, jak i Aborygeni oraz Indianie z Wielkich Równin, chociaż żyli na różnych kontynentach, to patrząc w niebo, w ciasno zbitej gromadzie Plejad, które dla nieuzbrojonego oka są jedną jasną plamką, widzieli siedem młodych dziewcząt umykających przed niebezpieczeństwem.

Możecie o tym myśleć, co wam się podoba.

CAMPBELL

Po dużym napadzie padaczkowym człowiek czuje się jak student po ciężkiej balandze, który obudził się na chodniku skacowany prawie na śmierć i zaraz potem wpadł pod ciężarówkę. To jedyne trafne porównanie, które przychodzi mi do głowy. Chociaż nie, właściwie to atak chyba jest gorszy. Leżę na kanapie, cały zapaskudzony własnymi wydzielinami, w żyle mam igłę z rurką i czuję się jak siedem nieszczęść. Takiego widzi mnie Julia, która właśnie weszła do gabinetu.

– Sędzia to mój strażnik. Sygnalizuje napady padaczkowe – odzywam się.

– Co ty powiesz. – Julia wyciąga dłoń, żeby pies mógł ją obwąchać. – Mogę się przysiąść? – Wskazuje na kanapę, na której leżę.

– To nie jest zaraźliwe, jeśli o to ci chodzi.

– Wcale nie o to. – Julia siada tak blisko mnie, że czuję wyraźnie ciepło jej ciała, od którego dzielą mnie centymetry. – Dlaczego mi o tym nie powiedziałeś?

– Nie wygłupiaj się. Nawet moi rodzice o niczym nie wiedzą. – Wyciągam szyję, patrząc w kierunku drzwi. – Gdzie jest Anna?

– Od jak dawna to trwa?

Usiłuję się podnieść. Udaje mi się dźwignąć ciało o cały centymetr, zanim opuszczą mnie wszystkie siły.

– Muszę tam wrócić.

– Campbell...

Wzdycham z rezygnacją.

– Od jakiegoś czasu.

– Co to znaczy „od jakiegoś czasu"? Od tygodnia, dwóch?

Potrząsam głową.

– „Od jakiegoś czasu" to znaczy, że zaczęło się dwa dni przed rozdaniem świadectw u Wheelera. – Podnoszę na nią wzrok. – Tego dnia, kiedy odwiozłem cię do domu, myślałem tylko o jednym: być z tobą. Rodzice powiedzieli, że muszę być na tej debilnej kolacji w klubie. Pojechałem za nimi własnym samochodem, żeby móc prysnąć i przyjechać do ciebie jeszcze tego samego dnia. Ale w drodze do klubu miałem wypadek. Wywinąłem się kilkoma siniakami. W nocy przyszedł pierwszy atak. Robili mi tomografię ze trzydzieści razy i nic, żaden lekarz nie potrafił mi powiedzieć, dlaczego tak się dzieje. Wszyscy natomiast byli zgodni co do jednej kwestii – zostanie mi to już do końca życia. – Biorę głęboki oddech. – Dlatego postanowiłem, że nikt inny nie będzie musiał tego znosić.

– Co?

– A co chciałaś usłyszeć? Czym zasłużyłaś sobie na to, żeby spędzić życie w towarzystwie wariata, który w każdej chwili może zwalić się na dywan, tocząc pianę z pyska?

Julia nieruchomieje.

– Mogłeś pozwolić mi samej o tym zadecydować.

– Czy to ważne, kto by o tym zadecydował? Już to widzę, byłabyś wielce szczęśliwa, pilnując mnie jak mój Sędzia, sprzątając po mnie, żyjąc w cieniu mojej choroby. – Potrząsam głową. – Byłaś tak niesamowicie niezależna. Byłaś swobodnym duchem. Nie mogłem ci tego odebrać.

– Gdybyś dał mi wybór, to pewnie przez ostatnich piętnaście lat nie roztrząsałabym, co jest ze mną nie tak?

– Z tobą? – Parskam śmiechem. – Spójrz na siebie. Wyglądasz bombowo. Przewyższasz mnie inteligencją. Robisz karierę, masz rodzinę, u której możesz szukać wsparcia, i przypuszczalnie nawet wiesz, jak prowadzić budżet domowy.

– I jestem samotna, Campbell – dodaje Julia. – Jak ci się wydaje, dlaczego musiałam się nauczyć niezależności? Też mam porywczy temperament, w łóżku zawsze zabieram całą kołdrę, a palce u nóg mam nierównej długości. Włosy mi rosną, jak chcą. Do tego przed okresem regularnie dostaję świra. Ludzi nie kocha się za to, że są doskonali, tylko pomimo to, że tacy nie są.

Nie wiem, co mam jej odpowiedzieć. Czuję się tak, jakby teraz, po trzydziestu pięciu latach spoglądania w niebo, ktoś mi powiedział, że nie jest błękitne, tylko bardziej zielonkawe.

– Jeszcze jedno – dodaje Julia. – Tym razem mnie nie zostawisz. To ja zostawię ciebie.

Gdyby to było możliwe, pewnie poczułbym się jeszcze gorzej, słysząc od niej te słowa. Staram się trzymać fason i udawać, że to wcale nie boli, ale nie mam na to siły.

– Dobrze – zaciskam zęby. – Odejdź.

Julia pochyla się nade mną.

– Odejdę – mówi. – Za jakieś pięćdziesiąt albo sześćdziesiąt lat.

ANNA

Pukam do drzwi męskiej toalety i odczekawszy chwilę, wchodzę do środka. Całą długość jednej ściany zajmuje obrzydliwy pisuar. Po drugiej stronie są umywalki. W jednej z nich myje ręce Campbell. Ma na sobie spodnie mundurowe mojego taty. Wygląda teraz całkiem inaczej, jakby ktoś zamazał wszystkie proste, ostre linie w rysunku jego twarzy.

– Julia powiedziała, że chciałeś się ze mną spotkać i że mam cię szukać tutaj – mówię do niego.

– Zgadza się. Musimy porozmawiać na osobności. Pech w tym, że wszystkie sale konferencyjne są na piętrze, a twój ojciec radził mi jeszcze przez chwilę nie pokazywać się ludziom na oczy. – Campbell wyciera ręce. – Przepraszam za to, co się stało.

Nie wiem nawet, co mu odpowiedzieć, żeby zabrzmiało to przyzwoicie. Przygryzam dolną wargę.

– To dlatego nie pozwalałeś mi głaskać swojego psa?

– Tak.

– Skąd Sędzia wie, co trzeba robić?

Campbell wzrusza ramionami.

– Podobno chodzi o zapach albo o elektryczne impulsy czy też aurę – pies wyczuwa to o wiele szybciej niż człowiek. Ale ja i tak myślę, że Sędzia po prostu bardzo dobrze mnie zna. I nawzajem. – Poklepuje psa po szyi. – Odciąga mnie w jakieś bezpieczne miejsce, zanim dojdzie do napadu. Zwykle mam w zapasie około dwudziestu minut.

– Aha.

Nagle czuję, że jestem speszona. Co prawda widziałam Kate, kiedy była bardzo, ale to bardzo chora, ale to jednak co innego. Po Campbellu czegoś takiego się nie spodziewałam.

– To dlatego przyjąłeś moją sprawę?

– Bo miałem nadzieję, że uda mi się dostać ataku na oczach wszystkich? Zapewniam cię, że nie.

– Nie o to mi chodzi. – Odwracam wzrok. – Bo wiedziałeś, co czuje człowiek, który nie ma kontroli nad własnym ciałem.

– Możliwe – odpowiada Campbell po namyśle – ale gałki w drzwiach też domagały się czyszczenia.

Jeżeli chciał mnie tym rozluźnić, to marnie mu poszło.

– Mówiłam ci, że to nie jest najlepszy pomysł, żebym składała zeznanie.

Campbell kładzie mi ręce na ramionach.

– Daj spokój. Skoro ja mogę wrócić na salę sądową po tym kinie, które tam odstawiłem, to i ty możesz odpowiedzieć jeszcze na parę pytań, choćbyś siedziała na gwoździach.

No i jak mogę oprzeć się takiej logice? Wracam z Campbellem na salę, która jest już zupełnie inna niż godzinę temu. Mój adwokat podchodzi do stołu sędziowskiego, odprowadzany spojrzeniami wszystkich zgromadzonych, którzy patrzą na niego jak na tykającą bombę.

– Bardzo przepraszam za to, co zaszło, panie sędzio – zwraca się do wysokiego sądu. – Człowiek zrobi wszystko, żeby urwać się z roboty, choćby na dziesięć minut, prawda?

Jak on może żartować sobie z czegoś takiego? Nagle doznaję olśnienia – przecież Kate zachowuje się tak samo. Widocznie dodatkowa dawka humoru to dar, który dostaje się od Boga razem z kalectwem, chorobą albo inną ułomnością, dar, który pomaga nieść ten ciężar.

– Może odłożymy postępowanie do jutra? – proponuje sędzia DeSalvo.

– Dziękuję, już wszystko w porządku. Zresztą zależy mi na tym, żeby dotrzeć do sedna sprawy. – Campbell zwraca się do protokolantki: – Czy może pani... odświeżyć mi pamięć?

Maszynistka odczytuje zapis przesłuchania. Campbell kiwa głową, ale zachowuje się tak, jakby wszystkie moje słowa słyszał teraz po raz pierwszy, powtarzane mechanicznie z kartki.

– Dobrze. Zatem, Anno, powiedziałaś, że to Kate poprosiła cię, abyś złożyła wniosek w sądzie, domagając się usamowolnienia?

Ponownie kulę się na krześle.

– To niezupełnie było tak.

– Możesz to wyjaśnić?

– Kate nie prosiła mnie, żebym poszła z tym do sądu.

– O co więc cię prosiła?

Ukradkiem spoglądam na mamę. Ona o tym wie; musi wiedzieć. Nie zmuszajcie mnie do tego, żebym powiedziała to na głos.

– Anno – nalega Campbell – o co prosiła cię Kate?

Potrząsam głową, zaciskając mocno usta. Sędzia DeSalvo pochyla się ku mnie nad blatem swojego stołu.

– Tego pytania nie można pozostawić bez odpowiedzi.

– W porządku. – Czuję, jak tama pęka. Wzbiera we mnie wściekła rzeka prawdy. – Prosiła mnie, żebym ją zabiła.

Na początku zdziwiło mnie to, że nie mogłam się dostać do naszego pokoju. W drzwiach nie było zamka, co oznaczało, że Kate musiała albo zastawić je jakimś meblem, albo czymś zaklinować.

– Kate! – krzyczałam, dobijając się do drzwi. Waliłam mocno pięściami, bo właśnie wróciłam z treningu, byłam spocona, obrzydliwie nieświeża i chciałam się wykąpać i zmienić ciuchy. – Kate, to nie w porządku.

Narobiłam tyle hałasu, że w końcu raczyła otworzyć. I wtedy znów coś mnie tknęło; pokój był jakiś inny niż zazwyczaj. Rozejrzałam się po kątach, ale na pierwszy rzut oka wszystko było na swoim miejscu, w każdym razie, co najważniejsze, nikt nie grzebał w moich rzeczach. Kate jednak wyglądała tak, jakby miała coś na sumieniu.

– Co z tobą? – zapytałam, idąc do łazienki. Odkręciłam kran pod prysznicem i wtedy poczułam ten zapach, słodki i złowieszczy, ostrą alkoholową woń, która bardzo mocno kojarzyła mi się z pokojem Jessego. Zaczęłam szperać po szafkach i unosić ręczniki, szukając dowodów wyskoku Kate – nie kojarzcie z napojem wyskokowym, tak mi się tylko powiedziało – i w końcu znalazłam do połowy opróżnioną butelczynę whisky ukrytą za pudełkiem tamponów.

– Co my tu mamy... – Wzięłam butelkę do ręki i wróciłam do pokoju, trzymając ją w palcach, ciesząc się na myśl o wspaniałych możliwościach szantażu, jakie nagle się przede mną otworzyły. Kate leżała na łóżku, a w ręku miała tabletki.

– Co ty wyprawiasz?

– Daj mi spokój. – Kate przewróciła się na drugi bok.

– Zwariowałaś?

– Nie – odpowiedziała. – Po prostu mam już dość czekania na to, co i tak musi w końcu nadejść. Nie sądzisz, że starczy już tego paprania wszystkim życia? Szesnaście lat to wystarczająco długo.

– Wszyscy robili, co mogli, żeby utrzymać cię przy życiu. Nie możesz teraz się zabić.

Zupełnie nagle, bez ostrzeżenia, Kate zaczęła płakać.

– Nie mogę. Wiem o tym.

Upłynęło dobrych kilka chwil, zanim zrozumiałam, co to miało znaczyć. Ona już próbowała.

Mama podnosi się z miejsca, powoli.

– To nieprawda. – Jej głos jest napięty do granic możliwości jak struna. – Nie rozumiem, jak mogłaś powiedzieć coś takiego.

Moje oczy wzbierają łzami.

– A w jakim celu miałabym to wymyślić?

Mama podchodzi bliżej.

– Może źle ją usłyszałaś. Może Kate miała wtedy zły dzień, może zaczęła histeryzować. – Na jej twarzy pojawia się wymuszony uśmiech, który świadczy tylko o tym, że tak naprawdę chce jej się płakać. – Wiesz, dlaczego tak myślę? Dlatego że gdyby Kate czymś się martwiła, to na pewno by mi o tym powiedziała.

– Nie mogła ci o tym powiedzieć. – Potrząsam głową.

– Bała się, że gdyby się zabiła, ty też byś umarła. – Nie mogę złapać oddechu. Tonę w smole; coś odrywa mnie od ziemi w pełnym biegu, tracę oparcie. Campbell prosi wysoki sąd o kilka minut przerwy, żebym mogła dojść do siebie. Nie słyszę odpowiedzi sędziego, mój płacz ją zagłusza. – Nie chcę, żeby Kate umarła, ale wiem, że ona nie chce już dłużej żyć w ten sposób. Ja mogę spełnić to, czego ona pragnie. – Nie odrywam wzroku od mamy, chociaż jej sylwetka rozpływa mi się w oczach. – Wszystko to, czego chciała, zawsze dostawała ode mnie.

Problem powrócił po rozmowie z mamą i tatą na temat przeszczepu nerki.

– Nie rób tego – powiedziała Kate, kiedy rodzice wyszli.

Przyjrzałam jej się.

– O czym ty gadasz? Oczywiście, że to zrobię.

Kiedy rozbierałyśmy się do spania, zauważyłam, że wyjęłyśmy dziś z bieliźniarki takie same piżamy, z lśniącego atłasu ze wzorkiem w wisienki. Kładąc się do łóżka, pomyślałam, że wyglądamy teraz tak jak w dzieciństwie, kiedy rodzice ubierali nas identycznie, bo myśleli, że to takie fajne.

– Myślisz, że się uda? – zapytałam Kate. – Ten przeszczep nerki?

Kate spojrzała na mnie.

– Być może – odpowiedziała. Wychyliła się z łóżka i zamarła z ręką na wyłączniku światła. – Nie rób tego – powtórzyła, a ja dopiero teraz, za drugim razem, zrozumiałam, co tak naprawdę chciała powiedzieć.

Mama stoi tuż przede mną, a w jej oczach odbijają się wszystkie błędy, które popełniła. Tata podchodzi do niej, obejmuje za ramiona.

– Chodź, usiądź – szepcze, dotykając ustami jej włosów.

– Wysoki sądzie – Campbell wstaje z miejsca – czy mogę?

Podchodzi do mnie. Sędzia kroczy u jego boku. Jest cały rozdygotany, tak samo jak ja. Przypominam sobie, jak ten pies zachowywał się godzinę temu. Skąd miał taką pewność, czego potrzebuje jego pan? Skąd wiedział, w której chwili potrzeba mu tego najbardziej?

– Anno, czy kochasz swoją siostrę?

– Oczywiście.

– A mimo to zgodziłaś się poczynić kroki, które mogą doprowadzić do jej śmierci?

W mojej głowie nagle coś wybucha.

– Zrobiłam to dlatego, żeby ona nie musiała znów przechodzić przez to samo. Wydawało mi się, że ona tego właśnie chce.

Campbell milknie, a ja w tym momencie rozumiem, że on już wie.

Nagle coś we mnie pęka.

– A ja... Ja też tego chciałam.

Stałyśmy przy kuchennym zlewie, myjąc i wycierając naczynia.

– Nie znosisz szpitali – powiedziała Kate.

– Ba – mruknęłam, odkładając do szuflady umyte łyżki i widelce.

– Wiem, że zrobiłabyś wszystko, żeby nigdy już tam nie wrócić.

Zerknęłam na nią.

– No pewnie. Przestanę tam chodzić, jak wyzdrowiejesz.

– Albo umrę. – Kate zanurzyła ręce w wodzie z płynem do mycia naczyń, starannie unikając mojego wzroku. – Pomyśl tylko: mogłabyś jeździć na każdy obóz hokejowy. Studiować za granicą. Mogłabyś robić, co tylko zechcesz, i nie martwić się o mnie.

Wyciągnęła mi te marzenia prosto z głowy, a ja poczułam, że czerwienię się ze wstydu. Jak w ogóle mogłam myśleć o czymś takim? Jeśli Kate miała wyrzuty sumienia, że jest dla kogoś ciężarem, mnie serce bolało dwa razy bardziej, ponieważ o nich wiedziałam. I dodatkowo dlatego, że znałam własne myśli.

Nie zamieniłyśmy już ani słowa. Wycierałam wszystko, co Kate mi podała. Obie starałyśmy się ukryć przed sobą, że znamy prawdę, prawdę o mnie, która całym sercem chciałam, żeby Kate żyła, a jednocześnie gdzieś na dnie tego serca hołubiłam potworne pragnienie wolności.

Wszyscy już wiedzą, wszyscy to widzą: jestem potworem. Powodów, dla których rozpoczęłam ten proces, było wiele; z niektórych jestem dumna, z większości nie. Teraz Campbell zrozumie, dlaczego nie nadaję się na świadka. Nie chodziło o to, że boję się publicznych wystąpień, ale o to, że żywię w sobie wszystkie te straszliwe uczucia, które są czasem aż nazbyt okropne, żeby o nich mówić. Bo jak mogę powiedzieć na głos, że chcę, żeby Kate żyła, ale równie mocno pragnę być sobą, a nie częścią jej? Że chcę dostać szansę, aby dorosnąć, nawet jeśli ona takiej szansy nie dostanie? Że śmierć Kate byłaby najgorszą rzeczą w moim życiu... i jednocześnie najlepszą.

Że czasami, kiedy zastanawiam się nad tym wszystkim, brzydzę się swoimi uczynkami i chcę być znów tą osobą, którą byłam, która spełniała pokładane w niej nadzieje.

Cała sala patrzy na mnie. Za chwilę, czuję to wyraźnie, krzesło dla świadka albo ja sama, a może i to, i to, zapadną się w sobie, implodują. Siedzę tutaj jak pod lupą, każdy może dokładnie obejrzeć sobie moje zgniłe wnętrze i czarne serce. Jeżeli dalej tak będą na mnie patrzeć, to niewykluczone, że stanę w płomieniach i wyparuję w obłoku sinego, gryzącego dymu. Może nie zostanie po mnie nawet najmniejszy ślad.

– Anno, co przekonało cię o tym, że Kate chce umrzeć? – pyta cicho Campbell.

– Powiedziała, że jest gotowa.

Campbell podchodzi coraz bliżej, aż staje przede mną.

– Czy uważasz za możliwe, że z tego samego powodu Kate poprosiła cię o pomoc?

Powoli podnoszę wzrok. Z wahaniem odpakowuję ten prezent, który Campbell właśnie mi wręczył. A jeśli Kate pragnęła śmierci po to, żebym ja mogła żyć? Jeśli chciała zrobić dla mnie to samo, co ja robiłam dla niej przez te wszystkie lata, kiedy ratowałam jej życie?

– Czy powiedziałaś Kate, że postanowiłaś przestać służyć jej jako dawczyni narządów?

– Tak – odpowiadam szeptem.

– Kiedy?

– Ostatniej nocy, zanim przyszłam do twojego biura.

– Co odpowiedziała twoja siostra?

Aż do tej chwili nie myślałam o tym, ale tym pytaniem Campbell pobudził moją pamięć. Moja siostra zamilkła. Leżała tak cicho, że już zaczęłam myśleć, że zasnęła, ale ona nagle odwróciła się do mnie. W oczach miała nieskończoną tkliwość, a jej twarz była pęknięta na pół wzdłuż linii uśmiechu.

Podnoszę wzrok na Campbella.

– Powiedziała, że mi dziękuje.

SARA

Sędzia DeSalvo wpada na pomysł, żeby przenieść sprawę „w teren". Proponuje wszystkim odwiedziny w szpitalu. Kiedy wchodzimy do jej pokoju, Kate siedzi na łóżku, patrząc nieobecnym wzrokiem w telewizor. Towarzyszy jej Jesse, zmieniając pilotem kanały. Moja córka jest przytomna, choć wychudzona, a jej skóra ma żółtawy odcień.

– Blaszany drwal – pyta Jesse – czy strach na wróble?

– Ze stracha na wróble wytrzęsą w ringu słomę. – Kate się marszczy. – Chynna z WWF czy Łowca Krokodyli?

Jesse parska śmiechem.

– Łowca. WWF to lipa z chrzanem. Wszyscy o tym wiedzą. – Spogląda na siostrę. – Gandhi czy Martin Luther King?

– Nie podpiszą zgody.

– To są „Gwiazdy w ringu", malutka – zwraca jej uwagę Jesse. – To Fox, a nie CNN. Myślisz, że będą zawracać sobie głowę formalnościami?

Kate błyska zębami w uśmiechu.

– Jeden usiądzie na ringu po turecku, a drugi odmówi nałożenia ochraniacza na zęby.

Akurat w tym momencie wchodzę do pokoju.

– Cześć, mamo. – Kate macha do mnie. – Oglądamy teleturniej „Gwiazdy w ringu". Powiedz, kto by wygrał pojedynek bokserski: Marcia Brady czy Jan Brady?

Dopiero po chwili dociera do niej, że nie przyszłam sama. Przez drzwi do małego pokoiku przenikają powoli kolejne osoby. Kate podciąga kołdrę pod samą brodę, a jej oczy robią się coraz szersze. Patrzy na Annę, ale siostra unika jej wzroku.

– Co się dzieje? – pyta Kate.

Sędzia występuje naprzód, biorąc mnie pod rękę.

– Saro, wiem, że chcesz porozmawiać z córką, ale to ja mam teraz pierwszeństwo. – Podchodzi do łóżka, wyciągając dłoń. – Witaj, Kate. Jestem sędzia DeSalvo. Zgodzisz się porozmawiać ze mną przez chwilę? W cztery oczy – dodaje. Pokój pustoszeje, wszyscy wychodzą na korytarz.

Ja jestem ostatnia. Patrzę, jak Kate osuwa się na poduszki, nagle opadła z sił.

– Miałam przeczucie, że pan przyjdzie – mówi sędziemu.

– Dlaczego?

– Bo ja już tak mam: przed niczym nie mogę uciec – odpowiada Kate.

Mniej więcej pięć lat temu dom po drugiej stronie ulicy, zaraz naprzeciwko naszego, został sprzedany. Nowi właściciele chcieli tam wybudować zupełnie nowy dom, toteż zburzyli stary. Wystarczył do tego jeden buldożer i kilka pojemników na gruz. Ekipa przyjechała pewnego ranka i zanim wybiło południe, z tego budynku, na który codziennie patrzyliśmy, wychodząc na dwór, zostało tylko rumowisko. Można by pomyśleć, że dom ma stać tam, gdzie stoi, po wsze czasy, ale prawda jest inna. Wystarczy silny wiatr albo ciężka stalowa kula do wyburzania i już go nie ma. Podobnie rzecz ma się z rodziną, która tam zamieszkuje.

Dziś już z trudem sobie przypominam, jak wyglądał tamten stary dom. Kiedy wychodzę na ulicę, nigdy nie wracam pamięcią do tych miesięcy, kiedy parcela naprzeciwko świeciła pustką, jak dziura po wyrwanym zębie. Trochę to trwało, ale nowi właściciele w końcu wypełnili ją nowym domem.

Sędzia DeSalvo wychodzi od Kate zatroskany, z ponurą miną. Campbell, Brian i ja zrywamy się na równe nogi.

– Zamknięcie sprawy jutro – słyszymy. – O dziewiątej rano. – Skinąwszy na Verna, sędzia oddala się korytarzem.

– Idziemy – zarządza Julia. – Nie masz wyjścia, musisz zdać się na moją łaskę i opiekuńczość.

– Tak się nie mówi – odpowiada Campbell i zamiast pójść za nią, przystaje przede mną. – Współczuję ci – odzywa się, a po chwili dorzuca: – Odwieziesz Annę do domu?

Kiedy tylko Julia i Campbell znikają za rogiem, Anna zwraca się do mnie:

– Muszę zobaczyć się z Kate.

Obejmuję ją.

– Oczywiście. Nikt ci tego nie zabroni.

Wchodzimy do środka, tylko my i dzieci. Anna przysiada na brzegu łóżka siostry.

– Hej – mruczy Kate, uchylając powieki.

Anna potrząsa głową. Upływa długa chwila, zanim udaje jej się znaleźć właściwe słowa.

– Zrobiłam, co mogłam – mówi w końcu głosem łamiącym się jak suche gałązki. Kate ściska jej dłoń.

Jesse przysiada z drugiej strony. Widok całej trójki w jednym miejscu przypomina mi wspólne zdjęcia, które robiliśmy im raz na rok, zawsze w październiku. Sadzaliśmy nasze dzieciaki według wzrostu na gałęzi starego klonu albo na kamiennym murku i uwiecznialiśmy jedną chwilę z ich życia, żeby nie zapomnieć, jak wyglądały.

– Alf czy Mr. Ed? – pyta Jesse.

Kate uśmiecha się.

– Pan koń. W ósmej rundzie.

– Zakład stoi.

Brian podchodzi do łóżka i całuje Kate w czoło.

– Śpij dobrze, kochanie. Prześpij całą noc. – Kiedy Anna i Jesse wychodzą na korytarz, Brian całuje na do widzenia także mnie. – Zadzwoń – szepcze mi do ucha.

A potem, kiedy zostajemy już całkiem same, siadam na łóżku mojej córki. Jej ręce są tak szczupłe, że przy każdym ruchu widać kości przesuwające się pod skórą. Jej oczy wydają się starsze od moich.

– Chyba chcesz mnie o coś zapytać – odzywa się Kate.

– Może później – odpowiadam, dziwiąc się sobie. Kładę się obok i biorę ją w ramiona.

Zaczynam rozumieć, że dzieci nie można „mieć". Dzieci się otrzymuje, czasem na czas krótszy, niż można się było spodziewać, krótszy niż wszelkie nadzieje i oczekiwania. Ale to i tak jest lepsze, niż nigdy nie mieć dzieci.

– Przepraszam cię, Kate.

Moja córka odsuwa się lekko, żeby spojrzeć mi w oczy.

– Nie przepraszaj – mówi z żarem – bo nie masz za co. – Usiłuje się uśmiechnąć, widzę, jak walczy o to ze wszystkich sił. – Dobrze nam było, mamo, co?

Przygryzam wargę, a do oczu napływają mi łzy.

– Najlepiej na świecie – odpowiadam.

Tak, bracie, płomień spędza się płomieniem,
Ból dawny nowym leczy się cierpieniem (...)
William Szekspir, „Romeo i Julia"

CAMPBELL

Pada deszcz.

Wchodzę do dużego pokoju i przyglądam się Sędziemu, który siedzi z nosem przyciśniętym do olbrzymiej szyby zajmującej całą ścianę mojego mieszkania. Pies skamle, wodząc wzrokiem za kropelkami wody spływającymi zygzakiem po szkle.

– Nie możesz ich złapać. – Klepię go po głowie. – Są po drugiej stronie.

Siadam obok niego na dywaniku, chociaż wiem, że zaraz muszę wstać, ubrać się i jechać do sądu, mimo że w tej chwili powinienem przeglądać i poprawiać moją mowę końcową, a nie leniuchować na podłodze w towarzystwie psa. Nic na to nie poradzę: ten deszcz mnie hipnotyzuje. Kiedy jeździłem z ojcem jego jaguarem, zawsze siadałem z przodu i jeśli akurat padał deszcz, oglądałem krople spadające z krawędzi szyby prosto pod wycieraczkę, jak piloci-kamikaze. Ojciec najczęściej ustawiał wycieraczki na pracę przerywaną i wtedy po mojej stronie świat na długie minuty krył się pod wodną kurtyną. Denerwowało mnie to jak nie wiem co. „Kierowca w samochodzie – mówił ojciec, kiedy prosiłem, żeby je włączył – może robić, co mu się podoba".

– Kto pierwszy pod prysznic?

Julia stoi w otwartych drzwiach sypialni. Ma na sobie jeden z moich T-shirtów, który sięga jej aż do połowy uda. Stoi boso na dywanie, kuląc palce u stóp.

- Ty – odpowiadam. – W razie czego ja wyjdę na balkon.
Julia wygląda przez okno.
- Straszna pogoda.
- W sam raz na długie przesiadywanie w sądzie – odpowiadam jej, ale bez specjalnego przekonania. Nie chcę dziś usłyszeć decyzji sędziego DeSalvo, ale po raz pierwszy nie ma to nic wspólnego z lękiem, że przegram sprawę. Zrobiłem wszystko, co może zrobić adwokat, kiedy jego klient złoży takie zeznanie, jakie złożyła Anna. Mam też nadzieję, do cholery, że to, co zrobiłem, choć trochę pomoże jej pogodzić się z tym, co ona zrobiła. Anna nie wygląda już na zastraszoną i niezdecydowaną, to trzeba przyznać. Nie jest też egoistką. Jest taka jak my wszyscy – szuka odpowiedzi na pytanie, kim jest i co właściwie ma ze sobą zrobić.

A prawda jest taka, że tej sprawy nikt nie wygra. Zresztą to właśnie Anna powiedziała. Wygłosimy nasze mowy końcowe i wysłuchamy opinii sędziego, ale nawet kiedy już wyjdziemy z sądu, nie będzie jeszcze po wszystkim.

Zamiast udać się do łazienki, Julia podchodzi bliżej i siada po turecku obok mnie na dywaniku. Wyciąga rękę, dotykając palcami szyby.

- Campbell – mówi – nie wiem, jak ci to powiedzieć...

Wewnątrz cały sztywnieję.

- Najlepiej szybko – proponuję.
- Twoje mieszkanie jest okropne.

Podążam wzrokiem za jej oczami, przyglądam się szaremu dywanowi i czarnej kanapie, lustrzanej ścianie i lakierowanym półkom na książki. Są tu ostre krawędzie i drogie dzieła sztuki. Są najnowocześniejsze elektroniczne gadżety, dzwonki, gwizdki. Takie mieszkanie to marzenie wszystkich – i trudno nazwać je domem.

- Wiesz co – odpowiadam – ja też go nie znoszę.

JESSE

Pada deszcz.

Wychodzę z domu i idę przed siebie. Mijam szkołę podstawową i dwa skrzyżowania. Po pięciu minutach nie ma już na mnie suchej nitki. Wtedy zrywam się do biegu, pruję takim pędem, że płuca pękają mi z wysiłku, a mięśnie nóg rwą i pieką, a kiedy czuję, że nie zrobię już ani kroku więcej, rzucam się na plecy na samym środku szkolnego boiska futbolowego.

Kiedyś łyknąłem sobie tutaj kwasa. Była wtedy taka sama burza jak dziś. Leżałem na wznak, patrzyłem, jak niebo wali mi się na głowę, i wyobrażałem sobie, że moja skóra rozpływa się na deszczu. Czekałem na piorun, jeden łuk elektryczny, który przeszyłby mi serce, pokazując, po raz pierwszy w ciągu całego mojego marnego żywota, co to znaczy żyć pełną piersią.

Dałem piorunowi szansę, ale tamtego dnia nie uderzył. Dziś jakoś też mu się nie spieszy.

Co mam zatem robić? Wstaję i odgarniam włosy z oczu. Trzeba obmyślić jakiś lepszy plan.

ANNA

Pada deszcz.

To jest taki deszcz, który słychać równie głośno jak odkręcony kran pod prysznicem; człowiek zaczyna się wtedy zastanawiać, czy na pewno zakręcił wodę. To jest taki deszcz, który przywodzi na myśl tamy, gwałtowne powodzie i arki unoszone falami. To taki deszcz, który szepcze szelestem kropel: wracaj do łóżka, tam gdzie jeszcze czuć ciepło twojego ciała; możesz udawać, że budzik spieszy się o pięć minut.

Zapytajcie pierwszego lepszego ucznia, który skończył czwartą klasę, a na pewno będzie to wiedział: woda jest w ciągłym ruchu. Deszcz spływa po zboczu góry do rzeki. Rzeka biegnie i wpada do oceanu. Woda w oceanie paruje i wznosi się ku chmurom, jak ludzka dusza. A tam wszystko zaczyna się od początku.

BRIAN

Pada deszcz.

Tego dnia, kiedy urodziła się Anna, też padało. Był sylwester, o wiele za ciepły jak na tę porę roku. Zamiast śniegu z nieba lały się strugi wody. W same święta Bożego Narodzenia zamknięto wszystkie wyciągi narciarskie, bo deszcz spłukał cały śnieg ze stoków. Kiedy wiozłem do szpitala zaczynającą rodzić Sarę, widoczność na drodze była minimalna.

Chmury burzowe przesłoniły tej nocy wszystkie gwiazdy. Może to właśnie dlatego zaproponowałem Sarze, trzymającej w ramionach nasze nowe dziecko:

– Nazwijmy ją Andromeda. Możemy to skracać i mówić Anna.

– Andromeda? – zdziwiła się. – To brzmi jak tytuł książki SF.

– To imię księżniczki – poprawiłem Sarę, łowiąc okiem jej spojrzenie ponad głową naszej córeczki, tym krótkim horyzontem. – Na niebie – wyjaśniłem – jej miejsce jest pomiędzy matką a ojcem.

SARA

Pada deszcz.

Mało obiecujący początek dnia. Układam kartki z notatkami na stole, starając się robić wrażenie profesjonalistki. Średnio mi to wychodzi. Kogo ja chciałam oszukać? Nie jestem zawodowym adwokatem. Znam się tylko na wychowywaniu dzieci, ale nawet w roli matki nieszczególnie się spisałam.

– Pani Fitzgerald – sędzia wzywa mnie, żebym zaczęła.

Biorę głęboki oddech, spoglądam na ten bezsensowny bełkot, który mam przed sobą, i zgarniam do ręki cały plik notatek.

– Historia prawa w tym kraju – zaczynam czytać na głos – zna wiele przypadków, kiedy rodzice podejmowali decyzje w imieniu swoich dzieci. Sędziowie zezwalali im na to, ponieważ w ich rozumieniu stanowiło to część gwarantowanego konstytucją prawa do prywatności. W świetle zeznań przedstawionych w tym procesie...

Nagle gdzieś blisko uderza piorun. Wystraszona łoskotem, upuszczam wszystkie notatki na podłogę. Zbieram je szybko, ale oczywiście są już pomieszane. Próbuję je poukładać z powrotem. Nic z tego; kompletny chaos i bezsens.

Do diabła z tym. I tak chciałam powiedzieć coś innego.

503

– Wysoki sądzie – pytam – czy mogę zacząć od nowa?

Sędzia DeSalvo kiwa głową przyzwalająco. Odwracam się do niego plecami i podchodzę do mojej córki siedzącej obok Campbella.

– Anno – mówię wprost do niej – kocham cię. Pokochałam cię, zanim jeszcze cię zobaczyłam, i nie przestanę cię kochać, kiedy już dawno mnie nie będzie. Wiem, że jako matka powinnam wiedzieć wszystko, ale przyznaję się, że tak nie jest. Każdego dnia zadaję sobie pytanie, czy dobrze postąpiłam. Codziennie zastanawiam się, czy znam moje dzieci tak dobrze, jak mi się wydaje, i czy przez to, że staram się podołać zadaniu matkowania chorej Kate, nie zaniedbuję matczynych obowiązków wobec ciebie.

Podchodzę jeszcze o kilka kroków bliżej.

– Wiem, że aby ratować Kate, chwytam się wszelkich możliwych sposobów. Nie potrafię postępować inaczej. Nawet jeśli się ze mną nie zgadzasz, nawet jeśli sama Kate się ze mną nie zgadza, chcę dożyć dnia, w którym będę mogła powiedzieć: „A nie mówiłam?". Za dziesięć lat chcę zobaczyć ciebie z dziećmi na rękach, na kolanach, bo wiem, że wtedy zrozumiesz. Tak samo jak ty mam siostrę i wiem, że stosunki pomiędzy siostrami opierają się na sprawiedliwości. Każda chce, żeby ta druga miała tyle samo wszystkiego: zabawek, klopsików do spaghetti, miłości rodziców. Bycie matką polega na czymś zupełnie innym. Matka pragnie, żeby jej dziecko dostało w życiu więcej, niż ona sama miała kiedykolwiek. Pragnie rozpalić pod nim wielki ogień, który uniósłby je aż pod same chmury. Tego nie da się wyrazić słowami – kładę dłoń na piersi – ale to wszystko mieści się tutaj.

Zwracam się do sędziego DeSalvo.

– Nie chciałam stawać przed sądem, ale nie miałam wyjścia. Tak działa prawo: kiedy pozew zostanie złożony, pozwany musi się stawić na rozprawie, nawet jeśli pozew składa jego dziecko. W ten sposób zostałam zmuszona do złożenia szczegółowych wyjaśnień, dlaczego wierzę, że wiem lepiej niż Anna, co jest dla niej najlepsze. Tłumaczenie się z własnych poglądów jest jednak z reguły bardzo trudne. Kiedy ktoś mówi: „wierzę, że jest tak i tak", może to oznaczać dwie rzeczy: albo ten ktoś wciąż rozważa inne opcje, albo pogodził się już ze stanem faktycznym. Myśląc logicznie, nie potrafię sobie wyjaśnić, w jaki sposób jedno słowo może oznaczać dwie sprzeczne ze sobą rzeczy, ale rozumiem to bardzo dobrze sercem, ponieważ sama czasami nie mam wątpliwości, że postępuję słusznie, a potem muszę zastanawiać się nad każdym krokiem.

Nawet jeśli sąd orzeknie dziś na moją korzyść, nie będę mogła kazać Annie, aby oddała siostrze nerkę. Tego nie może nikt zrobić. Ale czy będę błagać ją o to? A czy jeśli powstrzymam się od próśb, to czy i tak będę tego pragnąć? Tego nie wiem, choć mam w pamięci to, co powiedziała mi Kate, i to, co zeznała Anna. Niczego nie jestem już pewna; nigdy zresztą nie byłam. Wiem jednak dwie rzeczy: po pierwsze, cały ten proces nie miał tak naprawdę na celu rozstrzygnięcia kwestii oddania nerki. Chodziło o przyznanie prawa do własnych, samodzielnych decyzji. Po drugie, nikt nigdy nie podejmuje decyzji zupełnie, całkowicie samodzielnie, nawet jeśli sędzia przyzna mu takie prawo.

Na koniec staję przed Campbellem.

– Byłam kiedyś adwokatem, ale to było bardzo dawno temu. Teraz jestem matką. Osiemnaście lat wypełniania obowiązków matki było trudniejsze niż jakikolwiek problem, z którym musiałam się zmagać na sali sądowej. Na początku tej sprawy powiedział pan, panie Alexander, że nikt nie musi rzucać się w ogień, aby ratować innego człowieka. Sytuacja zmienia się diame-

tralnie, kiedy jest się rodzicem, który patrzy, jak w po-
żarze ginie jego dziecko. W takim wypadku każdy zrozumie, dlaczego biegnie się dziecku na ratunek, mało
tego – wszyscy będą oczekiwać od rodzica, że tak właśnie postąpi.

Biorę głęboki oddech.

– W moim życiu jednak zdarzyło się tak, że wybuchł
pożar, w którym znalazła się moja córka, a ja, żeby ją
uratować, mogłam zrobić tylko jedno – posłać w ogień
jej młodszą siostrę, bo nikt inny poza nią nie wiedział,
jak poruszać się w płomieniach. Czy byłam świadoma
ryzyka? Oczywiście. Czy zdawałam sobie sprawę, że mogę stracić jedną i drugą? Tak. Czy miałam wątpliwości
co do tego, czy mam prawo prosić o coś takiego? Naturalnie. Ale wiedziałam zarazem, że to jedyna szansa,
aby zatrzymać przy sobie obie moje córki. Czy to było
zgodne z prawem? Z moralnością? Czy to było szaleństwo, głupota, okrucieństwo? Tego nie wiem, ale jestem
przekonana, że postąpiłam słusznie.

Skończyłam. Wracam na swoje miejsce przy stole.
Z prawej strony dobiega mnie łomot ciężkich kropel
o szyby okienne. Ciekawe, czy ten deszcz kiedyś przestanie padać.

CAMPBELL

Wstaję, zerkam w notatki, a potem wyrzucam je do śmieci, tak jak Sara.

– Zgadzam się z opinią wygłoszoną przed chwilą przez panią Fitzgerald. Ta sprawa nie toczy się o to, żeby Anna miała prawo zadecydować o własnej nerce, pojedynczej komórce skóry, krwi czy też łańcuchu DNA. Ta sprawa dotyczy dziewczyny, która stoi na progu dorosłości, ale na razie ma trzynaście lat, co bywa bolesne, lecz jest też piękne, trudne i wyczerpujące. Dziewczyna ta w tej chwili może nie wiedzieć, czego chce; przypuszczalnie nie wie też jeszcze, kim tak naprawdę jest, ale ma pełne prawo dowiedzieć się tego. A moim zdaniem za dziesięć lat ta dziewczyna wyrośnie na bardzo niezwykłą osobę.

Podchodzę do stołu sędziowskiego.

– Wiemy, z jakim zadaniem musieli się zmagać państwo Fitzgerald. Zażądano od nich niemożliwego! Mieli podejmować świadome decyzje w kwestiach medycznych dotyczących dwóch swoich córek – jednej śmiertelnie chorej, drugiej całkowicie zdrowej. Skoro jednak my, tak jak państwo Fitzgerald, nie potrafimy stwierdzić, która decyzja w tej sprawie byłaby słuszna, ostateczny głos powinien należeć do osoby, o której ciele

507

jest tutaj mowa... nawet jeśli ta osoba ma zaledwie trzynaście lat. Ostatecznie argumenty przedstawione w tej sprawie nauczyły nas także tego, że zdarzają się w życiu decyzje, które rodzice powinni pozostawić swoim dzieciom, bo one wiedzą lepiej.

Wiem, że kiedy Anna postanowiła złożyć pozew do sądu, nie kierował nią egoizm, o który można by posądzić trzynastolatkę. Nie zdecydowała się na to dlatego, że chciała żyć jak wszystkie dzieci w jej wieku. Nie chodziło o to, że miała już dość uległości, ani o to, że bała się bólu.

Odwracam się do Anny z uśmiechem na twarzy.

– Wcale się nie zdziwię, jeśli Anna mimo wszystko odda siostrze nerkę. Ale moje poglądy nie mają tutaj żadnego znaczenia. Pańskie poglądy, panie sędzio, z całym szacunkiem, też nie mają znaczenia, podobnie jak to, co myślą Sara, Brian i Kate Fitzgerald. Tutaj liczy się wyłącznie to, co myśli Anna.

Wracam na miejsce.

– Jej głos jest jedynym, którego powinniśmy wysłuchać.

Sędzia DeSalvo zarządza piętnastominutową przerwę, po której ma ogłosić swoją ostateczną decyzję. Postanawiam wykorzystać ten czas i wyprowadzam psa. Wychodzimy na mały trawiasty skwerek na tyłach gmachu Garrahiego. Vern Stackhouse ma oko na wścibskich dziennikarzy, którzy nie mogą się już doczekać werdyktu sędziowskiego.

– No, dawaj, stary – poganiam Sędziego, który w poszukiwaniu odpowiedniego miejsca przemierzył trawnik już cztery razy wzdłuż i wszerz. – Przecież nikt nie patrzy.

Okazuje się, że nie do końca miałem rację. Pędzi do nas mały berbeć, najwyżej czteroletni, który wyrwał się mamie.

– Piesiek! – woła, wyciągając ręce, rozradowany. Sędzia przywiera do mojej nogi.

Chwilę później dogania go mama.

– Przepraszam pana – mówi. – Mały przeżywa właśnie fascynację psami. Można pogłaskać pańskiego zwierzaka?

– Nie – odpowiadam machinalnie. – To pies przewodnik.

– Aha. – Kobieta prostuje się, odciągając synka na bok. – Ale przecież pan widzi.

Jestem epileptykiem, a mój pies sygnalizuje nadchodzący atak. Myślę sobie, że może warto by zdobyć się na szczerość ten jeden raz, pierwszy raz w życiu. No, ale z drugiej strony, trzeba umieć śmiać się z siebie, prawda?

– Jestem adwokatem. – Szczerzę się do nieznajomej. – Tropię aferę ze skórami, a pies pomaga mi węchem.

Zostawiamy ich. Ja pogwizduję, a Sędzia kroczy obok mnie.

Sędzia DeSalvo wraca na salę, trzymając w ręce oprawioną w ramki fotografię swojej tragicznie zmarłej córki. Ten widok jest dla mnie jednoznaczny: przegrałem sprawę.

– Podczas przesłuchań świadków – zaczyna sędzia – uderzyła mnie jedna rzecz. Wszyscy, którzy zabierali głos na tej sali, zajmowali tym samym stanowisko w dyskusji na temat, co ma wyższą wartość: jakość życia czy życie samo w sobie. Państwo Fitzgerald zawsze wierzyli, że najważniejsze jest utrzymanie Kate przy życiu i przy rodzinie. Jednak ochrona jej życia jako wartości najwyższej była i jest nierozerwalnie związana z jakością życia Anny. Moim zadaniem jest stwierdzenie, czy te dwie rzeczy można rozdzielić.

Sędzia DeSalvo potrząsa głową.

– Nie wydaje mi się, żeby ktokolwiek z nas, a zwłaszcza ja sam, był zdolny orzec, co ma większą wartość. Jestem ojcem. Moja córka Dena zginęła w wieku dwunastu lat, potrącona przez pijanego kierowcę. Tamtej nocy, kiedy pędziłem do szpitala, byłem gotowy oddać wszystko, byle tylko dane mi było spędzić jeszcze jeden dzień z moim dzieckiem. Państwo Fitzgerald od czternastu lat żyją w takim zawieszeniu; każdy dzień wymaga od nich największych poświęceń, aby Kate mogła żyć jeszcze chwilę dłużej. Szanuję ich wybory. Podziwiam odwagę. Zazdroszczę im, że w ogóle otrzymali taką możliwość. Niemniej, jak zauważyli oboje adwokaci, w tej sprawie już nie chodzi o Annę ani o jej nerkę, ale o to, jak dokonywać takich wyborów i komu należy przyznać prawo do ich podejmowania.

Odchrząknąwszy, sędzia kontynuuje:

– Na to pytanie nie ma dobrej odpowiedzi. W takiej sytuacji my, czyli rodzice, lekarze, sędziowie, członkowie społeczeństwa, musimy działać niejako na oślep i wybierać takie rozwiązania, które pozwolą nam spokojnie spać w nocy, albowiem moralność jest ważniejsza niż etyka, a miłość większa niż prawo.

Sędzia zwraca się wprost do Anny, która pod jego wzrokiem nerwowo poprawia się na krześle.

– Kate nie chce umrzeć – mówi łagodnie – ale nie chce też dłużej żyć jak dotąd. Mam tego świadomość i znam też prawo, co nie pozostawia mi praktycznie żadnego wyboru. Decyzja w tej sprawie należy do osoby, która jest bezpośrednio w nią zaangażowana.

Z mojej piersi wyrywa się ciężkie westchnienie.

– Uznaję, że tą osobą jest Anna, nie Kate.

Słyszę, jak Anna wstrzymuje oddech.

– W trakcie tego procesu rozważano między innymi kwestię, czy trzynastoletnia osoba jest zdolna do podjęcia tak ważkich decyzji. Skłaniałbym się ku poglądowi, że wiek jest w tej sprawie najmniej istotnym kryterium. Nie da się ukryć, że niektórzy dorośli obecni na tej sali zapomnieli o najprostszej zasadzie wpajanej dzieciom: niczego nie wolno zabierać bez pytania. Anno – mówi sędzia – proszę cię o powstanie.

Anna spogląda na mnie. Kiwam głową i wstaję razem z nią.

– Niniejszym – oznajmia sędzia DeSalvo – przyznaję ci pełne prawo do samostanowienia o sobie w kwestiach medycznych dotyczących twojej osoby. Oznacza to, że chociaż nadal będziesz mieszkać z rodzicami, którzy będą mogli kontrolować, kiedy kładziesz się spać, jakie programy możesz oglądać, a jakich nie i czy musisz zjeść do końca wszystkie jarzyny na talerzu, to w kwestii poddawania się jakimkolwiek zabiegom medycznym ty będziesz mieć ostatnie słowo. Pani Fitzgerald, panie Fitzgerald – sędzia spogląda na Sarę – wydaję państwu polecenie omówienia mojego werdyktu w obecności Anny z jej lekarzem pediatrą w celu wyjaśnienia, że od tej pory musi kontaktować się bezpośrednio z państwa córką. A na wypadek gdyby potrzebne były dodatkowe wskazówki, udzielę panu Alexandrowi pełnomocnictwa w kwestiach medycznych dotyczących Anny. Pełnomocnictwo utrzyma ważność do ukończenia przez nią osiemnastego roku życia, a zadaniem pana Alexandra będzie służenie Annie pomocą w podejmowaniu trudniejszych decyzji. Nie oznacza to, że moim życzeniem jest, aby owe decyzje zapadały bez zgody i wiedzy rodziców, a jedynie to, że ostateczny wybór spoczywa tylko i wyłącznie w rękach Anny. – Sędzia zawiesza na mnie spojrzenie. – Panie Alexander, czy weźmie pan na siebie taką odpowiedzialność?

Nigdy w życiu nie musiałem się nikim zajmować. Mój pies był jedynym wyjątkiem. A teraz będę miał pod opieką Julię. I Annę.

– Będzie to dla mnie wielki zaszczyt – odpowiadam sędziemu, uśmiechając się do Anny.

– Życzę sobie, aby dokumenty zostały podpisane od ręki, zanim opuszczą państwo budynek sądu – zarządza sędzia. – Anno, powodzenia. Wpadnij do mnie od czasu do czasu i daj znać, jak się miewasz.

Młotek opada, sędzia wychodzi z sali. Wstajemy. Kiedy drzwi zamykają się za DeSalvo, odwracam się do Anny, która nadal stoi bez ruchu obok mnie. Widzę, że jeszcze nie otrząsnęła się z szoku.

– Udało ci się – mówię.

Julia podchodzi pierwsza. Przechyla się przez galeryjkę, aby uściskać Annę.

– Byłaś bardzo dzielna. – Uśmiecha się do mnie nad ramieniem dziewczynki. – I ty też.

Ale Anna zostawia nas i staje oko w oko z rodzicami. Dzieli ich przestrzeń kilkudziesięciu centymetrów i cała wieczność straconych ciepłych chwil. Dopiero teraz dostrzegam, że Anna, którą zacząłem już uważać za bardzo dojrzałą jak na swój młody wiek, w kontakcie z rodzicami traci pewność siebie i unika kontaktu wzrokowego.

– Hej. – Brian przekracza niewidzialną barierę, przytula córkę szorstkim ruchem. – Przecież nic się nie stało.

Po chwili dołącza do nich Sara, obejmując oboje ramionami; stoją w trójkę w ciasnym kole, jak drużyna futbolowa, która na gorąco musi zmienić taktykę gry, bo i gra już nie jest taka sama.

ANNA

No więc teraz jestem już widzialna. Do bani. Deszcz chyba rozpadał się jeszcze mocniej, jeśli to w ogóle możliwe. Oczyma wyobraźni widzę taką scenkę: ciężkie krople biją w samochód jak kafary, gniotąc karoserię niczym pustą puszkę po coli. Ni stąd, ni zowąd robi mi się duszno. Dopiero po chwili dociera do mnie, że nie ma to nic wspólnego z tą syfiastą pogodą ani z moją ukrytą klaustrofobią, ale po prostu moje gardło jest w tej chwili jak zablokowana tętnica; połykane łzy zalewają połowę światła przełyku. Kiedy chcę coś powiedzieć albo zrobić, wymaga to dwa razy więcej wysiłku niż normalnie.

Już od pół godziny jestem usamowolniona w kwestiach medycznych. Campbell powiedział, że ten deszcz to prawdziwe błogosławieństwo, bo rozgonił dziennikarzy. Może dopadną mnie w szpitalu, a może nie; do tego czasu znajdę się już wśród swoich i będzie mi wszystko jedno. Rodzice pojechali tam wcześniej; my musieliśmy zostać i podpisywać te głupie dokumenty. Kiedy skończyliśmy, Campbell zaproponował, że mnie podwiezie, co było miłe z jego strony, bo przecież wiem, że bardzo by chciał wyskoczyć dokądś z Julią. Oboje starają się robić z tego wielką tajemnicę, ale nie najlepiej im

513

wychodzi. Ciekawe, co robi Sędzia, kiedy oni się spotykają. Ciekawe, czy czuje się samotny.

– Campbell? – pytam ni z gruszki, ni z pietruszki. – Jak myślisz, co ja mam teraz zrobić?

Adwokat dobrze wie, o co mi chodzi, i wcale się z tym nie kryje.

– Właśnie skończył się proces, na którym walczyłem jak lew, żebyś otrzymała prawo do wyboru. Nie robiłem tego po to, żeby teraz ci mówić, co myślę.

– No to super. – Zapadam się głębiej w fotel. – Bo ja nawet nie wiem, kim tak naprawdę jestem.

– Ale ja wiem. Nikt w całych Providence Plantations nie dorówna ci w sztuce polerowania gałek u drzwi. Rośniesz na mądralę, wybierasz krakersy z mieszanki śniadaniowej, nie lubisz matmy, ale...

Fajnie tak siedzieć i patrzeć, jak Campbell wypełnia te rubryczki.

– ...lubisz chłopaków? – Ostatnia pozycja to pytanie.

– Niektórzy nawet mogą być – przyznaję – ale potem pewnie i tak wszyscy robią się tacy jak ty.

Szeroki uśmiech.

– Broń Boże.

– Co teraz będziesz robił?

Campbell wzrusza ramionami.

– Chyba będę musiał wziąć jakąś sprawę, za którą mi zapłacą.

– Żeby Julia mogła żyć z tobą na poziomie, do którego przywykła?

– Coś w tym rodzaju. – Campbell wybucha śmiechem.

Na chwilę zapada cisza i słychać tylko szmer wycieraczek. Wsuwam ręce pod uda, przygniatam je ciałem.

– Kiedy powiedziałeś na procesie... że wyrosnę na niezwykłą osobę... Naprawdę tak myślisz?

– Czyżby domagała się panna komplementów, panno Fitzgerald?

– Dobra, nic nie mówiłam.

Campbell Alexander rzuca mi spojrzenie.

– Naprawdę tak myślę. Widzę cię jako postrach młodzieńczych serc, malarkę na Montmartrze, pilota myśliwców szturmowych, odkrywczynię nieznanych krain.

– Milknie na chwilę. – Albo to wszystko naraz.

Miałam kiedyś taki okres, że chciałam być baletnicą, tak jak Kate, ale od tego czasu zdążyłam już tysiąc razy zmienić zdanie. Chciałam zostać kosmonautką. Paleontologiem. Śpiewać w chórkach w zespole Arethy Franklin, być członkiem Gabinetu lub strażnikiem przyrody w Parku Narodowym Yellowstone. Teraz, w zależności od dnia, wyobrażam sobie siebie w zawodzie mikrochirurga, poetki, łowcy duchów.

I tylko jedna rzecz nigdy się nie zmienia.

– Za dziesięć lat – mówię – chciałabym mieć siostrę.

BRIAN

Brzęczyk pagera odzywa się dokładnie w tym momencie, kiedy rozpoczyna się kolejna dializa. Odszyfrowuję skróty – wypadek samochodowy, dwa pojazdy, ranni.

– Wzywają mnie – mówię do Sary. – Poradzicie sobie?

Karetka kieruje się na skrzyżowanie ulic Eddy i Fountain, trudne dla kierowcy nawet w normalnych warunkach, a teraz, w taką pogodę, jeszcze gorsze niż zwykle. Zanim zdążyliśmy dojechać na miejsce, policja ustawiła już zapory. Oba wozy zniszczone, skręcone samą siłą uderzenia w abstrakcyjną rzeźbę z powyginanej stali. Pikap poradził sobie lepiej; mniejszy samochód, bmw, cały przód ma strzaskany na kształt makabrycznego uśmiechu. Wysiadam z karetki i łapię pierwszego policjanta z brzegu.

– Troje rannych – dowiaduję się. – Jedną kobietę już zabrali do szpitala.

Red przyjechał wcześniej i zdążył już zabrać się do roboty. Potężnymi nożycami hydraulicznymi rozcina karoserię bmw po stronie kierowcy, próbując dostać się do poszkodowanych.

– Co tam masz? – wołam do niego, przekrzykując wycie syren.

– Kobieta z pierwszego wozu wyleciała przez przednią szybę – odkrzykuje. – Cezar zabrał ją karetką do szpitala. Następna karetka już tu jedzie. W drugim wozie są kierowca i pasażer, ale niczego więcej nie widać. Drzwi z obydwu stron zgniecione w harmonijkę.

– Spróbuję wejść po dachu pikapu. – Wspinam się na ścianę śliskiego metalu i potrzaskanego szkła. Stopa wpada mi w otwór w platformie holowniczej, którego nie zauważyłem. Klnąc, wyszarpuję nogę. Powoli, ostrożnie wsuwam się do sprasowanej szoferki i pełznę dalej. Kobieta, którą wyrzuciło przez szybę, musiała przelecieć nad nisko zawieszonym bmw; przedni zderzak jej forda F-150 przeorał całą burtę wozu po stronie pasażera, jakby była z papieru.

Muszę wyczołgać się przez otwór, który niedawno jeszcze był oknem pikapu, bo od pasażerów bmw dzieli mnie silnik. Widzę jednak, że dam radę się wkręcić w wąską szczelinę, gdzie będę mógł dosięgnąć hartowanej szyby, pokrytej pajęczą siecią pęknięć i karminowymi rozbryzgami krwi. I wtedy, w momencie kiedy Red odcina nożycami drzwi od strony kierowcy, a ze środka wyskakuje skomlący pies, dociera do mnie, że twarz przyklejona do potrzaskanego szkła to twarz Anny.

– Wyciągnąć ich! – krzyczę na całe gardło. – Natychmiast!

Nie mam pojęcia, w jaki sposób udaje mi się wyplątać z tej kupy złomu. Odpycham Reda, który stoi mi na drodze. Odpinam pas bezpieczeństwa krępujący Campbella Alexandra, wyciągam go z wozu i kładę na mokrej jezdni. Krople deszczu biją dookoła niego. Sięgam z powrotem do środka, głębiej, tam gdzie siedzi moja córka, nieruchoma, z szeroko rozwartymi oczami, przypięta pasem, tak jak trzeba, Boże, to nie może być ona...

Obok mnie jak spod ziemi wyrasta Paulie. Wyciąga ręce w stronę Anny, a ja, zanim zdążę pomyśleć, co robię, wywlekam go z samochodu i sprowadzam do parteru.

– Kurwa, Brian – stęka Paulie, trzymając się za szczękę. – Odbiło ci?

– To Anna. Paulie, zobacz, to jest Anna.

Kiedy i do nich w końcu to dociera, próbują mnie odsunąć, wyręczyć, ale to przecież moja córeczka, moje maleństwo, przecież nie pozwolę im na to. Kładę Annę na sztywnych noszach, przypinam, pozwalam innym wstawić nosze do karetki. Unoszę jej podbródek, w drugiej ręce mam już rurę do intubacji, ale wtedy rzuca mi się w oczy ta malutka blizna po upadku na łyżwach. Nie dam rady. Red odsuwa mnie na bok i kończy to, co ja zacząłem, a potem sprawdza puls.

– Słaby, ale wyczuwalny – słyszę.

Red podłącza kroplówkę, a ja chwytam radio i łączę się ze szpitalem.

– Trzynastoletnia dziewczynka, z wypadku samochodowego, ciężkie wewnętrzne obrażenia głowy... – Na monitorze pokazującym pracę serca pojawia się ciągła linia. Rzucam radio, trzeba reanimować. – Dawaj elektrody! – rozkazuję, rozchylam koszulę Anny, rozcinam koronkowy stanik, który tak bardzo chciała mieć, chociaż wcale go jeszcze nie potrzebuje. Red poraża ją prądem, puls powraca, ale już widać, że nastąpiło spowolnienie akcji serca z wyraźnym zaburzeniem pracy komór.

Podłączamy kroplówkę. Paulie zatrzymuje się z piskiem opon na podjeździe dla karetek i otwiera szarpnięciem tylne drzwi. Anna jest przypięta do noszy, unieruchomiona. Red łapie mnie za ramię, przytrzymuje w kleszczowym uścisku.

– Nawet o tym nie myśl – mówi, łapiąc uchwyt przy głowach noszy. Znika razem z Anną za drzwiami pogotowia.

Nie chcą mnie wpuścić do gabinetu zabiegowego. Skądś nagle pojawia się grupka strażaków. Przyszli pomóc. Jeden z nich idzie na górę po moją żonę. Sara przybiega natychmiast, odchodząc od zmysłów.

– Gdzie ona jest? Co się stało?

– Wypadek – udaje mi się wykrztusić. – O niczym nie wiedziałem. Dopiero na miejscu zobaczyłem, że to ona.

– Moje oczy wzbierają łzami. Czy mam jej powiedzieć, że Anna nie może już samodzielnie oddychać? Czy mam jej powiedzieć, że na monitorze EKG jest już ciągła linia? Czy mam jej powiedzieć, że wciąż rozpamiętuję to, co zrobiłem podczas akcji ratunkowej, od pierwszego momentu, kiedy wczołgałem się do pikapu, aż do samego końca, kiedy wyciągnąłem Annę z rozbitego bmw? Że mam śmiertelną pewność, że moje emocje przeszkodziły w zrobieniu tego, co można i trzeba było zrobić?

W tej chwili dobiega mnie głos Campbella Alexandra, a po chwili słyszę łoskot, jaki wydaje przedmiot rzucony o ścianę.

– Szlag by panią trafił! – krzyczy adwokat. – Proszę mi powiedzieć, czy przywieźli ją tutaj, czy nie!

Drzwi sąsiedniego gabinetu zabiegowego otwierają się i wypada z nich Campbell. Ma rękę w gipsie, a jego ubranie pokrywają plamy krwi. Pies kuśtyka za nim na miękkich nogach. Nasze oczy w jednej chwili się odnajdują.

– Gdzie jest Anna? – pada pytanie.

Milczę, bo co mam mu, do cholery, powiedzieć. Campbell rozumie mnie zresztą bez słów.

– Boże jedyny... – szepcze. – Tylko nie to.

Z sali, do której przeniesiono Annę, wychodzi lekarz. Zna mnie dobrze, widzimy się tutaj cztery razy w tygodniu.

– Brian – mówi poważnym głosem. – Twoja córka nie reaguje na bodźce bólowe.

Dźwięk, który wydobywa się z mojego gardła, jest niczym pierwotny krzyk, nieludzki, wszystkowiedzący.

– Co to znaczy? – dopytuje się Sara, jej słowa kłują jak wbijane igły. – O co chodzi, Brian?

– Anna z wielką siłą uderzyła głową w okno, pani Fitzgerald. Spowodowało to śmiertelny uraz wewnątrzczaszkowy. W tym momencie respirator podtrzymuje pracę płuc, ale aktywność neurologiczna jest już zerowa. Nastąpiła śmierć mózgu. Bardzo państwu współczuję – mówi lekarz. – Naprawdę. – Milknie na chwilę, jakby wahając się, czy dodać coś jeszcze, wodzi wzrokiem od Sary do mnie i z powrotem. – Wiem, że zapewne nie mają państwo najmniejszej ochoty myśleć o tym w takiej chwili, ale jest jeszcze czas... Czy widzą państwo możliwość pobrania narządów od Anny?

Nocą na niebie niektóre gwiazdy świecą jaśniej od innych. Przez teleskop można zaobserwować, że to wcale nie są pojedyncze ciała niebieskie, ale układy bliźniacze, dwie gwiazdy krążące wokół siebie. Czasami jeden obrót może im zająć nawet sto lat. Układ tego typu wytwarza tak ogromne przyciąganie grawitacyjne, że w jego pobliżu nie ma już miejsca na żadne inne obiekty. Przykładowo, podczas obserwacji niebieskiej gwiazdy można dostrzec, choć wcale nie tak od razu, towarzyszącego jej białego karła, którego blask niknie, przyćmiony jej światłem. Zanim ktoś go zobaczy, jest już tak naprawdę za późno.

To Campbell odpowiada lekarzowi, nie żadne z nas.

– Jestem pełnomocnikiem Anny, wyznaczonym przez sąd – wyjaśnia. – Jej rodzice nie mogą decydować w tej sprawie. – Podnosi wzrok na mnie, potem spogląda na Sarę. – Ale na górze jest pacjentka, która potrzebuje tej nerki.

SARA

W języku angielskim istnieje słowo *orphan*, które oznacza sierotę. Jest słowo *widow*, czyli wdowa. Brak w nim jednak określenia rodzica, który stracił dziecko.

Po usunięciu narządów do przeszczepu lekarze zwożą Annę z powrotem na dół, do nas. Wchodzę do sali ostatnia. Ci, którzy przyszli się pożegnać, stoją już na korytarzu. Jest tu Zanne, Campbell, kilka pielęgniarek, naszych dobrych, bliskich znajomych, nawet Julia Romano.

Brian i ja wchodzimy do pokoju, gdzie stoi szpitalne łóżko, a na nim, maleńka i cichutka, leży Anna. W jej ustach tkwi rurka sięgająca aż do samego gardła, końcówka maszyny, która teraz oddycha za nią. To my będziemy musieli wyłączyć tę maszynę. Siadam na brzegu łóżka i biorę w dłonie rękę Anny, wciąż jeszcze ciepłą, wciąż miękką. I co się okazało? Że po tylu latach oczekiwania, przygotowywania się na taki właśnie moment, nie mam pojęcia, co robić. To tak jakby próbować namalować niebo zwykłą kredką: nie ma słów, które mogłyby oddać tak ogromną rozpacz.

– Nie mogę, nie zrobię tego – szepczę.

Brian podchodzi, staje za mną.

– Kochana, jej tutaj już nie ma. Maszyna utrzymuje

przy życiu tylko jej ciało. Osoba, która była naszą Anną, odeszła.

Odwracam się, wtulając twarz w jego pierś.

– Ale przecież ona miała zostać – mówię przez łzy.

Przez chwilę trwamy w milczeniu, tuląc się do siebie. Potem zbieram się na odwagę, żeby spojrzeć jeszcze raz na tę łupinę, w której zamieszkiwało najmłodsze z moich dzieci. Ostatecznie Brian ma rację. Przecież to już tylko skorupa. Z jej twarzy, z jej rysów odpłynęła cała energia, a mięśnie zdążyły zwiotczeć. Pod tą skórą nie ma już nawet narządów wewnętrznych, bo te wyjęli lekarze; skorzysta z nich Kate i inni, bezimienni, ci, którzy dostaną od życia drugą szansę.

– Dobrze – mówię.

Biorę głęboki oddech. Kładę dłoń na piersi Anny, a Brian drżącą ręką wyłącza respirator. Palcami kreślę maleńkie kółeczka na skórze mojej córki, jakby to mogło jej w czymś pomóc. Na monitor wypełza ciągła linia; czekam, wypatrując jakiejś zmiany i w końcu czuję, jak tuż pod moją dłonią powoli zamiera bicie serca, wytraca się rytm, a jego miejsce zajmuje spokojna, głucha, nieskończona pustka.

Epilog

Kiedy jestem na mieście
I pulsujące płomyki życia,
Ludzie, przemykają obok,
Zapominam o mej stracie,
O małej luce w wielkiej konstelacji,
O miejscu, w którym była gwiazda.
D.H. Lawrence,
„Zanurzenie"

KATE
2010

Zastanawiam się, dlaczego nie istnieje ustawowy limit cierpienia. Dlaczego nie ma regulaminu, w którym stałoby czarno na białym, że można budzić się z płaczem, ale tylko przez miesiąc. Że po czterdziestu dwóch dobach człowiek przestaje odwracać się nagle na ulicy, przytrzymując ręką szalejące serce, pewien, że usłyszał swoje imię z tamtych ust, jej ust. Że za posprzątanie bałaganu, który zostawiła na biurku, nie grozi kara grzywny, że można zdjąć z drzwi lodówki obrazki, które narysowała, i odwrócić do ściany jej szkolną fotografię, choćby tylko z takiego powodu, że na jej widok wszystkie bolesne wspomnienia powracają na nowo. Że zezwala się odmierzać czas, który upłynął od jej śmierci, tak samo jak kiedyś liczyło się jej kolejne urodziny.

Przez długi czas tata twierdził, że widzi Annę w nocy na niebie, że czasem udaje mu się pochwycić jedno jej spojrzenie albo złowić okiem zarys jej profilu. Z uporem powtarzał nam, że gwiazdy to są ludzie, którzy za życia cieszyli się tak wielką miłością innych, że po śmierci przeniesiono ich na firmament niebieski, aby tam żyli wiecznie. Mama też przez długi czas wierzyła, że Anna do niej powróci. Zaczęła nawet wypatrywać znaków: widziała je w roślinach kwitnących wcześniej niż zwykle, jajkach z podwójnym żółtkiem, rozsypanej soli, która sama układała się w kształt liter.

A ja? Ja znienawidziłam się do cna. Bo to wszystko, oczywiście, była moja wina. Gdyby Anna nie pozwała naszych rodziców, gdyby tego dnia nie musiała zostać w sądzie ze swoim adwokatem i podpisywać dokumentów – wtedy nie znalazłaby się na tym konkretnym skrzyżowaniu w tym konkretnym momencie. Zostałaby na tym świecie i to ja nawiedzałabym ją w snach.

Chorowałam bardzo długo i bardzo ciężko. Przeszczep nie chciał się przyjąć, aż nagle, w niewytłumaczalny sposób, zaczęłam powracać do życia. Piełam się po wysokiej stromiźnie, ale udało się. Od ostatniego nawrotu choroby upłynęło już osiem lat – nawet doktor Chance nie potrafi wyjaśnić, co się stało. Twierdzi, że to jakiś opóźniony dobroczynny efekt kombinacji tretinoiny i arszeniku, ale ja wiem lepiej. Po prostu ktoś musiał odejść – a Anna zajęła moje miejsce.

Można poczynić naprawdę interesujące obserwacje, kiedy żal i rozpacz spadają nieoczekiwanie. Dotknięta tragedią rodzina jest jak rana, z której zerwano plaster z opatrunkiem. A żaden dom nie wygląda najpiękniej od kuchni – i nasz też nie jest wyjątkiem. Pamiętam dni, kiedy od rana do wieczora siedziałam w pokoju ze słuchawkami na uszach, żeby tylko nie słyszeć płaczu mamy. Pamiętam całe tygodnie, kiedy tata pracował dwadzieścia cztery godziny na dobę, żeby nie wracać do domu, który stał się dla nas za duży.

A potem, pewnego dnia rano, mama zauważyła, że w całym domu nie zostało już nic do jedzenia, nawet jednej pomarszczonej rodzynki, nawet okruszka razowego krakersa. Poszła więc do sklepu. Tata zapłacił jeden rachunek, potem drugi. Ja usiadłam przed telewizorem. Leciał akurat jakiś stary odcinek „I Love Lucy". Zaczęłam go oglądać i nagle roześmiałam się głośno.

Natychmiast poczułam się, jakbym zbezcześciła progi świątyni. Nakryłam dłonią usta, czerwieniąc się ze wstydu. Obok mnie na kanapie przed telewizorem siedział Jesse i to on powiedział: „Ją też by to rozbawiło".

Widzicie, to jest tak: dopóki człowiek chce się trzymać gorzkich wspomnień o tych, którzy odeszli, dopóty będą go one ranić. Ale chwile, z których składa się życie, płyną jak rzeka i choć na pierwszy rzut oka nic się nie zmienia, to w pewnym momencie, spojrzawszy wstecz, za siebie, widać wyraźnie, ile bólu i cierpienia wypłukały wody czasu.

Zastanawiam się, czy Anna patrzy na nas, czy wie, co się z nami dzieje. Czy wie, że przez długi czas byliśmy bardzo blisko z Julią i Campbellem, tak blisko, że nawet poszliśmy na ich ślub. Czy wie, że teraz już nie widujemy się z nimi wcale, i czy rozumie dlaczego. Po prostu było nam zbyt ciężko w ich towarzystwie, bo nawet kiedy nie rozmawialiśmy o Annie, jej obecność czuło się pomiędzy słowami, niby snujący się zapach spalenizny.

Zastanawiam się, czy Anna była na rozdaniu dyplomów akademii policyjnej, kiedy Jesse kończył tam naukę, i czy wie, że w zeszłym roku jej brat otrzymał wyróżnienie od burmistrza za udział w szczególnie udanej akcji antynarkotykowej. Ciekawe, czy wie, że po jej śmierci tata zaczął pić i popadł w głębokie uzależnienie, z którego potem wyciągnął się z wielkim trudem. Czy wie, że ja zaczęłam uczyć dzieci tańca i że za każdym razem, kiedy widzę parę dziewczynek wykonujących *pliés* przy drążku, myślę o nas, o mnie i o mojej siostrze.

Muszę przyznać, że Anna wciąż potrafi mnie zaskoczyć. Na przykład, blisko rok po jej śmierci mama przyniosła do domu wywołane fotografie z mojej uroczystości rozdania świadectw ukończenia szkoły średniej. Usiadłyśmy przy kuchennym stole i zaczęłyśmy je przeglądać, starając się skupiać uwagę na naszych robionych do zdjęcia uśmiechach, przemilczając fakt, że na każdej fotografii kogoś brakuje.

I wtedy, na zawołanie, jak dżinn z butelki, na ostatnim zdjęciu pojawiła się Anna. Nie było w tym nic niezwykłego – po prostu aparat przeleżał tyle czasu nieużywany. Zobaczyłyśmy ją na plażowym ręczniku, wyciągającą rękę w stronę obiektywu, najwidoczniej niezadowoloną, że robi się jej zdjęcie.

Siedziałyśmy z mamą w kuchni, dopóki słońce nie zaszło. Tak długo wpatrywałyśmy się w Annę, aż wrył się nam w pamięć każdy szczegół, od koloru jej gumki do włosów do wzorku na materiale, z którego uszyte było jej bikini. Wpatrywałyśmy się w to zdjęcie, aż Anna zaczęła rozpływać się nam w oczach.

Dostałam od mamy odbitkę tej fotografii. Nie oprawiłam jej jednak w ramki, ale włożyłam do koperty, zakleiłam i schowałam w szafce na dokumenty, na dnie bocznej szuflady. Wiem, że tam jest; wyciągnę ją tego dnia, kiedy obraz Anny zacznie zacierać mi się w pamięci.

Bo być może kiedyś, pewnego ranka, jej twarz nie będzie pierwszą rzeczą, którą zobaczę po przebudzeniu. Może nadejdzie takie październikowe popołudnie, gdy nie będę mogła sobie dokładnie przypomnieć, w którym miejscu miała piegi na prawej łopatce. Może którejś zimy nie usłyszę już jej kroków skrzypiących w świeżo spadłym śniegu.

Kiedy nachodzą mnie takie myśli, idę do łazienki, unoszę koszulę i dotykam białawych zgrubień blizny. Przypominam sobie, jak z początku wydawało mi się, że szwy układają się w litery i wypisują jej imię. Myślę o jej nerce, która pracuje teraz w moim ciele, i o jej krwi, która krąży teraz w moich żyłach. Anna jest ze mną, zawsze i wszędzie.